# Jak się
# robi
# dzieci

Trzymiesięczny SKUTECZNY PROGRAM
wspomagania płodności

# Jak się robi dzieci

Sami S. David, Jill Blakeway

PRZEŁOŻYŁ
JERZY P. SZYFTER

Prószyński i S-ka

Tytuł oryginału
MAKING BABIES.
A PROVEN 3-MONTH PROGRAM FOR MAXIMUM FERTILITY

Copyright © 2009 by Sami S. David, MD, and Jill Blakeway, LAc


Projekt okładki
Czartart, Izabela Surdykowska-Jurek, Magdalena Muszyńska

Ilustracja na okładce
Julie Capbell – Fotolia.com

Redaktor prowadzący
Anna Godlewska

Redakcja
Małgorzata Połeć-Rozbicka

Łamanie
Alicja Rudnik


ISBN 978-83-7839-178-4


Warszawa 2012


Wydawca
Prószyński Media Sp. z o.o.
02-651 Warszawa, ul. Garażowa 7
www.proszynski.pl


Druk i oprawa
OPOLGRAF Spółka Akcyjna
45-085 Opole, ul. Niedziałkowskiego 8-12
www.opolgraf.com.pl

# Spis treści

# WSTĘP

J edna na osiem par w USA ma problemy z zajściem w ciążę lub z jej utrzymaniem. Gdy kobieta ma ponad 35 lat problem dotyka co trzecią parę, a gdy jest po czterdziestce już co drugą. Wskaźniki te pogarszają się od dziesięcioleci. Obecnie ponad dziewięć milionów amerykańskich kobiet chce się poddać leczeniu niepłodności, przy czym ich partnerzy też potrzebują pomocy. W Polsce niepłodność dotyka 20 procent par, czyli ok. 1,3 miliona. Co piąta para nie może się doczekać potomstwa, ponieważ przynajmniej jedno z partnerów ma kłopoty z płodnością. W skali światowej dramat ten dotyka 10 procent par, w Europie ten odsetek sięga aż 18 procent! Statystyki są zastraszające i niestety liczba par dotkniętych bezpłodnością lub niepłodnością wciąż rośnie...

Jeśli czytasz tę książkę, jesteś prawdopodobnie jedną z nich. A może po prostu planujesz zajść w ciążę i chcesz być do tego jak najlepiej przygotowana. Jakkolwiek by nie było, z pewnością nie jesteś w tym osamotniona, a przed tobą są magiczne wrota. Zachodnia medycyna tylko czeka, aby ci przyjść z pomocą wraz z całym instrumentarium zaawansowanych technologicznie narzędzi i nie będzie szczędziła kosztów.

Nasze podejścia do leczenia cechuje swoista komplementarność. Czerpiemy z tego, co najlepsze w systemach medycznych Wschodu i Zachodu, a także z naszego wspólnie gromadzonego doświadczenia – czterdziestu lat prowadzenia naszych pacjentów (oraz ich czterech tysięcy ciąż). Poprzez tę książkę umożliwiamy wszystkim kobietom – gdziekolwiek by aktualnie nie przebywały – uczestniczyć w wydarzeniach, które w naszych gabinetach rozgrywają się zazwyczaj w cztery oczy, pozwalając im doświadczyć tej samej zindywidualizowanej troski i indywidualnie ułożonych planów działania. „Jak się robi dzieci" to trzymiesięczny program, którego celem jest pomóc kobiecie zajść w ciążę w sposób *najbliższy naturalnemu*.

Gałąź medycyny zajmująca się leczeniem niepłodności skupia się obecnie na agresywnych terapiach chirurgicznych i farmakologicznych oraz na zabiegach z obszaru technologii medycznej. Jest to świat, gdzie w warunkach dużego ciśnienia toczy się gra o wysokie stawki. Ale jeśli chodzi o „Jak się robi dzieci", metody naturalne są wciąż najlepsze. Naszym celem jest więc wspierać u kobiety posiadaną przez nią zdolność urodzenia dziecka, udzielając jej pomocy na poziomie wystarczającym, aby natura mogła wykonać swoje zadanie. Ta „wystarczająca" pomoc jest różna u różnych osób. Czasem wystarczy zalecić zwykłą irygację, kurację antybiotykową, zrzucenie trzech czy czterech kilogramów, a czasem jest to kilka miesięcy podawania chińskich ziół, precyzyjnie zredukowane dawki leków zwiększających płodność lub akupunktura w połączeniu z zapłodnieniem pozaustrojowym (in vitro). Niezmienne jest tylko nasze przekonanie, że zmniejszenie do minimum wykorzystania agresywnych interwencji medycznych będzie dobre dla matki, dla dziecka i dla samego związku. Setki tysięcy rodzin zaistniało dzięki zastosowaniu intensywnych kuracji i agresywnych interwencji medycznych i należy się z tego cieszyć, warto jednak też wiedzieć, że dla wielu kobiet dostępna jest lepsza dla nich droga.

Program „Jak się robi dzieci" ma wielką wartość dla przyszłych rodziców bez względu na to, czy mają dwadzieścia, trzydzieści, czy też czterdzieści lat. Zawiera w sobie odpowiedzi na nurtujące cię wątpliwości (jak i na wszelkie pytania, które chciałabyś zadać) i dotyczy sytuacji, gdy:
• jesteś na etapie zastanawiania się, dlaczego to tak długo trwa,
• właśnie zaczynasz swoją przygodę z tornadem, jakim jest medycyna rozrodu, albo też jesteś zaprawionym w bojach weteranem,
• odmówiono ci zaawansowanej terapii, argumentując, że najprawdopodobniej nigdy nie urodzisz dziecka.

Jeśli próbujesz zajść w ciążę lub tylko rozważasz podjęcie próby zajścia w ciążę, program „Jak się robi dzieci" wiele cię nauczy. Jeśli, na przykład przez pół roku utrzymywałaś kontakty seksualne i nie zaszłaś w ciążę, ten program jest ci potrzebny. Jeśli jesteś kobietą po 35. roku życia, która próbuje zajść w ciążę, lub jeśli próbujesz zajść w ciążę z mężczyzną po czterdziestce, wtedy też ten program jest ci potrzebny. „Jak się robi dzieci" otwiera przed tobą dobrze oznaczoną drogę prowadzącą cię ku ciąży, przy minimalnym zakresie interwencji medycznej. Z naszych szacunków wynika, że połowa kobiet, które poddały się zapłodnieniu in vitro mogłaby sobie sama poradzić, jeśli tylko otoczono by je troskliwą opieką, indywidualnie dopasowaną do potrzeb. Nie zrozum nas źle. Nie mamy absolutnie nic przeciwko stosowaniu wszystkich sztuczek techniki medycznej, abyś tylko zaszła w ciążę. Nie zgadzamy się jednak na wykorzystywanie technik reprodukcyjnych w sposób nieprzemyślany, gdy ich zastosowanie jest zbędne.

## PROGRAM

Tak więc, zanim mocno zainwestujesz (nie tylko finansowo) w metodę in vitro i inne techniki wspomaganego rozrodu, poświęć trzy miesiące na program „Jak się robi dzieci". Zdajemy sobie sprawę, że podobnie jak w przypadku wielu innych naszych pacjentów, zapewne i ty odczuwasz presję, aby jak najszybciej zajść w ciążę. Uroczyście obiecujemy więc, że te kilka miesięcy to będzie dobrze spożytkowany czas.

Program „Jak się robi dzieci" opracowany został z myślą, aby przygotować twoje ciało do zajścia w ciążę w sposób dla ciebie zdrowy i naturalny. Odwołując się do najlepszych w twoim przypadku metod i strategii, będziesz mogła przygotować swoje ciało na to, co powinno wydarzyć się w sposób naturalny, a także poradzić sobie z typowymi, często spotykanymi przeszkodami, jakie mogą stanąć ci na drodze. Szczegółowe, ale łatwo napisane instrukcje wskażą ci, jak wprowadzać zmiany w stylu życia i nauczą cię zasad interweniowania na wczesnym etapie. Wiele kobiet niczego więcej nie potrzebuje: w ciągu dziewięćdziesięciu dni zajdą w ciążę.

Niektóre pary będą musiały poddać się silniejszym kuracjom. Również wtedy program odda im dużą przysługę, bowiem w sposób optymalny przygotuje ich ciało do dalszych podnoszących płodność terapii, zwiększając szansę pełnego sukcesu, a także łatwość, z jaką zostanie osiągnięty. Wstępując na prowadzącą do poczęcia ścieżkę technologii rozrodczych, pary te będą przygotowane fizycznie, ich ciała będą gotowe na przepisane zabiegi medyczne, a umysły pozwolą współdziałać naturze i medycynie bez ulegania stresowi, tym samym krok po kroku realizując plan, którego celem jest dokładne ustalenie – a następnie bezpieczne i skuteczne zlikwidowanie – wszelkich problemów stojących na drodze prowadzącej do biologicznego macierzyństwa. Program „Jak się robi dzieci" został rozszerzony tak, aby wspierał różne techniki wspomaganego rozrodu, stwarzając tym samym najlepsze warunki dla osiągnięcia sukcesu.

Od naszych pacjentów, którzy zaszli w ciążę, stosując się do jednej z poniższych praktyk, dowiesz się, że można:

• posłużyć się antybiotykami, aby pozbyć się zwykłej, bezobjawowej infekcji męskiej spermy,
• przytyć parę kilogramów i wykorzystać zioła i akupunkturę w celu przywrócenia równowagi hormonalnej,
• zwiększyć grubość endometrium (błony śluzowej macicy) za pomocą ziół i akupunktury,
• zmniejszyć ilość śluzu macicy za pomocą aptecznego środka na przeziębienie,
• 2–3 stopnie obniżyć mężczyźnie temperaturę wody w wannie,
• zażywać progesteron, aby zapobiec bardzo wczesnemu poronieniu,
• przywrócić regularne miesiączki i owulacje w przypadku zespołu policystycznych jajników poprzez stosowanie diety redukcyjnej, niskowęglowodanowej,
• zmniejszyć intensywność codziennych treningów, aby zredukować pobudzenie endorfinowe przyczyniające się do powtarzających się, bardzo wczesnych poronień,
• wykonywać irygacje roztworem sody kuchennej,
• zwiększyć ruchliwość plemników i poprawić wyniki morfologii ze słabych na wyśmienite poprzez wyeliminowanie alkoholu i przeanalizowanie sposobu odżywiania się,
• zwiększyć częstotliwość pożycia płciowego,
• zmniejszyć częstotliwość pożycia płciowego,
• przyjmować sterydy, aby osłabić alergiczną reakcję na spermę,
• znacznie obniżyć dawki leków wspomagających płodność używane podczas zapłodnienia pozaustrojowego,
• wykorzystywać zioła i akupunkturę w trakcie przygotowywania się do zabiegu in vitro – po to, by począć w sposób naturalny jeszcze przed wyznaczonym terminem zabiegu.

Rozpoczniemy od przybliżenia sposobu funkcjonowania medycyny rozrodu i wyjaśnienia, dlaczego może on prowadzić do dużego kłopotu. Następnie powrócimy do podstaw i przyjrzymy się, jak funkcjonuje męski i żeński system rozrodczy – i jak one ze sobą współdziałają. Poświęcimy też miejsce twoim wyborom, które mają wpływ na płodność – np. rodzaj wykonywanych ćwiczeń, waga, środowisko, a nawet sposób korzystania z telefonu komórkowego. Tematem następnego rozdziału jest zarządzanie stresem, po którym następują dwa kolejne poświęcone odżywianiu. Dochodzimy już do sedna tej książki: przewodnika, który pozwoli ustalić typ płodności. Opisane tam typy są jakby substratami zawiłej chińskiej wiedzy medycznej, skupiającymi czynniki mające największy wpływ na płodność. Proste listy kontrolne pozwolą ustalić, czy jesteś typem *Tired* (Zmęczonym), *Dry* (Suchym), *Stuck* (Zablokowanym), *Pale* (Bladym) czy *Waterlogged* (Mokrym). Znajomość swojego typu pozwoli ci w trakcie zapoznawania się z pozostałą częścią książki oraz programem „Jak się robi dzieci" skupić się na kwestiach i poradach, które są najlepiej dopasowane do ciebie. Umiejętność identyfikowania i interpretowania subtelnych sygnałów, jakie wysyła twoje ciało pozwoli ci zaoszczędzić czas, energię, pieniądze i strapienia, dając ci możliwość skupienia się na problemach, które powinny być przedmiotem twojej troski w szczególnym stopniu, a także znalezienia metody ich rozwiązania w sposób możliwie najbardziej kompetentny i skuteczny.

Kolejne rozdziały opisują i wyjaśniają typowe (a także niektóre nietypowe) problemy z płodnością, z jakimi borykają się nasi pacjenci, wszystkie te „kto, jak i dlaczego" dotyczące testów, jakim powinnaś się poddać, aby sprecyzować swój problem, a także dostępne (choć nie zawsze konieczne) techniki wspomaganego rozrodu, o których chciałabyś się dowiedzieć. Piszemy o wszystkim, ale ty powinnaś skupić się na kilku uwarunkowaniach, zgodnych z typem, jaki reprezentujesz.

Gdy to wszystko zrobisz, będziesz w pełni przygotowana do rozpoczęcia programu „Jak się robi dzieci". Program zawiera konkretne wskazówki dotyczące trybu życia, zestawione pod kątem zwiększenia płodności, a także porady i zalecenia dotyczące niezbędnych badań, żeby w ciągu zaledwie trzech miesięcy wszystko zostało przygotowane do podjęcia terapii. Program, według którego będziesz prowadzona, zostanie dostosowany do twojego typu płodności. W przypadku kobiet (programem objęci są również mężczyźni) program ma dodatkową warstwę, która pozwala jeszcze lepiej dopasować go do ich potrzeb w oparciu o cykl menstruacyjny. Na przykład typy „zmęczone" nie muszą robić tego samego, co typy „zablokowane". Aby zmaksymalizować korzyści, jakie daje program, może się zdarzyć, że np. zalecenia dla typu Zablokowanego na czas menstruacji mogą nieco odbiegać od zaleceń dla samego tego typu na czas owulacji.

# MEDYCYNA KOMPLEMENTARNA

Działając każde z nas w obrębie swojej dziedziny wiedzy niezliczonej liczbie kobiet dopomogliśmy zajść w ciążę i urodzić dzieci, o których marzyły. Pracując razem, zaobserwowaliśmy ogromne korzyści, jakie płyną z obrania środkowej drogi. Tworzymy świetny zespół. Korzystając w pełni z obu szkół medycyny, wybieramy najlepsze metody odpowiadające ustaleniom dokonanym w wyniku wysoce zindywidualizowanych procedur diagnostycznych. Potem stosujemy je w taki sposób, aby każda strategia najlepiej wspierała wszystkie pozostałe. Korzyści zaczynają się już na poziomie skuteczności (ale bynajmniej się do niej nie ograniczają). Mówiąc prostymi słowami, dzięki naszemu kombinowanemu, łączącemu dwie szkoły podejściu, większej liczbie kobiet zajście w ciążę przychodzi łatwiej niż miałoby to miejsce, gdyby kurczowo trzymały się którejś z nich. Tak właśnie działa medycyna komplementarna.

Jeśli chodzi o niepłodność, zachodnia medycyna regularnie uzyskuje rezultaty, które kiedyś uznano by za cud. Ogromnie zwiększyła się liczba możliwości terapeutycznych dla kobiet mających kłopot z poczęciem. Nie są one jednak wolne od kosztów – i to wielorakich. Wykorzystując zebraną przez tysiąclecia wiedzę, medycyna chińska również potrafi dokonywać rzeczy, które mogłyby być uznane za cud, ale i ona też ma swoje ograniczenia. Zarówno jedna, jak i druga szkoła wydaje się produkować więcej ideologów niż praktyków zdolnych do przyswojenia sobie wiedzy opartej na całkowicie odmiennym paradygmacie. Program „Jak się robi dzieci" jest przęsłem łączącym oba te światy.

Trzy czwarte pacjentów leczących niepłodność, poddając się kuracjom konwencjonalnym, również korzysta z metod alternatywnych. Jeśli należysz do tej grupy, zapewne wiesz, jak trudno jest pogodzić ze sobą oba podejścia, tak by całość miała sens. Niewykluczone, że próbowałaś już rozmawiać ze swoim lekarzem prowadzącym (niezależnie od jego medycznej afiliacji) o tych dodatkowych terapiach i zapewne udało ci się uzyskać jedynie grzeczne przytaknięcie. Program „Jak się robi dzieci" łączy najlepsze terapie obu szkół w jedną całość. Nie masz już do czynienia z kolumną A i kolumną B – teraz obie metody możesz zintegrować w taki sposób, że wspomagają swoje lecznicze oddziaływanie, nie wchodząc ze sobą w szkodliwy dla ciebie konflikt.

Aby ujarzmić skonsolidowaną moc tradycji wschodniej i zachodniej, musisz wiedzieć, jak się do tych tradycji stosować i jak je przekładać na codzienną praktykę, aby sprawić, że się nawzajem wspierają i przyspieszają wyleczenie, a nie opóźniają je lub – co byłoby jeszcze gorsze – występują przeciwko sobie. Jako osoba nieprzygotowana nie możesz tego dokonać na własną rękę, a fachowców, którzy mogli by ci pomóc nie ma wielu i często są daleko. Nasi pacjenci przychodzą do nas przez wzgląd na autentycznie integracyjne podejście. Chcieliby otrzymać kompleksowy plan terapii, w którym to co najlepsze w medycynie alternatywnej zostało połączone z tym co najlepsze w medycynie konwencjonalnej. Szukają pomocy w oszacowaniu ryzyka i korzyści, jakie wiążą się z dokonanymi wyborami. Na początek chcą wypróbować metody najbliższe naturalnym. Potrzebują jednak również wiarygodnej porady odnośnie momentu, w którym powinni rozważyć zastosowanie jednej z technik wspomaganego rozrodu. „Jak się robi dzieci" napisaliśmy właśnie po to, aby wszyscy, którzy nie mogą odwiedzić nas w naszych gabinetach mogli znaleźć odpowiedź na swoje pytania.

Chcieliśmy, aby to wszystko zachowało się na kartach tej książki. Mamy nadzieję, ze również ty docenisz zabawne aspekty analizy śluzu szyjki macicy, dyskusji nad wyborem „twojego osobistego" zapachowego środka poślizgowego i szybkiej dezercji z biura, aby odbyć w domu szybki stosunek, bo diagram płodności wskazuje, że właśnie teraz jest TEN MOMENT. Najbardziej jednak zależy nam na tym, aby każdego pacjenta potraktować poważnie, przyjmując za punkt wyjścia, że jest to odrębna istota, której problemów nie można skutecznie rozwiązać według zaleceń medycznej książki kucharskiej, czy też w przypominające fabrykę klinice. Nie ma powodu, aby ten radosny wysiłek, jaki wkładamy w to, aby ludzie mogli mieć dziecko miał być śmiertelnie nudny. Ostatecznie, czy nie chodzi o to, aby na świecie było jeszcze więcej miłości?

Dzień w dzień, czasem oddzielnie, czasem razem, przebijamy się przez skomplikowane przypadki, pracując z kobietami ze wszystkich części kraju i świata. Szukamy wszędzie i wszystkie ewentualności są przedmiotem naszej uwagi. Widzimy w tym naszą misję i najważniejsze zadanie. Gdy już uda się ustalić, co stoi na przeszkodzie udanej, zdrowej ciąży, robimy wszystko, aby usunąć tę blokadę, przy czym zawsze staramy się podejmować działania najbliższe samej naturze.

Krótko mówiąc, przyświeca nam jeden cel: sprawić, aby kobieta zaszła w ciążę – nawet wtedy, gdy zawiodły wszystkie inne metody. Czasem przystępujemy do działania już wtedy, gdy wystąpienie problemu jest jedynie możliwością. Mamy wtedy ogromną satysfakcję nie tylko z faktu, że pomogliśmy komuś w zostaniu rodzicem, ale również z tego, że oszczędziliśmy im mnóstwo czasu, wysiłku, ryzykownych terapii i strapień. I chcielibyśmy, żeby dokładnie tak samo odbywało się w programie „Jak się robi dzieci".

# CZĘŚĆ PIERWSZA
## Jak się robi dzieci

# ROZDZIAŁ 1

## Nowoczesne metody leczenia bezpłodności: ryzyko związane z nadużywaniem fantastycznych (czasem) technologii

Pamela została poddana dziesięciu cyklom zapłodnienia in vitro w trzech różnych ośrodkach, ale nigdy nie zaszła w ciążę. Kilku najlepszych nowojorskich lekarzy specjalizujących się w leczeniu niepłodności powiedziało jej, że zbyt długo zwlekała z zajściem w ciążę (39 lat) i prawdopodobnie jej jajeczka są uszkodzone.

W ciągu dziesięciu lat starań o dziecko lekarze poddali Evelyn pięćdziesięciu cyklom farmakologicznego leczenia bezpłodności i zastosowali naprawdę silne leki. Jej organizm wytworzył setki jajeczek, ale w ciążę nie zaszła. Żaden z czterech prowadzących lekarzy nie zastanowił się przez chwilę, co jest przyczyną jej problemów.

Z kolei Stephanie podczas przygotowań do pierwszego zabiegu zapłodnienia pozaustrojowego, jakiemu miała być poddana w najlepszej klinice w mieście, przyjęła solidne dawki leków stymulujących płodność. W rezultacie lekarze pobrali mnóstwo jajeczek, wyhodowali dziewięć zarodków, które poddali rutynowym testom, w wyniku których stwierdzili, że wszystkie z nich są genetycznie uszkodzone. Mimo że wcześniej sami zaoferowali jej próbę zabiegu in vitro, teraz orzekli, że nic nie są w stanie zrobić ze względu na jej wiek (41 lat). Na szczęście, wszystkie te kobiety w końcu zaszły w ciążę i urodziły dzieci. Mniej radosny jest już fakt, że musiały poddać się trudnym, niepotrzebnym i nieskutecznym zabiegom, zanim ktoś odkrył przyczyny trudności z zajściem w ciążę i sposób poradzenia sobie z nimi. Jeszcze bardziej przykre jest to, że perypetie tych kobiet nie są ani sporadyczne, ani wyjątkowe. Rozpowszechnione obecnie podejście do leczenia niepłodności jest źródłem wciąż nowych historii, podobnych do opisanych powyżej.

Technikom reprodukcyjnym zawdzięcza swoje istnienie wiele rodzin i nie jest naszą intencją kwestionowanie szczęścia, jakie mogą one przynieść ludziom. Życzylibyśmy sobie jednak, aby technologiczne sukcesy medycyny były sukcesami *nieskażonymi*, a więc aby technologia była stosowana jedynie wtedy, gdy jest to konieczne. W pozostałych przypadkach ludzie powinni móc liczyć na taką pomoc, jakiej potrzebują, aby począć i urodzić dzieci w sposób najbardziej zbliżony do naturalnego. Jest to bowiem najbardziej przyjazny dla organizmu, najbezpieczniejszy i najskuteczniejszy sposób – nawet wtedy, gdy mamy do czynienia z poważnymi problemami z płodnością. Według Amerykańskiego Towarzystwa Medycyny Rozrodczej (ASRM), w każdej setce dzieci, które obecnie rodzą się w Stanach Zjednoczonych jest jedno poczęte przy wykorzystaniu technik wspomaganego rozrodu. Na całym świecie, dzięki zastosowaniu zapłodnienia pozaustrojowego, przyszło na świat ponad trzy miliony dzieci, z tego ponad 400 tysięcy w Stanach Zjednoczonych. Corocznie w USA około 250 tysięcy rodzin zastanawia się nad skorzystaniem z metody in vitro, a połowa z nich podejmuje próbę zapłodnienia tą drogą. Zabiegowi poddają się w wybranej przez siebie klinice – jednej spośród 461 działających na terenie kraju.

Od czasu wprowadzenia przed trzydziestoma laty techniki zapłodnienia in vitro liczby mocno poszły w górę. W okresie 1992–2002 liczba urodzeń, do jakich doszło w następstwie zastosowania technik wspomaganego rozrodu wzrosła ponad dwukrotnie. Raport opublikowany w 2004 roku przez Centrum Zwalczania i Zapobiegania Chorób (CDC) podaje liczbę 50 tysięcy dzieci, które przyszły na świat na przestrzeni tego roku w wyniku zastosowania technik wspomaganego rozrodu. Sześć lat wcześniej liczba ta wynosiła zaledwie 28 tysięcy, co zostało uznane za dowód gwałtownego wzrostu wykorzystania tych metod. Z upływem lat charakter tej branży medycznej zmieniał się w takim samym tempie jak przyrost liczby dzieci urodzonych w wyniku zastosowania technik wspomaganego rozrodu, przy czym decyzja o skorzystaniu z zapłodnienia pozaustrojowego przestała być dostępną jedynie dla nielicznych, a sam zabieg dla każdego niedoszłego rodzica z „ostatniej deski ratunku" przeistoczył się w pierwszoplanowy wybór.

Obojgu nam regularnie zdarza się cieszyć wraz z pacjentami w chwili, gdy przynoszą do domu dzieci narodzone dzięki fantastycznym zdobyczom techniki medycznej. Zawsze jest to dla nas wielka radość. Oboje jesteśmy też zadowoleni z faktu, że mamy dokąd kierować pacjentów w sytuacji, gdy nasza wiedza i doświadczenie nie mogą im pomóc. Pod pomyślnymi wieściami kryje się jednak niewesoła prawda: techniki wspomaganego rozrodu, a w szczególności zapłodnienie in vitro są często nadużywane – poddanie się takim zabiegom jest zalecane pacjentom zbyt często. Znaleźliśmy się w tym punkcie z powodu specyficznej kultury, jaka rozpleniła się w społeczeństwie i przeniknęła do medycyny reprodukcyjnej i która przejawia się dążeniem do szybkiego rozwiązania problemu bez rozpatrywania innych możliwości, czy brania pod uwagę ewentualnych powikłań. Dla kultury tej, która na pierwszy plan wysuwa osobistą korzyść, technika stanowi wartość samą w sobie. Ten dość ponury obraz należałoby uzupełnić zagrożeniami i efektami ubocznymi wiążącymi się z samymi stosowanymi metodami. Bazując na doświadczeniach, jakie zebraliśmy pracując z tysiącami pacjentów trafiających do nas na różnych etapach leczenia niepłodności, a także na podstawie informacji uzyskanych od naszych kolegów szacujemy, że połowa wszystkich kobiet poddawanych zabiegowi zapłodnienia pozaustrojowego mogłaby począć w sposób naturalny, bądź też przy niewielkiej pomocy medycznej. Nie jest to teza bez pokrycia z gatunku „najlepszych praktyk lekarskich", gdyż konsekwencje leczenia niepłodności są daleko idące zarówno dla kobiet, jak i ich partnerów oraz rodzin – nawet wtedy, gdy wszystko poszło dobrze. Jeśli natomiast zabieg się nie uda, niepowodzenie nakłada się kolejną bolesną warstwą na wcześniejsze doświadczenia, które były niezmiernie stresujące i wyczerpujące zarówno pod względem fizycznym i emocjonalnym, jak i finansowym. Dumni rodzice dzieci urodzonych dzięki metodzie in vitro powiedzą, że osiągnięty rezultat był wart wszystkiego, przez co przeszli. Ale ważniejsze od odpowiedzi na pytanie, „czy było warto?", jest rozstrzygnięcie kwestii, czy to wszystko było *konieczne*. Technologie medyczne mogą czynić cuda, ale aby można było je uznać za dobrze wykorzystywane, muszą być mądrze stosowane. Jako społeczeństwo nie posiedliśmy jeszcze tej mądrości. Istnieje jednak lepsza metoda, która została wypracowana w ramach programu „Jak się robi dzieci". W największym skrócie jej przesłanie głosi: korzystaj ze wszystkich dostępnych opcji *we właściwy sposób i w odpowiednim czasie*, wybierając zawsze metody najbardziej zbliżone do naturalnych i najlepsze dla pacjenta (dające najwięcej nadziei na upragniony efekt). Prawda jest bowiem taka, że starannie postawiona diagnoza, podstawowa wiedza na temat płodności i proste, ale szczegółowo opracowane wskazówki dotyczące diety i trybu życia, umożliwiłyby wielu kobietom poczęcie w sposób bliższy naturalnemu. Jeśli interwencja farmaceutyczna bądź jakakolwiek inna okazuje się niezbędna, stosowanie minimalnych dawek leków i jak najmniej inwazyjnych procedur medycznych minimalizuje ryzyko, jak również nieprzyjemne skutki uboczne, a jednocześnie zwiększa wskaźnik terapii zakończonych powodzeniem.

Historie opisane na początku tego rozdziału są dobitną ilustracją istniejących możliwości. Pamela, która przeszła dziesięć prób zapłodnienia pozaustrojowego, a następnie otrzymała diagnozę mówiącą o „uszkodzonych jajeczkach" – jak się okazało – miała blizny po usuniętych mięśniakach, które uniemożliwiały jajeczkom przedostanie się do jajowodów. Poddała się zabiegom in vitro, aby ominąć problem tkanki bliznowatej, co jest dość typowym podejściem do tego problemu. Jednak z jakichś powodów metoda in vitro nie okazała się w jej przypadku skuteczna, choć pozwalała na ominięcie istniejącej przeszkody. Gdy zwróciła się do mnie (Sami), zaleciłem chirurgiczne usunięcie blizn, bowiem nie znalazłem innych przyczyn jej problemu. Po dwóch miesiącach od przeprowadzenia zabiegu Pamela była w ciąży – bez stosowania żadnych leków.

Ewelina zaczęła zażywać leki zwiększające płodność już przed trzydziestym rokiem życia. W wieku lat 40 zaszła w ciążę po jednej kuracji antybiotykowej, która zlikwidowała infekcję mykoplazmową w śluzie szyjki macicy. Dwa lata po narodzinach córki urodziła syna, przy czym zaszła w ciążę od razu, bez potrzeby poddawania się jakiemukolwiek leczeniu.

U Stefanii, której wszystkie embriony wykazały anomalie genetyczne, potwierdziła się prawidłowość, którą mieliśmy możliwość obserwować aż nazbyt często: wstrzykiwanie dużych dawek środków stymulujących płodność powodowało, że u starszych kobiet jajeczka miały tendencję do nieprawidłowości chromosomalnych. Jak na kobietę czterdziestoletnią Stefania otrzymała zbyt wiele leków na zwiększenie płodności. Moja rada (Sami) sprowadzała się do zalecenia mniejszej dawki tego samego leku. Tym razem jej jajeczka i embrion rozwijały się prawidłowo – a później także jej młodszy syn.

Nie jest naszym celem budowanie w kimkolwiek uprzedzenia do metody zapłodnienia in vitro czy jakiejkolwiek innej techniki wspomaganego rozrodu. Chcielibyśmy tylko, aby każdy, kto chce obrać ten kierunek miał oczy szeroko otwarte, a także żeby wiedział, jeszcze zanim podejmie decyzję o wyborze właśnie tej drogi, że przez las prowadzi wiele innych ścieżek, które są łatwiejsze, bezpieczniejsze, szybsze i tańsze. Wszystkie one prowadzą do tego samego miejsca, ale aby poznać różnicę między twoim wyobrażeniem a tym, co jest naprawdę, musisz najpierw przyjąć do wiadomości, że masz możliwość wyboru, a techniki wspomaganego rozrodu są tylko jedną (a nie jedyną) spośród dostępnych opcji.

## NIECIERPLIWI PACJENCI

Przylepimy tu wiele łatek lekarzom i medycynie rozrodczej, jednak odbiorcy ich usług też powinni pamiętać, że nie są bez winy i powinni przyjrzeć się swojemu postępowaniu. Większość par z utęsknieniem czekających na dziecko i mających świadomość, że czas nie jest tu bez znaczenia, pragnie rozwiązać swój problem jak najszybciej. Wiele z nich sądzi, że jedyna szansa, jaką mają jest w technologii. Ludzie borykający się z niepłodnością czują się bezradni i z całą desperacją gotowi są spróbować czegokolwiek, co daje im szansę urodzenia dziecka, a jednocześnie nie przykładają należytej staranności i nie wykonują krytycznej analizy. Choć duża część odpowiedzialności spoczywa oczywiście na lekarzach, większość pacjentów decyduje się na zapłodnienie pozaustrojowe bez zapoznania się z innymi (z reguły dużo lepszymi) możliwościami.

Opracowaliśmy ten program mając na uwadze zarówno jego prostotę, jak i skuteczność. A nawet jeśli sam program w twoim przypadku nie wystarczy, przygotuje cię zarówno fizycznie, jak i mentalnie do podjęcia kolejnych kroków i zwiększy do maksimum twoje szanse na ostateczny sukces.

## NIECIERPLIWI LEKARZE

Aby nikt sobie nie pomyślał, że winą obarczamy ofiary, teraz dostanie się od nas medycznej profesji. Na przestrzeni ostatnich trzech dekad obserwowaliśmy od środka, jak przemysł medycyny rozrodczej przeżywał niesłychany rozwój. Z prawdziwą przykrością też donosimy, że nazbyt często kultura, jaka zdominowała współczesną medycynę rozrodczą, przynosi więcej szkody niż pożytku. Pacjenci cierpiący na niepłodność są często zagubieni i zdesperowani, co sprawia, że są też bardzo podatni na perswazję i niektórzy lekarze to wykorzystują. Powodowani życzeniem pacjenta, aby sprawę załatwić jak najszybciej, naciskami finansowymi, nadmiernym entuzjazmem, chciwością lub zwyczajną bezmyślnością zalecają kobietom drastyczne zabiegi, niepotrzebnie narażając ich na wydatek, stres i ryzyko, jakie towarzyszy metodzie zapłodnienia in vitro. Lekarzom często nie udaje się nawet postawić pacjentowi poprawnej diagnozy, a nawet jeśli taka diagnoza została sformułowana, pierwszeństwo mają rozwiązania technologiczne. Wielu z nich nie przedstawia parom wszystkich dostępnych w ich przypadku możliwości leczenia, ani też nie kłopocze się ich zgłębianiem, ocenianiem i objaśnianiem.

Pieniądze skorumpowały służbę zdrowia od dołu do góry, przy czym nigdzie nie jest to widoczne wyraźniej niż w medycynie rozrodczej. Stała się bardziej przemysłem niż gałęzią nauk medycznych, a do tego jest wysoce skomercjonalizowana. Za śmiesznie wysokie stawki wykonywane są niezmiernie dochodowe testy i badania, często bez żadnej korzyści dla pacjenta (choć finansowa korzyść lekarza jest duża). Jeden z naszych pacjentów piastujący kierownicze stanowisko w reklamie skomentował to tak: „Lekarze zajmujący się płodnością są mistrzami marketingu." Nie ulega wątpliwości, że nie jest to wiedza, na której ci najbardziej zależy, gdy myślisz o kompetencjach swojego lekarza.

Niektórzy lekarze specjalizujący się w kwestiach płodności przepisują pacjentom zbyt duże dawki leków, nie mówią im o niekorzystnych aspektach kuracji, zaniedbują poinformowania o innych (mniej dla nich opłacalnych) metodach leczenia, które mogą przynieść takie same rezultaty i/lub są mniej inwazyjne, odmawiają pomocy osobom, których przypadki wydają się trudne (wskaźnik powodzenia kuracji pełni dla nich rolę marketingowej dźwigni), a w rzadkich, skrajnych przypadkach dopuszczają się oszustw, podmieniając na przykład embriony.

Oczywiście, na rynku działa wielu obdarzonych talentem i pełnych dobrych intencji lekarzy praktyków. Ale nawet ci czerpią ogromne korzyści z agresywnego wykorzystania techniki medycznej i tylko naprawdę nieliczni potrafią oprzeć się temu trendowi. Co więcej, są wśród nich nieodpowiedzialni praktycy, którzy psują opinię całej profesji. Nawet jednak, gdyby wszyscy lekarze zajmujący się leczeniem płodności byli bez zastrzeżeń, sam przemysł jest przeraźliwie niedoregulowany. Podsumowując: sposób, w jaki prowadzi się obecnie leczenie niepłodności, nasuwa wiele wątpliwości.

## CO JEST Z TOBĄ NIE TAK?

Większość trafiających do nas pacjentów konsultowała się w przeszłości przynajmniej z jednym lekarzem. Gdy pytamy ich, jaką otrzymali diagnozę, ośmiu na dziesięciu odpowiada, że nie wie. Co jednak zatrważające, *nie wiedzą tego również ich lekarze*. Obecne podejście do medycyny rozrodu sprawia, że diagnoza postrzegana jest jako coś bez większego znaczenia. *Po cóż łamać sobie głowę, dlaczego ona nie zachodzi w ciążę, przecież i tak dostanie od nas leki* – rozumują lekarze. Albo: *Po cóż mi wiedzieć, czy on produkuje zdrową spermę w normalnej ilości; dla nas starczy plemników, abyśmy mogli je w zabiegu in vitro połączyć z jajeczkami*. Dominuje obecnie przeświadczenie, że lekarze dysponują większą mocą niż sama matka natura i mogą zmusić ciało kobiety do zajścia w ciążę.

To nie jest dobry sposób uprawiania medycyny, my uważamy go wręcz za gorszący. Nawet gdybyśmy przeszli nad tym wszystkim do porządku dziennego, takie podejście po prostu nie ma sensu. Jeśli liczba plemników w nasieniu jest niska, dlaczego nie spróbować jednego z łatwych sposobów poprawienia tej sytuacji, zamiast planować od razu poważny zabieg? A jeśli sperma nie jest zdrowa, czy naprawdę chcesz ją wykorzystać w metodzie in vitro do zapłodnienia z trudem uzyskanych jajeczek? Jedyną funkcją leków stymulujących płodność jest zmuszenie organizmu do uwalniania większej liczby jajeczek. Nie pomogą one jednak, jeśli problemem jest niepełnowartościowa sperma, infekcja lub obecność jakichś toksyn w środowisku. Choćbyś produkowała mnóstwo jajeczek, jeśli sperma nie może się do nich przedostać albo do nich przeniknąć, albo jeśli ciało nie może takiego jajeczka zagnieździć lub utrzymać, gdy już się zagnieździło – nie jesteś ani ciut bliżej urodzenia dziecka. Leki zwiększające płodność mogą sprawić, że uwolnionych zostanie więcej jajeczek, ale nie uczynią przez to kobiety bardziej płodną.

Pierwszą rzeczą, którą powinno się uczynić, pracując w tym fachu, to ustalić, dlaczego kobieta nie zachodzi w ciążę. Około 10 procent wszystkich par mających kłopoty z płodnością nigdy nie dowie się, dlaczego nie następuje poczęcie. Medycy wzruszają ramionami i mówią tym ludziom, że jest w tym jakaś tajemnica. Proponuje im się zabiegi z grupy technik wspomaganego rozrodu, ale jeśli nie wiadomo, na czym polega problem, który usiłuje się naprawić, wynik pozostaje mocno niepewny. Niemożliwe jest bowiem przepisanie pacjentowi najlepszej kuracji bez pogłębionego rozpoznania istoty jego problemu. To, co sprawdza się w przypadku niedrożności jajowodów, nie będzie dobre dla kogoś, kto ma bakteryjną infekcję uniemożliwiającą zagnieżdżenie się jajeczka, a z kolei to, co jest dobre dla tej osoby, nie sprawdzi się w przypadku kogoś, kto zwyczajnie nie wie, kiedy ma owulację i kiedy jest najlepszy moment na odbycie stosunku.

## NADUŻYWANIE ZAPŁODNIEŃ IN VITRO

Specyficzna kultura, jaka ukształtowała się zarówno wśród lekarzy, jak i pacjentów sprawiła, że medycyna rozrodu zeszła na manowce, a jest to widoczne szczególnie wyraźnie w dziedzinie zapłodnień pozaustrojowych. Skłonni jesteśmy postawić tezę, że nawet w przypadku najlepszych praktyk lekarskich, pacjenci zbyt często kierowani są na zabieg in vitro, często bez uprzedniego rozważenia wszystkich możliwości, a co więcej, rozwiązanie to jest mocno forsowane.

Tak jak i w innych dziedzinach medycyny, usługi zapłodnienia pozaustrojowego podlegają procesowi postępującej specjalizacji. W rezultacie do dyspozycji pacjentów jest coraz więcej klinik zajmujących się wyłącznie zabiegami zapłodnienia in vitro. Znane powiedzenie psychologa Abrahama Maslowa mówi, że „jeśli młotek jest jedynym narzędziem, jakie posiadasz, każdy problem wydaje ci się gwoździem". W obecnych czasach lekarze od in vitro wbijają gwoździe tak szybko i tak mocno, jak tylko potrafią.

Sposób, w jaki kobiety są „przepuszczane" przez kliniki przeprowadzające zapłodnienia pozaustrojowe, często przypomina traktowanie zwierząt hodowlanych. Lekarze znają zalecaną kurację, zanim jeszcze zobaczą pacjenta. Tworzą wokół siebie aurę osób bardzo zajętych, nie mają więc czasu na kontakt z każdym pacjentem. Bardziej ich absorbują wskaźniki udanych interwencji niż poszczególni pacjenci. Większość lekarzy gotowych jest użyć wszelkich argumentów, aby tylko przekonać kobietę, że potrafią sprawić, iż zajdzie w ciążę. Potem, jeśli jednak okazuje się, że nie potrafią, całą winę przerzucają na pacjentkę, mówiąc jej, że jej jajeczka są „złe". Już na samym początku wytaczane są najcięższe działa, niemal nigdy natomiast nie podejmuje się wysiłku wypróbowania wszystkich możliwości działań lżejszego kalibru, które mogą mieć zastosowanie u danego pacjenta. Rzadko się zdarza, aby kobiecie, która przestępuje próg jednej z tych klinik nie powiedziano od razu, że nie obejdzie się bez zabiegu zapłodnienia in vitro. To tak, jakby każdemu pacjentowi kardiologa mówić, że niezbędna będzie operacja serca.

Z drugiej strony, wiele kobiet jest odsyłanych przez kliniki z kwitkiem, przy czym nie wskazuje się im żadnego kierunku dalszych działań i nie informuje o innych możliwościach, za wyjątkiem może sugestii, że można byłoby spróbować z jajeczkami pobranymi od dawcy. W tym systemie praktycznie zrezygnowano z leczenia kobiet z wysokim poziomem hormonu folikulotropowego (poziom tego hormonu rośnie z wiekiem), wychodząc z założenia, że nie zareagują one dobrze na standardowe terapie. Proszę wyobrazić sobie onkologa, który odmawia leczenia pacjenta, argumentując, że przypuszczalnie nie zareaguje on dobrze na leki, i który dobiera sobie pacjentów według prawdopodobieństwa, że ich leczenie zaowocuje szybkim sukcesem. Jednak wiele klinik nie wydaje się mieć problemu z odsyłaniem do domu gorzej rokujących pacjentek. Nigdy nie tracą z pola widzenia swoich słupków w statystykach wyleczeń, które corocznie przedstawiają publikującym je agendom rządowym. Jeśli wkroczyłeś już na ścieżkę wytyczoną przez techniki wspomaganego rozrodu, zapewne wiesz, o czym tu mówimy. Co w pierwszym rzędzie sprawdziłeś, gdy wybierałeś sobie lekarza? Możemy się założyć, że była to jego skuteczność.

Dzieje się tak pomimo, że sam tylko poziom hormonu folikulotropowego nie odzwierciedla dobrze szans na udaną prokreację, choć może zapowiadać ewentualne fiasko zabiegu in vitro. Jest wiele innych rozwiązań dostępnych dla kobiet o wysokim jego poziomie, które umożliwią im poczęcie w sposób naturalny, albo odpowiednio przygotują organizm do zapłodnienia pozaustrojowego.

# ZABAWA W PANA BOGA

Na początku lat osiemdziesiątych byłem (Sami) pierwszym nowojorskim lekarzem, który przeprowadził udaną operację zapłodnienia pozaustrojowego. Co prawda, był też zespół, ale to ja wydobyłem jajeczka, a następnie po ich zapłodnieniu zagnieździłem je ponownie. Osadziłem w macicy klaster komórek, który dał początek pierwszemu w mieście dziecku poczętemu poza łonem kobiety.

I nie byłem z tego dumny.

Czułem się, jakbym odgrywał Pana Boga, ale nie bawiło mnie to. Nie podobało mi się, że życie przechodzi przez moje ręce w sposób niemal namacalny. Było to surrealistyczne doświadczenie, które wciąż żyje w mojej pamięci: stojący z lewej strony embriolog wręcza mi strzykawkę z zawieszonymi w płynie trzema bąbelkami powietrza i mówi, że wśród tych bąbelków są cztery embriony. Pomyślałem wtedy: w tej niewielkiej strzykawce znajdują się dzieci.

Nie przychodzi mi do głowy nic, co dawałoby więcej satysfakcji niż pomoc w poczęciu dzieci ludziom, którzy ich pragną, ale już wtedy miałem świadomość, że nie chcę tego robić w taki sposób. Wiedziałem, że znajduję się w samym centrum wielkiej rewolucji, której znaczenie wykracza poza medycynę i dotyczy całej ludzkości, ale zdawałem sobie też sprawę, że to nie jest moja droga, że nie mogę brać w tym udziału. Nie w ten sposób.

Większość moich kolegów patrzyła na to inaczej. Choć nasze przygotowanie zawodowe było w gruncie rzeczy takie samo, niemal wszyscy przeorientowali się na świadczenie usług zapłodnienia in vitro. Teraz jestem im często wdzięczny, że oni tam są, gdy zachodzi potrzeba skierowania do nich pacjenta, no i za to, że dzięki ich pracy na świat przyszło mnóstwo dzieciaków.

Jednak tak mocne przesunięcie akcentów w medycynie rozrodu w stronę zabiegów zapłodnienia pozaustrojowego ma swoje plusy i minusy. W swoich krańcowych przejawach przybrała ona postać klinik – fabryk embrionów, serwujących wszystkim identyczne terapie, w których lekarze przepisują kuracje, nie wiedząc, co właściwie leczą. To jak leczenie symptomu bez podejmowania starań, aby dowiedzieć się, jakie schorzenie go wywołuje. W trakcie tej całej euforii umknęła nam część posiadanej wcześniej wiedzy i przestaliśmy dostrzegać inne rozwiązania, zarówno te wypracowane dawniej, jak i nowe.

Obecnie skupiam się w mojej praktyce lekarskiej na farmaceutycznych, a także chirurgicznych metodach leczenia niepłodności kobiet w każdym wieku, przy czym specjalizuję się w powtarzających się poronieniach i przypadkach kobiet w wieku powyżej 39 lat. Uważam się za lekarza tradycyjnego typu, leczącego metodami konwencjonalnymi. Niektórzy mogliby powiedzieć, że jestem „staroświecki" (odbywałem wizyty domowe), ale stosuję też wiele najnowocześniejszych technik. Choć jestem chirurgiem, najpierw staram się leczyć niepłodność metodami ogólnomedycznymi, a do chirurgii odwołuję się jedynie wtedy, gdy jest to konieczne. Do sali operacyjnej trafia jedynie około 10 procent moich pacjentów. Wychodzę z założenia, że im mniej inwazyjna jest kuracja, tym lepiej dla pacjenta (oczywiście, musi być jeszcze skuteczna). Nie przepisuję nikomu leków zwiększających płodność, chyba że muszę, ale dzieje się tak w mniej niż połowie przypadków. A gdy już je przepisuję, zalecane przeze mnie dawki to jedna czwarta tego, co na ogół zalecają lekarze specjalizujący się w zapłodnieniach in vitro. Część par, które prowadzę, powinna zażywać lekarstwa, ale niekoniecznie lekarstwa wspomagające płodność – mogą to być, np. antybiotyki albo sterydy. Niektórym pomaga już apteczne lekarstwo na kaszel albo zwykła aspiryna. Na innych działa wykonana przed stosunkiem irygacja z sody kuchennej.

Dobieram pacjentowi terapię, która będzie dla niego najlepsza, a nawet kieruję ich na zabieg zapłodnienia pozaustrojowego – czynię tak jednak jedynie wtedy, gdy jest to naprawdę konieczne. Preferuję metody najłagodniejsze, ale takie, które jednocześnie gwarantują oczekiwany efekt. Gdy naturalne metody nie działają, jestem zwolennikiem stosowania bardziej agresywnych terapii. Niemal zawsze dobrze wykonana praca detektywistyczna pozwoli ustalić przyczynę niepłodności, a tym samym wskazać odpowiedni sposób leczenia.

## W CZYM TKWI PROBLEM?

Zapłodnienie pozaustrojowe (in vitro) jest najczęściej obecnie stosowaną metodą wspomaganego rozrodu, najczęściej jest też nadużywaną. Oczywiście, nadużywane są też inne techniki, które pacjenta biją nawet mocniej po kieszeni – np. genetyczne badania przesiewowe czy docytoplazmatyczna iniekcja plemnika (obie te metody omawiamy w rozdziale 25). Ogólnie rzecz biorąc, techniki wspomaganego rozrodu silnie dotykają wszystkich pacjentów od strony fizycznej, emocjonalnej i finansowej.

Stosowane w nich leki i techniki, oprócz nieprzyjemnych, nawet jeśli tylko chwilowych efektów ubocznych, stwarzają krótko- i długoterminowe zagrożenia dla zdrowia matki i dziecka. Częstym zjawiskiem są stres i problemy emocjonalne, które pojawiają się nawet wtedy, gdy wszystko idzie dobrze, są szczególnie silne, gdy tak nie jest. To wszystko nakłada się na zwykły fizyczny wysiłek, jaki nieodłącznie związany jest z przechodzeniem całej tej procedury. Wśród innych dolegliwości trzeba wspomnieć o zamieszaniu, jakie kuracja wprowadza w osobiste i zawodowe życie ludzi. Wizyty (a jest ich wiele) często są planowane bardziej z uwagi na wygodę lekarzy i personelu medycznego niż dobro pacjenta. Jakkolwiek by nie było, trzeba je jakoś wcisnąć w już i tak wypełnione różnymi sprawami życie. Jeśli o szóstej rano złożyłbyś wizytę w klinice zajmującej się leczeniem niepłodności, zobaczyłbyś najprawdopodobniej rządek kobiet czekających w kolejce na pobranie krwi lub na USG. Wszystko to z myślą o celu, którego osiągnięcie nie jest bynajmniej zagwarantowane.

Nawet gdyby zalecenie zabiegu in vitro było zawsze poprzedzane uważnym i roztropnym namysłem, w dalszym ciągu błędem byłoby poleganie na tej metodzie tak bezgranicznie, jak czyni to medycyna rozrodu w swoim głównym nurcie i to po prostu dlatego, że prawdopodobieństwo niepowodzenia jest zbyt wielkie. Choć wskaźniki udanych zabiegów bardzo podwyższyły się w porównaniu z początkami ery zapłodnienia pozaustrojowego, a każdy rok przynosi dalszą ich poprawę to szanse, że będzie się miało zdrowe, donoszone dziecko już po jednym cyklu wynoszą 30–40 procent (pełna rozpiętość wskaźnika to 10–50 procent, bowiem występuje silna zależność od wieku matki). Jeden z najlepszych w kraju programów zapłodnień pozaustrojowych chwali się, że 47 procent kobiet w wieku poniżej 35 lat wraca do domu z dzieckiem poczętym w jednym cyklu zapłodnienia in vitro. Choć jest to najlepszy program, a pacjenci są wybierani pod kątem największej szansy na udane zapłodnienie, wciąż tylko mniej niż połowie pacjentów udaje się osiągnąć to, po co tu przyszli.


## PO CO WYSTAWIAĆ SIĘ NA RYZYKO?

Zagrożenia zdrowotne wielu leczących bezpłodność kuracji są często pomijane – nie tylko przez lekarzy, którym nie zależy na ich nagłaśnianiu, ale także przez pacjentów, którzy po prostu nie chcą o nich myśleć. Ryzyko jest jednak istotnym elementem, którego nie można pominąć, jeśli chce się uzyskać pełen obraz sytuacji. *Zagrożenia nie są może duże, ale realne.* Negatywne objawy – u matek i u dzieci – są częściej obserwowane w przypadku dzieci poczętych w wyniku zastosowania technik wspomaganego rozrodu niż w przypadku dzieci poczętych w sposób naturalny. Jeśli już próbowałaś którejś z tych technik, ryzyka te powinnaś mieć na uwadze. Prawdę mówiąc, wszyscy powinni mieć ich świadomość, bowiem może nadejść czas, gdy właśnie skorzystanie z którejś z tych technik okaże się dla ciebie słusznym rozwiązaniem. Chcielibyśmy, aby wszystkie starające się o dziecko pary zrozumiały, że żadne ryzyko nie jest ryzykiem koniecznym. Boli nas, gdy ludzie wystawiają się na potencjalne zagrożenia, gdy dostępne są bezpieczniejsze opcje.

Naszym celem nie jest wystraszenie kobiet, lecz wyjaśnienie, dlaczego techniki wspomaganego rozrodu powinny być traktowane jako „ostatnia deska ratunku". Ryzyko jest warte podjęcia, ale nie ma potrzeby tego robić, jeśli jest możliwość poczęcia w sposób naturalny. Stosowanie się do wskazówek programu „Jak się robi dzieci" pozwoli ci uniknąć potencjalnych zagrożeń, jakie niosą ze sobą leki stymulujące płodność, zapłodnienie in vitro oraz wykorzystanie innych technik wspomaganego rozrodu, a są wśród nich: rak jajnika, ciąża pozamaciczna, wady genetyczne w jajeczkach lub embrionach, wady płodu, komplikacje okołoporodowe, ciąże mnogie (i wszystkie zagrożenia, jakie się z tym wiążą), przedwczesny poród (i wszystkie zagrożenia z tym związane), upośledzenia neurologiczne i psychiczne, opóźnienia rozwojowe, trudności w uczeniu się, zaburzenia psychiczne i behawioralne w późniejszych okresach życia, a także ewentualność bezpłodności dziecka, gdy już dorośnie.

W przypadku matki stosowanie technik wspomaganego rozrodu wiąże się z potencjalnymi zagrożeniami, wśród których są alergiczne reakcje na leki, infekcje, obrażenia, do jakich może dojść podczas pobierania jajeczka, krwawienia, skrzepy oraz uszkodzenia organów lub naczyń krwionośnych. Bałagan w laboratorium, którego efektem może być pomieszanie próbek lub wyników badań, a także problemy z utrzymaniem podstawowych standardów jakości wprowadzają kolejne poziomy ryzyka.

**Ryzyka związane z lekami stymulującymi płodność**

Źródłem większości zagrożeń, przed jakimi staje matka są leki zwiększające płodność – problemowi temu przyjrzymy się dokładniej w rozdziale 25. Z drugiej strony, leki te są najczęściej stosowanym remedium na problemy związane z niepłodnością, co więcej każdy cykl zapłodnienia pozaustrojowego zaczyna się od ich podania. W każdym przypadku celem ich stosowania jest skłonienie jajników do uwalniania większej liczby jajeczek. Najbardziej rozpowszechniony tryb postępowania sprowadza się do podawania coraz większych dawek leku w celu uzyskania coraz większej liczby jajeczek. Część kobiet otrzymuje jednak dawki, które są dla nich zbyt wysokie. Wobec innych kurację lekową powtarza się zbyt wiele razy. Inne otrzymują leki, choć tak naprawdę ich nie potrzebują lub nie rozwiążą one problemu z płodnością, który ich dotyka.

Wysokie dawki leków stymulujących płodność narażają kobiety na ryzyko zarówno w krótko-, jak i długoterminowym przedziale czasowym, a także zwiększają poziom ryzyka, na jakie wystawione są dzieci. Wśród najbardziej prozaicznych dolegliwości można wymienić bóle głowy, uderzenia gorąca, gwałtowne zmiany nastroju i inne dobrze nam znane, nieprzyjemne oznaki działania hormonów. Objawy te, choć niekoniecznie niebezpieczne, mogą bardzo pogorszyć samopoczucie, poddając kobiety i ich partnerów jeszcze większej porcji fizycznego i emocjonalnego stresu, podczas gdy i tak są już na granicy wytrzymałości w związku z problemami towarzyszącymi prowadzonemu leczeniu.

W długim przedziale czasowym ewentualne konsekwencje są poważniejsze. Niektóre badania wskazują na związane z przyjmowaniem leków na płodność podwyższenie ryzyka zachorowania na raka, co zgadza się z tym, co sami konstatowaliśmy u pacjentów o długiej historii zażywania dużych dawek tych środków. Najczęstszym poważnym efektem ubocznym ich stosowania jest zespół hiperstymulacji jajników. Najostrzejsze przypadki wymagają hospitalizacji, z koniecznością przerwania ciąży włącznie. Nawet wtedy, gdy stan zdrowia pacjentek jest stale monitorowany przez lekarzy, aż do 10 procent kobiet biorących leki stymulujące płodność ma problemy z hiperstymulacją, a w 2 procent przypadków choroba ma przebieg ostry. Zespół hiperstymulacji jajników, jak się powszechnie uważa, wywoływany jest nadmierną reakcją organizmu na leki. Lepiej jednak by było, gdybyśmy jego pojawienie się traktowali jako znak, że przesadziliśmy w przyjmowaniu wysokich dawek bardzo silnie działających farmaceutyków.

Gdy już kobieta weźmie na siebie wszystkie te utrapienia po to, żeby wytworzyć więcej jajeczek, nie oznacza to, że dalej już pożegluje po spokojnych wodach. Wiele uzyskanych w ten sposób komórek rozrodczych jest uszkodzona, a zjawisko to nasila się wraz z wiekiem. Im kobieta jest starsza, tym bardziej musi się liczyć z prawidłowością, że jajeczka wytworzone przez nią w wyniku przygotowania do zabiegu in vitro są bardziej zagrożone wadą genetyczną niż jajeczka uwolnione w wyniku cyklu naturalnego. Tego rodzaju wady mogą sprawić, że cała kuracja zakończy się fiaskiem. Specjaliści obawiają się również, że leki mogą powodować problemy, które dopiero w przyszłości zostaną odkryte u dzieci urodzonych w wyniku ciąż wywołanych środkami wspomagającymi płodność.

## Ryzyka związane z ciążami mnogimi

Celem stosowania wysokich dawek leków zwiększających płodność jest uzyskanie wielu jajeczek. Nic więc dziwnego, że rośnie również ryzyko zajścia w ciążę mnogą i urodzenia więcej niż jednego dziecka. Wśród dzieci poczętych w sposób naturalny bliźniaki stanowią zaledwie 2 procent. Samo już tylko zażywanie leków zwiększających płodność zwiększa szansę ich poczęcia do poziomu między 6 i 20 procent w zależności od rodzaju przyjmowanego leku. W przypadku stosowania metody in vitro liczby te zwiększają się jeszcze bardziej – około jedna trzecia ciąż wywołanych z wykorzystaniem tej technologii to ciąże bliźniacze. Duże zasługi ma tu standardowa amerykańska procedura, polegająca na implantowaniu w każdym cyklu wielu zarodków w celu zwiększenia prawdopodobieństwa zajścia w ciążę.

Ciąże mnogie są to ciąże obciążone dużym ryzykiem. System, zaprojektowany tak, aby doprowadził do przyjścia na świat pojedynczej ludzkiej istoty staje przed zadaniami na granicy swojej wydolności w związku ze zwiększonymi potrzebami. W przypadku ciąż mnogich występuje wyższe prawdopodobieństwo, że nie zostaną utrzymane. Częściej poród następuje przez cesarskie cięcie, większe jest prawdopodobieństwo, że poród nastąpi przedwcześnie (dotyczy to połowy ciąż bliźniaczych) oraz że dzieci urodzą się z niedowagą (na przestrzeni ostatnich dwudziestu lat liczba przedwczesnych porodów zwiększyła się dramatycznie, podobnie jak liczba dzieci poczętych z technologicznym wsparciem). Dzieci urodzone przedwcześnie, a także te z niedowagą mają więcej problemów zdrowotnych zarówno bezpośrednio po przyjściu na świat, jak i długoterminowo, a także większą niż dzieci donoszone śmiertelność. Trzeba również uwzględnić wyższy koszt intensywnej terapii, jaką trzeba zapewnić przedwcześnie rodzonym noworodkom.

Poważne wątpliwości budzi nawet „rozwiązanie" problemu ciąż mnogich, jakie stosuje się przy zapłodnieniach pozaustrojowych. Możliwość wystąpienia potrzeby przeprowadzenia „redukcji" (jest to eufemizm oznaczający selektywną aborcję, czyli usunięcie jednego lub kilku płodów w celu obniżenia towarzyszącego ciąży ryzyka), którą pacjent musi wziąć pod uwagę, stawia go w okropnej sytuacji. Nowe napływające dane wskazują, że również pojedyncze dzieci, które przychodzą na świat po selektywnej (bądź samoistnej) redukcji narażone są w znacznym stopniu na te same ryzyka i problemy, którym muszą stawić czoło bliźniaki.

**Ryzyka związane z zapłodnieniem in vitro**
Badania wykazują, że dzieci poczęte w wyniku zapłodnienia pozaustrojowego narażone są na większe ryzyko poważnych długoterminowych problemów zdrowotnych, nawet jeśli ciąża jest pojedyncza. Jeśli korzystałeś z technik wspomaganego rozrodu, albo jeśli bierzesz to pod uwagę, musisz wiedzieć, że nie jest to ryzyko duże i w przypadku par, które nie mają żadnej realnej szansy zajścia w ciążę w inny sposób, jest ono do przyjęcia. Jednak wiele innych par, które mogą go uniknąć, nie powinno się na nie narażać.

Wady wrodzone ma mniej niż 2 procent dzieci poczętych w sposób naturalny i chociaż wskaźnik ten z pewnością niepokoi przyszłych rodziców, jednak nie odstrasza od zachodzenia w ciążę w ten właśnie sposób. W przypadku dzieci urodzonych w wyniku zastosowania techniki wspomaganego rozrodu wskaźnik ten jest o 50 procent wyższy i wynosi 3 procent. Gdybyś mógł obniżyć o jeden procent stopień ryzyka, na jakie wystawione jest twoje dziecko, czyż nie zrobiłbyś tego?

Prawdopodobieństwo niskiej wagi urodzeniowej w przypadku dzieci poczętych in vitro jest dwa i pół raza większe niż u dzieci poczętych sposobem naturalnym, podobnie jak w przypadku ciąż mnogich i niedonoszonych. Naukowcy wciąż nie są zgodni co do tego, jakie czynniki powodują zwiększenie tego ryzyka w przypadku stosowania technik wspomaganego rozrodu. Nie ulega jednak wątpliwości, że czym głębsza jest interwencja w mechanizmy płodności, tym bardziej rośnie prawdopodobieństwo, że w dłuższej perspektywie czasu jakieś problemy się wyłonią.

## Ryzyka wynikające z niewiedzy

Spośród wszystkich zagrożeń, jakim muszą stawić czoło ludzie borykający się z problemem niepłodności, największym jest ryzyko, że nie będzie się miało dziecka. Takie spojrzenie na problem czyni wszystkie inne ryzyka dopuszczalnymi – wtedy jednak, *gdy ich podjęcie jest konieczne*. W dzisiejszych czasach sposób funkcjonowania amerykańskiego przemysłu rozrodczego sprawia, że zbyt łatwo przechodzi się do porządku dziennego nad bardzo realnymi zagrożeniami, nigdy się im nie poświęca wystarczająco dużo uwagi, albo też przyjmuje się je jako coś oczywistego. Ty jednak powinieneś się chwilę nad nimi zastanowić, nawet jeśli ostatecznie i tak nie zmienisz swojej decyzji.

Nowoczesna medycyna jest również źródłem zagrożeń lżejszego kalibru, a te w jeszcze mniejszym stopniu są przedmiotem refleksji. Istnieje na przykład ryzyko, że wraz z diagnozą otrzymasz informację, że nic się nie da z tym zrobić (a więc nigdy nie będziesz miała dziecka). Istnieje też ryzyko, że otrzymasz mętnie sformułowaną diagnozę, stwierdzającą, że powodu niepłodności nie udało się ustalić.

Przychodzi do nas wiele pacjentek, które nie zaszły w ciążę w wyniku zapłodnienia pozaustrojowego lub które nie zostały nawet zakwalifikowane do tego zabiegu, przy czym lekarze nie mieli im nic innego do zaproponowania, może tylko z wyjątkiem użycia jajeczek pozyskanych od dawców. Powiedziano im, że nigdy nie zajdą w ciążę, na przykład dlatego, że są za stare lub mają za wysoki poziom hormonu folikulotropowego. Tego rodzaju diagnozy stawiają kobiety w psychologicznie trudnej sytuacji.

Na tym właśnie polegają zagrożenia wynikające z niewiedzy – nieznajomości powodu, dla którego nie można zajść w ciążę i/lub braku orientacji, co w tej sytuacji robić. Jest to zuniformizowane podejście, które współczesna medycyna rozrodu nie tylko uważa za dopuszczalne, ale poniekąd nawet je propaguje. Nie musisz jednak się na nie godzić, jeśli podążasz ścieżką wskazaną w programie „Jak się robi dzieci".

### Plan działania programu „Jak się robi dzieci"

- Stosując program „Jak się robi dzieci", próbuj zajść w ciążę w sposób jak najbliższy temu obmyślonemu przez naturę.
- Zdobądź podstawową wiedzę o mechanizmach poczęcia, funkcjonowaniu twojego organizmu, funkcjonowaniu organizmu partnera i ich współdziałaniu.
- Bądź cierpliwy (w rozsądnym zakresie).
- Konsultuj się z lekarzami i specjalistami w zakresie opieki zdrowotnej, którzy podejdą do ciebie w sposób holistyczny, przyglądając się całości, a nie tylko poszczególnym elementom, a następnie gotowi będą omówić z tobą wszystkie dostępne opcje.
- Zapoznaj się ze swoją diagnozą.
- Rozważ negatywne strony zapłodnienia in vitro i innych technik wspomaganego rozrodu, zestawiając je z ewentualnymi korzyściami z ich zastosowania.
- Korzystaj z technik wspomaganego rozrodu wtedy, gdy jest to potrzebne i w sposób, który jest dla ciebie odpowiedni.

# CZĘŚĆ DRUGA

## Płodzenie dzieci w sposób naturalny

# ROZDZIAŁ 2

## Jak zajść w ciążę: podstawowe wiadomości

Przyjmujemy za pewnik, chyba bez obawy popełnienia poważniejszego błędu, że w tym momencie swojego życia orientujesz się już mniej więcej, jak robią to ptaszki i pszczółki. Raczej jednak nie jesteśmy skłonni uwierzyć, że wiesz wszystko co potrzeba, aby zajść w ciążę. Większość z nas przez wczesne lata wieku reprodukcyjnego koncentruje się na kwestii, jak *nie* zajść w ciążę. Wiedza, która ci teraz jest niezbędna może się od tamtej nieznacznie, ale jednak w dość wyraźny sposób różnić. W każdym razie możesz nie znać pewnych istotnych szczegółów, które do tej pory nie wydawały ci się ważne, ale które teraz stały się kluczem do całej sprawy.

Zdumiewa nas czasami, jak mało nasi pacjenci wiedzą o tym, jak się zachodzi w ciążę – dotyczy to nawet tych osób, które od roku albo i dłużej starały się o ciążę, i u których pragnienie poczęcia dziecka graniczyło z obsesją. Jeszcze bardziej zadziwiające jest, jak często wszystkie informacje, których potrzebują, aby poradzić sobie z przeszkodą, o którą do tej pory się potykali, mają charakter elementarny. Wielokrotnie zdarzało nam się uczestniczyć w radości związanej z przyjściem na świat dziecka, gdy naszym jedynym wkładem w ten szczęśliwy finał było pokazanie pacjentom, jak działa żeński i męski układ rozrodczy, przekazanie im konkretnych wskazówek dotyczących ustalenia momentu najwyższej płodności lub też dostarczenia garści porad podpowiadających, kiedy (i jak) mają współżyć ze sobą, jeśli zależy im na dziecku. Tymi właśnie sprawami zajmiemy się w niniejszym rozdziale.

# WSZYSTKO ZACZYNA SIĘ OD MATKI

Poczęcie dziecka tak naprawdę zaczyna się już z chwilą poczęcia jego matki. W jajnikach płodów żeńskich oocyty wykształcają się na długo przed przyjściem dziewczynki na świat. To właśnie one kiedyś przekształcą się w jajeczka. W chwili urodzenia dziewczynka ma ich od jednego do dwóch milionów, jednak do czasu pierwszej miesiączki liczba ta zredukuje się do około 300 tysięcy. Te „niegotowe" jeszcze jajeczka czekają w jajnikach aż do wieku pokwitania i wtedy zaczynają „dojrzewać". Podczas owulacji, regularnie powtarzającego się procesu cyklu miesiączkowego, pękają pęcherzyki, a jajeczka uwalniane są do jajowodu. Podróż przez jajowód przetrwają jednak tylko nieliczni szczęściarze, bowiem setki jajeczek zostanie po drodze wchłonięte przez organizm (te jajeczka nie będą nigdy uwolnione). Do wielkiego debiutu dopuszczone zostanie jedynie pojedyncze jajeczko (czasem w nielicznym towarzystwie, gdyż – jak wiemy – zabieg in vitro nie jest jedynym sposobem, aby mieć bliźniaki). Ten cykliczny proces będzie postępował, aż zużyte zostaną wszystkie jajeczka – wtedy następuje menopauza.

Inaczej niż w przypadku jajeczek, żywot męskiego nasienia jest krótki. Od momentu wytworzenia do chwili wytrysku sperma przechowywana jest w męskim organizmie nie dłużej niż trzy miesiące. O ile jajeczko działa w pojedynkę, to plemniki – męskie komórki rozrodcze – prowadzą życie stadne. Z chwilą pokwitania jądra zaczynają wytwarzać spermę – około 5 tysięcy plemników na minutę, co daje wiele milionów dziennie. Sam proces wytworzenia spermy trwa jedynie 48 godzin. Następne dwa tygodnie to czas jej dojrzewania, w trakcie którego plemniki „uczą się pływać", czyli nabierają tzw. ruchliwości. Miliony mikroskopijnych plemników przechowywanych jest przez jądra do chwili wytrysku, gdy to jednorazowo uwalnianych jest ich od 40 do 200 milionów. W połączeniu z płynem ejakulacyjnym tworzą nasienie. Końcowy etap rozwoju plemnika następuje dopiero wtedy, gdy znajdzie się w żeńskich narządach rozrodczych i zajdą w nim zmiany umożliwiające mu przedostanie się przez otaczającą jajeczko błonę i wniknięcie do wnętrza komórki jajowej.

W ten sposób doszliśmy do przyjemnej części, czyli do współżycia. Mamy oczywiście na myśli stosunek waginalny, ale tego chyba nie musimy wam mówić. W wyniku wytrysku sperma zostaje uwolniona do pochwy i tu od razu następuje gęstnienie nasienia. Etap ten przetrwa jedynie 10 procent plemników i te będą mogły płynąć dalej. Po około dziesięciu minutach nasienie staje się znowu bardziej płynne, co umożliwia plemnikom kontynuowanie podróży przez szyjkę macicy. Plemniki poruszają się po maleńkich ścieżkach wytworzonych przez proteiny w płodnym śluzie szyjki macicy. W miarę posuwania się pozbywają się swojej ochronnej warstewki. Jest to proces zwany kapacytacją (uzdatnieniem)*, który umożliwi im wniknięcie w jajeczko (o ile tylko dana im będzie taka szansa).

Jeśli jest to ten właściwy moment, a więc gdy jajeczko podróżuje w dół jajowodu, a plemniki płyną w górę, jeden z plemników – ten, który wygra wyścig i spełni wszystkie wymagania – zapłodni jajeczko. Stanie się to w ciągu kilku godzin od owulacji, czyli od uwolnienia komórki jajowej.

Połączenie się jajeczka i plemnika daje początek zygocie, czyli komórce powstałej w wyniku zapłodnienia. Zygota podąża dalej ku macicy, przesuwana przez maleńkie rzęski (cilia), którymi wyścielone są jajowody. Ta podróż trwa około 5 dni. Po osiągnięciu celu zygota zagnieżdża się w endometrium – bogatej w substancje odżywcze błonie śluzowej macicy, która będzie zasilać rozwój zarodka. Komórki dzielą się i zaczynają się specjalizować. Po ośmiu tygodniach wykształca się z nich embrion, który ma przed sobą jeszcze trzydzieści dwa tygodnie okresu płodowego, zanim przyjdzie na świat.

W trakcie całego tego procesu na jajeczko, plemnik i utworzoną przez nich zygotę oddziałuje cała plejada hormonów, którymi dyryguje przysadka mózgowa. Ich funkcjonowanie pozostaje pod chemicznym i fizycznym wpływem środowiska. Jest to skomplikowany mechanizm i sukces zależy od tego, czy wszystko działa tak, jak powinno i kiedy powinno.

Oocyty rozwijają się w jajnikach w osłonie pęcherzyków. Gdy jeden z pęcherzyków pęka, znajdujący się w nim oocyt przekształca się w dojrzałe jajeczko i rozpoczyna wędrówkę. Jajeczko jest przeprowadzane przez jeden z jajowodów aż do macicy. Jeśli w trakcie tej podróży zostaje zapłodnione, staje się zygotą i przywiera do wyścielającego jamę macicę nabłonka (endometrium). Jeśli natomiast tak się nie stanie, rozpada się zanim dotrze do macicy. Endometrium następnie złuszcza się i jest

---

* Usunięcie za pomocą enzymów warstewek proteinowych z czapeczki akrosomowej plemnika – przyp. tłum.

usuwane z macicy poprzez szyjkę do pochwy pod postacią krwawienia miesięcznego.

Plemniki są wytwarzane przez jądra, a następnie przenoszą się do najądrzy, gdzie kontynuują proces dojrzewania i gdzie są przechowywane. Podczas wytrysku dostają się do nasieniowodów, w których mieszają się z wydzielanym przez gruczoł krokowy (prostatę) płynem sterczowym, tworząc w ten sposób nasienie, a następnie przechodzą przez cewkę i opuszczają ciało.

## CYKL ROZRODCZY

Teraz, w celu utrwalenia, chcielibyśmy omówić cykl rozrodczy kobiety nieco bardziej szczegółowo, z uwzględnieniem poszczególnych jego etapów. Cykl miesiączkowy (menstruacyjny) najczęściej dzielony jest na dwie fazy – folikularną i lutealną, jednak z naszego punktu widzenia składa się z czterech ważnych faz. W miarę zapoznawania się z programem „Jak się robi dzieci" zorientujesz się, że bardzo często udzielane przez nas rady będą inne dla każdej fazy cyklu. Teraz opowiemy ci o każdej fazie, najpierw z perspektywy medycyny zachodniej, a następnie z perspektywy medycyny wschodniej.

### Faza 1: miesiączka
W ciągu kilku godzin poprzedzających pojawienie się miesiączki naczynia krwionośne endometrium – pokrywającej macicę błony śluzowej – kurczą się, ograniczając dopływ krwi. To sprawia, że endometrium zaczyna obumierać. Następnie naczynia krwionośne rozkurczają się, co uruchamia stopniowe złuszczanie się błony śluzowej: zaczyna się krwawienie miesięczne. Trwa ono średnio od 4 do 7 dni, przy czym większość procesu złuszczania odbywa się w ciągu pierwszych 24 godzin. Wiąże się z tym najobfitsze krwawienie, które pojawia się w pierwszym lub drugim dniu.

Błona śluzowa macicy natychmiast zaczyna się regenerować, aby w późniejszej fazie cyklu być gotową na przyjęcie zarodka. Odbudowa zaczyna się 2 dni po pojawieniu się krwawienia. 3 dnia w endometrium formują się receptory estrogenowe i progesteronowe, i nad regeneracją błony śluzowej macicy kontrolę przejmują hormony. 6 dnia grubość endometrium wynosi już 2 mm.

Podczas tego procesu w jajnikach, począwszy od czwartego dnia, rozpoczyna się dojrzewanie pęcherzyków, zawierających po jednej komórce jajowej. W tym momencie pęcherzyki mają około 4 mm średnicy, ale wkrótce powiększy się ona pięciokrotnie – do około 20 mm.

Cały ten bałagan, łuszczenie się endometrium, regeneracja endometrium, rozrost pęcherzyków jest efektem współpracy hormonów, które sprawują nad nim kontrolę. Wszystko zaczyna się od estrogenu i progesteronu; ich spadający poziom stanowi sygnał dla gonadoliberyny (GnRH), hormonu uwalniającego gonadotropiny, który wyzwala krwawienie miesiączkowe. Z kolei GnRH daje sygnał dla hormonu folikulotropowego (FSH), który stymuluje wzrost pęcherzyków.

**Faza 2: Przed owulacją**
Sygnał, jaki podczas menstruacji wysyła położona w dolnej części mózgu przysadka mózgowa, sprawia, że poziom folikulotropiny zaczyna rosnąć. Stymuluje ona jajniki, w efekcie czego piętnaście do dwudziestu znajdujących się w nich pęcherzyków zaczyna rosnąć, przygotowując się do uwolnienia mieszczących się w nich pojedynczych jajeczek. W tej fazie poziom hormonu folikulotropowego dalej wzrasta, co przekłada się na sygnały wysyłane do pęcherzyków. Każdy pęcherzyk wytwarza estrogen – hormon, określający moment owulacji – co sprawia, że przez cały czas trwania tej fazy cyklu ilość estrogenu w organizmie stale się zwiększa.

Pełen cykl rozwoju pęcherzyka zazwyczaj trwa około dwóch tygodni, od 4. dnia cyklu miesiączkowego do owulacji, chociaż za normalny uważa się cykl rozwoju pęcherzyka, który mieści się w przedziale 10–20 dni. Z reguły 6. lub . dnia cyklu jeden z pęcherzyków zaczyna dominować, co powoduje, że pozostałe po prostu zanikają.

Podnoszący się poziom estrogenu informuje organizm o potrzebie zmniejszenia ilości folikulotropiny (FSH), co sprawia, że pęcherzyki przestają być wytwarzane. Szczytowa wartość estrogenu przypada na 12. lub 13. dzień, co jest sygnałem dla przysadki mózgowej, aby uwolniła lutropinę (hormon luteinizujący LH), która z kolei inicjuje uwolnienie jajeczka. (U mężczyzn produkcja spermy również odbywa się pod wpływem folitropiny FSH i lutropiny LH.)

Gdy poziom estrogenu zwiększa się, łatwo wyczujesz, że pochwa robi się wilgotniejsza, a śluz szyjki macicy przestaje być kleisty i gumowaty, stając się białawą, nieprzezroczystą substancją o kremowej konsystencji balsamu do rąk. Nie jest to jednak jeszcze śluz szyjki macicy fazy płodnej. Ten wykształca się wraz z dalszym wzrostem poziomu estrogenu, jest przezroczysty i rozciągliwy jak białko jajka, a jego warstwa – cieńsza. Przez cały ten czas w błonie śluzowej macicy zachodzą procesy regenerujące. Grubość endometrium zwiększa się wraz ze wzrostem poziomu estrogenu. W chwili owulacji błona śluzowa macicy będzie miała grubość od 7 do 10 mm.

**Faza 3: Owulacja**
Owulacja z reguły następuje 14. dnia przeciętnego cyklu, chociaż może się zdarzyć, że nastąpi już 10. dnia albo dopiero 20. Jeśli tylko cykl miesiączkowy jest regularny, nie jest to żaden powód do zmartwienia. Zazwyczaj do owulacji dochodzi w ciągu 24 godzin od wzrostu poziomu hormonu luteinizującego (LH). Sporadycznie, w wyniku cyklu nie uwalnia się żadne jajeczko, co też jest zjawiskiem normalnym. Od czasu do czasu uwalniane są dwa jajeczka, zawsze w odstępie 24 godzin jedno od drugiego. W ten sposób dochodzi do poczęcia bliźniaków dwujajowych. 24 godziny po owulacji poziom progesteronu osiąga punkt, w którym uwalnianie kolejnych jajeczek jest już niemożliwe. Wbrew rozpowszechnionym przekonaniom, nie jest tak, że w kolejnych miesiącach naprzemiennie owuluje raz jeden jajnik, a raz drugi.

Z którejkolwiek strony by jajeczko nie przybyło, jest wielkości kropki kończącej to zdanie. Gdy tylko uwolni się z pęcherzyka, który najszybciej osiągnął dojrzałość, jajeczko jest natychmiast przekazywane do jajowodu – proces ten trwa około dwudziestu sekund.

Jajeczko żyje od 12 do 24 godzin, przemieszczając się w tym czasie w kierunku macicy. Gdy ten okres dobiega końca i jajeczko nie zostało zapłodnione przez plemnik, rozpada się i jest wchłaniane przez ciało. Jeśli ma dojść do zapłodnienia, dzieje się to w ciągu kilku godzin od owulacji, najprawdopodobniej przez plemnik, który już tam na nie czekał. Aby dotrzeć do jajeczka, plemnik musi przepłynąć przez płodny śluz szyjki macicy. Śluz ten, właściwy dla płodnej fazy cyklu, jest wytwarzany w następstwie wzrostu poziomu estrogenu w późniejszym okresie fazy folikularnej. W śluzie tym plemnik może przetrwać trzy do czterech dni.

W ciągu 18–24 godzin od owulacji progesteron zagęszcza śluz, który znowu staje się nieprzezroczysty i niesprzyjający przetrwaniu i poruszaniu się plemników. Jajeczko, które zostało zapłodnione, wędruje w kierunku macicy; ta podróż zajmie mu około 6 dni.

**Faza 4: Możliwość zagnieżdżenia**

Progesteron jest hormonem o dominującym znaczeniu w drugiej, po-owulacyjnej połowie twojego cyklu, określanej mianem fazy lutealnej. Progesteron wyłącza wytwarzanie zarówno FSH, jak i LH, zapobiegając w ten sposób uwalnianiu kolejnych jajeczek. Pogrubia błonę śluzową macicy (endometrium) i stymuluje wydzielanie składników odżywczych tak, aby przygotować się do odżywiania embrionu, jeśli zajdzie taka potrzeba. Sprawia, że twoja podstawowa temperatura ciała (PTC) wzrasta (co sprzyja zagnieżdżeniu), zamyka szyjkę macicy i zagęszcza śluz szyjki macicy, tworząc coś w rodzaju korka, uniemożliwiając kolejnym plemnikom przedostanie się do szyjki macicy, gdy już doszło do zapłodnienia. Cały ten progesteron wytwarzany jest przez ciałko żółte, które powstaje z pustego (po uwolnieniu komórki jajowej) i przekształconego w gruczoł dokrewny pęcherzyka.

Długość fazy lutealnej określona jest przez czas funkcjonowania ciałka żółtego, który na ogół wynosi od dwunastu do szesnastu dni. Faza lutealna musi trwać przynajmniej jedenaście do dwunastu dni, bowiem w przeciwnym wypadku embrion nie będzie miał wystarczająco dużo czasu, aby się zagnieździć. Co więcej, nawet jeśli komórka jajowa została już zapłodniona, może nie dojść do zajścia w ciążę albo też może nastąpić wczesne poronienie.

Embrion osiąga macicę po 5 lub 6 dniach podróży, przy czym przez cały czas postępuje wytężony proces dzielenia się komórek. Z reguły na zagnieżdżenie się – czyli przywarcie do endometrium – potrzebuje jeszcze jednego dnia. Macica współdziała w procesie zagnieżdżenia, przyciskając do siebie część przednią i tylną, tym samym pomagając przytrzymać embrion. Aby to osiągnąć, organizm usuwa płyn z endometrium w procesie zwanym pinocytozą.

Gdy tylko jajo zagnieździ się w endometrium, uwalnia hormon ciążowy ludzkiej gonadotropiny kosmówkowej (HCG) – sygnał, na który tylko czeka twój pasek testu ciążowego. Ten sam hormon informuje również żółte ciałko na ścianie jajnika, że powinno kontynuować uwalnianie progesteronu, który umożliwia dalszy rozwój błony śluzowej macicy, zamiast jej złuszczenia, które normalnie nastąpiłoby po 12–16 dniach. (Pięć lub sześć tygodni później funkcję wytwarzania progesteronu i podtrzymywania endometrium przejmie łożysko.) W tym momencie cykl miesiączkowy kończy się (menstruacji nie będzie przez następne dziewięć miesięcy) i zaczyna się ciąża. Po ośmiu tygodniach ciąży mała

43

grupka komórek wystarczająco się rozrośnie i zróżnicuje, aby można było ją nazwać płodem.

Jeśli nie nastąpi zapłodnienie lub zagnieżdżenie, żółte ciałko zaczyna zanikać, następuje zatrzymanie wydzielania progesteronu, a prowadzące do endometrium naczynia krwionośne zaczynają się zamykać, przygotowując się w ten sposób do złuszczenia się części czynnościowej błony śluzowej macicy. Obniża się również poziom estrogenu; spadek poziomu estrogenu i progesteronu uruchamia uwolnienie gonadoliberyny (GnRH) i folikulotropiny (FSH). Proces zatacza pełne koło: rozpoczyna się następny cykl miesiączkowy. Spadek poziomu progesteronu może wywołać objawy, które noszą nazwę zespołu napięcia przedmiesiączkowego (PMS).

---

POWIADAJĄ ŻE...

Słownik medycyny chińskiej może odstraszać trudnością, dlatego też staraliśmy się ograniczyć odwołania do specjalistycznych terminów. Jest jednak kilka bardzo ważnych pojęć, których pełnego znaczenia nie można oddać w tłumaczeniu. Oto ich zawężone definicje:

**Yin** – funkcje ciała odnoszące się do odżywiania, nawilżania i chłodu; dopełniające przeciwieństwo Yang.

**Yang** – funkcje ciała odnoszące się do ruchu, przeobrażenia i ciepła; dopełniające przeciwieństwo Yin.

**Qi** – siła życia, energia, zapalająca iskra.

**Krew** – krew z naciskiem na jej funkcje przemieszczania i odżywiania.

**Jing** – esencja, istota rozrodczości, a także prenatalne dziedziczenie (scheda genetyczna).

---

## CHIŃSKA PERSPEKTYWA

Medycyna chińska menstruację przyporządkowuje do yin. Miesiączka – złuszczanie się endometrium – wymaga przepływu krwi. Wytwarzanie pęcherzyków również potrzebuje yin. Z kolei, aby wytworzyć endometrium potrzebna jest krew i yin.

Yin, wraz ze swymi właściwościami odżywczymi, zarządza również fazą drugą. Dominujący w tej fazie estrogen uważany jest za hormon przynależny yin. Yin sprzyja wzrostowi (pęcherzyki) i budowaniu (endometrium). Potrzebne jest do wytworzenia płodnego śluzu szyjki macicy. Do rozwoju pęcherzyków potrzebny jest zarówno dobry przepływ krwi, jak i yin. Jakość yin ma wpływ na jakość samego jajeczka, a także na rozwój wytworzonego wokół niego pęcherzyka. Również wytworzenie błony śluzowej wyścielającej jamę macicy wymaga krwi i yin, ale także jing.

W połowie cyklu yin ustępuje pola energii yang, potrzebnej do przeprowadzenia hormonalnego przeobrażenia warunkującego owulację. W efekcie hormonem dominującym przestaje być estrogen, a staje się nim progesteron. Ta hormonalna zmiana warty wymaga równomiernego napływu qi oraz krwi, aby mogła przebiegać gładko i terminowo. Qi zarządza także uwolnieniem jajeczka i jego wędrówką wzdłuż jajowodu.

W medycynie chińskiej faza lutealna jest zdominowana przez energię yang, która jest rozgrzewająca i energetyzująca. Ciało potrzebuje energii yang, aby utrzymać poziom progesteronu. Jeśli brakuje ci yang (lub progesteronu), twoja PTC (podstawowa temperatura ciała) może w fazie lutealnej podnosić się zbyt wolno lub zbyt szybka spadać, co zmniejsza prawdopodobieństwo zagnieżdżenia. Ciała kobiet są na ogół cieplejsze w fazie lutealnej i chińscy lekarze przez tysiące lat podkreślali znaczenie ciepłego łona dla udanego poczęcia. Zagnieżdżenie zależy również od dobrego napływu krwi do macicy, umożliwiającego wytworzenie silnego endometrium.

Jeśli nie jesteś w ciąży, w tym momencie twój poziom progesteronu ulega obniżeniu. Aby szybko przejść przez tę zmianę, ciało potrzebuje qi, a obieg krwi musi być niezakłócony. Jeśli tak nie jest, występuje zespół napięcia przedmiesiączkowego (PMS), a więc wahania nastroju, tkliwość piersi, wzdęcia, uczucie głodu (tzw. zachcianki), zmęczenie i bóle głowy.

Energia yin ponownie wlewa się do yang pierwszego dnia miesiączki, co z punktu widzenia medycyny chińskiej stanowi istotną transformację.

## JAK SIĘ KOCHAĆ

Po pierwsze, nie lekceważcie gry wstępnej. To, że macie przed sobą coś do zrobienia, nie oznacza, że musicie do tego podchodzić jak do pracy. Przede wszystkim starajcie się, aby seks nie powodował stresu. Pamiętajcie też, że seksualna stymulacja dobrze działa na śluz szyjki macicy i poprawia przepływ hormonów, co z kolei zwiększa płodność. Co więcej, jedno z badań wykazało, że mężczyźni, którzy zostali seksualnie pobudzeni przez partnerkę, mieli większą liczbę plemników w nasieniu od tych, którzy uwolnili nasienie poprzez masturbację.

Po drugie, jeśli zależy wam na zajściu w ciążę, najlepszą pozycją jest pozycja misjonarska. W każdej innej sytuacji możecie oczywiście stosować taką pozycję, która daje wam największą przyjemność, teraz jednak musicie być nieco bardziej skupieni na zadaniu, a jest nim dostarczenie plemników w jak najdalszy punkt na trasie ich podróży. W pozycji misjonarskiej penetracja jest najgłębsza i członek najbardziej zbliża się do szyjki macicy.

---

**Studium przypadku: Cherie**

Zanim Cherie przyjechała na Manhattan, aby się ze mną (Sami) zobaczyć, już od sześciu lat starała się zajść w ciążę. Podczas wstępnego wywiadu powiedziała, że kiedy kochali się z mężem, ona była zawsze na nim. Tego samego dnia przeprowadziłem test postkoitalny, który nie wykazał obecności spermy. Ponieważ nie znalazłem żadnych innych zagrożeń, odesłałem Cherie do domu z zaleceniem, aby przez jakiś czas współżyła z mężem w pozycji misjonarskiej. Tak też zrobili, a kolejny test postkoitalny wykazał obecność plemników. Po kilku miesiącach, Cherie zaszła w ciążę bez żadnej medycznej interwencji.

---

Warto dodać, że to może nie być najlepszy czas na stosunki analne, które – z oczywistych powodów – nie prowadzą do poczęcia. Dopóki nie zajdziesz w ciążę, lepiej się wstrzymaj od takiej formy współżycia, nawet w okresie, gdy prawdopodobieństwo zajścia w ciążę jest niskie. Istnieje możliwość, że mogłabyś ułatwić bakteriom z odbytu przedostanie się do pochwy lub cewki moczowej, a to z kolei wiąże się z ryzykiem nabawienia się upośledzającej płodność infekcji.

Po stosunku pozostań z partnerem jeszcze przez dziesięć do dwudziestu minut. (Czyż nie jest to dobry czas dla obojga, aby się trochę poprzytulać?) Miałam (Jill) kiedyś pacjentkę, miłośniczkę jogi, która po stosunku stawała na głowie (dosłownie), aby maksymalnie wykorzystać efekt grawitacji. Nie jest to konieczne. Nie każ plemnikom jeszcze na dokładkę zmagać się z grawitacją.

**Studium przypadku: Thea i Bob**

Prowadziłem (Sami) kiedyś parę, u której badanie wykazało obecność paciorkowca kałowego (*Streptococcus faecalis*) w drogach rodnych, przy czym jedynym symptomem była niemożność zajścia w ciążę. Thea i Bob przyjęli antybiotyk i infekcja minęła, ale Thea w dalszym ciągu w ciążę nie zachodziła. Przebadałem ich ponownie i odkryłem, że paciorkowiec znów się pojawił. Dostali trzy serie antybiotyków, zanim przyszło mi do głowy zapytać, czy zdarzało im się odbywać stosunki analne. Odpowiedzieli twierdząco. Powiedziałem im, że według mojego rozeznania to właśnie mogło być przyczyną nawrotów infekcji. Przepisałem im antybiotyk jeszcze raz i już nigdy więcej do mnie nie powrócili. Kilka miesięcy później, inna pacjentka, która zadzwoniła do mnie, aby umówić spotkanie, powiedziała, że to właśnie Thea mnie jej poleciła. „Co u niej słychać?" – zapytałem. „Jest w ciąży" – odpowiedziała.

Mogłaś również słyszeć, że po odbyciu stosunku kobieta powinna leżeć z nogami w górze opartymi o ścianę. To z pewnością niczemu nie zaszkodzi, ale również nie jest konieczne. Po prostu jeszcze trochę poleż. Jeśli należysz do tych kobiet, które zaraz po miłosnym akcie marzą o zrobieniu siusiu, nie powstrzymuj się za długo, abyś nie nabawiła się infekcji dróg moczowych. Piętnaście minut wystarczy, jeśli tylko zdołasz tyle wytrzymać.

**Intymne nawilżacze**

Seksualne smarowidła (szczególnie te zapachowe) mogą źle służyć poczęciu. Z reguły ich kwasowość jest zbyt wysoka, aby plemniki mogły przetrwać i udać się w dalszą drogę. Co więcej, duża zawartość różnych soli w lubrykantach, zwanych też nawilżaczami, może sprawić, że plemniki albo zanadto się kurczą, albo też zanadto nabrzmiewają, tracąc przez to zdolność do wypełniania swojej misji.

Jeśli potrzebne ci jest dodatkowe nawilżenie (wiele par tak uważa, szczególnie w czasie owulacji i w związku ze stresem związanym z próbami poczęcia), nie musisz z niego rezygnować. Postaraj się o lubrykant Pre-Seed, który został opracowany z myślą o parach starających się o zajście w ciążę. Nie zawiera ani gliceryny, ani też glikolu propylenowego – substancji zawartych w większości lubrykantów i najczęściej powodujących problemy. Jego pH jest takie samo jak śluzu szyjki macicy w fazie płodnej, zawiera też podobną ilość soli. Tworzy bruzdy, maleńkie kanaliki, które ułatwiają przemieszczanie się spermy – podobne do tych, które są wytwarzane przez płodny śluz szyjki macicy (choć nie zawiera znajdujących się w śluzie składników odżywczych).

Ostrożnie też podchodź do różnych rad dotyczących nawilżania, sugerujących na przykład posłużenie się niewielką ilością letniej wody. Nie rób tego! Kontakt z wodą może zabić plemniki. A jakby tak spróbować z odrobiną śliny? Nie! Ślina zawiera enzymy trawienne, które uniemożliwiają plemnikom poruszanie się. Możliwe też, że słyszałaś o dobrych właściwościach smarujących, jakie ma białko jajka. Nie polecamy tego rozwiązania, ze względu na ryzyko zarażenia się salmonellą, która może się w nim znaleźć. (Ponadto wielu pacjentów, którzy próbowali tej metody, mówiło nam o wrażeniu robienia jajecznicy.) Niektórzy lekarze zalecają olej mineralny (intymne lubrykanty mogą go zawierać), jednak badania wykazują, że może on ograniczyć zdolność plemnika do wniknięcia w jajeczko. Chciałbym zaznaczyć, że żaden z opisanych efektów nie jest wystarczająco silny, aby można było na nim polegać jako na metodzie zapobiegania ciąży. Jeśli jednak naszym celem jest doprowadzenie plemnika do jajeczka, musimy wykluczyć wszystko, co może stanowić przeszkodę.

---

**Studium przypadku: Stella**

Stella, kobieta w wieku 39 lat, od trzech lat bezskutecznie starała się zajść w ciążę. Moje dociekania nie zaowocowały znalezieniem niczego podejrzanego – za wyjątkiem wykrycia, że ona i mąż lubili korzystać z pewnego typu substancji nawilżającej. Poradziłem jej, aby odstawiła ten lubrykant na jakiś czas. Gdy tylko tak uczyniła, w krótkim czasie zaszła w ciążę.

---

### Częstotliwość

Oto sposób, aby zajść w ciążę: często się kochać.

Wybacz, jeśli wydaje ci się, że wygłaszamy oczywistości, ale tę prawdę trzeba powtarzać. Mieliśmy wielu pacjentów, skupionych jak lasery na tym dniu kobiecego cyklu, gdy seks powinien doprowadzić do poczęcia. Uprawiali miłość tego dnia, być może też dnia poprzedniego, po czym nie kochali się wcale przez pozostałą część cyklu miesiączkowego. Mieliśmy też wielu pacjentów, którzy się naczytali w internecie o tym, jak to trzeba pozwolić spermie, aby się odtworzyła pomiędzy kolejnymi wytryskami i w związku z tym, racjonalnie rozumując, ograniczali pożycie.

Z wyjątkiem przypadku, gdy u twojego partnera zdiagnozowano niską liczbę plemników w nasieniu lub też małą ilość nasienia w wytrysku, możesz się kochać tak często, jak tylko masz ochotę. (Dobrze jest kochać się nawet codziennie.) Częste pożycie nie tylko nie wyrządzi żadnej szkody, ale w znaczącym stopniu zwiększy szansę poczęcia. (Jeśli robi się to jak należy, częsty seks może nieco obniżyć poziom stresu.) Oczywiście, nie ma nic złego w tym, że nie masz ochoty na codzienne kochanie się, ale ważne jest, aby w okresie okołoowulacyjnym dochodziło do stosunku przynajmniej co drugi dzień. A jeśli test postkoitalny, przeprowadzony od 12 do 18 godzin po stosunku wykaże martwe plemniki, aby zmaksymalizować szanse zajścia w ciążę, w połowie cyklu miesiączkowego musisz uprawiać seks codziennie.

Badania wykazały, że pary uprawiające seks raz w tygodniu mają 15-procentową szansę zajścia w ciążę w którymkolwiek dniu cyklu, natomiast pary kochające się codziennie zwiększają swoje szanse do 50 procent. W jednym z badań ustalono, że zaledwie 12 procent par zadeklarowało, że uprawia seks pięć razy w tygodniu lub częściej, a także, że w tej grupie nie wykryto żadnego negatywnego oddziaływania na płodność.

Inne badanie, którego celem było opracowanie wskazówek dla par, u których przyczynę niepłodności ustalono po stronie mężczyzny i ewentualnego wstrzymywania się z pożyciem przed oddaniem nasienia do zapłodnienia in vitro, pozwoliło stwierdzić, że jakość plemników i nasienia osiąga najwyższą wartość, gdy przerwa w pożyciu wynosi od 1 do 3 dni, przy czym przedłużenie okresu abstynencji powoduje znaczne obniżenie jakości. Choć liczba plemników w nasieniu zwiększała się, starsze plemniki traciły na jakości. Proszę pamiętać, że wszystko to dotyczy mężczyzn, u których zdiagnozowano problemy z płodnością. Tymczasem, jak zwrócono uwagę w opracowaniu, oficjalne wskazówki, którymi najczęściej się kierowano zalecały, aby seksualnie pościć od 2 do 7 dni przed oddaniem nasienia, a tym samym nie służyły dobrze interesom pacjentów. Mężczyźni, którzy nie muszą dbać o zwiększanie ilości plemników w nasieniu, mają nawet mniej powodów, aby ograniczać współżycie.

Jeśli liczba plemników w twojej spermie jest niska lub w dolnym przedziale normy, możesz ograniczyć wytryski tak, aby do nich dochodziło nie codziennie, ale co drugi dzień i w ten sposób dasz spermie nieco czasu na odbudowanie się. Praktykę tę stosuj przynajmniej przez ten okres cyklu, gdy płodność kobiety jest najwyższa. Nie ma jednak żadnego uzasadnienia dla dalszego ograniczania pożycia, co więcej nie-przedłużanie okresu absencji wiąże się z pewnymi korzyściami.

---

**Studium przypadku: Donna**
W przypadku niektórych par można jednak mówić o przedawkowaniu seksu. To właśnie przytrafiło się Donnie, która – zanim trafiła do mnie (Jill) – konsultowała się z ekspertem od feng shui w związku z trudnościami, jakie ma z zajściem w ciążę. Ekspert poradził postawienia doniczkowego kwiatka obok łóżka i misy z wodą pod łóżkiem. Za każdym razem, gdy między Donną i jej mężem dochodziło do zbliżenia, mieli podlać kwiatek. Jeśli kwiatek będzie dobrze rósł, Donna zajdzie w ciążę. Niestety, nie minęło wiele czasu i kwiatek zwiądł od zbyt częstego podlewania. A ciąży wciąż nie było. Ustaliłam, że bardzo pragnąc doprowadzić do poczęcia, Donna i jej mąż współżyli za często, biorąc po uwagę liczbę plemników w jego nasieniu w dolnym przedziale normy. Po udzieleniu im porad, które dotyczyły głównie określenia najlepszego momentu na współżycie, Donna wkrótce zaszła w ciążę.

---

**Najważniejsze to właściwy moment**
Jeśli zarówno ty, jak i twój partner jesteście zdrowi i nie cierpicie na żad-ne problemy z płodnością, aby doprowadzić do poczęcia, powinniście przede wszystkim wiedzieć, kiedy najlepiej się kochać. Jest to dla was sprawa priorytetowa. Abyście mogli ten moment ustalić, powinniście wiedzieć, kiedy następuje owulacja, a następnie dostosować do niej pływacki wyścig waszych plemników.

Teraz przejdziemy do szczegółowych informacji, jak dosłownie w ciągu minuty ustalić moment owulacji. Gdy już będziecie wiedzieli, kiedy on nadejdzie, ważne jest, abyście odbyli stosunek nieco wcze-śniej. Plemniki, gdy już znajdą się w twoim ciele, w oczekiwaniu na po-jawienie się jajeczka przez krótki czas będą kręciły się dookoła, jakby szukając dla siebie zajęcia. Jajeczko nie będzie się jednak ociągało. Jeśli więc wstrzymasz się do momentu, gdy będziesz już całkiem prze-konana, że rozpoczęło swą podróż, plemniki będą się musiały bardzo do niego spieszyć. Współżycie w dniu, w którym ma nastąpić owulacja, jest świetnym pomysłem, warto jednak mieć na uwadze, że zawsze lepiej jest to zrobić dzień wcześniej niż dzień po owulacji, gdy jest już za późno. Wyobraź sobie zaokrętowanie na statek wycieczkowy. Cza-sem można wejść na pokład już parę dni przed wypłynięciem, ale jeśli tego nie zrobisz i statek odcumuje, zostajesz na lodzie, a konkretnie – na lądzie. Ten statek już odpłynął i nie pozostaje ci nic innego, jak czekać na następny.

---

**Studium przypadku: Lee Anne**

Lee Anne, 41 lat, od roku starała się zajść w ciążę. Poczęcie pierwszego dziecka nie sprawiło jej żadnych problemów. Wraz z mężem przestrzegali zaleceń lekarza, aby odbywać stosunki 11, 13. i 15. dnia cyklu. Lekarz nie wziął jednak pod uwagę faktu, że choć Lee Anne, jak wiele innych wchodzących w lata kobiet, miała regularny cykl miesiączkowy, stał się on krótszy od normalnego i liczył jedynie 24 dni. W rezultacie, gdy nadchodził dzień 11, Lee Anne była już po owulacji. Tak więc, kochając się w dni wskazane przez lekarza, para nie mogła począć dziecka.

Moja (Sami) rada dla Lee Anne była prosta: współżyj z mężem 14 dni przed przewidywanym początkiem cyklu (wystąpieniem krwawienia miesiączkowego). Odliczanie wstecz od daty rozpoczęcia kolejnego cyklu miesiączkowego jest bardziej wiarygodnym wskaźnikiem początku owulacji niż liczenie do przodu od zakończenia ostatniego cyklu. Liczba dni od momentu owulacji do początku następnego cyklu jest różna u różnych kobiet, ale z reguły u każdej z nich jest taka sama w kolejnych cyklach. Najczęściej jest to 14 dni, ale może mieścić się w przedziale od 11 do 14. Tymczasem, prawdopodobieństwo, że liczba dni od pojawienia się miesiączki do owulacji będzie się zmieniała z cyklu na cykl jest znacznie większe. To właśnie różnice występujące w pierwszej połowie cyklu sprawiają, że cykl jest dłuższy lub krótszy od przeciętnego, one też powodują nieregularność cyklu.

Gdy Lee Anne i jej mąż zaczęli prawidłowo planować swoje zbliżenia, na poczęcie nie trzeba było długo czekać i urodziła im się wspaniała dziewczynka.

---

Plemniki żyją średnio 72 godziny, a więc 3 pełne dni – o ile tylko mają do dyspozycji dobrej jakości zasadowy śluz szyjki macicy, który je odżywia. Niekiedy, mogą jednak dociągnąć nawet do siedmiu dni. Jajeczko natomiast ma jedynie dobę, aby zapłodnienie doszło do skutku, a gdy kobiecie przybywa lat, czas ten skraca się nawet do 12 godzin. Tak więc, najlepszy dla ciebie wariant to taki, w którym plemniki czekają w pogotowiu na uwolnienie jajeczka, a to oznacza, że w przypadku typowego 28-dniowego cyklu miesiączkowego optymalny czas na seks przypada na okres od 12. dnia cyklu do 14. włącznie. W takim cyklu owulacja przypada na 14. dzień. Będziesz musiała nauczyć się własnego cyklu, aby właściwie określić dni pożycia. O tym, jak to zrobić, opowiemy w dalszej części.

# KIEDY JESTEŚ NAJBARDZIEJ PŁODNA

Aby dowiedzieć się możliwie najdokładniej, kiedy u ciebie następuje owulacja, możesz skorzystać z trzech przedstawionych niżej metod: badanie i zaznaczanie na wykresie podstawowej temperatury ciała, monitorowanie śluzu szyjki macicy i wyczuwanie zmian w usytuowaniu szyjki macicy.

Sama temperatura ciała nie jest wystarczającym wskaźnikiem, aby ustalić najbardziej płodny moment. Powie ci, czy w ogóle dochodzi u ciebie do owulacji – skądinąd, dobrze to wiedzieć – a także, dostarczy ci wielu innych użytecznych informacji – w tym wykresów, dokumentujących występujące u ciebie prawidłowości, które pozwalają ustalić typ płodności oraz postawić diagnozę. Fakty jednak wyglądają tak: temperatura ciała wzrasta *po* owulacji. Ponieważ w tej grze chodzi o to, aby wiedzieć, kiedy owulacja nastąpi, samo tylko robienie wykresu temperaturowego nie dostarczy tej najważniejszej dla ciebie informacji. Dlatego też rozpoczniemy od podrozdziału, w którym powiemy ci, jak nauczyć się interpretować rodzaj śluzu szyjki macicy. Gdybyś miała stosować tylko jedną z tych trzech metod, to powinna to być właśnie ta. I chociaż wszystkie one są mało skomplikowane, ta jest najłatwiejsza.

## Śluz szyjki macicy

Śledzenie cyklicznych zmian zachodzących w śluzie szyjki macicy (wydzieliny z pochwy) daje najlepszy wgląd w postępy owulacji. Jednak o śluzie szyjki macicy wspomina się rzadko. Prawdopodobieństwo, że wspomni o nim lekarz, wcale nie jest większe, niż że zrobi to twoja najlepsza koleżanka. W rezultacie większość kobiet nie wie prawie nic o śluzie ani o ważnych informacjach, jakie ma on do przekazania na temat ich płodności. Ta sytuacja sprawia, że normalne fluktuacje, jakie występują w błonie śluzowej, są opatrznie interpretowane; niejedna kobieta uległa przekonaniu, że ma infekcję drożdżakową, podczas gdy w rzeczywistości było to towarzyszące owulacji zwiększenie wydzielania śluzu szyjkowego.

Nie jest tak trudno nauczyć się słuchać, co twoje ciało ma ci do powiedzenia. To, czego wypatrujesz, to płodny śluz szyjki macicy – substancja niezwykle gościnna dla plemników i wspierająca je w ich podróży ku jajeczku.

## Rozpoczynamy

Najpierw kilka podstawowych zasad. Śluz szyjki macicy powinnaś sprawdzać wtedy, gdy nie jesteś seksualnie pobudzona, w przeciwnym razie trudno będzie się zorientować, czy obserwujesz płyn smarujący, czy upławy. Sztuczne lubrykanty, środki plemnikobójcze (spermicydy) i nasienie również mogą wprowadzać w błąd, wybierz więc taki moment, aby żadne z nich nie było obecne. Zamieszanie wprowadzać mogą też stany zapalne pochwy. Jeśli masz taką infekcję, nie zaczynaj monitorowania dopóki jej nie wyleczysz. Leki przeciwhistaminowe z kolei mogą wysuszać śluz szyjkowy, tak więc nie dowiesz się zbyt wiele, jeśli regularnie je zażywasz. (Dlatego też wtedy, gdy starasz się zajść w ciążę, musisz ich unikać.) Jeśli jesteś odwodniona, śluzu może być niewiele. Pij więc wodę!

Za każdym razem, gdy sprawdzasz swój śluz szyjkowy, nie powinny ujść twojej uwadze również towarzyszące badaniu odczucia. Czy czujesz, że pochwa jest sucha? Wilgotna? Śliska? Łatwym sposobem, aby zorientować się w sytuacji, jest wytarcie się papierową chusteczką ruchem od przodu do tyłu i dokonanie oceny, jak chusteczka ślizga się po ciele.

### Pierwsze dni

Zaczniesz obserwacje swojego śluzu szyjkowego pierwszego dnia po zakończeniu krwawienia miesięcznego. Pochwa będzie sprawiała wrażenie suchej lub lekko wilgotnej. Po kilku dniach – a więc na mniej więcej tydzień przed owulacją, około dnia 7, 8. lub 9. twojego cyklu – pojawi się śluzowa wydzielina. Będzie gęsta, nieco lepka, gumowata i sprężysta, a jej kolor może być biały lub żółtawy. Czas jej pojawienia jest różny u różnych kobiet, gdy jednak zaczniesz się nią interesować, szybko odnajdziesz prawidłowości w funkcjonowaniu swojego ciała.

Potem, przez kilka dni, twoja pochwa będzie sprawiała wrażenie wilgotnej, śluz stanie się nieprzezroczysty, a jego konsystencja będzie przypominała konsystencję płynu do mycia rąk. Wciąż będzie koloru białego lub żółtego. Będzie go wystarczająco dużo, aby zostawiać ślady na bieliźnie. W tym momencie śluz nie zawiera zbyt wiele wody, więc ślad będzie pewnie kwadratowy lub podłużny.

### Dni płodne

Następnie pojawia się płodny śluz szyjki macicy – ten, na który czekałaś – rzadszy i przezroczysty. Będzie też śliski i bardzo rozciągliwy; wiele osób uważa, że jest podobny do białka surowego jajka. Zazwyczaj jest bezbarwny, może jednak być różowy lub zabarwiony krwią. Może też mieć wodnistą konsystencję. Twoja pochwa będzie dobrze nawilżona płynem smarującym. Wydzielina będzie teraz pozostawiała na twojej bieliźnie okrągłą, mokrą plamę (jest w niej więcej wody). Bardziej widoczna będzie na bieliźnie ciemnej. Płodny śluz szyjkowy nie da się rozpuścić w wodzie jak inne wydzieliny ciała; w misce bidetu będzie tworzył małe, nieprzejrzyste kuleczki. Największe szanse zobaczenia go masz po wypróżnieniu, gdy musiałaś nieco napiąć mięśnie.

Jesteś w najbardziej płodnej części cyklu. Płodny śluz szyjkowy z reguły utrzymuje się przez trzy dni. U młodych kobiet okres ten może przedłużyć się do 5; u starszych skraca się do 2, a czasem do 1. (Choćby z tego powodu młode kobiety łatwiej zachodzą w ciążę.) Wytwarzanie płodnego śluzy szyjkowego jest uruchamiane przez podwyższony poziom estrogenu. Gdy poziom estrogenu opada i pojawia się progesteron, płodny śluz wysusza się w ciągu jednego dnia. *Szczytową płodność osiągasz ostatniego dnia występowania śluzu podobnego do białka jaja kurzego.* U większości czas utrzymywania się płodnego śluzu szyjkowego jest taki sam w kolejnych miesiącach, tak więc gdy już rozpoznasz występujące u ciebie prawidłowości, będziesz mogła określić swój najlepszy dzień do miłosnego zbliżenia. Na przykład, jeśli zazwyczaj płodny śluz szyjkowy utrzymuje się u ciebie przez 3 dni, pierwszego dnia możesz już umówić się na pojutrze. Oczywiście, możesz kochać się również w pozostałe dni – to może tylko pomóc (jeśli tylko liczba plemników w nasieniu jest u twojego partnera w normie). Jeśli nie obserwujesz u siebie opisanego przez nas śluzu o konsystencji białka jaja kurzego, spróbuj kochać się ostatniego dnia okresu, w którym twój śluz szyjkowy jest najwilgotniejszy.

Białkowatą substancję nazywamy płodnym śluzem, ponieważ, niezależnie od sygnalizowania nam owulacji, sam w sobie ma ogromne znaczenie dla płodności. Śluz szyjki macicy jest żeńskim odpowiednikiem męskiego nasienia. Mężczyźni pozostają płodni przez cały czas, cały czas też wytwarzają płyn nasienny. Kobiety są płodne tylko raz w ciągu miesiąca i tylko raz w ciągu miesiąca wytwarzają płodny śluz szyjki macicy.

W płodnym śluzie szyjki macicy plemniki mogą przetrwać dłużej – nawet do pięciu dni – niż w zwykłym śluzie szyjkowym. Zawiera substancje odżywcze dla plemników, a także niewielkie bruzdy, coś w rodzaju kanalików, którymi mogą one płynąć. Ponieważ na uwolnienie jajeczka czeka znaczna ilość spermy i zastępy spieszących mu na spotkanie plemników, planowanie stosunku nie musi być aż tak bardzo precyzyjne. Śluz również uzdatnia plemniki w procesie zwanym kapacydacją, przygotowując je do zapłodnienia jajeczka. Bez zmian chemicznych, które śluz umożliwia, plemnik nie mógłby uczepić się jajeczka, a następnie w nie wniknąć. Śluz jest również filtrem dla bakterii, uniemożliwiając im opanowanie macicy. Wartość pH płodnego śluzu szyjkowego odpowiada wartości pH nasienia, przy czym jego zasadowość chroni plemniki przed środowiskiem pochwy, które jest generalnie kwasowe i oddziaływałoby na nie szkodliwie.

Tak więc, niezależnie od „złamania kodu" śluzu szyjkowego w celu poznania momentu owulacji, warto też, jakby przy okazji, dowiedzieć się, czy twój śluz jest zdrowy. Jeśli musisz wkładać palec do pochwy, aby wydobyć nieco śluzu, prawdopodobnie masz go za mało. Jeśli natomiast twoja bielizna jest nim przesiąknięta, masz go pod dostatkiem. Jeśli wytwarzasz za mało śluzu, powinnaś ponownie przyjrzeć się przyjmowanym lekarstwom, czy czasem któreś z nich go nie wysusza. (Najczęściej winne temu są leki moczopędne, przeciwhistaminowe, obkurczające błonę śluzową i wysokie dawki witaminy C.) Jeśli twój śluz jest zbyt gęsty dla plemników lub nie sprzyja im w jakiś inny sposób, możesz zastosować apteczną gwajafenezynę (Mucinex albo Humibid), która zmniejsza lepkość śluzu szyjkowego lub też, alternatywnie, jakiś naturalny środek, który przywraca stan właściwy, np. rozrzedzając śluz (patrz rozdz. 18).

Po owulacji progesteron sprawia, że śluz staje się bardzo gęsty, uniemożliwiając w ten sposób plemnikom przedostanie się do macicy. Znowu zmętnieje w porównaniu z przezroczystym płodnym śluzem szyjkowym. Jego gęstość jest taka, że nie przemieszcza się i w tej fazie możesz go w ogóle nie zauważyć. W większości przypadków kobiety nie mają żadnych upławów aż do czasu, gdy od 11 do 14 dni po owulacji rozpoczną kolejny cykl miesiączkowy. Wskutek obniżenia się poziomu progesteronu, niektóre kobiety tuż przed miesiączką mają odczucie dużej wilgotności pochwy.

### Lokalizacja szyjki macicy

Podczas badania śluzu szyjkowego powinnaś również zająć się samą szyjką macicy. Szyjka, czyli niższa część macicy położona w miejscu schodzenia się macicy z pochwą, pod wpływem zmian hormonalnych na przestrzeni cyklu miesiączkowego, przesuwa się nieco do góry i do dołu, zmieniając przy tym swoją zwartość.

## Rozpoczynamy

Jeśli chcesz wiedzieć, gdzie jest twoja szyjka macicy, czego się po niej spodziewać i co może ci powiedzieć o stanie twojej płodności, musisz włożyć palec do pochwy. Dla wielu spośród was nie będzie to żadnym problemem. Jeśli jednak jesteś mniej zaprzyjaźniona z nieoglądanymi na co dzień częściami ciała, obiecaj przynajmniej, że spróbujesz. Wydaje nam się, że nie będziesz miała z tym problemu i choć może na początku będzie ci niezręcznie, szybko nabierzesz wprawy.

Aby szyjka macicy stała się źródłem użytecznych informacji, będziesz musiała ją regularnie badać – w zasadzie codziennie przez kilka cykli, z wyjątkiem fazy menstruacji. Będziesz szukała zmian, które mogą być bardzo nieznaczne i znaków, których istota może być różnie interpretowana. Musisz bardzo dokładnie wiedzieć, jak to było wczoraj, aby zrozumieć to, co obserwujesz dzisiaj.

Także tym razem, powinnaś notować swoje obserwacje, przynajmniej na początku, gdy dopiero zapoznajesz się z prawidłowościami twojego organizmu. Notatki możesz nanosić na wykres PTC, jeśli taki prowadzisz, czy też zapisywać w kalendarzu lub notatniku.

## Jak to się sprawdza

Oto co powinnaś zrobić, gdy już skończy się miesiączka. Najpierw umyj ręce. Nie sprawdzaj swojej szyjki macicy, jeśli w pochwie są ranki, pojawiło się ognisko opryszczki lub masz infekcję drożdżakową. Nie badaj też szyjki macicy z pełnymi jelitami, bo to może sprawić, że szyjka będzie sprawiała wrażenie niżej położonej niż to jest naprawdę. Obmyśl sobie wygodną pozycję ciała, która zapewnia ci dobry dostęp – proponujemy przykucnięcie lub pozycję stojącą z jedną nogą podniesioną i opartą o sedes. Sprawdź, jaka pozycja ci najlepiej odpowiada, a potem się jej trzymaj. Sprawdzenia powinnaś zawsze dokonywać w tej samej pozycji.

Wsuń palec do pochwy, aż wyczujesz szyjkę macicy. Oszacuj, jak wysoko jest położona (nisko, w połowie lub wysoko w kanale pochwy). Lekko uciśnij, aby sprawdzić zwartość szyjki (czy jest twarda, miękka czy też jest to jakiś stan pośredni). Poszukaj otworu szyjki, aby zorientować się w jego rozwarciu (czy jest otwarty, częściowo otwarty czy zamknięty).

Jeśli jeszcze tego nie uczyniłaś, odnotuj stan śluzu, tak jak go odczułaś w dotyku (mokry lub suchy, ciągnący się, o konsystencji śmietany, czy też śliski). To wszystko! Zrobiłaś, co należy.

## Czy jesteś gotowa do owulacji?

Bezpośrednio po tym, jak ustąpią krwawienia miesięczne szyjka macicy będzie twarda jak koniec twojego nosa i usytuowana nisko. Otwór szyjki będzie zamknięty, a ty wymacasz coś w rodzaju dołeczka. (Śluzu szyjkowego będzie mało albo nie będzie go wcale.) Na 1 do 3 dni przed owulacją szyjka macicy znajdzie się wyżej w kanale pochwy, gdyż estrogen usztywni utrzymujące ją w miejscu więzadła. Zacznie nabierać miękkości i w dotyku będzie przypominać twoje wargi. W czasie owulacji szyjka będzie otwarta, aby plemnikom podążającym w kierunku jajowodów pozwolić na wpłynięcie do macicy. Ty, przy odrobinie praktyki, będziesz w stanie ten moment wychwycić. Oczywiście w tym przedziale czasowym będzie zmieniała się też zwartość (konsystencja) śluzu szyjkowego, tak jak zostało to opisane w poprzednim podrozdziale. Podczas owulacji powinnaś doświadczyć uczucia, że szyjka macicy jest źródłem wilgotności.

Po owulacji, a więc w fazie lutealnej, szyjka macicy ponownie będzie nisko opuszczona, twarda i zamknięta.

Tony Weschler proponuje w swojej książce poręczny akronim SHOW, który pomoże ci zapamiętać czego szukać i czego oczekiwać podczas owulacji. Słowo to składa się z pierwszych liter określeń, które oddają stan szyjki macicy w momencie owulacji: soft (miękka), high (wysoko), open, (otwarta), wet (wilgotna). Jeśli tylko dasz jej szansę, twoja szyjka macicy *pokaże* ci (ang. show), kiedy jest największe prawdopodobieństwo poczęcia.

## Podstawowa temperatura ciała

Na przestrzeni cyklu miesiączkowego temperatura twojego ciała ulega nieznacznym wahaniom; śledzenie tych zmian jest świetnym sposobem na poznanie rytmu twojego ciała i ustalenie momentu, gdy jesteś najbardziej płodna. Z czasem uważna analiza drobnych wahań, jakie występują na przestrzeni dni da ci wgląd w działanie twojego ciała, a ta wiedza okaże się bardzo istotna, gdy zechcesz zajść w ciążę. Pomoże ci również ustalić, co się dzieje nie tak, gdyby okazało się, że masz trudności z poczęciem.

Aby wychwycić te drobne różnice codziennie rano, gdy tylko się obudzisz, będziesz mierzyła sobie temperaturę i odnotowywała ją na specjalnej karcie obserwacji cyklu. Systematyczne mierzenie podstawowej temperatury ciała (PTC) i nanoszenie jej na wykres da ci możliwość zinterpretowania zebranych informacji – dostrzeżenia pewnych prawidłowości oraz istotnych szczegółów. Na tę samą kartę możesz również nanosić swoje obserwacje dotyczące śluzu szyjkowego i usytuowania szyjki względem kanału pochwy.

Sam wykres temperaturowy nie powie ci, kiedy powinnaś odbyć stosunek, ponieważ wyraźniejsza zmiana pojawia się dokładnie w momencie owulacji i gdy ją dostrzeżesz, będzie już za późno, aby fazę płodną tego cyklu wykorzystać do poczęcia dziecka. Karta PTC może przekazać ci pewną informację, że masz owulację – bardzo ważną wiadomość, jeśli się myśli o poczęciu dziecka. Może ci też powiedzieć, czy twoja faza lutealna trwa wystarczająco długo, aby mogło dojść do zagnieżdżenia. (Więcej na ten temat powiemy za chwilę.) Prawdziwa moc kart PTC objawia się jednak dopiero w połączeniu ze śledzeniem zmian w położeniu szyjki macicy i obserwacji jej śluzu, tak jak to omawialiśmy wcześniej. Sygnały, jakie otrzymasz w wyniku monitorowania tych procesów, wskażą ci moment twojej szczytowej płodności.

Jeśli prowadzenie karty PTC traktujesz, jak kolejną pozycję dopisaną ci na i tak długiej liście rzeczy do zrobienia, a nie jak użyteczne narzędzie – zadanie to może nie nadawać się dla ciebie. Może też uda ci się znaleźć jakieś rozwiązanie pośrednie, na przykład powierzysz interpretowanie wykresu swojemu lekarzowi lub też będziesz badała swoją szyjkę macicy, ale temperatury już nie. Znajdź najlepszy dla ciebie sposób, starając się zmniejszać, a nie zwiększać poziom swojego stresu. Jeśli nie chcesz prowadzić kartu PTC, nie rób tego. Jeśli prowadzenie karty cię stresuje, po prostu przestań . Jeśli twój lekarz bądź terapeuta stwierdzi, że to jednak dobry pomysł, zawsze możesz do tego wrócić.

W każdym razie, potrzeba jedynie trzech miesięcy prowadzenia karty PTC, aby zauważyć pewne prawidłowości i ustalić swój osobisty rytm. Jeśli z cyklu na cykl wykres wygląda inaczej, a ty i twój lekarz potrzebujecie więcej informacji na temat natury tych zmian, możecie podjąć decyzję o prowadzenie karty przez okres dłuższy niż trzy miesiące. A jeśli po prostu lubisz patrzeć jak rozwija się twój miesięczny rytm biologiczny, nie rezygnuj i prowadź kartę dalej.

## Jak prowadzić kartę

Istotą tej metody jest mierzenie każdego ranka temperatury i nanoszenie jej na kartę. Gdy już naniesiesz pewną ilość pomiarów, starasz się odnaleźć na wykresie jakieś prawidłowości dotyczące zmian, jakie zachodzą w twoim ciele na przestrzeni cyklu miesiączkowego. Temperatura ciała przed owulacją będzie niższa niż po, przy czym różnica wyniesie co najmniej 0,2°C.

Zalecamy stosowanie specjalnego cyfrowego termometru owulacyjnego, który dokładniej wskaże niewielkie przyrosty temperatury niż termometr tradycyjny. Termometr owulacyjny można kupić w aptece w cenie około 30 zł. Odczyt temperatury następuje już po minucie.

Zanim wieczorem położysz się spać, połóż termometr blisko siebie, abyś mogła rano po niego sięgnąć bez wykonywaniu wielu ruchów. Gdy mówimy, że zmierzenie temperatury powinno być pierwszą czynnością, jaką z samego rana wykonujesz, nie jest to z naszej strony żart. Naprawdę mamy na myśli pierwszą czynność, zanim się poprzytulasz, zanim wypijesz kawę, zanim zrobisz siusiu, a nawet zanim wydasz z siebie głos. Każda wykonana czynność zmieni odczyt temperatury, z czego wniosek, że powinnaś ją zmierzyć wtedy, gdy najmniej cię jeszcze dzieli od nocnego bezruchu.

Pomiar powinno poprzedzić, o ile to tylko możliwe, co najmniej pięć godzin snu. Odczyt zrobiony po krótszym odpoczynku będzie mniej wiarygodny, gdyż ciało nie będzie miało dość czasu, aby ustabilizować temperaturę.

Temperaturę mierz w ustach, przy czym za każdym razem pomiaru dokonuj dokładnie w ten sam sposób, a termometr wkładaj zawsze w to samo miejsce w jamie ustnej. W miarę możliwości staraj się temperaturę mierzyć codziennie o tej samej porze. (Ale w weekendy nie nastawiaj budzika! Wysypiaj się, gdy tylko chcesz i możesz.) Jeśli w dni pracujące budzisz się o tej samej porze, to zupełnie wystarczy, żeby zaobserwować trend. Odejmij 0,05°C za każde pół godziny snu ponad porę, o której zazwyczaj dokonujesz pomiaru. Na tej samej zasadzie, jeśli budzisz się wcześniej niż zazwyczaj, dodaj 0,05°C za każde pół godziny snu, którego nie przespałaś. I nie martw się tak bardzo, jeśli czasem zgubisz jakiś dzień. Jeśli tylko zgromadzisz wystarczającą liczbę punktów temperaturowych, aby wyłoniła się z tego pewna prawidłowość, uzyskasz to, o co ci chodziło.

Pierwszego dnia cyklu – jest to dzień, gdy zaczyna ci się okres – rozpocznij nową kartę. Codziennie zaznaczaj temperaturę, a następnie połącz linią wszystkie kropki. Na karcie masz dużo miejsca, aby robić adnotacje o nadzwyczajnych wydarzeniach twojego życia – takich, które mogły cię zestresować, czy też wpłynąć na twój cykl w jakiś inny sposób. Zrobienie w pracy prezentacji przed ważnym gremium? Sprzeczka z partnerem? Dzień przeprowadzki? Odnotuj to. Te zapiski pomogą ci wytłumaczyć nieregularności w cyklu miesiączkowym, które w przeciwnym przypadku mogłyby wzbudzić twój niepokój. Powinnaś również notować swoje obserwacje dotyczące śluzu szyjkowego i usytuowania samej szyjki. Możesz również korzystać z karty, aby zapisywać szczegółowe informacje dotyczące miesiączki, takie jak kolor, ilość, czas trwania, ból, skrzepy, a także początek i koniec.

## Wytyczanie linii granicznej

Aby wzrost temperatury i owulację przedstawić w klarowny i obrazowy sposób, musisz na swojej karcie PTC wytyczyć linię graniczną. Robi się to bardzo prosto, jednak dopóki sama tego nie zrobisz, opis może wydawać się nieco niejasny. Aby zorientować się jak to działa, obejrzyj przykładową kartę PTC, na której wspomnianą linię już wytyczyliśmy.

Gdy nanosisz na kartę swoje dzienne pomiary temperatury, wypatruj dnia, gdy twoja temperatura podniesie się przynajmniej o 0,1°C w stosunku do dnia poprzedniego. (Możesz się spodziewać, że nastąpi to mniej więcej po dwóch tygodniach od rozpoczęcia cyklu miesiączkowego, choć to, gdzie twój cykl różni się od cyklu przeciętnego jest właśnie jedną z rzeczy, które wskaże ci karta PTC.) Od tego dnia odlicz wstecz sześć dni, zaznaczając punkty naniesionych temperatur za pomocą zakreślacza lub kolorowego ołówka. Spośród tych sześciu temperatur wybierz najwyższą i zaznacz na karcie punkt położony 0,05°C powyżej niego. Teraz pociągnij w poprzek całej karty linię na wysokości tego punktu. To jest właśnie twoja linia graniczna.

Gdy już masz ją przed oczyma, łatwo zauważysz, że o ile cała grupa dziennych odczytów temperatury fazy folikularnej znajduje się pod tą linią, to punkty temperatur pomierzonych w fazie lutealnej są nad nią. Przykładowa karta na następnej stronie przedstawia typowy 28-dniowy cykl miesiączkowy.

## Poznaj swoją kartę PTC

Gdy chcesz zinterpretować zaznaczenia na twojej karcie i wyciągnąć wnioski, powinnaś pamiętać, że najważniejszą rzeczą jest skupić się na ogólnym trendzie i nie tracić czasu na analizę pojedynczych odchyleń. Tu właśnie objawia się użyteczność linii granicznej; sprawia ona, że uwaga kieruje się ku dwóm fazom, a nie ku niewielkim skokom w górę i w dół, które widzisz, gdy dokonujesz swoich codziennych pomiarów. Gdy przystępujesz do wyznaczenia linii granicznej i widzisz, że jedna z temperatur pierwszej

## KARTA PODSTAWOWEJ TEMPERATURY CIAŁA

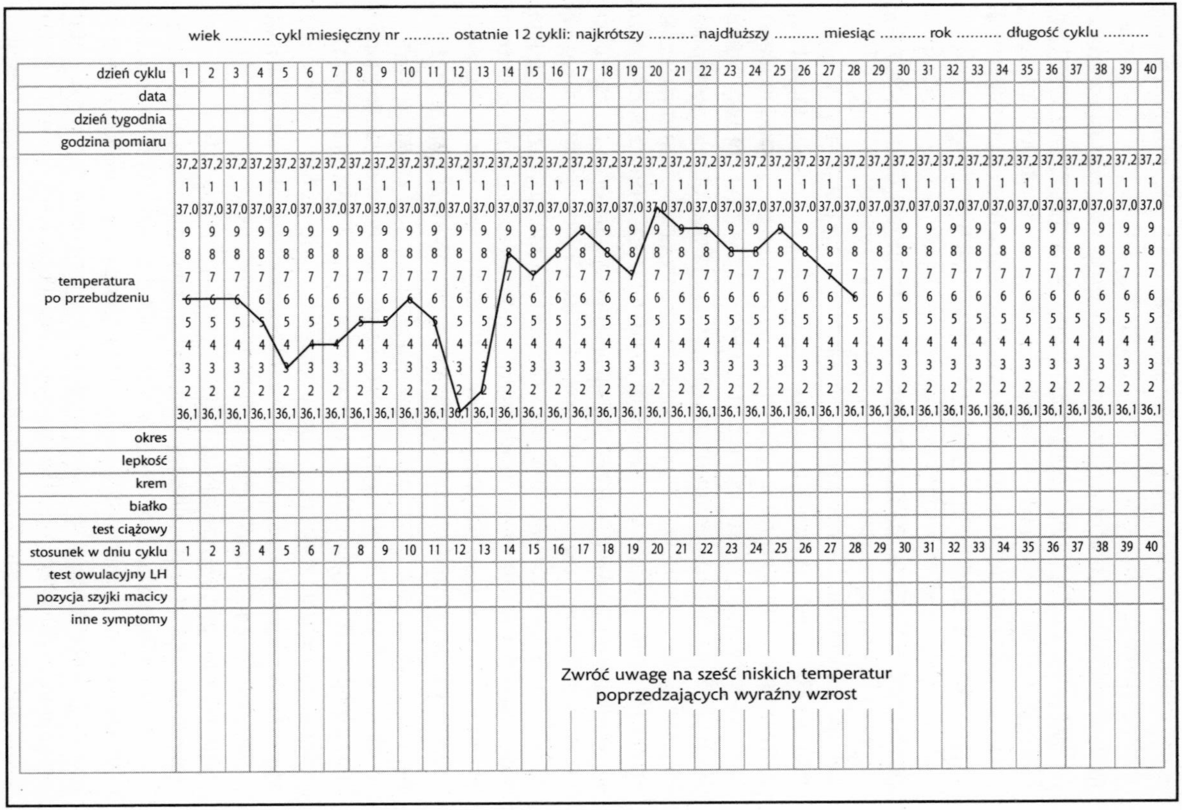
wiek .......... cykl miesięczny nr .......... ostatnie 12 cykli: najkrótszy .......... najdłuższy .......... miesiąc .......... rok .......... długość cyklu ..........
dzień cyklu
data
dzień tygodnia
godzina pomiaru
temperatura po przebudzeniu
okres
lepkość
krem
białko
test ciążowy
stosunek w dniu cyklu
test owulacyjny LH
pozycja szyjki macicy
inne symptomy
1 2 3 4 5 6 7 8 9 10 11 12 13 14 15 16 17 18 19 20 21 22 23 24 25 26 27 28 29 30 31 32 33 34 35 36 37 38 39 40
37,2 1 37,0 9 8 7 6 5 4 3 2 36,1
Zwróć uwagę na sześć niskich temperatur poprzedzających wyraźny wzrost

TYPOWA KARTA PTC

połowy cyklu jest znacząco wyższa niż wszystkie pozostałe (co najmniej o 0,1°C), uznaj to za przypadek i nie bierz pod uwagę przy wyznaczaniu linii i określaniu terminu owulacji. Nazywamy to „regułą kciuka" – połóż kciuk na odczycie rażąco odbiegającym od pozostałych, a pomoże ci to nie brać tego wskazania pod uwagę w trakcie interpretowania wyników. Z czasem zdobędziesz wiedzę o tym, jak twoje cykle wyglądają na karcie, co sprawi, że napotykając odczyty znacznie różniące się od innych z większą pewnością będziesz mogła je kwalifikować jako nic nieznaczące odchylenia. Jeśli takiej nietypowej temperaturze będzie towarzyszyła adnotacja o jakimś bulwersującym wydarzeniu w twoim życiu, pomoże ci to wyjaśnić jego przyczynę. Niżej, taka sama karta PTC pokazuje incydentalnie zawyżoną temperaturę, której nie należy brać pod uwagę.

Gdy będziesz patrzeć na kartę wypełnioną odczytami temperatury na przestrzeni jednego całego cyklu, oto co najprawdopodobniej zobaczysz: w pierwszej fazie cyklu wśród twoich hormonów dominuje estrogen, który w czasie, gdy „sprawuje władzę" zmniejsza nieco ilość ciepła; w fazie folikularnej podstawowa temperatura ciała (PTC) wynosi z reguły między 36,11 i 36,39 i powinna być raczej stabilna; w przeciętnym 28-dniowym cyklu pierwsza faza – od początku krwawienia miesięcznego do owulacji – trwa zazwyczaj 14 dni, ale może też trwać tylko 12 dni lub aż 15.

Następnie na prowadzenie wychodzi progesteron i trochę podgrzewa sytuację. Gdy już zacznie się owulacja, twoja temperatura w ciągu 24 godzin osiągnie poziom co najmniej o 0,2°C wyższy niż najwyższa temperatura jaką odnotowałaś w ciągu poprzednich sześciu dni. Na tym podwyższonym poziomie twoja temperatura będzie utrzymywała się przez 12 do 16 dni – przeciętna podstawowa temperatura ciała w fazie lutealnej zazwyczaj utrzymuje się w przedziale od 36,4°C do 37°C – do czasu aż rozpocznie się miesiączka. Jeśli zajdziesz w ciążę, twoja temperatura pozostanie na wyższym poziomie przez okres co najmniej osiemnastu dni, ponieważ w okresie zagnieżdżenia i ciąży to progesteron rozdaje karty.

Niektóre kobiety obserwują u siebie spadek temperatury ciała, gdy tuż przed owulacją podnosi się u nich poziom lutropiny (LH). Jeśli jesteś jedną z nich, możesz poszukać tego spadku na swoim wykresie i – jeśli chcesz zajść w ciążę – potraktować go jak podpowiedź, że czas na zbliżenie miłosne. Nie u każdej kobiety ten spadek występuje, ale jeśli się pojawia, to na ogół w każdym cyklu jest wyraźnie widoczny na karcie PTC (zobaczysz ten spadek na przykładowej karcie).

# KARTA PODSTAWOWEJ TEMPERATURY CIAŁA

wiek ......... cykl miesięczny nr ......... ostatnie 12 cykli: najkrótszy ......... najdłuższy ......... miesiąc ......... rok ......... długość cyklu .........

| dzień cyklu | 1 | 2 | 3 | 4 | 5 | 6 | 7 | 8 | 9 | 10 | 11 | 12 | 13 | 14 | 15 | 16 | 17 | 18 | 19 | 20 | 21 | 22 | 23 | 24 | 25 | 26 | 27 | 28 | 29 | 30 | 31 | 32 | 33 | 34 | 35 | 36 | 37 | 38 | 39 | 40 |
|---|---|---|---|---|---|---|---|---|---|---|---|---|---|---|---|---|---|---|---|---|---|---|---|---|---|---|---|---|---|---|---|---|---|---|---|---|---|---|---|---|
| data | | | | | | | | | | | | | | | | | | | | | | | | | | | | | | | | | | | | | | | | |
| dzień tygodnia | | | | | | | | | | | | | | | | | | | | | | | | | | | | | | | | | | | | | | | | |
| godzina pomiaru | | | | | | | | | | | | | | | | | | | | | | | | | | | | | | | | | | | | | | | | |

temperatura po przebudzeniu

(wartości: 37,2 / 37,0 / 1 / 9 / 8 / 7 / 6 / 36,5 / 4 / 3 / 2 / 36,1 powtarzane w kolumnach 1–40)

| okres | | | | | | | | | | | | | | | | | | | | | | | | | | | | | | | | | | | | | | | | |
| lepkość | | | | | | | | | | | | | | | | | | | | | | | | | | | | | | | | | | | | | | | | |
| krem | | | | | | | | | | | | | | | | | | | | | | | | | | | | | | | | | | | | | | | | |
| białko | | | | | | | | | | | | | | | | | | | | | | | | | | | | | | | | | | | | | | | | |
| test ciążowy | | | | | | | | | | | | | | | | | | | | | | | | | | | | | | | | | | | | | | | | |
| stosunek w dniu cyklu | 1 | 2 | 3 | 4 | 5 | 6 | 7 | 8 | 9 | 10 | 11 | 12 | 13 | 14 | 15 | 16 | 17 | 18 | 19 | 20 | 21 | 22 | 23 | 24 | 25 | 26 | 27 | 28 | 29 | 30 | 31 | 32 | 33 | 34 | 35 | 36 | 37 | 38 | 39 | 40 |
| test owulacyjny LH | | | | | | | | | | | | | | | | | | | | | | | | | | | | | | | | | | | | | | | | |
| pozycja szyjki macicy | | | | | | | | | | | | | | | | | | | | | | | | | | | | | | | | | | | | | | | | |
| inne symptomy | | | | | | | | | | | | | | | | | | | | | | | | | | | | | | | | | | | | | | | | |

ignoruj

KARTA PTC: IGNOROWANIE NIETYPOWEGO WSKAZANIA TEMPERATURY

# KARTA PODSTAWOWEJ TEMPERATURY CIAŁA

wiek .......... cykl miesięczny nr .......... ostatnie 12 cykli: najkrótszy .......... najdłuższy .......... miesiąc .......... rok .......... długość cyklu ..........

| dzień cyklu | 1 | 2 | 3 | 4 | 5 | 6 | 7 | 8 | 9 | 10 | 11 | 12 | 13 | 14 | 15 | 16 | 17 | 18 | 19 | 20 | 21 | 22 | 23 | 24 | 25 | 26 | 27 | 28 | 29 | 30 | 31 | 32 | 33 | 34 | 35 | 36 | 37 | 38 | 39 | 40 |
|---|---|---|---|---|---|---|---|---|---|---|---|---|---|---|---|---|---|---|---|---|---|---|---|---|---|---|---|---|---|---|---|---|---|---|---|---|---|---|---|---|
| data | | | | | | | | | | | | | | | | | | | | | | | | | | | | | | | | | | | | | | | | |
| dzień tygodnia | | | | | | | | | | | | | | | | | | | | | | | | | | | | | | | | | | | | | | | | |
| godzina pomiaru | | | | | | | | | | | | | | | | | | | | | | | | | | | | | | | | | | | | | | | | |

KARTA PTC: SPADEK TEMPERATURY ZWIĄZANY ZE WZROSTEM POZIOMU LUTROPINY (LH)

Termiczny uskok, gdy przed owulacją zmienia się poziom LH

64

Może też tak być, że chcesz po prostu zaobserwować wzrost temperatury, żeby mieć pewność, że przechodzisz owulację. Zwróć uwagę na czas trwania fazy lutealnej. Jeśli trwa zbyt krótko, niewykluczone, że uda ci się poczęcie, ale potem zapłodnione jajeczko może mieć problem z zagnieżdżeniem. No i oczywiście, gdy już poznasz rytm swojego ciała, karta pomoże ci przewidzieć, kiedy nastąpi owulacja i możesz stosownie do tego zaplanować współżycie. Pamiętaj jednak, że karta powiadomi cię o owulacji, gdy już jest za późno, aby zajść w ciążę jeszcze w tym samym cyklu.

## Na co zwracać uwagę na karcie PTC

Kilka formacji dość często spotykanych na wykresach PTC może sygnalizować problemy z płodnością. Jeśli zauważysz jedną z nich, wskaż ją swojemu lekarzowi.

FAZA 1 (MENSTRUACJA)
• Podstawowa temperatura ciała utrzymuje się na wysokim poziomie przez jeden lub dwa dni po wystąpieniu miesiączki.

FAZA 2 (PRZED OWULACJĄ)
• PTC nie stabilizuje się w przedziale 36,1–36,4°C.
• PTC powyżej 36,6°C (wzrosty temperatury mogą zaszkodzić rozwojowi jajeczka i przyspieszyć owulację).
• Utrzymująca się niska PTC.
• Faza folikularna krótsza niż 10 dni i wczesna owulacja. (Wyściółka macicy może nie być jeszcze wystarczająco gruba, aby jajeczko mogło się zagnieździć.)
• Faza folikularna dłuższa niż 20 dni. (Ilość estrogenu zwiększa się zbyt wolno; obniżenie jakości jajeczka, jakie w związku z tym następuje pociąga za sobą większe zagrożenie nieprawidłowościami chromosomalnymi, które z kolei zwiększają ryzyko poronienia.)

FAZA 3 (OWULACJA)
• Nie ma zwiastującego owulację wzrostu podstawowej temperatury ciała (PTC).

FAZA 4 (EWENTUALNE ZAGNIEŻDŻENIE)
• PTC rośnie, następnie opada, potem znowu rośnie, tworząc formację siodła (niski poziom progesteronu).

## KARTA PODSTAWOWEJ TEMPERATURY CIAŁA

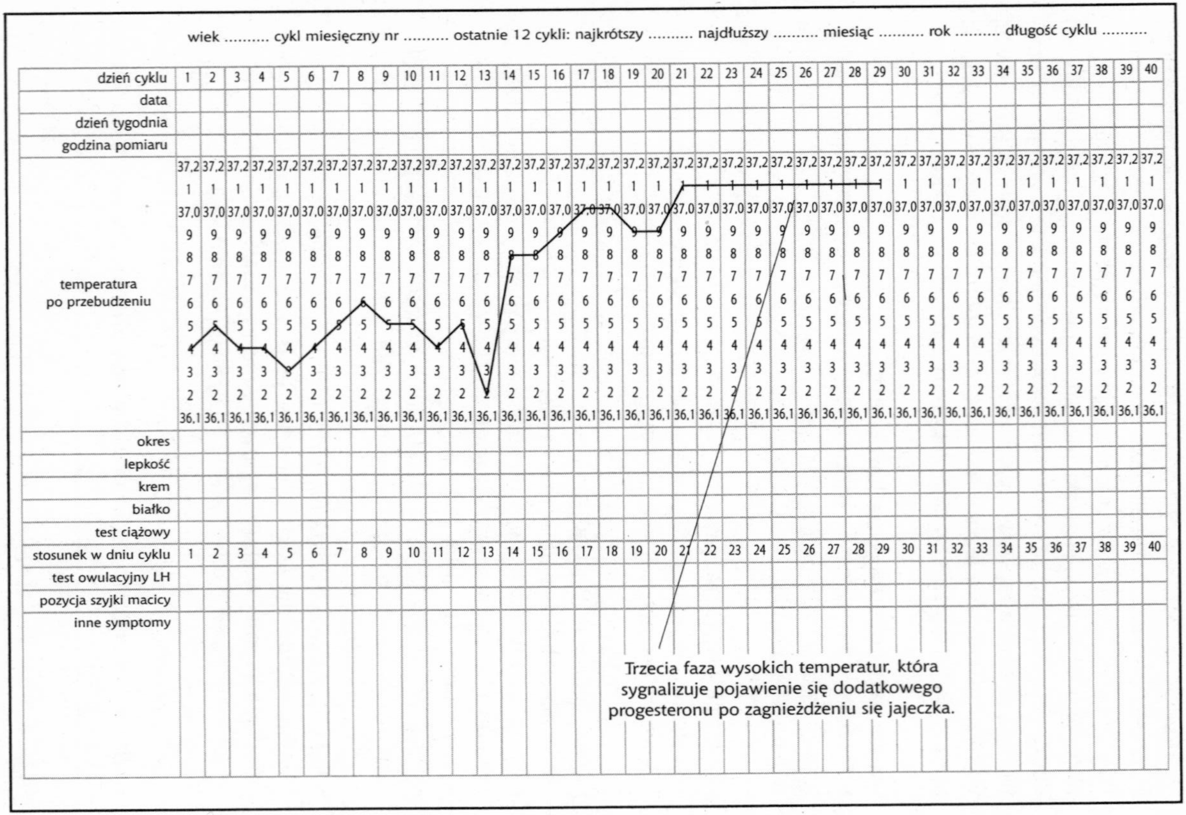
wiek .......... cykl miesięczny nr .......... ostatnie 12 cykli: najkrótszy .......... najdłuższy .......... miesiąc .......... rok .......... długość cyklu ..........
dzień cyklu
data
dzień tygodnia
godzina pomiaru
temperatura po przebudzeniu
okres
lepkość
krem
białko
test ciążowy
stosunek w dniu cyklu
test owulacyjny LH
pozycja szyjki macicy
inne symptomy
Trzecia faza wysokich temperatur, która sygnalizuje pojawienie się dodatkowego progesteronu po zagnieżdżeniu się jajeczka.

KARTA PTC: TRÓJFAZOWA FORMACJA, KTÓRA SYGNALIZUJE ZAJŚCIE W CIĄŻĘ

• PTC opada w sposób chaotyczny lub też obniża się 3 do 5 dni przed okresem (możliwy defekt fazy linearnej LPD).

## Czy jestem w ciąży?

Karta PTC może pomóc ci w odpowiedzi na pytanie, czy zaszłaś w ciążę. To może nie wydawać się konieczne w czasach, gdy dostępne są proste w użyciu „wykrywacze" w postaci płytki lub flamastra, ale zawsze jest to metoda tańsza niż kupowanie zapasu skądinąd poręcznych testów ciążowych. A przy tym jest to wspaniałe uczucie rozumieć rytm swojego ciała wystarczająco głęboko, aby móc samemu rozpoznawać, co się z nim dzieje.

Oto, czego nie należy przeoczyć:
• 18 dni wysokich temperatur w fazie lutealnej (po owulacji).
• Temperatura fazy lutealnej utrzymuje się na wysokim poziomie 3 dni dłużej niż najdłuższa faza lutealna w przeszłości.
• Formacja trzyfazowa (patrz przykład), w której temperatury rosną od fazy folikularnej do lutealnej, a potem ponownie od fazy lutealnej do ciąży (wykres wygląda jak schody. Drugi schodek w fazie lutealnej wykształca się po zagnieżdżeniu, pięć do ośmiu dni po owulacji i to jest naprawdę dobry znak.)

Gdy dostrzeżesz jeden z tych znaków, będzie to pora, aby jak najszybciej umówić się na wizytę u swojego ginekologa położnika.

### Dlaczego mój wykres zwariował?

Kilka całkiem zwyczajnych sytuacji może sprawić, że karta PTC nie spełnia pokładanych w niej oczekiwań. Aby odczyty były wiarygodne, a wykres dokładny, unikaj niektórych zdarzeń (żadnych kocyków elektrycznych) oraz rób adnotacje na karcie tak, abyś wiedział, skąd wziął się taki dziwny odczyt temperatury. Pierwsze trzy pozycje na poniższej liście to trzy czynniki najczęściej zaburzające wykres PTC.
• gorączka,
• alkohol,
• mniej niż trzy godziny snu lub sen przerywany,
• dokonywanie odczytów o różnych porach,
• używanie ogrzewaczy do ciała, gorących kompresów i elektrycznych kocy,
• oddychanie przez usta podczas snu lub niedrożne przewody nosowe (powodujące oddychanie przez usta),
• podróżowanie połączone ze zmianami stref czasowych,
• zażywanie leków przeciwzapalnych lub nasennych, stres.

**Studium przypadku: Joanne**

Joanne nie wiedziała, kiedy przechodzi owulację. Miesiączki były nieregularne, nie miała kurczy, które przytrafiają się innym kobietom i nigdy nie zawracała sobie głowy śluzem szyjkowym, a tym bardziej pozycją szyjki macicy czy kartą PTC. Powiedziała mi, że zawsze orientowała się, kiedy zbliża się okres, ponieważ miała objawy zespołu napięcia przedmiesiączkowego (PMS) takie jak tkliwość piersi, zmęczenie, łatwe wpadanie w irytację. Sygnały te jednak nie były szczególnie pomocne, jeśli chodzi o zajście w ciążę. Całymi miesiącami w swój napięty harmonogram wciskała intymne spotkania ze swoim mężem, których celem było uprawianie seksu bez zabezpieczeń. Jednak, bez rezultatu.

Zgodziła się prowadzić kartę PTC. Na następnym spotkaniu, gdy popatrzyłam na jej kartę, jedna rzecz rzuciła mi się w oczy: temperatura spadała tuż przed owulacja (gdy zwiększał się poziom lutropiny LH). Jednak potem nie podnosiła się przez kilka dni, kiedy to powinna wystrzelić w górę w związku z zachodzącą owulacją. Przechodziła owulację, ale trwało to dłużej niż normalnie. Ta powolność wskazywała, że jej organizm nie radzi sobie z płynnym przechodzeniem z jednego stanu hormonalnego do następnego. Podczas owulacji jej ciało nie reagowało adekwatnie do wzrostu poziomu progesteronu. Ten sam problem powodował u niej nieprzyjemne symptomy zespołu napięcia przedmiesiączkowego, choć zdarzały się w czasie, gdy poziom progesteronu obniżał się.

Przepisałam zioła, które miały ułatwić hormonalne przemiany w organizmie i namówiłam ją, aby w swoim przepełnionym harmonogramie znalazła miejsce na zabiegi akupunktury. Zorientowałyśmy się, że jesteśmy na właściwej drodze, gdy złagodniały dolegliwości zespołu napięcia przedmiesiączkowego, a cykl nabrał regularności. Jej wykres PTC wciąż wykazywał spadek temperatury wraz ze wzrostem poziomu lutropiny, ale teraz, zaraz po spadku, następował szybki skok temperatury, który był oznaką owulacji. Po sześciu miesiącach kuracji Joanne poczęła, a następnie urodziła dziewczynkę.

## Inne oznaki wskazujące na owulację

Sygnałami odbywającej się owulacji, na których możesz polegać w największym stopniu, są: płodny śluz szyjki macicy, pozycja szyjki macicy i karta PTC, tak jak to opisywaliśmy w tym rozdziale. Wiele kobiet jednak doświadcza innych symptomów fizycznych, które informują je o wystąpieniu owulacji. Jeśli się dobrze „dostroisz" i wczujesz w procesy zachodzące w twoim organizmie, być może zidentyfikujesz swoje własne objawy owulacji. Zalecalibyśmy jednak, aby ta wiedza służyła jedynie do potwierdzenia tego, co mówi Wielka Trójka; nie polegaj na nich tak bardzo, aby stały się twoim przewodnikiem, mającym doprowadzić cię do poczęcia dziecka.

Zarówno fakt występowania u ciebie tych świadczących o owulacji objawów, jak i ich nie występowania, jest czymś całkowicie mieszczącym

się normie, choć sposób ich przejawiania się może być w przypadku każdej kobiety inny.
• Zatrzymywanie wody.
• Tkliwość piersi.
• Wyostrzone zmysły.
• Silniejsze libido (niektóre z moich [Jill] pacjentek zauważyły, że w tym okresie są bardziej atrakcyjne dla mężczyzn, a jedna z nich powiedziała, że owulację sygnalizują jej mężczyźni, którzy ją zaczepiają na ulicy i w metrze).
• „Mittelschmerz" – tępy ból pojawiający się w czasie, gdy pęcherzyk pęcznieje lub ostry, gdy pęka i wydostaje się z niego jajeczko (odczuwa się go po tej samej stronie brzucha, po której położony jest jajnik zwalniający jajeczko); może być bardzo łagodny, jak np. odczucie gazów lub bardziej wyrazisty; pęknięciu pęcherzyka może towarzyszyć też skurcz.
• Krwawienie w połowie okresu spowodowane przez nagły spadek estrogenu, w sytuacji niedostatku progesteronu, aby hormonalnie podtrzymać endometrium (zdarza się u 10% kobiet).
• Wzdęcia.
• Obrzęk sromu.
• Przypływ energii; uczucie większej dynamiki; w kontaktach towarzyskich poczucie, że się jest bardziej atrakcyjną (a nawet szczuplejszą!).
• Lepsze samopoczucie i przypływ optymizmu.
• Nabrzmiałe gruczoły limfatyczne w pachwinie (po tej stronie, po której następuje owulacja).

## Zestawy do przewidywania owulacji
W każdej aptece do nabycia jest zestaw do przewidywania owulacji. Zestawy te działają na podobnej zasadzie jak domowe testy ciążowe, ale interesuje je inny hormon, a mianowicie lutropina (LH), który inicjuje uwolnienie się dojrzałego jajeczka z otaczającego je pęcherzyka. Siusiasz na patyczek (lub trzymasz go w strumieniu moczu) przez kilka sekund, potem odczekujesz kilka minut i patrzysz, czy pokaże się kreska wskaźnika (czy też nie). Wykonujesz jeden test dziennie aż do spodziewanej owulacji. Gdy wskaźnik wykaże wzrost poziomu lutropiny, owulacja nastąpi w ciągu następnych 24 do 48 godzin. Gdy tylko test wykaże choćby najmniejszą ilość lutropiny, odbywaj stosunki codziennie lub co drugi dzień.

Tropienie owulacji w opisany wyżej sposób kosztuje znacznie więcej niż badanie zmian w śluzie szyjki macicy czy też prowadzenie karty PTC. Każdy zestaw owulacyjny z reguły zawiera 5 testów i kosztuje około 20–30 zł. Pięć testów wystarczy ci na jeden cykl miesiączkowy. Jeśli jednak twoje cykle przebiegają nieregularnie, możesz potrzebować więcej niż jedno opakowanie, aby osiągnąć swój cel. Niemniej, możesz uznać, że wygoda warta jest tych pieniędzy. Zestawy do przewidywania owulacji mają jedną przewagę nad kartą PTC: jak wskazuje na to ich nazwa, one *przewidują* owulację, podczas gdy mierzenie temperatury powie ci jedynie, kiedy ją miałaś.

A jednak wskazanie to może czasem być mylące.

• Samo wykrycie LH nie oznacza, że będziesz miała owulację. Zdarza się, że poziom lutropiny się zwiększa, ale pęcherzyk ignoruje wezwanie do pęknięcia i jajeczko nie jest uwolnione.

• U niektórych kobiet wskazanie wzrostu LH na kilka dni przed owulacją jest zafałszowane. Szczególnie często zdarza się to u kobiet cierpiących na zespół policystycznych jajników (PCOS). Jeśli pozytywny wynik wydaje ci się nieco przedwczesny, kontynuuj testy, aby sprawdzić, czy nie pojawi się kolejny wzrost poziomu LH już nieco bliżej celu.

• Kobiety po czterdziestce mają niekiedy ogólnie podniesiony poziom LH, tak więc testy mogą pokazywać u nich stan przedowulacyjny przez kilka dni, a one nie będą się orientowały, które wskazanie jest wiarygodne.

### Ferning – wzór liścia paproci

Dawniej, jeśli kobieta chciała wiedzieć, czy przechodzi owulację, lekarz w trakcie badania wewnętrznego, wykonywanego na krótko przed spodziewanym terminem, pobierał próbkę śluzu szyjki macicy, następnie umieszczał ją na szkiełku, pozostawiał na kilka minut do przeschnięcia i wkładał pod mikroskop. Sprawdzał w ten sposób, czy nie dojrzy tam „ferningu" – wzoru liścia paproci. Na krótko przed owulacją wysoki poziom estrogenu zwiększa ilość elektrolitów (soli) w płynach ustrojowych, w tym także w śluzie szyjkowym. Oglądane pod mikroskopem sole tworzą wyraźny krystaliczny wzór* przypominający liście paproci lub wzory malowane na szybach przez mróz. Wzór ten pojawia się jedynie na 3 do 4 dni przed owulacją. (Poza okresem płodnym, wysuszony śluz daje obraz nieregularnie rozrzuconych kropek.) A więc, jeśli lekarz dojrzał liść paproci wiedział, że jesteś w najbardziej płodnym okresie tuż przed owulacją. (Aby

---

* Wzór powstaje w efekcie krystalizacji zawartej w śluzie mucyny

potwierdzić swoje ustalenia, lekarz równolegle sprawdziłby śluz szyjki macicy na ciągliwość, w języku medycznym – spinnbarkeit.)

Mając dziś do dyspozycji łatwo dostępne i bardzo dokładne testy hormonalne, niewielu lekarzy gotowych jest poświęcać swój czas na wypatrywanie pod mikroskopem liści paproci. Ale jeśli masz ochotę, możesz zrobić to sama, używając do tego mikroskopu wielkości szminki do ust i próbki śliny (albo śluzu szyjkowego, tyle że ślinę znacznie łatwiej umieścić na szkiełku). Możesz sobie kupić mikroskop owulacyjny, który powiększa około pięćdziesięciokrotnie i jest częścią zestawu owulacyjnego dostępnego w aptece lub w sklepach internetowych w cenie 100–150 zł. Zarówno szkiełko, jak i mikroskop mogą być używane wielokrotnie, jest to więc inwestycja jednorazowa, która może okazać się bardziej opłacalna niż zakup odpowiedniego zapasu owulacyjnych testów paskowych, nawet jeśli dokładność tej metody jest nieco niższa. Aby uzyskać najlepszy rezultat, współżyj z partnerem w dniu, kiedy po raz pierwszy dostrzeżesz wzór liścia paproci, a potem codziennie, lub co drugi dzień, do czasu, gdy rysunek ten zaniknie.

**Badanie ultradźwiękami**
Przedstawiając wszystkie podstawowe metody, wypadałoby też wspomnieć, że wykryć owulację można także poprzez badanie sonograficzne. W większości przypadków, planując poczęcie, nie będziesz uciekała się do tej metody, lecz kiedy dokładne ustalenie dnia owulacji ma kluczowe znaczenie dla leczenia niepłodności – np. metodą inseminacji wewnątrzmacicznej lub zapłodnienia in vitro (obie omawiane w rozdziale 25) – twój lekarz posłuży się właśnie nią. Jeśli nie jest potrzebna aż tak duża dokładność, najprawdopodobniej poprzestanie na hormonalnym badaniu krwi.

**Która metoda jest najlepsza?**
Która metoda ustalania momentu owulacji będzie dla ciebie najbardziej odpowiednia? Proponujemy, abyś wybrała dla siebie tę, która wydaje ci się najprostsza, najłatwiejsza, która ci się najbardziej podoba, jednym słowem – spełnia twoje oczekiwania. Pacjentom, którzy chcą sami kontrolować sytuację zazwyczaj rekomenduję (Sami) zestawy owulacyjne. Ja (Jill) wolę karty PTC w połączeniu z badaniem śluzu, ponieważ proces dokumentowania owulacji dostarcza mi wielu przydatnych informacji.

Na rynku znajdziecie wiele innych produktów przeznaczonych do badania procesu owulacji, niektóre z nich łączą w sobie kilka z omówionych tu procedur. Niekiedy zdarza mi się słyszeć od pacjentów o pozytywnym wrażeniu, jakie wywarł na nich monitor płodności lub jakiś inny gadżet. Trudno też przewidzieć, co zostanie wkrótce wymyślone. Choć nasza lista z pewnością nie jest kompletna, staraliśmy się omówić najprostsze, najskuteczniejsze i najbardziej użyteczne metody spośród tych, które obecnie są powszechnie stosowane.

Jeśli to wszystko wydaje ci się trudne do ogarnięcia, chcielibyśmy, abyś skupiła się przynajmniej na tym jednym przesłaniu: gdy twój śluz zaczyna przypominać białko jajka, uprawiaj seks. Miałam (Jill) pacjentkę, która siusiała na paski testu owulacyjnego przez wiele miesięcy i nie mogła zajść w ciążę. Testy dawały błędne wyniki, ponieważ jej LH było zdecydowanie za wysokie (co nie jest takie dziwne u kobiety w wieku 43 lat) i trudno było się zorientować, czy prawidłowo planowała współżycie. Ostatnio zadzwoniła, aby mi powiedzieć: „Pamiętam, co pani mi mówiła o potrzebie szukania śluzu o konsystencji białka, gdy więc tylko taki śluz zaobserwowałam u siebie, natychmiast pojechałam do domu spotkać się z mężem. A teraz jestem w ciąży!". Czasem to jest aż tak banalnie proste.

## JAKIE SĄ SZANSE?

U typowej i zdrowej pary szanse na poczęcie dziecka w dowolnym cyklu wynoszą od 20 do 25 procent, przy czym fakt, że próbowaliście już wcześniej wcale ich nie zwiększa. Nawet jeśli wszystko jest w najlepszym porządku i planowanie jest bez zarzutu, może to trochę potrwać, zanim zajdzie się w ciążę. Sześć na dziesięć par, które dokładają starań, aby począć dziecko i uprawiają seks dwa lub trzy razy w tygodniu, osiągnie cel w ciągu sześciu miesięcy, w ciągu roku sukces osiągnie 8 na 10 par, a po upływie osiemnastu miesięcy – 9 na 10.

Wynika z tego, że tym, co najbardziej jest ci potrzebne, aby zajść w ciążę, jest trochę cierpliwości. Jeśli poczęcie nie nastąpi ani w pierwszym miesiącu, ani też w drugim i trzecim nie jest to żadnym powodem do niepokoju. Jeśli pozwolisz, aby stało się to powodem stresu, jedynie znacznie utrudnisz sobie zadanie. Nie chcemy powiedzieć, że każdy powinien czekać w nieskończoność. W pewnym momencie pary faktycznie powinny zwrócić się do lekarza o pomoc. W rozdziale 25. dowiesz się, czy w twoim przypadku ten czas już nadszedł. Tym, którzy dopiero zaczynają, radzimy jednak, aby z rozdziału tego zaczerpnęli całą wiedzę, która jest im potrzebna, wygospodarowali sobie czas na seks, poszukali w kolejnych rozdziałach wskazówek, które podpowiedzą, że tym, co najbardziej sprzyja płodności, jest ogólnie dobre zdrowie i samopoczucie, a następnie pozwolili naturze wykonać swoją robotę.

Kto wie, może okaże się, że niewielkie korekty, jakie poczynisz w swoim życiu zgodnie ze wskazówkami przedstawionymi w tym rozdziale okażą się zupełnie wystarczające, abyś zaszła w ciążę. Setkom pacjentek pomogliśmy w poczęciu dziecka po prostu ucząc je sposobu rozpoznawania, kiedy są najbardziej płodne, aby mogły właściwie zaplanować pożycie. Spróbuj, a być może uda się i tobie!

## Jak się robi dzieci – plan działania

- Odbywaj waginalne stosunki w pozycji misjonarskiej i nie pomijaj gry wstępnej.
- W okolicach terminu owulacji po stosunku pozostawaj w łóżku przynajmniej przez dziesięć do dwudziestu minut.
- Unikaj nawilżaczy, w szczególności zapachowych. Jeśli już koniecznie potrzebujesz nawilżenia, stosuj Pre-Seed, ale oszczędnie. Nie używaj wody, śliny ani oleju mineralnego.
- Powstrzymaj się od współżycia w czasie trwania miesiączki. Według medycyny chińskiej, może to zakłócać prawidłowy przepływ krwi.
- W okresie najbardziej płodnym współżyj codziennie lub co drugi dzień. Jeśli liczba plemników w nasieniu twojego partnera jest niska lub w dolnym przedziale normy, kochaj się co drugi dzień.
- Współżyj bezpośrednio przed owulacją, w dniach od 12- do 14-typowego 28-dniowego cyklu, w którym owulacja przypada na dzień czternasty.
- Obserwuj rytm biologiczny swojego ciała, abyś dokładnie wiedziała, kiedy przechodzisz owulację.
- Wypatrz moment, gdy twój śluzu szyjkowy ma konsystencję białka jaja kurzego.
- Badaj pozycję szyjki macicy, współżyj, gdy jest miękka, usytuowana wysoko, otwarta i wilgotna (SHOW).
- „Dostrój się" do twojego ciała i wychwytuj inne sygnały, które ci ono wysyła w okresie owulacji.
- Prowadź kartę PTC i uważaj na skok temperatury, który sygnalizuje, że nastąpiła owulacja.
- Wypróbuj zestaw do przewidywania owulacji lub też korzystaj z mikroskopu owulacyjnego i wypatruj pojawienia się krystalizacji śluzu w postaci liścia paproci.
- Rozważ zrezygnowanie z perfum i innych silnie pachnących produktów w czasie trwania fazy 3 cyklu miesiączkowego (owulacja). W tym czasie twoje ciało emituje specyficzne sygnały chemiczne (feromony) w postaci subtelnych zapachów, które sygnalizują tobie i twojemu partnerowi, że to dobra pora na stosunek. Nie chcesz chyba przeoczyć tej informacji. Pozwól naturze robić swoje.

# ROZDZIAŁ 3

## Tryb życia osób naturalnie płodnych

Proces przekształcania oocytu w dojrzałe i gotowe do uwolnienia w chwili owulacji jajeczko trwa przynajmniej trzy miesiące. Przynajmniej trzy miesiące potrzebują też komórki plemników, aby się w pełni rozwinąć. Wszystko to, co się w tym czasie dzieje z twoim ciałem, ma wpływ na jajeczko bądź na plemniki. Jeśli chcesz, aby były zdrowe i aktywne, ty i twój partner musicie być zdrowi i aktywni. Potraktuj ten okres jako trzymiesięczny semestr zerowy, w trakcie którego możesz pomóc swojemu ciału, aby przygotowało się do ciąży. Traktuj swoje ciało z taką samą dbałością jakbyś była już w ciąży. Niech przyświeca ci ten sam cel, co w czasie ciąży (aby dziecko było jak najzdrowsze). Jeśli będziesz tak postępowała, możesz liczyć na bonus: droga do poczęcia będzie łatwiejsza i pewniejsza. Panowie, pójdźcie za przykładem waszych partnerek i troszczcie się o swoje ciało. Spotka was ta sama nagroda.

Większość czynników utrzymujących twoje ciało w zdrowiu jednocześnie wspiera płodność. Tak więc, podstawowe zasady, jakie przedstawimy wam w tym rozdziale przypuszczalnie nie będą stanowiły dla ciebie niespodzianki. Jednak powody, jakie kryją się za naszymi zaleceniami, mogą znane wam sprawy postawić w nowym świetle. Przyjrzymy się poprawiającym płodność czynnikom z myślą o wzmocnieniu twojej motywacji do wprowadzenia w życie niezbędnych zmian.

Chęć posiadanie zdrowego dziecka jest pragnieniem nadrzędnym, co sprawia, że większość kobiet gotowych jest w okresie ciąży naprawdę bardzo grzecznie się sprawować. Nie jest już jednak dla naszych pacjentów oczywiste, że już samo ustatkowanie się może bardzo dopomóc w zajściu w ciążę. Jest to także prawdziwa rewelacja dla niektórych przyszłych tatusiów; stan twojego zdrowia wpływa na prawdopodobieństwo zajścia w ciążę i na zdrowie płodu – szczególnie w okresie jeszcze przed poczęciem.

A więc, zajmujemy zdecydowane stanowisko: każdy, kto chce mieć dziecko bardzo na tym skorzysta, jeśli doprowadzi się (dotyczy to zarówno *jej*, jak i *jego*) do dobrej formy, jeszcze zanim zacznie się o nie starać. Proponujemy przeznaczyć na to pełne trzy miesiące. Z drugiej strony, nie jest to jednak żaden rygorystyczny program. Nie będziemy ci mówili, że nie masz prawa do kropli kawy albo że masz codziennie ćwiczyć (lub zaniechać ćwiczeń), czy też przysięgać, że nie tkniesz jedzenia „śmieciowego", nie każemy ci również rzucać pracy, abyś uwolnił się od stresu (jakby to w ogóle było możliwe). Będziemy cię namawiali natomiast do zachowania umiaru we wszystkim, co robisz. Nasze zalecenia formułujemy jasno, ale nie chcemy, abyś się obawiała, że aby zajść w ciążę, musisz się wszystkiego wyrzekać. Jeśli tylko będziesz dokonywała prozdrowotnych wyborów i stosowała się do naszych wskazówek tam, gdzie to tylko jest możliwe i w sposób odpowiedni do twojego życia – twoje postępowanie będzie takie, jak trzeba.

Co więcej, twój wysiłek zostanie wynagrodzony. Brytyjscy naukowcy przebadali ponad dwa tysiące ciężarnych kobiet, aby dowiedzieć się, jak czynniki związane z trybem życia wpływały na czas oczekiwania na poczęcie. Chcieli się dowiedzieć czy picie, palenie, nadwaga, wiek ponad 35 lat dla kobiet i ponad 45 dla mężczyzn lub picie takiej ilości kawy, jakby się miało kawiarnię na własność, rzeczywiście wpływało na długość okresu oczekiwania na zajście w ciążę, licząc od momentu, gdy para zaczęła do tego dążyć.

Badanie wykazało, że pary, które razem, w wymienionych wyżej obszarach, uzyskały więcej niż cztery minusy, musiały siedem razy dłużej czekać na poczęcie niż pary pozbawione tych niekorzystnych nawyków lub cech. Siedmiokrotnie większe było też prawdopodobieństwo, że zajście w ciążę zajmie im dłużej niż rok. Szansa, że w ogóle uda im się począć obniżyła się o 60 procent; mniej niż 40 procent spośród nich udało się zajść w ciążę w ciągu roku. Im więcej palili, pili, raczyli się napojami zawierającymi kofeinę, tym bardziej odbijało się to na ich płodności. Nawet te pary, które dzieliły między siebie jedynie dwie niekorzystne cechy – on, na przykład, miał nadwagę, a ona miała więcej niż 35 lat albo ona nie mogła żyć bez espresso, a on był miłośnikiem piwa – potrzebowały dwa i pół razy więcej czasu, aby zajść w ciążę niż pary bez obciążających je niekorzystnych nawyków lub cech.

Pomimo takich właśnie ustaleń, badanie to naszym zdaniem przynosi dobre wiadomości. Ostatecznie naukowcy wykazali bowiem, że 83 procent par prowadzących sprzyjający płodności tryb życia w ciągu roku poczęło dziecko. Z ich oszacowań wynikało, że jeśli pary planujące zajście w ciążę prowadziłyby tryb życia sprzyjający płodności prawdopodobieństwo, że będą miały problemy z zajściem w ciążę zmniejszyłoby się o połowę. Wyniki uzyskane w tym badaniu potwierdziły ustalenia Uniwersytetu Surrey. Przeprowadzone tam badanie wykazało, że aż 90 procent par, u których zdiagnozowano bezpłodność i które dokonały zmian w swoim trybie życia, w szczególności w zakresie diety (realizowały program kładący nacisk na suplementy diety),poczęło dziecko. (W przypadku par, którym takiej diagnozy nie postawiono, wskaźnik zajść w ciążę na przestrzeni roku, gdy się o nią starają z reguły oscyluje między 44 a 96 procent, w zależności od ich wieku.) Inne z kolei badanie wskazuje, że ustatkowanie się i pozbycie nałogów może zwiększyć szansę na sukces również w przypadku stosowania technik wspomaganego rozrodu.

## BĄDŹ ŚWIADOM SWOJEGO WIEKU

Gdybyśmy musieli wybrać tylko jeden czynnik decydujący o płodności, za najważniejszy uznalibyśmy wiek. Niezależnie od tego, czy jesteś kobietą, czy mężczyzną, czym masz więcej lat, tym bardziej jest prawdopodobne, że w twoim związku wystąpi problem z poczęciem dziecka, a następnie z donoszeniem ciąży. Jest to prawdą w przypadku poczęcia w sposób naturalny, a także w przypadku poczęcia wspomaganego przez technikę medyczną. Jako społeczeństwo mamy głęboko wypaczony pogląd na zapłodnienie in vitro oraz inne zaawansowane technologie ingerujące w naszą płodność.

Jeśli za punkt wyjścia przyjmiemy pytanie „jak łatwo, lub jak trudno będzie mi zajść w ciążę", mówiąc wprost, najlepszą radą, jaką mógłbym udzielić jest, aby decydować się na dzieci raczej wcześniej niż później (choć oczywiście, często nie jest to wykonalne z wielu różnych powodów). Gdy mężczyźni i kobiety stają się coraz starsi, ich plemniki i jajeczka tracą na jakości, a ich liczba ulega zmniejszeniu. Prowadzi to do coraz wyższych wskaźników wad urodzeniowych, poronień i zagrożonych ciąż.

Czym więcej masz lat, tym większe znaczenie mają wybory dotyczące trybu życia. Strategie życia, jakie proponujemy w programie „Jak się robi dzieci" każdemu mogą przynieść korzyść i to na różnych płaszczyznach, ale niektórzy wykorzystają wskazówki programu, aby zneutralizować wpływ, jaki starzenie się ma na płodność. W wieku 23 lat zajście w ciążę jest bułką z masłem, nawet jeśli imprezujesz w każdy weekend, nie odżywiasz się prawidłowo i w ogóle nie ćwiczysz fizycznie. Gdy masz lat 38, jest to już zupełnie inna bajka.

Szczytowa zdolność rozrodcza jest przywilejem młodości. Ale szczytowa zdolność rozrodcza nie jest konieczna, aby począć i urodzić dziecko. Kobiety poniżej 25. roku życia mają 96 procent szans, że poczną w ciągu roku. Jeśli są w wieku od 25 do 34 lat, wskaźnik ten obniża się do 86 procent. Jeszcze niższy jest dla kobiet trzydziestopięcioletnich, a potem kolejne spadki następują w wieku 38 lat i 42. Jeśli jednak weźmiemy pod uwagę wszystkie kobiety w wieku od 35 do 44 lat, statystycznie rzecz biorąc, 78 procent z nich zajdzie w ciążę w ciągu roku (przy czym oczywiście więcej poczęć będzie bliżej 35. roku życia niż 44.).

Dramatycznego wzrostu wskaźników niepłodności odnotowywanego na przestrzeni kilku ostatnich dekad, nie możemy jednak w całości przypisać kwestiom związanym z wiekiem. Do powstania tej sytuacji przyczyniły się czynniki związane z trybem życia i środowiskiem. W naszym społeczeństwie często przyjmuje się, że narastanie problemu niepłodności jest efektem tego, że coraz więcej ludzi decyduje się na dziecko w coraz późniejszym wieku, jednak badanie dowodzą, że samo to zjawisko nie tłumaczy jeszcze zmian w płodności populacji, które obecnie obserwujemy ani form, jakie one przybierają. Liczba par mających problemy z płodnością wzrasta już od lat nawet w wyodrębnionych grupach wiekowych. Co więcej, największy wzrost wskaźnika niepłodności zaobserwowano u kobiet najmłodszych.

To prawda, że kobiety powyżej 35. roku życia mają większe kłopoty z poczęciem (a ich ciąże są bardziej zagrożone). Według danych Amerykańskiego Towarzystwa Medycyny Rozrodczej (ASRM) szanse kobiety na poczęcie w danym cyklu wynoszą 20 procent dla kobiety poniżej trzydziestego roku życia, ale jedynie 5 procent dla kobiet po 40. Wraz z wiekiem kobiety wskaźnik zajść w ciążę obniża się, a wskaźnik poronień rośnie. Prawidłowość ta występuje również w przypadku par, w których mężczyzna ma ponad 40 lat, a jego partnerka ma mniej niż 35. Para, w której mężczyzna jest starszy o pięć lat i więcej od swojej partnerki, bez względu na jej wiek, również może mieć większe problemy z poczęciem.

Nowe, przeprowadzone we Francji badanie potwierdza te ustalenia. Było to pierwsze badanie na tak szeroką skalę (12 tysięcy par) określające ilościowo wpływ wieku na płodność mężczyzny. Badanie wykazało, że gdy mężczyzna osiąga wiek 35 lat, wskaźnik zajść w ciążę obniża się o 10 procent, natomiast gdy przekracza 45 lat – o 20 procent. I to bez względu na wiek kobiety. Co więcej, badanie wykazało, że gdy mężczyzna jest już w połowie czwartej dekady życia, zaczyna rosnąć wskaźnik poronień, który podwaja się, gdy mężczyzna osiąga wiek 45 lat. W efekcie, u co trzeciej pary, w której mężczyzna ma 45 lat i więcej zdarzyło się poronienie, niezależnie od wieku kobiety.

## KONTROLUJ SWOJĄ WAGĘ

Około 12 procent wszystkich przypadków niepłodności wiąże się z wagą kobiet, przy czym, według ASRM, problem w połowie wynika z niedowagi, a w połowie z nadwagi. Kobiety z poważną nadwagą mają problemy z płodnością na poziomie niemal dwukrotnie wyższym niż kobiety, których waga utrzymuje się w normie. Prawie identycznie wygląda to w przypadku kobiet z niedowagą. Również u mężczyzn nadwaga powoduje problemy z płodnością. U panów z poważną nadwagą prawdopodobieństwo, że okażą się niepłodni jest dwa razy wyższe. Idąc dalej, w przypadku par, w których oboje partnerzy borykają się z nadwagą, prawdopodobieństwo, że – mimo roku starań – nie dojdzie do poczęcia jest trzykrotnie wyższe niż w przypadku par, w których oboje partnerów mają wagę w normie. Wystarczy dziesięcioprocentowe odchylenie od idealnej wagi, aby odbiło się to na płodności.

Wyniki badań prowadzonych w ramach Harvard Nurses' Health Study – szeroko zakrojonego, długoterminowego projektu badawczego skupiającego się na problemach zdrowotnych kobiet – wskazują, że kobiety z nadwagą potrzebują dwa razy więcej czasu, aby zajść w ciążę niż kobiety, których waga utrzymuje się w normie. U kobiet z niedowagą zróżnicowanie jest jeszcze większe – zajście w ciążę zajęło im cztery razy więcej czasu niż kobietom ważącym normalnie. Zarówno niedowaga, jak i nadwaga zwiększa ryzyko poronienia, a także innych zagrożeń związanych z ciążą.

To wszystko nie wróży dobrze społeczeństwu amerykańskiemu, z jednej strony słynącemu z otyłości, z drugiej obsesyjnie przywiązanemu do szczupłej sylwetki ciała. Wagę z płodnością wiąże splot różnych czynników i nikomu nie dało się tego węzła do końca rozsupłać. Bardzo ważnym czynnikiem jest estrogen wytwarzany w komórkach tłuszczowych: im więcej komórek tłuszczowych, tym więcej estrogenu. Podnoszący się poziom estrogenu uniemożliwia owulację (tak działają pigułki antykoncepcyjne). Cykle kobiet z poważną nadwagą są często nieregularne, co wiąże się, przynajmniej w jakiejś mierze, z zaburzeniami estrogenowymi; zdarza się też, że nie przechodzą owulacji lub że owulacja jest niepełna.

Nadwaga zwiększa u kobiet poziom androgenów (hormonów „męskich"), co nie służy dobrze procesowi owulacji. Na domiar złego, produkujące estrogen komórki tłuszczowe „zrzucają" do organizmu substancje powodujące stany zapalne, które mogą obniżać płodność. Otyłości towarzyszy zazwyczaj podwyższony poziom insuliny, co jest kolejnym czynnikiem przyczyniającym się do kłopotów z płodnością u wykazujących nadwagę kobiet.

Kobiety z niedowagą, które nie mają dostatecznie dużo tkanki tłuszczowej nie są w stanie wytworzyć wystarczającej ilości estrogenu. Z kolei, obciążenie organizmu powodowane niedostatecznym odżywianiem obniża poziom folikulotropiny (FSH) i lutropiny (LH), co również sprawia, że poziom estrogenu jest niski. W wyniku tej łańcuchowej reakcji cykl staje się nieregularny, pęcherzyki nie rozwijają się dobrze, owulacja jest niepełna albo w ogóle do niej nie dochodzi.

Waga ciała istotna jest również dla mężczyzn, którzy chcą począć dziecko. Często nadmierna waga jest przyczyną niskiej liczby plemników w nasieniu. Mężczyźni z nadwagą mogą mieć niższy poziom testosteronu niż ci, których waga mieści się w normie. Wraz ze wzrostem wagi ciała zwiększa się też szybkość przekształcania się testosteronu w postać estrogenu. Wytwarza się nadmierna ilość estrogenu, co zaburza funkcjonowanie jąder, a w konsekwencji także produkcję spermy.

Badacze wysuwają teorię, że nadmierna ilość tkanki tłuszczowej w okolicy krocza i ud podnosi temperaturę jąder, uszkadzając plemniki i osłabiając płodność. Podobne, wynikające z przegrzania, szkody dla płodności powodują zbyt gorące kąpiele czy też obcisłe skórzane spodnie. Wraz ze wzrostem temperatury ciała zmniejsza się jakość spermy, przez co należy rozumieć zwiększanie się wskaźnika występowania defektów genetycznych i obniżanie się ruchliwości plemników. Pary, w których mężczyzna ma nadwagę ponoszą większe ryzyko poronienia, prawdopodobnie z powodu zaburzeń w produkcji spermy i uszkodzenia plemników.

Nadwaga zmniejsza szansę na powodzenie terapii płodności. Na przykład u kobiet z nadwagą ciąże uzyskane przy wykorzystaniu technik wspomaganego rozrodu częściej kończą się poronieniem niż u kobiet o wadze normalnej, a czym więcej dodatkowych kilogramów, tym ryzyko jest większe. Co więcej, u kobiet z nadwagą szansa, że pozytywnie zareagują na leki wspomagające płodność jest mniejsza. W efekcie, mają mniejsze szanse na sukces w zapłodnieniach in vitro, a także w innych zabiegach z grupy zaawansowanych technologii. Waga zwiększa też ryzyko występujące przy chirurgicznym leczeniu niepłodności.

**Jak można temu zaradzić?**
Ogromna większość kobiet (ponad 75 procent) zmagających się z niepłodnością spowodowaną przez nadwagę, zajdzie w ciążę w sposób naturalny, gdy tylko ich waga ustabilizuje się na zdrowym poziomie. W przypadku kobiet z niedowagą rezultat jest jeszcze bardziej wyrazisty: 90 procent z nich może liczyć na poczęcie z chwilą, gdy powrócą do swej idealnej wagi. Jeśli masz nadwagę, zgubienie 5 lub 10 procent masy ciała, najlepiej za pomocą jakiś ćwiczeń, znacząco zwiększy twoje szanse na zajście w ciążę – nawet jeśli nie uda ci się osiągnąć wagi „idealnej". Jeśli ważysz za mało, przytycie nawet o parę kilo może bardzo dużo zmienić. W sytuacji, gdy planujesz zabieg in vitro, zrzucenie nadmiernej masy ciała (lub też przybranie na wadze, gdy zachodzi taka potrzeba) jeszcze zanim się mu poddasz jest dobrym sposobem, aby poprawić swoje szanse na sukces. Co więcej, jeśli poprawisz swoją wagę, możesz nawet nie potrzebować zapłodnienia pozaustrojowego. Większość lekarzy nie omawia ze swoimi pacjentami kwestii wagi przed rozpoczęciem leczenia; jeśli wiesz, że twoja waga nie mieści się w przedziale normy, powinnaś zadbać, aby taka rozmowa odbyła się jeszcze zanim zgodzisz się na bardziej inwazyjne metody leczenia bezpłodności.

Twoja motywacja, aby wagę doprowadzić do stanu normalnego nigdy nie będzie silniejsza niż teraz. Pragnienie założenia sukni ślubnej o mniejszym rozmiarze czy zrobienia wrażenia na dawnym chłopaku podczas zjazdu absolwentów twojej szkoły nie umywają się nawet do pragnienia poczęcia dziecka. Tak silnie nie pragniesz nawet zdrowia i dobrego samopoczucia. Wykorzystaj to więc! Wiesz, co trzeba zrobić: dobrze się odżywiać i więcej się ruszać. Jeśli masz niedowagę, wzbogać swoją dietę o trochę zdrowych tłuszczy i białko. Zjedzenie codziennie garści orzechów i dorzucenie połówki avocado do sałatki, którą jesz na lunch pozwoli ci uporać się z tym problemem (nie prosimy cię o jedzenie chipsów czy sosów śmietanowych). Niezależnie od tego czy powinnaś przytyć, czy schudnąć, jest to czas, aby przystąpić do działania.

Utrzymanie wagi w ryzach nigdy nie jest proste, ale jeśli ty – podobnie jak większość naszych pacjentek – chcesz i jesteś gotowa zrobić wszystko, aby tylko mieć dziecko, dlaczego nie rozpocząć już teraz? Kontrolowanie wagi jest jednak prostszym rozwiązaniem niż poddanie się zabiegowi chirurgicznemu i przechodzenie wielomiesięcznej terapii, której towarzyszą potężne dawki hormonów i toksycznych leków, a także krótko– i długoterminowe efekty uboczne i zagrożenia. Co więcej, czeka na ciebie długa lista rozmaitych korzyści wypływających z utrzymywania prawidłowej wagi, a jeśli waga jest kluczowym powodem twoich problemów z płodnością, unormowanie jej jest i tak najlepszą rzeczą, jaką możesz zrobić.

---

### Studium przypadku: Morgan

Morgan, zanim przyjęła niezwykle angażującą pracę na Wall Street, była półprofesjonalną tenisistką. Osiągnęła wiek 28 lat i do zajścia w ciążę podchodziła z taką samą motywacją i zdecydowaniem jak do swojej kariery. Od miesięcy nie miała jednak miesiączki, która zresztą i tak nigdy nie przychodziła regularnie.

Podejrzewałem (Sami), że Morgan miała zbyt niski poziom estrogenu, a badanie wykazało, że nie przechodzi owulacji. Przepisanie leku na wywołanie owulacji było narzucającym się rozwiązaniem, podejrzewałem jednak, że jej ciało wykazuje pewną mądrość, nie pozwalając na owulację. Obawiałem się, że jeśli nawet owulację wymuszę lekami, jej organizm i tak nie zdoła utrzymać ewentualnej ciąży.

Rozmawiałem z nią i namawiałem, aby zanim zdecydujemy się na jakąś terapię, poświęciła trochę czasu na przygotowanie swojego ciała do poczęcia. Zaleciłem, aby ograniczyła nieco ilość i intensywność ćwiczeń fizycznych (na salę gimnastyczną uczęszczała codziennie o 5.30 rano, a jej ciało było ciągle w niemal zawodniczej formie), a także rozmawiałem z nią o wprowadzeniu do diety nieco większej ilości tłuszczu. Swoją dietę kontrolowała tak jak wszystko inne w swoim życiu – przy czym z powodów zdrowotnych duże znaczenie przywiązywała do unikania tłuszczy. Postępując w ten sposób, nie dostarczała organizmowi niektórych potrzebnych składników odżywczych. Morgan do zmiany diety podeszła z taką samą determinacją, jaką wykazywała w innych dziedzinach życia. Dołożyła starań, aby zdrowe tłuszcze stanowiły element jej wszystkich posiłków, do sałatek dolewała olej lniany, przekąszała orzeszkami i awocado, przynajmniej raz w tygodniu jadała łososia. W wyniku tych działań przytyła 2 kg, co – jak sama przyznała – nieco ją wystraszyło. Dzięki temu jednak znalazła się we właściwym przedziale wagowym w stosunku do swojego wzrostu, a ja wiedziałem, że jej ciało lepiej poradzi sobie z regulowaniem poziomu hormonów i że jest gotowe do poniesienia trudów ciąży.

W tym samym mniej więcej czasie Morgan zasięgnęła konsultacji u Jill i zaczęła stosować formułę ziołową w celu przywrócenia organizmowi równowagi. Po trzech miesiącach bez stosowania żadnych dodatkowych środków wystąpiła owulacja. Owulacja wciąż jednak nie była regularna i Morgan uznała, że potrzebuje wsparcia farmaceutycznego. Podałem jej niewielką dawkę leku na pobudzenie owulacji. Bardzo szybko zaczęła mieć comiesięczne owulacje i wkrótce potem zaszła w ciążę.

## ĆWICZENIE

Przykład znanej atletki, która tak ciężko trenowała, że przestała miesiączkować jest tak powszechnie znany, że wiele kobiet ma wątpliwości, czy powinny wykonywać ćwiczenia fizyczne w czasie, gdy starają się o dziecko. Niektórzy lekarze nie zalecają ćwiczeń pacjentkom, które planują poczęcie, a niektórzy nawet przed nimi przestrzegają. Choć intensywne ćwiczenia mogą spowodować wstrzymanie owulacji, wyniki najnowszych badań wskazują, że jeśli ich intensywność jest umiarkowana, to w rzeczywistości sprzyjają płodności.

### Studium przypadku: Larry

Larry i jego żona od wielu miesięcy starali się o dziecko, ale bezskutecznie. Wydawali się najzdrowszą na świecie parą – oboje biegali w maratonach. Wysłałem (Sami) Larry'ego na analizę nasienia, która wykazała niską liczbę plemników. U żadnego z nich nie mogłem się dopatrzeć żadnej innej przyczyny, która pozwoliłaby wytłumaczyć trudności z zajściem w ciążę. Poradziłem im, aby zachowali cierpliwość i poczekali, aż odbędzie się bieg, w którym Larry ma wziąć udział. Jak można było się spodziewać, gdy tylko opuścił go stres związany z bardzo intensywnym treningiem, liczba plemników w nasieniu osiągnęła normę. W ciągu paru miesięcy dołączył do grona przyszłych tatusiów i… wrócił do treningów.

Jednym z ustaleń, jakie wyłoniły się z badań przeprowadzonych w ramach projektu Nurses' Health Study było to, że ćwiczenia zmniejszają ryzyko niepłodności owulacyjnej. Zaglądanie na salę ćwiczeń trzy do pięciu razy w tygodniu obniża zagrożenie nawet o ponad 25 proc. Inne badania prowadzone na mniejsza skalę również zakończyły się konkluzją, że ćwiczenia fizyczne poprawiają płodność.

Regularne ćwiczenia pomagają ciału regulować poziom cukru – jest on spalany i usuwany z krwi. Dzięki temu, ilość insuliny utrzymuje się na odpowiednim poziomie. Jest to ważne, bo produkowanie znacznych jej ilości może zakłócać funkcje owulacyjne i samo poczęcie. Uprawianie sportu pomaga również utrzymać na właściwym poziomie androgeny, tak aby wspomagały, a nie osłabiały płodność. Ćwiczenia fizyczne działają antyzapalnie, zmniejszając ryzyko, że stany zapalne staną na drodze poczęciu. Na koniec, ćwiczenia zmniejszają stres, co także może poprawić płodność (patrz rozdz. 4).

Uprawianie sportu wpływa także na płodność mężczyzn. Zbyt wiele ćwiczeń lub zbytnia ich intensywność negatywnie odbija się na zdolności do poczęcia dziecka (choć u mężczyzn tolerancja jest wyższa niż u kobiet). Umiarkowane ćwiczenia są jednak dobrodziejstwem dla zdrowia, w tym także dla płodności. U prawdziwych długodystansowców natomiast (tygodniowo ponad 160 przebiegniętych kilometrów) w następstwie treningów może dojść do tak znacznego spadku poziomu testosteronu, że grozi to obniżeniem ich popędu płciowego i zmniejszeniem płodności.

U rowerzystów przejeżdżających więcej niż 80 km tygodniowo może nastąpić obniżenie produkcji spermy. (W przypadku sportów rowerowych chodzi nie tylko o stres związany z intensywnym wysiłkiem, ważną rolę odgrywa także siodełko, a nawet używane przez rowerzystów obcisłe spodenki). Jeśli jednak sportu nie uprawia się w sposób ekstremalny, ćwiczenia fizyczne to dobry pomysł. Gdy mężczyźni nieco zwolnią tempo i osłabią ich intensywność, płodność na ogół szybko powraca.

**Jak można temu zaradzić?**
Nasze ogólne zalecenie dla tych, którzy ćwiczą, aby osiągnąć jak największą płodność jest mniej więcej takie samo, jak dla tych, którzy ćwiczą, aby mieć jak najlepsze zdrowie. Większość ludzi powinna trenować przez 30 minut dziennie – więcej, jeśli chcą zrzucić zbędne kilogramy. Powinny to być ćwiczenia wymagające umiarkowanego wysiłku i należy

urozmaicać je tak, aby zawierały ćwiczenia aerobowe, ale też wzmacniające i rozciągające.

---

**Studium przypadku: Marta**

Za pierwszym razem Marta nie miała żadnych problemów z zajściem w ciążę. Ale gdy wraz z mężem zapragnęli drugiego dziecka, nawet po roku starań Marta wciąż nie była w ciąży. (Taka wtórna bezpłodność stwarza lekarzom szczególne trudności.) Choć Marta była teraz 3 lata starsza niż za pierwszym razem, odkryłem (Sami), że to inna zmiana, jaka zaszła w jej życiu stała się źródłem problemu. Marta zaczęła cztery razy w tygodniu intensywnie ćwiczyć aerobik. Pobudzenie endorfinowe wywołane intensywnymi ćwiczeniami obniżało poziom progesteronu w takim stopniu, że choć dochodziło u niej do poczęcia, poronienie następowało tak szybko, że nawet nie zdawała sobie sprawy, że była w ciąży. Okres przychodził regularnie, nie miała więc powodu sądzić, że przesadza z ćwiczeniami. Wytłumaczyłem jej, że istnieje coś w rodzaju szarej strefy; choć w cyklu nie zachodzą żadne zmiany, intensywny wysiłek fizyczny utrudnia zachodzenie w ciążę i zwiększa prawdopodobieństwo poronienia. Przemyślała sobie to wszystko i przypomniała sobie, że poczęła swoje pierwsze dziecko w okresie, gdy miała bardzo dużo pracy i zaprzestała uczęszczania na salę gimnastyczną.

Marta zmniejszyła intensywność swoich ćwiczeń. Nie zrezygnowała całkowicie, ale nieco zwolniła i nigdy nie doprowadzała się do stanu, w którym może wystąpić pobudzenie endorfinowe. Okazało się, że nic więcej nie było jej potrzebne. Bez problemów dwukrotnie zaszła w ciążę (obie utrzymała), a moja pomoc nie była już potrzebna.

---

Jeśli do tej pory ćwiczyłaś nieregularnie albo nie ćwiczyłaś wcale, jest to doskonały moment, aby zacząć. Ale zacznij z umiarem, stopniowo zwiększając ilość i intensywność ćwiczeń, aby nie przemęczyć ciała. W zależności od typu płodności, niektóre ćwiczenia będą bardziej lub mniej odpowiednie dla poszczególnych kobiet. Patrz część 5: Jak się robi dzieci – zalecenia dla każdego typu.

Kontroluj ćwiczenia, które wykonujesz nie tyle pod kątem ilości minut, jakie na nie poświęcasz, ale intensywności, czyli wysiłku, jaki w nie wkładasz. Ćwiczenia powinny sprawiać, że czujesz się dobrze zarówno fizycznie, jak i emocjonalnie, nie powinny natomiast całkowicie pozbawiać cię energii i wyczerpywać. W czasie, gdy starasz się zajść w ciążę nie trenuj na granicy swoich możliwości. Gdy dochodzisz do stanu, w którym zaczyna działać pobudzenie endorfinowe, czyli wchodzisz w tzw. strefę – zwolnij. Z perspektywy twojej płodności, pobudzenie jest widomym znakiem, że posuwasz się za daleko.

Gdy kobiety doprowadzają się do fizycznego wyczerpania, ich poziom estrogenu obniża się tak bardzo, że może dojść do zatrzymania procesu owulacji. Panie, które intensywnie ćwiczą w dłuższych okresach czasów powinny rozważyć złagodzenie reżimu treningów. Nie jest to bowiem najbardziej odpowiedni czas, aby przygotowywać się do maratonu. Gdy kobiety przestają wykonywać takie męczące ćwiczenia, poziom hormonów i cykl miesiączkowy powracają u nich do stanu normalnego. Jest to więc problem, który łatwo rozwiązać.

W przypadku kobiet z dużą niedowagą, nawet mniej męczące ćwiczenia mogą negatywnie wpłynąć na owulację. Dla szczupłych kobiet, które uprawiają ćwiczenia fizyczne, słowo „umiarkowanie" powinno stać się przewodnim hasłem. Jest to dobra rada dla wszystkich kobiet, które chcą zajść w ciążę. Jeśli ćwiczysz, rób to bez przesady.

## Ćwiczenia w poszczególnych fazach cyklu miesiączkowego

### Faza 1 (*Menstruacja*)
• Gdy masz okres, nie wykonuj męczących ćwiczeń aerobiku.
• Spróbuj ćwiczeń bardziej zorientowanych na medytację, takich jakie wykonują adepci jogi, tai chi czy qi gong.

### Faza 2 (*Okres przedowulacyjny*)
Na ćwiczenia aerobiku przeznacz 20–30 minut dziennie.

### Faza 3 (*Owulacja*)
Dobieraj sobie ćwiczenia łagodne; pływaj, spaceruj, ćwicz jogę lub qi gong. Unikaj ćwiczeń wymagających dużego wysiłku, takich jak bieganie czy aerobic na urządzeniu do stepowania (na schodku). Ćwiczenia przyspieszają obieg krwi, co zapewnia dobre ukrwienie macicy – sprawia to, że ich oddziaływanie na organizm jest szczególnie korzystne właśnie w okresie owulacji.

### Faza 4 (*Potencjalne zagnieżdżenie*)
Wykonuj umiarkowanie obciążające ćwiczenia, tak aby po owulacji, gdy embrion próbuje się zagnieździć, stymulowały przepływ krwi i energii życiowej qi. Unikaj intensywnego aerobiku i męczących ćwiczeń, takich jak jogging czy skoki na trampolinie (chyba, że wiesz na pewno, że nie jesteś w ciąży). Spacerowanie, jeżdżenie na rowerze, pływanie, joga i qi dong – to są odpowiednie ćwiczenia dla ciebie.

# SEN

Najprawdopodobniej już wiesz, że sen jest dobry dla zdrowia i z pewnością przekonałaś się, jak duże znaczenia ma dla stanu twojego umysłu. Okazuje się, że ma również kluczowe znaczenie, jeśli chodzi o płodność. Sen pomaga odbudować i odświeżyć twój umysł i wszystkie narządy organizmu, w tym także układ rozrodczy. Według Narodowej Fundacji Snu, 70 procent Amerykanów nie dosypia.

W dłuższych okresach czasu niedostatek snu (zarówno w aspekcie ilościowym, jak i jakościowym) negatywnie oddziałuje na nastrój i system odpornościowy. Brak snu zmienia równowagę hormonalną i uruchamia inne czynniki osłabiające płodność, a wynikające z trybu życia, takie jak otyłość, nadużywanie kofeiny czy napięcia między partnerami. Brak snu może stać się przyczyną nieregularności cykli miesiączkowych i zaszkodzić procesowi owulacji, utrudniając tym samym poczęcie. Gdy naukowcy przebadali przedstawicielki zawodów, w których niedosypianie jest najczęstsze, a więc stewardessy i pielęgniarki pracujące na późne zmiany – połowa z nich miała nieregularne cykle (w całości populacji tylko 20 procent kobiet ma ten problem). Niektóre z tych kobiet nie przechodziły również owulacji.

**Jak można temu zaradzić?**
Niedosypiając wydłużasz listę czynników stresogennych, z którymi ty i twoje ciało musicie się borykać. Sześć godzin snu na dobę to po prostu za mało. Siedem to już lepiej, a jeszcze lepiej – osiem. Jednym z najprzyjemniejszych sposobów na zwiększenie płodności jest spędzanie więcej czasu w pościeli, oczywiście śpiąc. Jeśli masz kłopoty ze spaniem, nawet jeśli już wygospodarowałeś sobie na nie czas, zasięgnij porady i dowiedz się co masz zrobić, aby dobrze przesypiać noc.

## UNIKAJ TOKSYN

W tym kraju (USA) codziennie używa się dziesiątków tysięcy związków chemicznych, a każdego roku dochodzi tysiąc nowych. Większość tych substancji przed pięćdziesięciu laty była nieznana. Ogromna większość z nich została przebadana pod kątem wpływu na nasz układ rozrodczy. Według Agencji Ochrony Środowiska, co najmniej pięćdziesiąt spośród najczęściej używanych substancji chemicznych ma wpływ na układ rozrodczy, przy czym jedynie cztery z nich objęte są odpowiednimi regulacjami.

Toksyczne substancje zanieczyszczają powietrze, glebę i wodę, a za ich pośrednictwem niemal wszystko, z czym się stykamy. Czasem je wdychamy. Czasem są w naszym pożywieniu. Czasem po prostu przenikają przez naszą skórę. Gdy tak się dzieje, mogą powodować wszelkiego rodzaju problemy zdrowotne. Rak jest najlepiej znanym zagrożeniem powodowanym przez toksyny w naszym środowisku, mają one jednak szkodliwy wpływ także na płodność.

Liczba plemników w nasieniu przeciętnego Amerykanina na przestrzeni ostatnich dekad mocno się zmniejszyła – tak bardzo, że lekarze zmuszeni byli przedefiniować stan „normalny" – przy czym środowiskowe toksyny należą tu do głównych podejrzanych.

---

**Studium przypadku: George i Eleanor**

George wraz z małżonką, Eleanor przyszli do mnie (Sami) na konsultację, ponieważ Eleanor nie mogła zajść w ciążę. Ani w medycznej historii pacjentki, ani w wynikach badań nie mogłem znaleźć nic, co pozwoliłoby wyjaśnić ten problem, zaproponowałem więc George'owi zbadanie spermy. Powiedział mi, że rok temu takie badanie zrobił (powodów nie podał) i wszystko było w normie. Ponieważ w dalszym ciągu nie potrafiłem wyjaśnić istoty problemu, George zgodził się ponowić badanie. Tym razem jego wynik wskazywał, że liczba plemników w nasieniu George'a znacznie się obniżyła. Stało się więc jasne, dlaczego Eleanor nie zachodziła w ciążę, ale co się stało z produkcją spermy u George'a? Zapytałem go o nowe wydarzenia w jego życiu, a z tych, które on wymienił wszystkie były pomyślne: razem z żoną kupili nowy dom na wakacje, a jemu bardzo spodobało się wiejskie życie, jakie tam prowadzą. Ponieważ żadne z moich kolejnych pytań niczego nowego nie wniosło, powróciliśmy do kwestii domu wakacyjnego. Gdy George wspomniał, że czerpią wodę ze studni, poradziłem mu, aby dał ją do zbadania. Okazało się, że jego nowe zacisze było również źródłem jego nowych kłopotów. W wodzie były ciężkie metale, w tym rtęć. Stopniowo zatruwał swoją spermę. W trakcie szukania sposobu oczyszczenia studni, George przerzucił się na wodę butelkowaną. Zwrócił się również do specjalisty, aby omówić z nim kurację przy pomocy czynników chelatujących, która usunie metale ciężkie z jego organizmu. Kilka miesięcy później liczba plemników w jego spermie wróciła do normy, a ja nie miałem wątpliwości, że wkrótce nastąpi poczęcie.

---

Obniżyła się jakość spermy, natomiast liczba defektów wzrosła. Również ciało kobiety zostało dotknięte zmianami, przy czym są one trudniejsze do wychwycenia niż liczba plemników i nie zostały poddane tak dokładnym badaniom.

Gdy spotykamy się z niewyjaśnionymi przypadkami bezpłodności lub powtarzających się poronień, zarówno mężczyźni, jak i kobiety powinni być przebadani pod kątem ekspozycji na działanie toksyn. Nawet w przypadku poronień wina nie musi leżeć po stronie kobiety. Na przykład, u żon weteranów wojny w Wietnamie, którzy byli narażenie na działacie preparatu fitotoksycznego, znanego jako „czynnik pomarańczowy" (Agent Orange) stwierdzono zwiększone wskaźniki poronień i bezpłodności.

Jeśli chodzi o popularne toksyny – takie jak pestycydy, ołów, rtęć i inne ciężkie metale, bromodichlorometan (wszechobecny produkt uboczny procesów chlorowania wody pitnej); kadm, dym tytoniowy oraz polichlorobifenyle (PCB) – zostały stwierdzone ich powiązania z całą gamą problemów z płodnością, zarówno u mężczyzn, jak i u kobiet, w tym z niską liczbą i małą ruchliwością plemników, zwiększoną liczbą defektów, podwyższonym poziomem występowania plemników z uszkodzonym DNA, obniżoną jakością spermy, impotencją, częstszymi poronieniami, wyższym wskaźnikiem występowania endometriozy, nieudanymi zabiegami in vitro i kilkoma przypadkami bezpłodności, których nie można wytłumaczyć inaczej niż działaniem substancji szkodliwych. Jest to zaledwie parę dobrze przebadanych przykładów z bardzo długiej listy.

Ponieważ samo już tylko wymienienie skutków powodowanych przez wszystkie przebadane związki chemiczne mogłoby wypełnić całą tę książkę, skupimy się tu jedynie na dwóch z nich: dioksynach i ksenoestrogenach. Wybraliśmy je, ponieważ należą do najbardziej rozpowszechnionych i są najbardziej szkodliwe dla płodności. Są to jednak też toksyny, których można unikać. Możesz kontrolować stopień swojej ekspozycji na działanie tych toksyn, jeśli tylko wiesz, gdzie one się znajdują.

---

**Studium przypadku: Wanda**

Wanda, kobieta trzydziestokilkuletnia, przyszła do mnie na konsultację po trwających rok bezskutecznych próbach zajścia w ciążę. Po przeprowadzeniu wywiadu i przebadaniu jej ustaliłem, że nie przechodzi owulacji i że leki wspomagające płodność powinny pomóc. Wanda wspomniała jednak, że uwielbia miecznika i jada go trzy razy w tygodniu. Skłoniło mnie to do zastanowienia, szczególnie w świetle doniesień mówiących o stwierdzonym w tej rybie wysokim poziomie rtęci. Zaleciłem Wandzie zrobienie badania krwi. Zawartość rtęci okazała się tak wysoka (siedem razy przewyższała normę), że musiałem ten przypadek zgłosić do departamentu zdrowia. Nie przepisałem również żadnych środków wspomagających płodność. Zaleciłem również, aby do czasu unormowania się sytuacji mąż stosował prezerwatyw. Chodziło o pewność, że w tym czasie nie zajdzie w ciążę, obawiałem się bowiem o zdrowie zarodka poczętego w tak toksycznym środowisku.

Wanda wyrzekła się miecznika i w ciągu kilku miesięcy poziom rtęci w jej organizmie powrócił do stanu normalnego. Wtedy ustawiłem jej kurację lekami wspomagającymi płodność, aby wesprzeć proces owulacji. Wanda zaczęła owulować i po kilku miesiącach zaszła w ciążę.

## Dioksyny

Dioksyny są to toksyczne związki chemiczne powstające jako produkt uboczny w bardzo wielu procesach przemysłowych, takich choćby jak bielenie papieru, produkcja środków chwastobójczych czy spalanie odpadów medycznych. Dioksyny wchodzą w interakcje z układem hormonalnym. Ich obecność może zaburzyć cykl menstruacyjny. Ustalono też, że zwiększają ryzyko endometriozy. Mają one też swój udział w niezdolności do utrzymania ciąży. U mężczyzn wysoki poziom dioksyn we krwi kojarzony jest z niższym poziomem testosteronu, zaburzoną sprawnością seksualną, niższej jakości nasieniem, zmniejszoną produkcją spermy i mniejszą ruchliwością plemników. Obniżony poziom testosteronu może przekładać się na mniejszą masę mięśniową (mniej siły), mniejszą gęstość tkanki kostnej, większą męczliwość, skłonność do stanów depresyjnych w powiązaniu z zaburzeniami seksualnymi i bezpłodnością. (Skupiamy się na problemach, które w największym stopniu odnoszą się do omawianych kwestii.)

Dobrą wiadomością jest to, że możesz kontrolować stopień, w jakim jesteś narażona na działanie dioksyn. Największym źródłem toksyn są bowiem wołowina, mleko i inne produkty mleczarskie, następnie drób i inne rodzaje mięsa, a wreszcie jajka. Możesz też wdychać dioksyny (na przykład wraz z każdym zaciągnięciem się papierosem), ale większość skażeń twojego organizmu ma źródło w tym, co jesz. Dzieje się tak, gdyż dioksyny bardzo „lubią" tkankę tłuszczową – tam też jest ich największa koncentracja. Dotyczy to zarówno tłuszczy zwierzęcych, jak i zapasów tłuszczu w twoim ciele. Jest to kolejny argument przemawiający za tym, aby nie mieć za wiele tkanki tłuszczowej – im jesteś szczuplejsza, tym dioksyny mają mniej miejsca dla siebie.

**Jak można temu zaradzić?**

Ogranicz spożycie produktów zwierzęcych, przestaw się na mięso organiczne, a w szczególności jego niskotłuszczowe i chude rodzaje. Nie musisz całkowicie wykluczać tłuszczów ze swojej diety, jednak tłuszcze zwierzęce – źródło tłuszczy nasyconych i dioksyn – nie powinny stanowić ich głównego źródła.

## Ksenoestrogeny

Ksenoestrogeny są to związki chemiczne, które naśladując działanie estrogenu, zaburzają gospodarkę hormonalną i uniemożliwiają prawidłowe działanie prawdziwemu estrogenowi. Estrogen produkowany jest zarówno przez organizmy mężczyzn, jak i kobiet, choć oczywiście kobiety wytwarzają go o wiele więcej. Estrogen ma kluczowe znaczenie dla prawidłowego działania naszego układu rozrodczego, a także odgrywa ważną rolę, jeśli chodzi o rozwój kości, wzrost, cyrkulację, metabolizm oraz inne procesy. Pełni funkcję posłańca – prawie każda komórka w ciele ma *receptor estrogenu*, który jest czymś w rodzaju stacji dokującej dla cząsteczek estrogenu; mogą się one tu przyłączać i przekazywać informacje.

Ksenoestrogeny mają strukturę wystarczająco podobną do estrogenu, aby mogły podłączać się do tych samych receptorów i uniemożliwiać estrogenowi wywiązanie się z zadań. Dlatego też, ksenoestrogeny są głównym powodem zaburzeń równowagi hormonalnej; uniemożliwiają dominację estrogenu, co może pociągnąć za sobą bezpłodność. Ich toksyczność odbija się również na pracy jąder. Obecności ksenoestrogenów przypisuje się spadek liczby plemników, pogarszającą się jakość nasienia, większą liczbę plemników z uszkodzonym DNA, niską ruchliwość plemników, a także inne, niewyjaśnione przypadki bezpłodności mężczyzn. Jeśli chodzi o kobiety, obarcza się je winą za wyższy wskaźnik powtarzających się poronień, endometriozę, ciąże pozamaciczne i zespół policystycznych jajników (PCOS). Mogą też zmniejszyć libido.

**Jak można temu zaradzić?**

Źródłem ksenoestrogenów przenikających do naszego środowiska, a następnie do naszych organizmów są przede wszystkim pestycydy i plastiki, choć są również obecne w bardzo wielu produktach codziennego użytku, poczynając od farb, przez kosmetyki do środków plemnikobójczych. Najlepszym zatem sposobem zabezpieczenia się przed nimi jest kupowanie produktów organicznych i rozważne używanie plastików – szczególnie tam, gdzie wchodzą w kontakt z żywnością. Nie korzystaj z plastikowych pojemników, ani też z pojemników z plastikową pokrywką do podgrzewania jedzenia w kuchenkach mikrofalowych, nie używaj też plastikowych naczyń do gorących potraw. Wysoka temperatura może sprawić, że molekuły plastiku przedostaną się do twojego pożywienia.

Molekuły, które są wypłukiwane z plastików i przedostają się do pożywienia pochodzą z plastyfikatorów znanych jako ftalany. Ftalany są to związki chemiczne o szerokim zastosowaniu, używane w całej gamie produktów. Są powszechnie obecne w plastikach, znajdują się też w wielu kosmetykach i produktach do pielęgnacji ciała. Najczęściej stosowane są w produkcji substancji zapachowych, a także wszelkich zapachowych płynów, szamponów i mydeł. Jeden z ftalanów można odnaleźć w lakierach zabezpieczających paznokcie przed pękaniem, a także w produktach z plastiku, które muszą być mocne i odporne, na przykład w uchwytach narzędzi. Nawet ryzykując, że efekt manicure nie będzie perfekcyjny, chroń siebie i swoje drogi rodne przed ftalanami. Uważnie sprawdzaj etykiety (niektóre lakiery są pozbawione ftalanów) i wybieraj produkty bezzapachowe.

Gdy czytasz ulotki dołączone do produktów służących do pielęgnacji ciała, zwracaj uwagę też na obecność parabenów. Parabeny są powszechnie stosowane w kosmetykach jako substancje konserwujące. Ponieważ ciało wchłania je przez skórę lepiej ich nie mieć w swoim płynie do demakijażu, szmince czy odżywce do włosów.

Ostatnią linią obrony przeciwko groźnym estrogenom pochodzenia nienaturalnego jest włączenie do swojej diety fitoestrogenów – estrogenów roślinnych. Fitoestrogeny również naśladują zachowanie estrogenów w organizmie, tyle że w odróżnieniu od ksenoestrogenów, ich działanie jest dobroczynne: gdy przyłączają się do receptora estrogenu, nie mogą już tego zrobić znacznie silniejsze ksenoestrogeny. Najlepszym źródłem fitoestrogenów są siemię lniane i soja. Dobrym źródłem są też orzechy, nasiona sezamu i rośliny strączkowe. Mniejsze ich ilości znajdują się w zbożach i niektórych owocach, a także w warzywach i ziołach. Jest to kolejny argument, aby wprowadzić do naszego menu całą gamę produktów naturalnych.

Nie spotykamy się często z przypadkami niepłodności wywołanej toksynami środowiskowymi. A może raczej obserwujemy objawy, takie jak choćby niska liczba plemników, ale w poszukiwaniu przyczyn nie dochodzimy do źródłowej przyczyny problemu. Lekarze, przystępując do rozszyfrowania problemu niepłodności, powinni jednak uwzględnić toksyny w całościowym obrazie kłopotów z poczęciem dziecka. W szczególności, jeśli mamy do czynienia z niewyjaśnionymi przypadkami bezpłodności lub poronień, wykonanie badań przesiewowych pod kątem występowania ołowiu, rtęci, kadmu i innych toksyn powinno być elementem planu działania.

## RZUĆ PALENIE

Nikt chyba nie potrzebuje już kolejnych informacji mówiących o tym, jak niezdrowe jest palenie. Nie powinno się palić i kropka. Jednak w przypadku, gdy ulegasz takiemu nałogowi, a chcesz zajść w ciążę, powinnaś wiedzieć, że – oprócz wszystkich innych negatywnych następstw powodowanych przez palenie tytoniu – istnieje potwierdzony związek między paleniem i niepłodnością par, w których jeden lub oboje partnerzy są palaczami. Opracowania naukowe wskazują, że palenie o jedną trzecią zmniejsza szanse kobiety na poczęcie dziecka. Wyniki jednego z badań wskazują, że u kobiet, które palą prawdopodobieństwo, że na zajście w ciążę będą potrzebowały więcej niż rok jest trzy i pół razy większe. Z innego z kolei badania wynika, że u palaczek okres do poczęcia dziecka był dwukrotnie dłuższy niż u kobiet, które nie palą. Większe u nich było też prawdopodobieństwo, że w ogóle nie zajdą w ciążę. Palaczki muszą się liczyć też ze zwiększonym ryzykiem poronienia.

Jednym z największych źródeł problemów zdrowotnych są toksyny zawarte w papierosach. Nikotyna jest jedną z nich. Pogarsza przepływ krwi w macicy i łożysku, co może prowadzić do problemów z zagnieżdżeniem się jajeczka, a także sprzyjać poronieniom. Tytoń bezdymny działa równie szkodliwie. Są dowody na to, że palenie zakłóca pracę wyścielających jajowody rzęsków (cilia), ograniczając ich zdolność do przesuwania zapłodnionego jajeczka w kierunku macicy. Palenie zaburza też równowagę hormonalną, a w przypadkach krańcowych może nawet przyspieszyć menopauzę.

Palenie może prowadzić do zmniejszenia się liczby plemników, a także je spowolnić, zwiększyć liczbę plemników wykazujących defekty, a także upośledzić ich zdolność do przeniknięcia w jajeczko. Czym więcej mężczyźni wypalają dziennie papierosów, tym bardziej to się odbija na ich płodności.

Palenie, zarówno w przypadku mężczyzn, jak i kobiet znacznie zmniejsza szansę na powodzenie zabiegu zapłodnienia przy pomocy technik wspomaganego rozrodu. Od palaczek pobiera się mniej jajeczek, mniej też zostaje zapłodnionych w zabiegach in vitro. U kobiet, których partnerzy są palaczami obniża się wskaźnik udanych extra-cytoplazmatycznych iniekcji plemników (ICSI). Do niepowodzenia zabiegów wspomaganego rozrodu mogą również przyczyniać się genetyczne anomalie plemników.

## OGRANICZ KOFEINĘ I KAWĘ

Kofeina może zmniejszyć przepływ krwi w macicy, co może utrudnić proces zagnieżdżenia się jajeczka. Zbyt wiele kofeiny może zwiększać ryzyko skrzepów i poronienia. Kofeina może również zwiększać stres i poziom lęku. Badania nad wpływem kofeiny na płodność nie przyniosły jednoznacznych wyników, postąpisz jednak słusznie unikając jej, jeśli twoje problemy z płodnością wiążą się z nieprawidłowym dopływem krwi lub problemami z zagnieżdżeniem jajeczka. Niektóre typy płodności charakteryzuje większa niż w przypadku innych typów podatność na negatywne działanie kofeiny (patrz część 5), jednak w większości przypadków dawka 90 mg dziennie uznawana jest za bezpieczną. Jest to odpowiednik jednej filiżanki normalnie zaparzonej kawy, dwóch filiżanek czarnej herbaty lub trzech filiżanek zielonej herbaty. Liczy się też kofeina zawarta w coca coli i czekoladzie.

Najlepiej ograniczyć spożycie kawy, niezależnie od tego, czy jest to kawa prawdziwa, czy dekofeinowana. Kawa ma charakter kwasowy i może zakwasić ciało i śluz szyjki macicy. Kilka badań zakończyło się ustaleniami, że kawa – czy to z kofeiną, czy bez – zmniejsza płodność. W konkluzji rozległego badania, jakie niedawno przeprowadzono w Holandii stwierdzono, że cztery filiżanki kawy dziennie obniżają szansę kobiety na dziecko o ponad 25 procent, co odpowiadało szkodom wyrządzanym przez palenie, nadwagę lub więcej niż trzy drinki alkoholowe tygodniowo. W niektórych badaniach stwierdzono powiązania między spożywaniem kawy i poronieniami, a niektóre wiązały kawę z niską liczbą plemników. Nie wszystkie jednak badania potwierdziły szkodliwość kawy. Ostatecznie więc, podobnie jak w większości innych przypadków, zalecamy umiarkowanie. Jeśli pijesz dużo kawy, ograniczenie spożycia do jednej filiżanki rano może być dobrym pomysłem. (Mówimy o około 200 ml kawy, a nie o jakiejś kolosalnej porcji.) Wielu naszych pacjentów przestawiło się z kawy na herbatę i jest to kolejne dobre rozwiązanie. Jeśli jednak stwierdzisz u siebie problem z płodnością, możliwe, że uznasz za słuszne całkowite odstawienie kawy.

## UNIKAJ ALKOHOLU

Wiele kobiet unika alkoholu w okresie, gdy zabiega o poczęcie dziecka, wychodząc z założenia, że skoro nie będą w ogóle piły w okresie ciąży, nie powinny też pić w czasie, kiedy *mogą* być w ciąży. Ale ostrożność w spożywaniu alkoholu w czasie, gdy staramy się począć dziecko to nie tylko obawa o jego ewentualny wpływ na rozwój płodu. Alkohol odbija się również na samej płodności.

Badania na ten temat to worek z różnościami. Niektóre badania nie wykazały związku między umiarkowanym spożywaniem alkoholu a płodnością. Inne z kolei wskazują, że nawet niewielkie ilości alkoholu mogą obniżyć zdolność poczęcia o połowę. Na przykład, jedno z badań, przeprowadzonych na szeroką skalę doprowadziło do konkluzji, że prawdopodobieństwo poczęcia w ciągu sześciu miesięcy było dwukrotnie większe w przypadku kobiet, które spożywały mniej niż pięć drinków tygodniowo, niż w przypadku tych, które piły więcej. Inne badanie wykazało, że partnerki mężczyzn regularnie spożywających alkohol zachodziły w ciążę dwa razy później, niż partnerki mężczyzn, którzy nie pili wcale. W przypadku obu płci utrzymuje się zależność, że czym wyższe spożycie alkoholu, tym mniejsze prawdopodobieństwo zajścia w ciążę. Większość opracowań jest zgodna: wysokie spożycie alkoholu szkodzi płodności.

Alkohol jest jednym z głównych czynników obniżających płodność mężczyzn. Działa toksycznie na plemniki, a jego nadużywanie może obniżyć jakość spermy, zwiększyć liczbę anomalii i obniżyć ruchliwość plemników. Dowiedziono, że pijący mężczyźni mają mniejszą liczbę plemników i niższy poziom testosteronu niż abstynenci, a także mniejsze libido. Ponoszą też większe ryzyko zaburzeń erekcji. W przypadku kobiet alkohol może być czynnikiem ryzyka w przypadku niepłodności owulacyjnej.

Picie napoi alkoholowych, jak wykazano, obniża wskaźnik udanych zabiegów przy wykorzystaniu technik wspomaganego rozrodu, włącznie z metodą in vitro. Jedno z badań, które skupiło się na parach, które poddały się zapłodnieniu pozaustrojowemu wykazało, że kobiety, które wypijały jednego drinka więcej niż grupa kontrolna potrajały ryzyko, że nie zajdą w ciążę w żadnym cyklu, a także podwajały ryzyko poronienia. W przypadku mężczyzn, którzy wypijali jedną dodatkową porcję alkoholu, ryzyko poronienia było wyższe od dwóch do *trzydziestu* razy, w zależności od tego, jak rozkładało się spożycie w relacji do cyklu. Największe zagrożenie wiązało się z piciem alkoholu miesiąc przed zabiegiem in vitro, a także w okresie przeprowadzania zabiegu.

Oprócz oddziaływanie bezpośredniego, alkohol również koliduje ze zdolnością organizmu do przyswajania składników odżywczych zawartych w pożywieniu. Wśród nich jest cynk, który jest szczególnie ważny dla męskiej płodności. Alkohol także utrudnia działanie kwasu foliowego, który ma duże znaczenie w procesie dojrzewania jajeczka do owulacji. Wreszcie, alkohol zakwasza ciało, w tym także śluz szyjki macicy. Gdy śluz nabiera zbytniej kwasowości, plemnik nie jest w stanie w nim przetrwać, a tym samym dotrzeć do jajeczka.

**Studium przypadku: Annie i Kevin**

Gdy Annie i Kevin do mnie (Jill) trafili, mieli już za sobą jeden nieudany zabieg in vitro i jeden, który zakończył się poronieniem w następstwie defektu chromosomalnego. Annie sprawiała na mnie wrażenie osoby zupełnie zdrowej i nie mogłam się dopatrzeć niczego, co mogłoby być przyczyną jej trudności z poczęciem. Powiedziała mi, że choć u jej męża badanie wykazało małą ruchliwość plemników, a wyniki morfologii też nie były najlepsze, lekarze zapewnili ich, że choć mogło to powodować trudności z poczęciem metodą naturalną, nie powinno mieć wpływu na wynik zabiegu in vitro.

Pomyślałam sobie, że dobrze byłoby spotkać się z Kevinem. W gabinecie Kevin przyznał się, że pije sporo alkoholu, odreagowując wieczorami stresy związane z pracą. Na ogół jest to gin z tonikiem i kilka kieliszków wina. Dodał, że może w każdej chwili z tego zrezygnować, gdybym uznała to za wskazane, a także przy okazji przyjrzałby się swojej diecie. Po pięciu miesiącach badanie nasienia dało świetny wynik, a para natychmiast umówiła się na jeszcze jedną sesję zapłodnienia in vitro. Tym razem, gdy plemniki Kevina były w pełnej formie, zabieg się powiódł, a Annie i Kevin są szczęśliwymi rodzicami zdrowej dziewczynki.

# UWAŻAJ NA LEKI

Wiemy, że większości lekarstw dostępnych w wolnej sprzedaży nie należy zażywać w okresie ciąży, przy czym wiele kobiet unika takich leków również w okresie, gdy aktywnie stara się zajść w ciążę. Jest to mądra strategia. Twój lekarz powinien udzielić ci informacji, które z zażywanych przez ciebie lekarstw (także ziół i suplementów) mogłyby zagrozić rozwojowi zarodka. Trzeba jednak wiedzieć, że niektóre lekarstwa zapisywane przez lekarzy i kupowane w aptekach również mogą osłabiać płodność, przy czym dotyczy to zarówno mężczyzn, jak i kobiet. Nie zawsze odrzucenie leku jest słuszne; czasem trzeba się zastanowić nad sposobem i momentem jego przyjmowania. Jeśli jednak zażywasz leki z opisanych niżej grup i chcesz zajść w ciążę, powinnaś ze swoim lekarzem przeprowadzić poważną rozmowę na temat dalszego postępowania.

- **Antybiotyki**. Choć antybiotyki są często kluczem do rozwiązania problemów z płodnością (choćby poprzez zwalczenie infekcji powodujących bezpłodność lub poronienia), niektóre z nich zaburzają produkcję spermy. Zachowaj ostrożność, w przypadku aminoglikozydów, minocyklin, nitrofurantoiny i sulfonamidów. Co więcej, niektóre antybiotyki o szerokim spektrum działania, takie jak augmentin, keflex, ampicylina i amoksycylina mogą wywołać nadmierny rozwój drożdżaków pochwy. Sprawiają one, że płodny śluz szyjki macicy staje się nieprzyjazny dla plemników. Nawet jeśli infekcja drożdżakowa nie wywoła takich następstw, utrudni planowanie pożycia, gdyż trudniej będzie ustalić moment pojawienia się płodnego śluzu.
- **Leki przeciwdepresyjne**. Selektywne inhibitory wychwytu zwrotnego serotoniny (SSRI), takie jak prozac czy zoloft mogą zarówno u mężczyzn, jak i kobiet, działać osłabiająco na libido, powodować zaburzenia wzwodu i wytrysku. Osoby zażywające leki przeciwdepresyjne mogą mieć objawy zakłócenia równowagi hormonalnej, trudno jednak ustalić, czy przyczyną jest depresja, czy lek. Są też dowody wskazujące na to, że leki przeciwdepresyjne mogą negatywnie oddziaływać na jakość nasienia i obniżać liczbę plemników. Leki z grupy SSRI mogą też zmniejszać liczbę dni, gdy śluz szyjki macicy pozostaje płodny.

Leki starszej generacji, takie jak trójpierścieniowe leki przeciwdepresyjne, mogą osłabiać płodność poprzez zwiększanie poziomu prolaktyny, co może uniemożliwić owulację. Decyzja o zażywaniu, bądź nie zażywaniu leków przeciwdepresyjnych w okresie podejmowania starań o zajście w ciążę nie należy do łatwych. Nigdy nie powinno się przerywać terapii bez wcześniejszego uzgodnienia tego kroku z lekarzem. U niektórych osób bardzo silny stres (w tym depresja) odgrywa istotną role w ich problemach z płodnością, a w takich przypadkach podawanie leku przeciwdepresyjnego może być wskazane.

- **Leki przeciwhistaminowe.** Niektóre leki przeciwhistaminowe, takie jak claritine i zyrtec, mogą wysuszać płodny śluz szyjki macicy, w związku z czym należy ich unikać w okresie owulacji.
- **Leki przeciwzapalne.** Częste i w dużych dawkach zażywanie leków przeciwzapalnych, w tym niesteroidowych leków przeciwzapalnych (NSAID), takich jak ibuprofen i naproksen, a także inhibitorów – może spowodować zatrzymanie owulacji. Leki te mogą wywołać zespół luteinizacji niepękniętego pęcherzyka (LUF), niezdolność pęcherzyka do uwolnienia jajeczka, a także zmniejszać wytwarzanie płodnego śluzu szyjki macicy.
- **Leki na ciśnienie krwi.** Blokery kanału wapniowego, takie jak plendil, procardia, cardil, cardizem i werapamil mogą zmniejszyć liczbę plemników w nasieniu. (Uważaj na nazwy leków generycznych kończące się na „dipine".) Niektóre leki regulujące ciśnienie krwi mogą powodować zaburzenia wzwodu i wytrysku. Znaleziono powiązania między zażywaniem werapamilu i inhibitorów ACE a zwiększonym wytwarzaniem prolaktyny, która może zablokować owulację.
- **Leki na kaszel i leki obkurczające błonę śluzową.** Leki te mogą spowodować wysuszenie płodnego śluzu szyjkowego, podobnie zresztą jak każdej inne wydzieliny. Uważaj na pseudoefedrynę i fenylefrynę. (W niektórych przypadkach zmniejszenie grubości śluzu szyjki macicy jest *pożyteczne* dla płodności.)
- **Diuretyki.** Leki z tej grupy mogą powodować odwodnienie, które prowadzi do obniżenia jakości śluzu szyjkowego i zmniejszenia ilości (wolumenu) nasienia.
- **Leki przeciwbólowe.** Mogą hamować wydzielanie prostaglandyn i opóźniać owulację, osłabiać libido i powodować zaburzenia wytrysku.

- **Tabletki nasenne**. U mężczyzn środki tego typu mogą osłabiać libido i powodować zaburzenia erekcji, u kobiet – zmniejszyć libido i obniżyć pobudzenie seksualne. Należy jednak zaznaczyć, że bezsenność może być przyczyną niskiego poziomu folikulotropiny (FSH), a więc także problemów z owulacją. Tym samym, w przypadku niektórych kobiet jakieś środki na sen mogą okazać się konieczne. W tej sytuacji należy skonsultować się z lekarzem.
- **Sterydy**. Sterydy podawane w dużych dawkach mogą mieć wpływ na przysadkę mózgową i zaburzać wytwarzanie testosteronu, folikulotropiny (FSH) i lutropiny (LH). Steroidy anaboliczne i testosteron mogą zmniejszyć liczbę plemników.
- **Leki stosowane w chorobie wrzodowej**. Cymetydyna może obniżyć liczbę plemników u mężczyzn, powoduje też zwiększone wydzielanie prolaktyny zarówno u mężczyzn, jak i u kobiet. Podwyższony poziom prolaktyny zatrzymuje owulację i upośledza płodność.
- **Leki na wrzodziejące zapalenie jelita grubego**. Sulfasalazyna może obniżyć liczbę plemników w nasieniu.
- **Leki stosowane w leczeniu padaczki**. Karbamazepina i walproinian mogą obniżyć liczbę plemników w nasieniu. Dilatin obniża poziom folikulotropiny (FSH). Leki te mogą zmniejszyć ilość testosteronu u mężczyzn poprzez tłumienie lutropiny (LH), natomiast u kobiet mogą obniżyć poziom LH i estrogenów.
- **Leki stosowane w chemioterapii**. Mogą zmniejszyć liczbę plemników. Porozmawiaj z lekarzem o wszelkich lekach alkilujących jakie bierzesz, w pierwszym rzędzie o cyklofosfamidzie (chlormetyna – iperyt azotowy) i metotreksacie.
- **Leki stosowane w leczeniu dróg moczowych**. Nitrofurantoina (Macrodantin) może obniżyć liczbę plemników w nasieniu.
- **Leki przeciwgrzybiczne**. Mogą zmniejszyć liczbę plemników w nasieniu. Ketokonazol może hamować produkcję hormonów.
- **Propecia** (finasteryd). Może mieć wpływ na męskie hormony rozrodcze i osłabić wytwarzanie oraz funkcjonowanie plemników – szczególnie u mężczyzn z niską liczbą plemników lub w dolnym przedziale normy.
- **Leki na migrenę**. Ergotamina może ograniczyć dopływ krwi do macicy, co może zakłócić proces zagnieżdżenia jajeczka; nie jest więc bezpieczna w okresie, gdy chcesz zajść w ciążę. Choć wpływ tryptanów na ludzi nie został przebadany, badania na zwierzętach sugerują, że niosą one umiarkowany wzrost ryzyka poronienia.

• **Klomifen** (Clomid). Jak na ironię, ten zwiększający płodność lek działa jak antyestrogen, a tym samym może zmniejszyć ilość płodnego śluzu szyjkowego.

## NIE ZAŻYWAJ MIĘKKICH NARKOTYKÓW

Jeśli jest jeszcze ktoś, kto sam na to nie wpadł: ani w okresie ciąży, ani też w okresie starania się o nią nie wolno zażywać miękkich narkotyków (tzw. imprezowych). Stwarzają takie same zagrożenia jak leki oraz jeszcze kilka dodatkowych.

Poważne badania pozwoliły ustalić, że marihuana zaburza pracę hormonów układu rozrodczego. U zażywających marihuanę kobiet obserwuje się spadek poziomu folikulotropiny (FSH) i lutropiny (LH), natomiast wzrost poziomu prolaktyny, co może prowadzić do zakłócenia cyklu menstruacyjnego i owulacji. U mężczyzn następuje spadek ilości folikulotropiny, lutropiny i testosteronu przy wzroście ilości prolaktyny, co zaburza wytwarzanie plemników, a także ich funkcjonowanie i ruchliwość. Co więcej, marihuana ma wpływ na funkcjonowanie łożyska i może uniemożliwić zagnieżdżenie jajeczka, a także prawidłowe odżywianie jajeczka lub płodu.

Na szczęście, wszystkie te skutki uboczne ustępują wraz z zaprzestaniem palenia marihuany. Należy jednak zaznaczyć, że długotrwałe wystawienie organizmu na jej działanie w okresie dojrzewania – gdy układ hormonalny przybiera ostateczną, dorosłą postać – może stać się czynnikiem trwałych problemów z płodnością.

## UWAGI RÓŻNE

Ponieważ wysoka temperatura może obniżyć liczbę i jakość plemników, a także zakłócić rozwój jajeczka i zarodka, należy unikać gorących jacuzzi, kąpieli i saun w okresie, gdy starasz się począć dziecko. Jeśli jesteś kobietą, która bardzo lubi kąpiele, zmierz sobie temperaturę pod językiem przed i po kąpieli. Jeśli temperatura twojego ciała wzrasta choćby o 0,5°C, oznacza to, że kąpiel była za gorąca i trwała zbyt długo. Następnym razem przestudź nieco wodę (wystarczy, jeśli będzie ciepła) i nie przesiaduj w wannie zbyt długo. Panowie, zdecydowanie powinniście zadbać o to, aby kąpać się szybko w wodzie o umiarkowanej temperaturze; kilka minut wystarczy, aby jądra uległy przegrzaniu.

---

**Studium przypadku: Meri i Dan**

Meri i Dan starali się o dziecko od 4 lat. Odwiedzili wielu dobrych lekarzy, a ci przepisali Meri kilka niezbyt mocnych leków wspomagających płodność i przeprowadzili zabieg zapłodnienia, ale bez powodzenia. Okazało się, że jeden, kluczowy czynnik został przeoczony. Podczas wstępnego wywiadu, gdy przyszli do mnie pierwszy raz zapytałem, czy biorą prysznic, czy wolą kąpiele w wannie. Jak się okazało, nie mieli prysznica, a Dan, mężczyzna 52-letni, sprawiał sobie codziennie przyjemną gorącą kąpiel. Poprosiłem go, aby następnym razem wziął ze sobą do wanny termometr i poinformował mnie telefonicznie o jego wskazaniu. Następnego dnia zadzwonił: 39,5°C. Jest to temperatura, w której jądra niemal się gotują. Począwszy od tego momentu, Dan starał się pilnować, aby temperatura jego wody nie przekroczyła 36,6°C. Po trzech miesiącach Meri zaszła w ciążę bez żadnych dodatkowych terapii.

---

Lepiej też trzymać się z daleka od koców elektrycznych, które – jak ustalono – u kobiet zwiększają ryzyko poronienia, a u mężczyzn ryzyko bezpłodności. Dotyczy to również podgrzewanych siedzeń w samochodach.

We wczesnym okresie ciąży kobiety powinny unikać podróży lotniczych. Wykazano, że długie loty zwiększają ryzyko poronienia. Nie chodzi o to, aby całe twoje życie stanęło w miejscu, ale – jeśli tylko możesz – przez kilka miesięcy trzymaj się z dala od samolotów.

Unikaj pachnących tamponów i irygacji pochwy. Jedno i drugie utrudnia wytwarzanie płodnego śluzu macicy.

Mężczyźni powinni unikać noszenia spodenek kolarskich i wszelkich innych rodzajów uciskających majteczek i ciasnej bielizny (np. ochraniaczy genitaliów), które dociskają jądra do ciała. Męskie jądra zostały tak zaprojektowane, aby zwisać swobodnie na zewnątrz ciała, co pozwala utrzymywać temperaturę nieco niższą niż temperatura reszty organizmu – taką, jaka jest wskazana w procesie wytwarzania i przechowywania plemników. Zbyt wysoka temperatura zabije plemniki bądź je uszkodzi.

Mężczyźni nie powinni również kłaść sobie laptopów na kolanach. Ciepło, jakie wytwarzają wystarczy, aby zaburzyć wytwarzanie spermy i osłabić płodność. Badanie przeprowadzone na młodych mężczyznach siedzących z połączonymi nogami, aby utrzymać na nich laptopa wykazało, że temperatura w rejonie jąder wzrosła o 2,1°C jeszcze zanim komputer się uruchomił. Gdy to już nastąpiło, temperatura podniosła się o kolejne siedem kresek i osiągnęła 2,8°C. Było to wąsko zakrojone badanie, ale biorąc pod uwagę to, co już i tak wiemy o negatywnym wpływie temperatury na liczbę plemników, zupełnie wystarczające, aby nas skłonić do zastanowienia. Radzimy trzymać laptopy z dala od fabryki spermy.

Mężczyznom radzimy też, aby ograniczali czas rozmów przez telefon komórkowy. Badanie przedstawione na konferencji Amerykańskiego Towarzystwa Medycyny Rozrodczej (ASRM) w 2006 roku wykazało, że mężczyźni, którzy z telefonem przy uchu spędzali cztery i więcej godzin dziennie mieli niższą liczbę plemników i gorszą jakość spermy niż ich koledzy, którzy tak dużo z telefonu nie korzystali. Choć niezbędne są dalsze badania, które potwierdziłyby to zagrożenie i ewentualnie wyjaśniłyby skąd się ono bierze, w międzyczasie najlepiej zrobimy unikając go. Co jakiś czas odłóż telefon komórkowy na bok; jeśli musisz dzwonić, korzystaj ze stacjonarnego.

## Jak się robi dzieci – plan działania

- Rób je, gdy jesteś młody – o ile to możliwe.
- Gdy jesteś starszy – wybierz dla siebie zdrowy tryb życia.
- Niech twoja waga mieści się w normie, a jeśli tak nie jest, przynajmniej się o to staraj.
- Ćwicz regularnie, ale się nie przemęczaj.
- Śpij wystarczająco długo.
- Unikaj toksyn środowiskowych.
- Nie pal.
- Ogranicz spożycie kofeiny.
- Pij mniej kawy (zarówno naturalnej, jak i dekofeinowanej).
- Jeśli już musisz, pij alkohol z umiarem. Ponieważ alkohol może stanąć na przeszkodzie poczęciu – unikanie go ma kluczowe znaczenie w okresie owulacji.
- Jeśli bierzesz leki, nawet sporadycznie, sprawdź, czy nie zagrażają płodności. Jeśli możesz ich unikać – zrób to.
- Nie zażywaj miękkich (imprezowych) narkotyków.
- Staraj się nie przegrzewać jąder (lub jajników, choć jajniki nie ulegają tak łatwo przegrzaniu). Unikaj kocy elektrycznych, jacuzzi, gorących kąpieli, saun, no i laptopów (na łonie), obcisłych spodenek – rowerowych i innych, ochraniaczy jąder i ciasnych majtek.
- Jeśli jesteś mężczyzną, unikaj nadmiernego korzystania z telefonów komórkowych.
- Jeśli jesteś kobietą, unikaj przelotów samolotem (szczególnie na długich trasach), a także pachnących tamponów i wszelkiego rodzaju irygacji pochwy.

# ROZDZIAŁ 4

## Pozbywanie się stresu

Stres, fizyczny, psychiczny czy też emocjonalny wpływa na ciało na wiele różnych sposobów. Na uwagę zasługuje jego oddziaływanie na płodność.

### WALCZ LUB UCIEKAJ

Prawdopodobnie znany ci jest model reagowania na stres „walcz lub uciekaj", w którym występuje wzrost częstości akcji serca i ciśnienia krwi oraz zmniejszony przepływ krwi do wszystkich części ciała, których funkcjonowanie nie jest absolutnie niezbędne do życia. W obliczu śmiertelnego zagrożenia organizm mobilizuje wszystkie swoje zasoby, mając na uwadze jeden tylko cel: przetrwanie. Jest to doskonały plan, kiedy jesteśmy naprawdę zagrożeni.

Problem polega na tym, że nasze ciała (i umysły) bardzo źle sobie radzą z ustaleniem, co stanowi śmiertelne niebezpieczeństwo, a co nie. Jest bardzo prawdopodobne, że ten swoisty tryb awaryjny będzie się nam włączał przy okazji różnych codziennych kłopotów, z jakimi wiąże się życie we współczesnym świecie. Prawda jest taka, że pewien poziom chronicznego stresu jest dla większości z nas elementem codziennego życia. Nie występuje on jedynie w wyniku poważnych życiowych zdarzeń, takich jak żałoba czy brak pracy, ale często jest efektem zwykłych sytuacji, jak choćby presja terminów, korki uliczne czy złe zachowanie dzieci. Poza tym, często przeżywamy stres nie mając świadomości jego zaistnienia. Dzieje się tak chociażby, gdy brakuje nam snu lub zastosowaliśmy intensywną dietę odchudzającą. Niezależnie od tego, jaka jest przyczyna stresu, jeśli nie potrafimy nim zarządzać, zbiera on swoje żniwo.

Znane nam fizyczne reakcje na stres powstają w efekcie aktywowania gruczołów nadnerczy do wytworzenia nadmiernej ilości adrenaliny i kortyzolu, co wywołuje u nas uczucie „motyli" w brzuchu, pocenie się dłoni, galopujące tętno i inne charakterystyczne objawy. Nadmierne dawki adrenaliny i kortyzolu mogą wpływać na produkcję innych hormonów, w tym folikulotropiny (FSH) i lutropiny (LH) i to zarówno u mężczyzn, jak i u kobiet.

Spadek FSH i LH pociąga za sobą z kolei obniżenie poziomu testosteronu, estrogenu i progesteronu, przy czym wszystkie one odgrywają kluczową rolę w procesie zapłodnienia, a potem zagnieżdżenia jajeczka. W ten oto sposób przewlekły stres może zatrzymać owulację (i miesiączki) lub też zmniejszyć produkcję plemników. Stres osłabia także układ immunologiczny – tu znowu winny jest kortyzol, który zmniejsza naszą odporność. To z kolei otwiera drzwi dla innych problemów z płodnością – poczynając od infekcji po nieprawidłowe reakcje immunologiczne.

Choć nauka wciąż jeszcze szuka odpowiedzi na liczne pytania wiążące się z zależnościami zachodzącymi między stresem a poczęciem, jedno nie budzi wątpliwości: u ludzi bardzo zestresowanych obserwuje się niższe wskaźniki poczęć. Stres obniża płodność kobiet; wystarczy powiedzieć, że jest w stanie zatrzymać zarówno owulację, jak i miesiączkę. Co więcej, kobiety poddane stresowi mają mniejsze szanse poczęcia w danym cyklu niż kobiety, które stresu nie doświadczają. Zestresowane kobiety są również bardziej narażone na bardzo wczesne poronienia.

Warto zapoznać się z badaniem, w ramach którego naukowcy celowo poddawali małpy psychicznemu stresowi. W wyniku eksperymentu 10 procent samic przestało mieć menstruację. Kiedy stres ustał, małpy znowu zaczęły miesiączkować. Następnie naukowcy poddali małpy stresowi fizycznemu, zmuszając je do wykonywania przez dłuższy czas intensywnych ćwiczeń lub też ograniczając im dostęp do żywności. Również tym razem w każdej grupie u około 10 procent małp ustała menstruacja. Ponownie też efekt ten cofnął się z chwilą, gdy skończyło się szaleństwo ćwiczeń, a dieta powróciła do normy. Gdy naukowcy poddali małpy działaniu stresu psychicznego i fizycznego jednocześnie, a więc gdy znękanym psychicznie małpom ograniczono jedzenie i zwiększono intensywność ćwiczeń, menstruacja ustała u 75 procent samic. Trudno zajść w ciążę, gdy ustaje cykl rozrodczy. Są wszelkie podstawy, aby zakładać, że u ludzi efekty byłyby podobne. Większość kobiet jest w stanie poradzić sobie z pewną ilością stresu i nie ma on wpływu na ich płodność. Ale jeśli stres zacznie się nawarstwiać, wiele z nich będzie miało problemy.

Wpływ stresu na płodność mężczyzn zilustrowały badania przeprowadzone w Turcji. Zazwyczaj testy takie prowadzono wśród mężczyzn, którzy mieli problemy z płodnością. Podejście to jednak jedynie fałszowało ich obraz, ponieważ sama bezpłodność jest już poważną przyczyną stresu. Tureccy naukowcy przyjęli inne założenia, obejmując badaniem mężczyzn zdrowych, bez żadnych problemów z poczęciem dziecka. Ze znalezieniem kandydatów do badania nie było problemu: łatwo dostępną pulę stanowili studenci medycyny. Naukowcy pobrali od ochotników próbki nasienia w okresie, gdy byli zestresowani (przed końcowymi egzaminami) i ponownie w czasie, gdy żaden z nich nie podlegał poważniejszemu stresowi (trzy miesiące później). Pierwsze próbki wykazały niższą jakość nasienia, obniżoną liczbę plemników, mniejszą ich ruchliwość i wyższy wskaźnik komórek z anomaliami w porównaniu z próbkami pobranymi później. Na szczęście, gdy stres ustąpił, pełna płodność powróciła. Wnioski nasuwają się same: zredukowanie stresu może rozwiązać problemy z płodnością.

Stres i jego skutki mogą pojawić się również w sytuacjach mniej spektakularnych. Jeden z moich (Sami) kolegów zaobserwował u swych pacjentów znaczne obniżenie jakości spermy, co – jego zdaniem – ma związek z obecnym kryzysem gospodarczym.

## EWOLUCYJNY IMPERATYW

To, że ludzkie zdolności do rozmnażania „wyłączają się" w sytuacji stresu nie powinno nas dziwić. Nasze ciała są posłuszne ewolucyjnemu imperatywowi. Pomyśl, jak to się dzieje, że zwierzęta w naturalnym środowisku mają więcej lub mniej młodych w zależności od wskazówek, jakie otrzymują od środowiska na temat własnego i grupowego bezpieczeństwa oraz dostępu do zasobów. Wiemy, że problemy z zachodzeniem w ciążę mają też zwierzęta trzymane w ogrodach zoologicznych. Podświadomie biorą pod uwagę ograniczenia środowiska, a sposób, w jaki reagują ich ciała, ma nie dopuścić do dalszego powiększania się populacji. Weterynarze pracujący w ogrodach zoologicznych są ekspertami, jeśli chodzi o różne techniki wspomaganego rozrodu, od inseminacji po in vitro, ponieważ starają się wymusić, aby oddane im pod opiekę zwierzęta rozmnażały się wbrew temu, co podpowiada im natura.

Ludzkie reakcje nie różnią się wiele od reakcji zwierząt. Na przykład w okresie wojny następuje spadek liczby urodzin. Patrząc na to z perspektywy procesu ewolucji ludzie, podobnie jak wszystkie zwierzęta, ograniczają reprodukcję, gdy może ona osłabiać (zamiast zwiększać) szanse na przeżycie. Choć większość z nas nie przebywa w strefie wojny, nasze ciała mogą reagować tak, jakbyśmy tam byli. Pomyśl tylko, do jakiego stopnia dostarczane nam wiadomości są nasycane treściami sensacyjnymi, wszytko po to, aby wywołać w nas jak najwięcej strachu. Nasze przenośne urządzenia komunikacyjne bez przerwy wysyłają sygnały dźwiękowe; nasi szefowie i klienci oczekują, że natychmiast będziemy do ich dyspozycji. Postęp w technice komunikacyjnej nie zwrócił nam, jak to wcześniej prognozowano, naszego czasu, ale zniewolił nas całkowicie. W naszej głębokiej podświadomości to nieustające czuwanie, tę niemożność wyłączenia się odbieramy jako zagrożenie. Nasze ciała podejmują działania unikowe, między innymi poprzez ograniczenie naszej zdolności do zachodzenia w ciążę.

Mamy kilka fantastycznych, mądrych i pełnych inwencji pacjentek, które nie mogą zdobyć się na wyłączenie swoich telefonów, gdy są w trakcie zabiegu akupunktury. W ich koncepcję tego, co powinno być chwilą spokoju, wpisuje się jeszcze pisanie e-maili do kolegów i rozmawianie przez komórkę. Ich organizmy otrzymują głośny i wyraźny komunikat: w twoim życiu nie ma czasu i miejsca na dziecko. W ich przypadku przekonanie ich własnych ciał, że jest inaczej może okazać się kluczem do zajścia w ciążę. Są to skrajne przypadki, ale większość z nas ma przepełniony plan dnia, co sprawia, że nam również brakuje w życiu równowagi. Najważniejsze jest, abyś pozostawał w harmonii z samym sobą – wszystko inne jest stresem.

## HORMONY, STRES I ZACHOWANIA ZWIERZĄT

Powiedzmy, że jesteś afrykańskim nagim kretoszczurem, ale nie jakimkolwiek nagim kretoszczurem, lecz królową kolonii. Jesteś jedyną rozmnażającą się samicą w całej grupie. Jeżeli mają się pojawić jakieś młode, to ty je musisz urodzić. Ale w grupie są jeszcze inne samice, a także samce chętne do kopulacji i być może nie tak wybredne, jeśli chodzi o partnerkę, jak byś tego sobie życzyła. W jaki sposób możesz sprawić, żeby te wszystkie kretoszczury, samce i samice, nie zabrały się za płodzenie dzieci, nie pytając cię o zgodę?

Załatwiasz je stresem, silnym stresem. Terroryzujesz je i zmuszasz do posłuszeństwa. Przeganiasz je z kąta w kąt, nie dajesz im chwili spokoju i od czasu do czasu obdarowujesz kuksańcem, żeby wiedziały, kto jest szefem. W ten sposób uzyskujesz pewność, że poziom ich hormonów obniży się wystarczająco, aby zmniejszyć produkcję testosteronu i liczbę plemników u samców oraz zablokować cykl owulacyjny u samic, a nawet uniemożliwić osiągnięcie dojrzałości płciowej.

U małp marmozet, bliskich nam ssaków z rzędu naczelnych, działa to mniej więcej w ten sam sposób. Biologowie nazywają ten mechanizm *społecznym tłumieniem rozrodczości*. Ponieważ obszary mózgu odpowiedzialne za płodność i stres są u ssaków dość ściśle ze sobą powiązane, naukowcy uważają, że to co się obserwuje u tych zwierząt, czy to na płaszczyźnie behawioralnej, czy hormonalnej może nam pomóc w zrozumieniu mechanizmu upośledzania przez stres płodności człowieka. Co ciekawe, badanie nagiego kretoszczury nie pochodzi z jakiegoś podręcznika etologii, ale z materiałów dorocznego zjazdu Europejskiego Towarzystwa Rozrodu Człowieka i Embriologii.

Nawet jeśli nie jesteś nagim kretoszczurem, chciałbyś pewnie wiedzieć, jakie to siły wprawiają cię w ruch. Nie daj się i pozbądź się stresu, a zrobisz przysługę zarówno sobie, jak i swojej płodności.

## ZWIERZĘTA W NIEWOLI NIE ROZMNAŻAJĄ SIĘ DOBRZE

Zadania endokrynologów rozrodu nie są tak bardzo odmienne od tych, jakie stoją przed weterynarzami w zoo: mają pomagać ludziom rozmnażać się w niewoli. Patrząc z tej perspektywy: endokrynolodzy radzą sobie z tym całkiem nieźle. Wciąż jednak nie dostrzegamy innej, dostępnej ludziom – jeśli nie zwierzętom – opcji: wyjść z naszej klatki i odzyskać wolność. Wyłącz złe wiadomości i niemiłe obrazy, naucz się więcej śmiać, staraj się odpoczywać w wolnej chwili. Znajdź na to czas!

Jeśli więc masz problem z poczęciem dziecka – szczególnie, jeśli nikt nie jest w stanie podać ci medycznego powodu, dlaczego tak się dzieje – pomyśl, czy twoje ciało czasem nie odbiera sygnału o zagrożeniu, o braku zasobów albo może, że jesteś zbyt zajęta, abyś mogła troszczyć się o dziecko. Postaraj się odwrócić ten przekaz, sprawić, aby twoje ciało wiedziało, że jesteś całkowicie bezpieczna, że nie brakuje ci pożywienia i że kiedy już będziesz miała dziecko, będziesz gotowa rzucić wszystko i przez pół godziny bawić się z nim na podłodze klockami. Widzieliśmy wiele pacjentek, które nauczyły się podchodzić z respektem do więzi łączącej ich ciała z wielkim ewolucyjnym projektem, mocno zwolniły tempo, a następnie stały się matkami.

---

**Studium przypadku: Joanne**

Dla Joanne, o której już czytałaś w rozdz. 2, nauczenie się zarządzania stresem było kluczowym elementem pokonania problemów z płodnością. Jej nieregularne okresy i powolne przemiany hormonalne sprawiały, że poczęcie sprawiało jej dużą trudność, aż do chwili, gdy wyznaczyła swoje owulacje za pomocą karty PTC. Wydaje mi się jednak (Jill), że karta też nie zakończyłaby jej problemów, gdyby nie fakt, że uporała się ze swoim stresem.

Wiedziałam, że Joanne podlegała silnym stresom, jeszcze zanim ją spotkałam. Kilka razy umawiała się ze mną na konsultację tylko po to, aby to spotkanie potem odwołać ze względu na napięty plan pracy. Gdy w końcu do mnie dotarła, opowiedziała mi jak gorączkowe i przepełnione różnymi zajęciami jest jej życie. Następnie wyjęła swoją komórkę, aby załatwić kilka telefonów w czasie, gdy poddawałam ją zabiegowi akupunktury.

Kosztowało to nieco wysiłku, zanim udało mi się ją namówić, aby każdego ranka wypełniała swoją kartę PTC. Jeszcze trudniej było ją przekonać, aby jakoś zaplanowała regularne zabiegi akupunktury. A potem, to już musiałam posłużyć się całą moją zdolnością przekonywania, aby skłonić ją do wyłączania telefonu podczas zabiegów.

W końcu Joanne nauczyła się doceniać te krótkie przerwy. Zaczęła również dostrzegać u siebie oznaki większego rozluźnienia, które utrzymywało się także poza moim gabinetem. Nie była też taka rozdrażniona, gdy zbliżał się okres. W miarę jak stan Joanne się poprawiał, jej ciało pozbywało się napięcia, stawało się coraz miększe, a gdy stres ustępował – czuła się lepiej. Po sześciu miesiącach chińskiej terapii i prowadzenia karty PTC trudno mi w sposób pewny powiedzieć, jaką rolę w przywróceniu jej zdolności do poczęcia odegrało odnalezione przez nią poczucie przestrzeni. Jestem jednak pewna, że był to istotny element układanki.

## JAK SOBIE RADZIĆ ZE STRESEM

Nie uda nam się przeżyć życia zupełnie bez stresu, jesteśmy jednak tak zaprojektowani, abyśmy mogli sobie z nim radzić lub przynajmniej go wytrzymać... ale tylko do pewnego momentu. Jeśli nie znajdziesz sposobu, żeby nim zarządzać lub się go pozbyć, przewlekły stres stanie się zagrożeniem dla twojej płodności (a także dla ogólnego stanu zdrowia). Musisz zorientować się, jaki sposób jest dla ciebie odpowiedni i zacząć go stosować. Spraw, aby zarządzanie stresem stało się stałym elementem twojego dnia – wypróbuj jogę, medytację, kierowany relaks lub po prostu idź po pracy na spacer, aby się rozluźnić.

Przyjrzyj się też sobie i swoim przyzwyczajeniom. Sprawdź, czy nie stosujesz jakichś niewłaściwych sposobów radzenia sobie ze stresem i czy ewentualnie nie można byłoby ich udoskonalić. Wiele kobiet na przykład reaguje na stres – czyniąc to świadomie lub nie – niedojadaniem lub nadmiernym obciążaniem ciała ćwiczeniami fizycznymi; oba te sposoby mogą prowadzić do problemów z płodnością. Być może twój sposób to picie kawy przez cały dzień, serwowanie sobie co wieczór kilku kieliszków wina lub też zatracenie się w pracy. Cokolwiek by to nie było, ważne jest, aby ze stresem, który jest powodem tych działań zmierzyć się bezpośrednio, a nie dorzucać sobie kolejne problemy.

Radzenie sobie z niepłodnością, niezależnie od jej przyczyny, jest już samo czynnikiem stresotwórczym. Badania wykazały skuteczność ćwiczenia „uważności" i innych praktyk pomagających radzić sobie ze stresem, którego źródłem jest zdiagnozowana niepłodność i konieczność podjęcia terapii. Badania wykazują na przykład że zaledwie szesnastotygodniowe sesje terapii poznawczo-behawioralnej bezpośrednio ukierunkowanej na kwestie związane z niepłodnością mogą nie tylko zmniejszyć stres, ale również przywrócić owulację i płodność. Dotyczy to przypadków, gdy stres jest zarówno przyczyną niepłodności, jak i odpowiedzią na nią.

---

**Studium przypadku: Mariel i T.J.**

Mariel, choć nie lubiła narzekać, była głęboko sfrustrowana, smutna i rozsierdzona nieudanymi próbami zajścia w ciążę. Od ośmiu miesięcy czuła narastające rozżalenie; częściej niż dawniej sprzeczała się z mężem – przy czym z reguły do spięć dochodziło właśnie w czasie, gdy przechodziła owulację. Potem nie mieli już ochoty na seks – a przecież był to moment, gdy powinni ze sobą współżyć, aby począć dziecko

– i kolejny miesiąc nie przynosił upragnionej ciąży. Ten powtarzający się schemat został wkrótce przez nich dostrzeżony i obiecali sobie, że w najbliższym miesiącu nie dojdzie między nimi do żadnej scysji. Jednak gdy nadszedł kolejny dobry moment do współżycia, wszystko niestety rozegrało się tak jak poprzednio.

Ponieważ nie znalazłam niczego, co mogłoby utrudniać Mariel zajście w ciążę, zasugerowałam, aby para skonsultowała się z psychoterapeutą. Krótki kurs z zakresu poradnictwa małżeńskiego uświadomił im, że źródłem spięć był stres związany z ponawianymi i za każdym razem nieudanymi próbami poczęcia dziecka oraz obawa przed kolejnym rozczarowaniem. Nauczyli się kilku bardziej konstruktywnych sposobów radzenia sobie ze stresem i niedługo potem Mariel zaszła w ciążę.

## Redukowanie stresu w cyklu miesiączkowym

Medycyna chińska uważa, że gdziekolwiek człowiek skieruje swój umysł, energia życiowa qi uda się za nim. W tym podrozdziale poprowadzimy cię przez kolejne fazy twojego cyklu w poszukiwaniu strategii, które wzmocnią więź między umysłem, ciałem i emocjami, aby w rezultacie uzyskać maksymalną płodność w ściśle określonych momentach. W kolejnych sekcjach przedstawiamy konkretne ćwiczenia z obszaru wizualizacji i technik automasażu na każdą fazę cyklu miesiączkowego. Postaraj się codziennie znaleźć dla siebie wolną chwilę, a następnie wybierz podejście, które ci najbardziej odpowiada i wykonuj ćwiczenia.

### Faza 1 (Mestruacja)
- W tym punkcie cyklu twoja energia, z powodów całkowicie naturalnych, jest na niskim poziomie; skup się więc na relaksie i odpoczynku, aby twoje ciało mogło całą swoją energię przeznaczyć na rozpoczynającą się właśnie odnowę. W niektórych kulturach kobiety, zgodnie z tradycją, na czas menstruacji wycofują się z życia swojej społeczności. Większość z nas nie ma na to ani czasu, ani ochoty, niemniej jest rzeczą naturalną, że w tym okresie kobiety czują potrzebę zwolnienia tempa. Jeśli masz mniejszy niż zazwyczaj zapał do życia towarzyskiego, nie przejmuj się tym – pozostań w domu i owiń się kocykiem.
- Najlepszy sposób, aby poradzić sobie z rozczarowaniem związanym z pojawieniem się okresu, to zaakceptowanie faktu, że nie jest się jeszcze w ciąży i rozpoczęcie – z pozytywnym nastawieniem – planowania swojego następnego cyklu.

**Faza 2 (*Przed owulacją*)**

• Estrogen zazwyczaj wprawia w pozytywny nastrój i daje dobre samopoczucie. Często słyszymy od naszych pacjentek, że gdy okres się kończy i zaczyna się prowadząca ku płodności przemiana, czują przypływ nadziei i optymizmu. Wiele kobiet mówi o dużej energii, jaką wtedy mają. Niektóre czują się w tej fazie bardziej seksowne i atrakcyjne. Wykorzystaj ten czas. Pragnienie poczęcia może stać się niezwykle intensywne, więc dobrze spożytkuj tę krótką przerwę. Wielkie korzyści płyną z umiejętnego czerpania radości z tych mniej intensywnych kontaktów z twoim partnerem, takich jak wspólny spacer, randka w mieście, rozmowy o przyszłości czy seks – nawet jeśli nie jest to ten najbardziej płodny czas.

**Faza 3 (*Owulacja*)**

• Badania wykazały, że podwyższenie poziomu folikulotropiny (FSH) i lutropiny (LH) w okresie okołoowulacyjnym wpływa na dobre samopoczucie. W sytuacji stresowej może to przynieść bardzo pożądaną ulgę. Naucz się to zjawisko dostrzegać, doceniać i wykorzystywać.
• W miarę zbliżania się owulacji możesz odczuć przypływ pożądania seksualnego. Idź za tym głosem!
• Wiele par odczuwa duży niepokój w związku z faktem, że natura pozostawiła im tak niewielkie okienko czasowe na zapłodnienie jajeczka. Ciśnienie, jakie się z tym wiąże może się fatalnie przełożyć na klimat waszego związku, prowadzić do konfliktów, które nie służą właściwemu wykorzystaniu tego „okienka". Co więcej, może stać się również powodem problemów z męską sprawnością. Nasza najlepsza rada to zachować przeświadczenie, że utrzymując regularne kontakty seksualne w okresie zbliżającej się owulacji robisz to, co należy. Zatroszcz się o wszystkie inne sprawy, które mogłyby stanąć na drodze poczęciu – przynajmniej o te, nad którymi masz kontrolę – a następnie odpręż się ze świadomością, że przygotowałaś się najlepiej, jak tylko mogłaś. I pamiętaj, okienko wcale nie jest *takie* małe, ponieważ plemniki w oczekiwaniu na uwolnienie jajeczka mogą przeżyć w płodnym śluzie szyjki macicy dobrych kilka dni.

**Faza 4 (*Możliwe zagnieżdżenie*)**

• Ta faza cyklu – czekanie na okres, a raczej na jego brak – może wywoływać w tobie najwięcej niepokoju. Wraz z owulacją, przemija również optymistyczny nastrój i dodatkowa energia właściwa dla fazy folikularnej. Kobiety mają tendencję do popadania w melancholijną zadumę i pogrążania się w refleksjach. W tym czasie postaraj się zachowywać równowagę; nie patrz na kwestię poczęcia z perspektywy kolejnych miesięcy, a raczej postrzegaj ją jako długofalowy proces. Świadomość, że w drodze do celu postępujesz tak jak należy powinna zapewniać ci spokój ducha.

## Ćwiczenia wizualizacji

Świetnym sposobem, aby wcielić w życie podstawową idę medycyny chińskiej, mówiącą o tym, że energia życiowa qi podąża śladem powstających w umyśle intencji jest poświęcenie codziennie kilku minut na „ześrodkowanie się", czyli skupienie się w pozytywny sposób na swoim ciele, zdrowiu, cyklu miesiączkowym i płodności. Przesuwając lekko punkt koncentracji, zgodnie ze zmieniającymi się fazami cyklu, sprawisz, że twoja uwaga będzie zawsze skupiała się na tym miejscu, gdzie w danym momencie zachodzą procesy cyklu miesiączkowego. Za każdym razem, gdy będziesz wykonywała to łatwe ćwiczenie medytacyjno-relaksacyjne, jego początek i koniec będzie wyglądał tak samo.

- Usiądź na krześle w wygodnej pozycji – tak aby twoje nogi dotykały podłogi.
- Weź głęboki oddech przeponowy i spraw, że twój brzuch wysunie się do przodu. Nabierając powietrza wyobrażaj sobie, że wdychasz światło w głąb twojego ciała.
- Wydychaj, wciągając brzuch. Wypuszczając powietrze wyobrażaj sobie, że wydychasz światło, które rozchodzi się na wszystkie strony i otacza twoje ciało.
- Wdychaj i wydychaj do chwili, gdy poczujesz, że twoje ciało jest wypełnione światłem i możesz wyobrazić sobie siebie w świetlistej, kilkunastocentymetrowej aureoli.
- Skieruj teraz swoją uwagę ku wnętrzu ciała – zgodnie z fazą, w której akurat jesteś – kierując się podanymi niżej wskazówkami. Kontynuuj wdechy i wydechy jeszcze przez kilka minut.
- Na zakończenie wyobraź sobie siebie pod wodospadem. Wizualizuj oczyszczającą wodę, która obmywa twoje ciało i przepływa przez nie, zabierając ze sobą wszystkie problemy, zmartwienia i choroby.
- Gdy czujesz, że jesteś gotowa powoli otwórz oczy.

**Faza 1 (*Menstruacja*)**

• Skieruj swoją uwagę do wewnątrz, skupiając ją na macicy.
• Wyobraź sobie wyściółkę macicy, która złuszcza się łatwo, pozostawiając po sobie gładką powierzchnię.
• Wizualizuj sobie prowadzące do macicy naczynia krwionośne i płynącą przez nie krew, która ma ją zasilić.

**Faza 2 (*Przed owulacją*)**

• Skieruj swoją uwagę do wewnątrz, skupiając ją na jajnikach.
• Wyobraź sobie od dziesięciu do dwudziestu małych pęcherzyków, które rozwijają się w jajnikach.
• Wizualizuj jeden pęcherzyk, który zaczyna dominować. Przypilnuj, aby otrzymał od twojego ciała wszystkie potrzebne mu zasoby.

**Faza 3 (*Owulacja*)**

• Skieruj swoją uwagę do wewnątrz, skupiając ją na dominującym pęcherzyku.
• Wyobraź sobie jajeczko wyłaniające się z pęcherzyka dopóki nie znajdzie się na powierzchni jajnika.
• Wizualizuj jajeczko, które jest pobierane przez niewielkie, podobne do palców struktury na końcu jajowodu.
• Zobacz to jajeczko w niższej części jajowodu, gdy spotyka się z plemnikiem.
• Wyobraź sobie przenikanie plemnika do jajeczka.
• Wyobraź sobie zapłodnione jajeczko, gdy kontynuuje swą podróż w kierunku macicy.

**Faza 4 (*Możliwe zagnieżdżenie*)**

• Skieruj swoją uwagę do wewnątrz, skupiając ją na macicy.
• Wyobraź sobie zarodek, który dociera do macicy i wciska się w jej wyściółkę.
• Wyobraź sobie zarodek, który czerpie składniki odżywcze z mocno ukrwionej macicy.
• Skieruj uwagę ponownie na jajniki i zobacz rozerwany pęcherzyk, który pozostał po jajeczku. Wyobraź sobie ten pęcherzyk, gdy wydziela niezbędny do podtrzymania ciąży progesteron.

**Automasaż**

Masaż brzucha Arvigo Maya jest metodą opartą na starożytnej metodzie Majów, która została rozwinięta przez dr. Rositę Arvigo jako nieinwazyjny sposób delikatnego przemieszczania organów wewnętrznych i poprawiania przepływu krwi oraz limfy. Może być wykorzystywana do leczenia wszelkich zaburzeń, w tym zatorów w obrębie jamy brzusznej i jamy miednicy, ale jest najszerzej znana w kontekście korygowania wypadnięcia i pochylenia macicy, leczenia łagodnego przerostu gruczołu krokowego u mężczyzn (a także zapobiegania temu schorzeniu) i do wielu często spotykanych zaburzeń trawienia. Metoda ta może być szczególnie przydatna do zwiększenia lub przywrócenia płodności. Niżej opisujemy kilka technik, którymi możesz się posłużyć, aby wesprzeć swój organizm w każdej fazie cyklu. Dodatkowych informacji, instrukcji i wskazówek może udzielić osoba praktykująca leczenie masażem brzucha, stosując metodę Majów. Osoba posiadająca odpowiednie kwalifikacje w tym zakresie może również nauczyć technik samoopieki i doradzić w sprawach dotyczących profesjonalnego masażu. (Technika masażu dla fazy 2 jest zaczerpnięta od dr. Arvigo, natomiast trzy pozostałe zostały opracowane przez Nicole Kruck, licencjonowaną masażystkę z certyfikatem w zakresie metody Arvigo i instruktora samoopieki.)

**Faza 1 (Menstruacja)**

Ten automasaż krzyża może złagodzić towarzyszące menstruacji skurcze. Zgodnie z tradycją masażu Majów, technika ta przeciwdziała osłabieniu narządów rozrodczych. Medycyna chińska uważa z kolei, że jest to sposób na poprawienie przepływu energii życiowej qi oraz krwi.

• Postaraj się wyczuć palcami swój krzyż, trójkątną kość u podstawy kręgosłupa, pomiędzy biodrami. Upewnij się, że odszukałeś kość krzyżową, a nie ogonową – ta druga jest mniejsza i położona niżej.

• Zwiń luźno dłonie w pięści i uderzaj nimi bezpośrednio w krzyż z siłą mniej więcej taką jak przy klaskaniu. Wykonuj rytmiczne uderzenia w odstępach jedno- lub dwusekundowych – w taki sposób, aby efekt poprzedniego uderzenia przeminął, zanim zostanie zadane następne. Ma to przypominać fale rozchodzące się po powierzchni stawu.

• Wykonuj masaż nie krócej niż 1–2 minuty.

• Masaż powinien sprawiać przyjemność. Jeśli odczuwasz dyskomfort lub ból, spróbuj uderzać delikatniej aż do ustąpienia objawów. Jeśli odczuwasz taką potrzebę, przerwij masaż, pooddychaj i znowu zacznij łagodnie uderzać. Jeśli w dalszym ciągu masaż nie jest przyjemny, spróbuj ponownie za dzień lub dwa.

**Faza 2 (*Przed owulacją*)**

Masaż ten sprzyja rozwojowi pęcherzyków i wytworzeniu się zdrowej wyściółki macicy, może też pomóc w zachowaniu otwartych jajowodów. Możesz stosować tę technikę codziennie, począwszy od zakończenia menstruacji, ale musisz zaprzestać dwa dni przed spodziewaną owulacją. Po owulacji należy wstrzymać wszelkie masaże miednicy i kości krzyżowej do chwili, gdy już będziesz wiedziała na pewno, że nie jesteś w ciąży. Kilka rad zanim zaczniesz: załóż luźne ubranie, obetnij paznokcie i opróżnij pęcherz.

• Połóż się na plecach z poduszką pod kolanami.
• Połóż dłonie na miednicy i przez kilka minut głęboko oddychaj, aż poczujesz się zrelaksowana.
• Odszukaj swoją macicę. Dno macicy (dla ciebie górna jej część) powinno znajdować się pośrodku miednicy, poniżej pępka i około cztery centymetry ponad kością łonową. W dotknięciu może sprawiać przypominać czubek nosa albo napełniony wodą balonik. Możesz też mieć uczucie, jakby coś wewnątrz lekko cię ciągnęło. (Jeśli niczego nie udaje ci się wyczuć, nie martw się – wyczujesz. Im dłużej będziesz praktykowała ten masaż, tym łatwiej będzie ci odgadnąć, co masz pod palcami.)
• Gdy pojawi się uczucie dyskomfortu, wstrzymaj masaż, pooddychaj i zmniejsz nacisk.
• Połóż obie dłonie na kości łonowej, zahacz kciuk o kciuk, a złączone palce lekko zegnij i rozluźnij. Utworzą one coś w rodzaju koszyczka.
• Nabierz głęboko powietrza; wizualizuj oddech wypełniający twoje łono. W momencie wydechu uciśnij poduszeczkami palców miękkie ciało – tak głęboko, jak tylko możesz bez powodowania uczucia dyskomfortu. Nie unosząc dłoni, utrzymaj lekki, ale zdecydowany nacisk, cały czas delikatnie masując i przesuwając dłonie pięć do siedmiu centymetrów w kierunku pępka.
• Powtórz dziesięć razy sekwencję ruchów od kości łonowej w kierunku pępka.
• Teraz masuj oba boki macicy. Przenieś swoje złączone w koszyczek dłonie na prawą stronę miednicy. Dwoma lub trzema palcami utrzymuj kontakt z kością łonową, natomiast pozostałe skieruj ku kości biodrowej. Stosując opisaną wyżej technikę, przesuwaj dłonie po przekątnej w kierunku pępka. Powtórz dziesięć razy.

- To samo zrób po lewej stronie.
- Jeśli twoja macica nie jest położona centralnie w jamie brzusznej (czyli cztery centymetry nad kością łonową, przy zachowaniu jednakowych odległości po prawej i po lewej stronie), wykonaj więcej ruchów masującej po stronie bliższej kości miednicy. Na przykład jeśli uważasz, że macica jest bardziej na prawo w stosunku do miednicy, wykonaj po prawej stronie dodatkowych dziesięć ruchów masujących.
- Masaż powinnaś odbierać jako delikatny zabieg, który poprawia samopoczucie. Jeśli zaczynasz mieć uczucie dyskomfortu, przestań masować, pooddychaj i spróbuj jeszcze raz, tym razem mniej uciskając. Jeśli dyskomfort nie mija, zrób dzień lub dwa przerwy, a potem spróbuj ponownie.

### Faza 3 (Owulacja)

Ten masaż poprawia dopływ krwi do jajników, co sprzyja płynnym przejściom hormonalnym i zdrowej owulacji. Powinno się go stosować przez dwa do trzech dni przed owulacją. Rozpocznij cztery dni przed spodziewanym dniem owulacji i zakończ po jednym lub dwóch dniach. Innymi słowy, masaż ten wykonuj, gdy zakończysz już masowanie macicy w drugiej fazie cyklu. Po owulacji wstrzymaj się z wszelkimi masażami rejonu miednicy i kości krzyżowej do chwili, gdy upewnisz się, że nie jesteś w ciąży.

- Połóż obie dłonie na kości łonowej i odchyl małe palce. Otwarte dłonie przykryją w przybliżeniu obszar zajmowany przez jajniki. Być może nawet uda ci się je odnaleźć – czasami palce wyczuwają coś przypominające kształtem ziarenka ryżu. Jeśli jednak nie możesz się ich doszukać, nie ma to znaczenia.
- Niezależnie od tego, czy wyczułaś pod palcami swoje jajniki, czy też nie, ułożenie na nich dłoni powinno być intencją, której źródłem jest twój umysł. Skup swoje myśli na zapewnieniu jajnikom najlepszej kondycji.
- Ruchami okrężnymi o niewielkim promieniu masuj rejon jajników. Rób to lekko, używając poduszek trzech lub czterech palców, tak jakbyś pieściła dziecko.
- Masuj przez dziesięć sekund, a następnie rób sekundę przerwy. Powtarzaj masaż przez minutę lub dwie.
- Masaż powinnaś odbierać jako delikatny zabieg, który poprawia samopoczucie. Jeśli zaczynasz mieć uczucie dyskomfortu, przestań masować, pooddychaj i spróbuj jeszcze raz, tym razem mniej uciskając. Jeśli

dyskomfort nie mija, zrób dzień lub dwa przerwy, a potem spróbuj ponownie.

**Faza 4 (Możliwe zagnieżdżenie)**

Ten masaż „ciepłych rąk" wykonuje się po owulacji, gdy nie powinno się wykonywać aktywnego masażu w rejonie miednicy i kości krzyżowej. Jest to czas wyciszenia i mniejszej aktywności, autopielęgnacji oraz pozbycia się negatywnych emocji.

Technika ta wspomaga proces zagnieżdżenia się jajeczka poprzez uspokojenie systemu nerwowego, poprawienie cyrkulacji i ogrzanie macicy. Można ją stosować w każdej fazie cyklu w celu zrelaksowania się i „ześrodkowania" (zmiany stanu świadomości przez skupienie uwagi na centralnym punkcie twojego ciała).

• Połóż się na plecach z poduszką pod kolanami.

• Połóż dłonie na miednicy lub też niżej położonej części brzucha.

• Oddychaj powoli i głęboko. Wyobrażaj sobie, że oddech wnika w twoje dłonie i przepływa przez nie. Staraj się poczuć, jak twoje dłonie poruszają się, gdy oddech przenika w głąb twojego ciała.

• Kontynuuj przez pięć minut.

## Jak się robi dzieci – plan działania

• Zidentyfikuj źródła stresu w twoim życiu.

• Zastanów się, czy nie korzystasz z nieskutecznych sposobów zwalczania stresu, takich jak kofeina, alkohol czy objadanie się. Znajdź nowy sposób zarządzania swoim stresem.

• Staraj się, aby w twoim życiu panowała równowaga.

• Zadbaj o odpowiednią ilość odpoczynku. Pamiętaj, żeby czasem wyłączyć się, zrobić sobie przerwę.

• Wypróbuj jogę, kierowane techniki relaksacyjne, medytację lub ćwiczenie uważności.

• Ćwicz: może to być nawet spacer po osiedlu, aby uspokoić się i rozluźnić po pracy.

• Dbaj o swój związek.

• Utwórz plan rozwiązywania swoich problemów z płodnością, następnie trzymaj się go i obdarz kredytem zaufania (aby mógł okazać się skuteczny).

• Rozważ poddanie się psychoterapii w celu zapanowania nad stresem na poziomie ogólnym oraz stresem bezpośrednio związanym z niepłodnością. Doświadczenie wskazuje, że w tych sprawach pomocna jest terapia kognitywno-behawioralna.

• Aby skoncentrować się na swoim cyklu rozrodczym, wykonuj ćwiczenia wizualizacyjne.

• Aby wspomagać płodność, stosuj techniki automasażu.

# ROZDZIAŁ 5

## Jeść, aby począć

Podobnie jak w przypadku ogólnych rad dotyczących stylu życia, przedstawionych w rozdz. 3, wiele spośród zawartych w tym rozdziale informacji nie będzie dla ciebie nowością. Dobre odżywianie z myślą o osiągnięciu jak najwyższej płodności nie różni się specjalnie od zdrowego odżywiania. Może cię jednak zaskoczyć informacja, że pewne potrawy i rodzaje żywności, jak również pewne sposoby odżywiania mogą mieć konkretny wpływ na płodność. Dieta jest w stanie uregulować zachwianą równowagę hormonalną, która może powodować problemy z poczęciem dziecka. Może również wpłynąć na płodność negatywnie.

Dieta poprawi twoją płodność choćby przez to, że uczyni cię zdrowszą, co ma wielkie znaczenie. Jak tłumaczyli mi moi (Jill) nauczyciele medycyny chińskiej – w ciążę zachodzą tylko zdrowe organizmy. Jest to zależność, którą wielokrotnie zdarzało się nam obserwować u naszych pacjentów i stąd też bierze się nasze najbardziej podstawowe zalecenie: wylecz się, aby zajść w ciążę – czy też: zajdź w ciążę dzięki osiągnięciu pełnego zdrowia.

Zgodnie z jednym z chińskich powiedzeń: „Perfekcja to 80 procent". Namawiamy cię do realizowania zaleceń programu „Jak się robi dzieci" tylko przez 80 procent twojego czasu. Stosowanie się do zawartych w poradniku zaleceń przez 24 godziny na dobę przez 7 dni w tygodniu wymagałoby zbyt wiele wysiłku. Jeśli nawet taki sobie stawiasz cel, jest bardzo prawdopodobne, że na dłuższą metę w tym reżimie nie wytrwasz. Mamy nadzieję, że nasze rekomendacje dotyczące zdrowszego stylu życia potraktujesz jako wytyczne, a nie rygorystyczne polecenia.

Co oznacza, że pozwalamy ci trochę szachrować. A nawet życzylibyśmy sobie tego – przynajmniej raz w tygodniu.

Jeśli stosowanie się do tych wskazówek, oznaczałoby dla ciebie drastyczną zmianę sposobu życia, powinnaś początkowo złagodzić sobie ten program, a do jego pełnej realizacji dochodzić stopniowo. Takie podejście pomoże ci wytrwać w realizacji programu i uniknąć niepotrzebnego stresu. Jak zawsze w takim przypadku, wszystkie większe zmiany powinnaś skonsultować ze swoim lekarzem.

Tym, którzy chcą „jeść, aby począć", polecamy świeże, sezonowe, organiczne artykuły żywnościowe w naturalnej postaci: całe ziarna, kolorowe owoce i warzywa, zdrowe tłuszcze, wystarczającą ilość białka, pokarmy alkaliczne oraz wodę w dużej ilości. Należy omijać tłuszcze trans, mocno oczyszczane zboża, wysoko przetworzone produkty spożywcze, rafinowany cukier, metale ciężkie, aspartam i glutaminian sodu. Co również ważne, pielęgnuj w sobie pozytywne nastawienie do jedzenia.

## ŚWIEŻA, SEZONOWA ŻYWNOŚĆ EKOLOGICZNA W STANIE NATURALNYM

Wśród różnych rzeczy, jakie można robić, aby cieszyć się dobrym zdrowiem, jedną z najważniejszych jest spożywanie dobrej jakości pożywienia. Jeśli tylko będziesz trzymała się choćby tej jednej zasady, wiele z tego, o czym piszemy dalej w tej książce przyjdzie do ciebie samo, bez żadnego wysiłku z twojej strony. Przecież nie ma niczego takiego jak organiczny Twinkie[*]. „Świeża, sezonowa żywność ekologiczna w stanie naturalnym" już z samej definicji pozbawiona jest tłuszczy trans i prostych węglowodanów, więc od razu jesteś w zgodzie z dwoma najważniejszymi zaleceniami programu.

Jedzenie żywności organicznej pozwala uniknąć pestycydów, środków chemicznych, syntetycznych dodatków i innych czynników, które zanieczyszczają tak wiele spośród ogólnodostępnych artykułów żywnościowych i sieją spustoszenie w naszym organizmie. Zagrożenia dla zdrowia, jakie się z nimi łączą, można byłoby ułożyć w długą listę. Jeśli chodzi o ich wpływ na twoją płodność, wiele stosowanych w rolnictwie

---

[*] Gąbczaste ciastko z kremowym nadzieniem

związków chemicznych, a także hormonów podawanym zwierzętom hodowanym dla mięsa, mleka lub jaj może zakłócić równowagę hormonalną.

Ponadto produkty rolnictwa ekologicznego są bardziej odżywcze – zapewniają więcej tych wszystkich składników, których zdrowe ciało potrzebuje, aby się rozwijać i zachować płodność. Gleby, na których rosną, są bogate w składniki mineralne, a uprawy są prowadzone w taki sposób, aby rośliny je wchłaniały tak, jak przewidziała to natura. Badania wykazują, że ogólny poziom wartości odżywczych wszystkich naszych popularnych artykułów żywnościowych obniżył się na przestrzeni ostatnich dziesięcioleci z powodu wprowadzenia uprzemysłowionych, niszczących glebę metod uprawy. Nie ma wątpliwości, że żywność organiczna lepiej cię odżywi, abyś ty z kolei mogła począć i odżywić nowe życie.

Pozytywny wpływ spożywania żywności organicznej na zdolność poczęcia dziecka potwierdzają niektóre badania naukowe. Na przykład medyczne czasopismo „Lancet" opublikowało wyniki duńskiego testu przeprowadzonego wśród farmerów, którzy odżywiali się głównie wytworzonymi przez siebie produktami (a więc nie zawierającymi pestycydów). Zaskakującym ustaleniem badania było to, że mężczyźni z przebadanej grupy mieli dwukrotnie większą liczbę plemników niż robotnicy z grupy kontrolnej, z którymi ich porównano.

Zgodnie z tradycyjną chińską myślą medyczną artykuły żywnościowe, tak samo jak ludzie, posiadają energię życiową qi. Rafinowane i wysoko przetworzone produkty tracą qi. Proces ten wyjaśniam (Jill) swoim pacjentom w sposób następujący: kłos zboża, gdy wyrasta, przyswaja sobie składniki odżywcze z gleby i energię ze słońca. Jeśli użyjesz go w potrawie w jego stanie naturalnym, przekaże te składniki tobie. Kiedy już jednak zostaje przetworzony na płatki śniadaniowe, traci część swoich drogocennych właściwości, a także większość energii, którą wchłonął, gdy był żywą rośliną. Firmy produkujące płatki śniadaniowe, a także inni producenci żywności starają się tę utratę kompensować poprzez dodawanie do produktów składników odżywczych. Tak samo jednak, jak nie jest możliwe odtworzenie złożonej mozaiki składników odżywczych i mikroelementów zawartych w świeżym pożywieniu – nie można pokarmowi przywrócić utraconej energii. Wybierając całe, nieprzetworzone produkty żywnościowe zapewniasz sobie wszystkie korzyści płynące z zawartej w nich siły życiowej.

## PEŁNE ZIARNO

Większość spożywanego przez Amerykanów ziarna została poddana procesowi oczyszczania i rafinacji. Gotują się wtedy szybciej, a psują wolniej. Ponieważ są łatwiej trawione, bombardują ciało prostymi węglowodanami – tak samo zresztą, jak czyni to cukier, który – używając języka metabolizmu – sprawia, że czujemy się w dłuższej perspektywie podle. Bez przerwy oscylujemy między krótkimi cukrowymi „hajami" i długimi cukrowymi „dołami", którym towarzyszą, dobrze znane większości z nas, szczyty i doliny stanów energii. Poziomy cukru we krwi i insuliny podskakują wysoko, gdy ciało próbuje poradzić sobie z szybko trawionymi węglowodanami, co powoduje insulinooporność*, zwiększenie ryzyka zachorowania na cukrzycę typu 2 i mnóstwo innych problemów zdrowotnych. Procesy te zwiększają również ryzyko wystąpienia problemów hormonalnych i owulacyjnych, które upośledzają płodność.

Co więcej, rafinacja ziarna pozbawia je naturalnych składników odżywczych. Istotą tego procesu jest usunięcie zalążka (części ziarna, która po zapłodnieniu daje początek nowej roślinie) i jego warstwy ochronnej w postaci bogatych w składniki otrąb. Wraz z zewnętrzną powłoką ziarna usuwany jest błonnik, białko, przeciwutleniacze, witaminy z grupy B i fitoskładniki, czyli składniki, które sprawiają, że pełne ziarno ma tak duże właściwości odżywcze. Wiele spośród tych utraconych związków ma kluczowe znaczenia dla zdolności poczęcia dziecka.

Poddane rafinacji i przetworzone ziarna zakwaszają organizm, a to – wśród innych szkód, jakie wyrządza – może także nie służyć płodności.

Popularność diety wysokobiałkowej sprawia, że pojawia się u nas coraz więcej pacjentów spożywających zbyt małowęglowodanów. Organizm potrzebuje codziennych ich dostaw, aby utrzymywać układ hormonalny w stanie równowagi. (U kobiet z zespołem policystycznych jajników PCOS może jednak wystąpić potrzeba ograniczenia węglowodanów.) Wystarczy dobierać sobie węglowodany w sposób rozsądny, kierując uwagę ku węglowodanom złożonym, których źródłem są warzywa (nawet te bogate w skrobie, takie jak pataty) i pełne ziarno.

Poznaj szeroką gamę produktów pełnoziarnistych – jest ich mnóstwo. Odkryj komosę ryżową z wysoką zawartością białka. Rozsmakuj się w bogatym w magnez prosie. Wypróbuj orkisz. Przestaw się

---

\* Zaburzenie homeostazy glukozy.

na brązowy ryż. Poeksperymentuj z bulgur*. Pamiętaj tylko, że wszystkie ziarna trzeba dokładnie gotować, aby nie przysparzały kłopotów z trawieniem.

---

## NIE JEST GODNE UWAGI COŚ, W CZYM NIE MA JING

Jing* jest to rozrodcza esencja. Zawiera nasze genetyczne dziedzictwo i sposób, w jaki ono wpływa na naszą żywotność oraz zdolność do poczęcia. Zdrowi ludzie mają zdrowe jing i pełne zdolności rozrodcze, które otrzymują w dziedzictwie od swoich rodziców i przekazują swoim dzieciom. Jing pomaga w wytwarzaniu jajeczek i spermy. Jing to nie jest „coś", co jest właściwe jedynie dla człowieka. Wszystkie żywe istoty noszą w sobie jing. Mają je także rośliny stanowiące nasz pokarm. Jing jest głównie kojarzone z produktami, których pierwotnym przeznaczeniem jest odżywianie nowych pokoleń, a więc z jajami, nasionami, orzechami i kiełkami.

Mnóstwo jing zawiera w sobie ziarno. Ziarno to nasiona, a więc tak jak wszystkie nasiona (i orzechy), ma zalążki roślin i substancje odżywcze, które wspierają rozwój nowej rośliny. Aby pobierać jing, musimy spożywać pełne ziarno, ponieważ jing ulega zniszczeniu w procesie rafinacji.

Uważa się, że bardzo dużo jing zawierają również wodorosty i algi, ponieważ są bogate w pierwiastki śladowe.

Najlepszym wsparciem dla jing mężczyzny i jing kobiety jest jing zawarte w naturalnych produktach żywnościowych.

---

* Jing wraz z qi i shen należą do Trzech Skarbów Sanbao chińskiej medycyny tradycyjnej.

---

## KOLOROWE OWOCE I WARZYWA

Owoce i warzywa, w tym fasola, są ważnymi źródłami zdrowych, wolno trawionych węglowodanów. Poza tym są bogate w błonnik, witaminy, minerały, przeciwutleniacze i fitoskładniki. W zasadzie wszyscy wiemy, że owoce i warzywa są dobre dla naszego zdrowia. Naszą rolą jest jednak dodać, że mają również kluczowe znaczenie dla płodności. Zalecamy codzienne spożywanie kolorowych owoców i warzyw.

Co ma wspólnego z tym wszystkim kolor? Kolor rośliny sygnalizuje obecność fitoskładników. Im kolor jest intensywniejszy, tym owoc ma więcej w sobie fitoskładników. Przeciwutleniacz **beta-karoten** jest przypuszczalnie najbardziej znanym fitoskładnikiem, ma również największe

---

* Rodzaj kaszy z pszenicy.

znaczenie dla płodności. Sprzyja utrzymaniu równowagi hormonalnej i przeciwdziała wczesnym poronieniom. Ciałko żółte, które pomaga produkować niezbędny do utrzymania ciąży progesteron zawiera beta-karoten na bardzo wysokim poziomie. Badania dowodzą, że krowy pozbawione beta-karotenu wykazują skłonność do torbieli jajnika i mają opóźnioną owulację. Inne ssaki – w tym ludzie – reagują podobnie. Beta-karoten możesz włączyć do swojej diety poprzez spożywanie żółtych i pomarańczowych warzyw i owoców (w tym marchwi, kantalupy* i patatów), a także brokułów oraz zielonych warzyw liściastych, takich jak szpinak.

Równie ważny jest **likopen**. Okazał się skuteczny w zapobieganiu rakowi szyjki macicy i rakowi prostaty, a także w zwiększaniu liczby plemników. Zawierają go czerwone owoce i warzywa, takie jak pomidory, papryka czerwona i arbuz.

Dobre jest również to, co zielone, zwłaszcza warzywa krzyżowe (kapustne) i liściaste, a wśród nich jarmuż, boćwina, kapusta sitowata, liście mniszka lekarskiego, kapusta zwykła, brokuły, rukola, szpinak, kapusta chińska i wodorosty. Warzywa te nie tylko są bogate w kwas foliowy, ale zawierają również beta-karoten, witaminy z grupy B, witaminę E, żelazo, cynk, magnez i selen. Ponadto mają mnóstwo błonnika i ważnych fitoskładników. Brukselka, kapusta, rzepa, gorczyca, jarmuż i im podobne zawierają fitoskładnik o nazwie **diindolilometan (DIM)**, który zarówno mężczyznom, jak i kobietom pomaga w metabolizmie estrogenu. W przypadku kobiet, na przykład warzywa krzyżowe pomagają zapobiegać dominacji estrogenów, czyli sytuacji, która może prowadzić do powstawania mięśniaków i endometriozy, a w przypadku mężczyzn – pomagają nie tylko utrzymać równowagę między testosteronem i estrogenem, ale także potrafią zwiększyć ilość testosteronu, który krąży w organizmie. DIM pomaga wyeliminować aktywny estrogen, łamiąc go na cząstki, przy czym proces ten wiąże się z uwalnianiem testosteronu związanego z białkiem transportowym. Codzienna porcja tych warzyw rozwiąże ci wiele problemów.

Uzupełnij swoją paletę kolorów o błękity i fiolety, włączając w swoje menu jagody, jeżyny, bakłażany, śliwki, czerwoną kapustę, winogrona i czerwoną cebulą. Są one bogate w fitoskładniki, szczególnie w antocyjany – leki przeciwzapalne i zarazem silne przeciwutleniacze, które w jednej i drugiej roli są bardzo korzystne dla płodności.

---

* Odmiana melona.

Warzywa o kolorach nieco bardziej stonowanych też wiele wnoszą do twojego menu. Rośliny z rodzaju Allium, w tym czosnek, cebula, szalotka i szczypiorek mają właściwości antybakteryjne i przeciwgrzybiczne, które wzmacniają twój układ odpornościowy. Niewykryte infekcje są główną przyczyną niewyjaśnionej niepłodności, więc jedz czosnek, cebulę i szczypior, aby pomóc ciału chronić się przed infekcjami.

Gotuj warzywa krótko, aby zatrzymać w nich maksymalną ilość witamin i enzymów. Zarówno jednym, jak i drugim wysoka temperatura nie służy i może je zniszczyć. Gotowanie sprawia, że warzywa stają się bardziej lekkostrawne, a ciało może z nich wydobyć te składniki odżywcze, których potrzebuje. Surowe warzywa są też bardzo zdrowe; jak byśmy sobie poradzili bez surówki? Choć pewnie nie chcesz jadać wyłącznie na surowo…

## ZDROWE TŁUSZCZE

Po pierwsze, musisz spożywać określoną ilość tłuszczu. Jeśli dotąd bardzo uważałaś, aby nie włożyć do ust niczego tłustego, teraz do twojego pożywienia musisz włączyć zdrowy tłuszcz, bowiem jest on ważny zarówno dla twojej płodności, jak i dla ogólnego stanu zdrowia. Twój organizm potrzebuje tłuszczu w pokarmie między innymi po to, aby móc wytwarzać hormony, zwalczać zapalenia i ułatwiać owulację.

Musisz roztropnie wybierać tłuszcze, o które wzbogacasz swoją dietę. Oczywiście, trzeba je spożywać w rozsądnych ilościach. Jedzenie zbyt dużych ilości tłuszczu lub niewłaściwych jego rodzajów zaburza owulację, powoduje insulinooporność, zwiększa ryzyko endometriozy i zakłóca produkcję hormonów, a także równowagę hormonalną, pomijając już inne szkody, jakie wyrządzają twojemu zdrowiu. Zdrowe tłuszcze są dobre dla wszystkich, w szczególności dla osób bardzo szczupłych, kobiet w czwartej fazie cyklu i mężczyzn z małą ilością nasienia.

Tłuszcze nasycone pochodzenia zwierzęcego mogą uszkodzić serce i przyczynić się do insulinooporności, endometriozy i zespołu policystycznych jajników (PCOS). Są one też źródłem dioksyn, więc ograniczenie ich spożywania w pewnej mierze uchroni cię przed nimi. Jednak aby wspierać płodność, musisz do swojej diety wprowadzić cholesterol, a cholesterol jest tam, skąd pochodzą najbardziej nasycone tłuszcze – w produktach zwierzęcych. Organizm wykorzystuje cholesterol do wytwarzania hormonów, w tym progesteronu i testosteronu; jeśli więc masz jego niedobór, zabraknie ci elementów niezbędnych do produkcji hormonów.

Całkowicie wyeliminuj tłuszcze trans, ponieważ mogą one – oprócz innych szkód, jakie czynią – wywoływać lub potęgować insulinooporność i zaburzenia jajeczkowania, a także zakłócać produkcję hormonów oraz równowagę hormonalną. Nie ma czegoś takiego jak bezpieczny poziom tłuszczów trans w diecie. A dla kobiet z zespołem policystycznych jajników (PCOS) eliminacja tłuszczów trans ma kluczowe znaczenie.

Długookresowe badanie przeprowadzone na szeroką skalę przez Harvard School of Public Health oraz Harvard Medical School pozwoliło naukowcom znaleźć związek między zwiększaniem ilości tłuszczów trans w pożywieniu kobiet i wzrostem liczby przypadków niepłodności. U kobiet, które spożywały tłuszcze trans, prawdopodobieństwo zajścia w ciążę było o 70 procent mniejsze niż u kobiet, które nie stosowały tych tłuszczów w swojej diecie. Nawet spożywanie jedynie czterech gramów tłuszczów trans dziennie wystarczało, aby pojawiły się problemy.

Jeśli jadasz jedynie świeże i pełne produkty naturalne, o tłuszcze trans w ogóle nie musisz się martwić: występują one jedynie w żywności komercyjnej, przemysłowo wytwarzanej i poddanej fabrycznej obróbce. Uważaj na komercyjne pieczywo, krakersy, ciastka i inne podobne wyroby, jak również na dania mrożone i największego szkodnika spośród nich wszystkich – twardą margarynę. O obecności tłuszczów trans muszą informować etykiety artykułów spożywczych – warto je więc czytać. Unikaj wszystkiego, co zawiera „częściowo utwardzony olej roślinny", który jest źródłem tłuszczy trans. Wielu producentów zmienia receptury swoich produktów, aby wyeliminować z nich tłuszcze trans, jednak warto pamiętać, że te „odnowione" produkty często bazują na tłuszczach nasyconych. Uważnie sprawdzaj etykiety, abyś wiedziała, co jesz.

Wyeliminowanie szkodliwych składników z codziennego pożywienia pozwoli wygospodarować miejsce dla tłuszczów zdrowych, korzystnych dla organizmu. Takimi tłuszczami są tłuszcze nienasycone, których szczególnie dużo jest w oliwie z oliwek, orzechach, nasionach (i ich olejach) oraz w awokado. Te tłuszcze potrzebne są każdemu, a w szczególności kobietom z zespołem policystycznych jajników (PCOS).

Kluczową rolę w organizmie odgrywają również niezbędne nienasycone kwasy tłuszczowe (NNKT). Są one, jak wskazuje ich nazwa, rzeczywiście niezbędne, przy czym organizm nie jest w stanie sam ich wytworzyć. Tłuszcze te, które są istotnym składnikiem każdej ludzkiej komórki, przysparzają organizmowi wielu korzyści. Patrząc z perspektywy spraw, którymi się tu zajmujemy, chcielibyśmy zwrócić uwagę na ważną rolę, jaką odgrywają w równoważeniu działania hormonów oraz w procesie otwierania się pęcherzyka i uwalniania jajeczka. Gdy jesteś w ciąży, tłuszcze NNKT są ważne dla prawidłowego odżywiania rozwijającego się zarodka.

Wśród niezbędnych nienasyconych kwasów tłuszczowych, kluczowe znaczenie dla płodności mają kwasy omega-3 i omega-6. Kwasy omega-9 również działają korzystnie, nie są jednak z technicznego punktu widzenia niezbędne, ponieważ jeśli tylko masz pod dostatkiem kwasów omega-3 i omega-6, twoje ciało może je wytworzyć. Bogatym źródłem kwasów omega-9 są oliwki, awokado i orzechy.

Z kwasów omega-3 wynika dla organizmu cała gama korzyści, w tym zwiększenie przepływu krwi do macicy, co podnosi szansę udanego zagnieżdżenia i ciąży. Przeciwdziałają stanom zapalnym w organizmie i łagodzą bóle menstruacyjne. Pomagają też w rozwiązywaniu innych problemów, które mogłyby utrudnić poczęcie. Lepszy przepływ krwi jest korzystny również dla łożyska, bowiem pozwala zarodkowi rozwijać się w optymalnych warunkach i zmniejsza ryzyko przedwczesnego porodu oraz niskiej wagi urodzeniowej.

Typowa amerykańska dieta jest bardzo bogata w kwasy tłuszczowe omega-6, przede wszystkim dlatego, że używane w niej produkty zawierają duże ilości przetworzonego oleju kukurydzianego, słonecznikowego i sojowego. Pozyskujemy o wiele za dużo kawasów omega-6, gdy tymczasem nie otrzymujemy wystarczającej ilości kwasów omega-3. Tymczasem, sprawą nawet ważniejszą od bezwzględnego poziomu omega-3 w pożywieniu jest wzajemny stosunek ilości omega-3 do omega-6. Pobieranie jednakowych ilości obu kwasów stanowi najlepsze wsparcie dla równowagi hormonalnej w organizmie. Aby to osiągnąć, trzeba uzupełniać ilość omega-3, nie przesadzając jednocześnie z przyjmowaniem kwasów omega-6.

Ryby, siemię lniane i olej lniany są najlepszym źródłem kwasów tłuszczowych omega-3. Stawiaj na zimnowodne, tłuste ryby, takie jak dorsz, łosoś, śledź, makrela, sardela i sardynka. Kolejnym dobrym wyborem są orzechy włoskie, a także jaja od kur hodowanych na karmie bogatej w omega-3 (sprawdzaj etykiety). Z kolei kwasy tłuszczowe omega-6 znajdują się w siemieniu lnianym i oleju lnianym, oliwkach i oliwie z oliwek, niektórych nasionach i orzechach oraz kurczakach hodowanych na karmie bogatej w NNKT.

## TO, CO NAJLEPSZE, ABY WZMACNIAĆ PŁODNOŚĆ

**Siemię lniane.** Oprócz dużej ilości kwasów tłuszczowych omega-3 zawiera mnóstwo witamin z grupy B, magnez i mangan. Ma również lignany – bardzo delikatne fitoestrogeny (estrogeny roślinne), które blokują w organizmie ksenoestrogeny (syntetyczne związki chemiczne działające w środowisku estrogenowym). Podsumowując, siemię lniane to bardzo silne wsparcie dla organizmu, pozwalające utrzymać równowagę hormonalną i zwiększyć płodność.

Staraj się codziennie spożywać dwie łyżeczki siemienia lnianego. Nasionka miel, ponieważ w całości są trudne do strawienia. Potrafią przejść przez cały układ trawienny w stanie nienaruszonym i wtedy nie ma z nich wiele pożytku. Posypuj siemieniem płatki zbożowe, niezależnie od tego, czy jadasz je na gorąco, czy na zimno i dorzucaj do koktajli mlecznych. Możesz je też dosypać do sosu sałatkowego. (Nie dodawaj natomiast siemienia do potraw, które gotujesz, bowiem w wysokiej temperaturze straci ono wiele ze swoich korzystnych właściwości.)

**Kiełki.** Medycyna chińska szczególnie wysoko sobie ceni kiełkujące ziarno, rośliny strączkowe i nasiona. Kiełki zawierają bardzo dużo jing. Dynamiczna równowaga, właściwa dla procesu przemiany nasionka w kiełek ma – jak się uważa – szczególne znaczenie dla par, które chciałyby się doczekać potomstwa, czyli własnych „kiełków". Jeśli potrzebne ci jest bardziej racjonalne wyjaśnienie, na czym polega korzystny wpływ kiełków na twoją płodność, oto ono: jedzenie kiełków wzmacnia w twoim organizmie zasadowe (a nie kwaśne) środowisko.

**Jagody Goji\*.** Małe, czerwone jagody Goji – tradycyjne chińskie zioło, sprzedawane również w całości, suszone i spożywane tak, jak rodzynki – zawierają bardzo dużo przeciwutleniaczy. Zioła tego należy szukać w sklepach ze zdrową żywnością. Badania wykazały, że zwiększa ono liczbę plemników i wspomaga rozwój pęcherzyków u kobiet, które mają z tym kłopot.

---

\* Rośnie na krzewie Lycium chinense

## BIAŁKO

Naszych pacjentów podzieliliśmy na dwie grupy, z których każda potrzebuje innych zaleceń, jeśli chodzi o białko. Osobom z pierwszej grupy doradzamy, aby jadły więcej białka. Tworzące białka aminokwasy są niezbędne w procesie wytwarzania jajeczka i dojrzewania plemników, a także do produkcji hormonów takich jak folikulotropina (FSH) i lutropina (LH).

Badania na zwierzętach pozwoliły ustalić związek między niewystarczającym spożyciem białka a niską jakością jajeczek, a przecież nie ma powodu zakładać, że u ludzi jest inaczej. Dziennie potrzebujesz co najmniej 70 gramów białka. Oczywiście, możesz je pobrać z mięsa, ryb, jaj i produktów mlecznych, ale masz do dyspozycji także wiele wegetariańskich jego źródeł. Są nimi fasola, soczewica, ryż niełuskany, komosa ryżowa i inne produkty pełnoziarniste, a także orzechy i nasiona (szczególnie słonecznikowe). Doskonałym źródłem białka są też przetwory sojowe. Używanie sproszkowanego białka sojowego może być dla wegetarian i wegan najmniej kłopotliwym sposobem, aby zwiększyć jego spożycie. Opierając się na soi jako głównym źródle białka, należy jednak pamiętać, że fitoestrogeny zawarte w produktach sojowych mogą niekorzystnie wpływać na liczbę plemników. Również niektóre kobiety nie radzą sobie dobrze z fitoestrogenami. Jeśli twoim typem płodności jest typ „zablokowany", a nie chcesz popaść w kłopoty – nie jadaj soi częściej niż dwa razy w tygodniu.

Rosnąca popularność diety wysokobiałkowej sprawia, że drugiej grupie naszych pacjentów musimy zalecać ograniczenie spożycia białka lub przestawienie się – przynajmniej raz na jakiś czas – ze zwierzęcych źródeł białka na źródła roślinne. Zbyt dużo białka może być takim samym problemem, jak jego brak, powodując wypłukiwanie wapnia z organizmu i wytwarzanie nadmiernej ilości amoniaku. Powinnaś skupić się na białku wysokiej jakości. Prym wiodą tu fasola, orzechy i nasiona – są nie tylko pełne białka, ale także żelaza i błonnika. Jedno z największych, długookresowych badań, jakie kiedykolwiek podjęto, wykazało, że kobiety, które spożywały więcej białka pochodzenia roślinnego, a mniej zwierzęcego rzadziej miały problemy z płodnością na tle owulacyjnym. To, czy potrzebujesz więcej białka w ogóle czy więcej lub mniej białka zwierzęcego, zależy od twojego typu płodności. Więcej szczegółów znajdziesz w części 5.

Trawienie białka i uwalnianie go do krwi przebiega powoli, co pozwala organizmowi wchłonąć maksymalną ilość aminokwasów. Możesz wspomóc ten proces, jeśli każdorazowo spożywasz niezbyt dużą jego ilość. Odżywiając się w ten sposób, nie przeciążasz swojego organizmu.

## POKARMY ZASADOWE

Śluz szyjki macicy musi mieć charakter zasadowy (w przeciwieństwie do kwaśnego), tak aby plemniki mogły przetrwać w nim wystarczająco długo i odbyć swą podróż w kierunku jajeczka. To, co jesz, ma duży wpływ na odczyn pH śluzu. (Wysokie pH oznacza charakter zasadowy, niskie – kwasowy.) Dobrym odżywianiem możesz sprawić, że całe twoje ciało będzie miało odczyn zasadowy, a byłoby to generalnie korzystne dla twojego zdrowia. Aby utrzymać zasadowość śluzu szyjki macicy, ułóż swoje menu, wykorzystując jak najwięcej owoców, warzyw (w szczególności zielonych), kiełków, młodej pszenicy, a w mniejszym stopniu zakwaszające mięso, nabiał i zboża. Organizm zakwaszają również alkohol i kawa, co jest jednym z powodów, aby ich nie nadużywać. Ten sam efekt powodują sztuczne substancje słodzące.

W wielu książkach, a także na stronach internetowych znajdziesz listy artykułów żywnościowych z podziałem na te o charakterze zasadowym i na te o kwaśnym, przy czym niektóre podane tam informacje będą ze sobą sprzeczne. Staraj się jednak nie ugrzęznąć w szczegółach. Podobnie jak w wielu innych sprawach, najważniejsza jest równowaga. Jeśli dbasz o to, aby w twoim menu były pełne zboża i warzywa, a jednocześnie ograniczasz spożycie kawy i alkoholu (patrz rozdz. 3) i nie objadasz się mięsem – twój organizm będzie miał bardziej zasadowy charakter niż kwaśny.


## WODA

Woda jest jednym z najważniejszych elementów naszego pożywienia. Stanowiąc 70 procent naszego ciała, ma żywotne znaczenie dla prawidłowego działania każdego z naszych systemów. Odgrywa kluczową rolę w rozprowadzaniu hormonów, tworzeniu pęcherzyków oraz utrzymaniu właściwej ilości i konsystencji zarówno nasienia, jak i śluzu szyjki macicy. (Kobiety powinny bardzo dbać o nawodnienie w fazie drugiej i trzeciej cyklu, aby organizm mógł wytworzyć odpowiednią ilość płodnego śluzu szyjki macicy.) Woda pomaga również przyswajać substancje odżywcze i eliminować toksyny, przy czym obie te jej funkcje są bardzo ważne dla naszej płodności i ogólnie dobrego zdrowia.

Kobiety, u których śluz szyjkowy jest zbyt gęsty, a tym samym niesprzyjający poczęciu mogą być po prostu odwodnione. To samo dotyczy mężczyzn ze zbyt małą ilością nasienia. W tych przypadkach, aby przywrócić pełną płodność wystarczy po prostu pić więcej wody.

Aby utrzymać właściwe nawodnienie staraj się wypijać 6 szklanek wody dziennie (osoby o „suchym" typie płodności – 8 szklanek). Aby uniknąć spożywania chloru, staraj się pić filtrowaną wodę. Większość wody z kranu jest poddawana chlorowaniu, a połowa wody butelkowanej niczym się nie różni od wody z kranu, bowiem również przeszła chlorowanie. Chlorowana woda zawiera związki chemiczne zwane trihalometanami (THM), które – jak stwierdzono – mogą zwiększyć ryzyko poronienia i zachorowania na niektóre rodzaje raka.

Część wody, jaka ci jest potrzebna, możesz zastąpić sokami z surowych warzyw i owoców lub traw zbożowych (takich jak młoda pszenica), czy też herbatą ziołową lub herbatą zieloną. Napoje zawierające kofeinę i alkohol w rzeczywistości cię odwadniają, a więc jeśli je pijesz, nie tylko nie możesz zaliczać ich na poczet wypitych płynów, ale raczej powinnaś zwiększyć dzienną porcję wody, aby zrównoważyć skutki powodowanego przez nie odwodnienia.

Jeśli jesteś chronicznie odwodniona – a większość spośród nas jest – zajmie nieco czasu, zanim ciało przyzwyczai się do pobierania zwiększonej ilości płynów. Aby w tym okresie przejściowym ułatwić mu dostosowanie się, dochodź do zalecanej ilości płynów stopniowo, przez okres kilku tygodni.

## HERBATA DOBRA NA WSZYSTKO NA PŁODNOŚĆ TEŻ

W mojej rodzinie (Jill) zagotowanie wody w czajniku i zaparzenie herbaty było sposobem na każdy problem, nie dziwi mnie więc, że herbata jest dobra również na płodność.

Jeśli nie chcesz uwierzyć mi na słowo, zwróć się do naukowców z programu medycznego Kaiser Permanente z siedzibą w Oakland w Północnej Kalifornii, którzy przebadali 210 kobiet starających się zajść w ciążę. Kobietom, które piły herbatę – nawet pół filiżanki dziennie – udawało się to dwa razy częściej niż kobietom, które herbaty nie piły. U kobiet, które pobierały podobne dawki kofeiny z innych źródeł (głównie z napoi gazowanych i kawy), nie zaobserwowano podobnego zwiększenia płodności. Naukowcy są skłonni sądzić, że herbata wspomaga płodność na dwa sposoby. Po pierwsze, obecne w herbacie hipoksantyny mogą być niezbędnie potrzebne płynowi pęcherzykowemu, który pomaga jajeczkom dojrzeć i przygotować się do zapłodnienia. Po drugie, zawarte w herbacie polifenole, silne przeciwutleniacze, mogą być pomocne w zapobieganiu zaburzeniom chromosomalnym, które czasem prowadzą do poronień lub też uniemożliwiają zagnieżdżenie się zarodka. Podobnie jak wszystkie inne przeciwutleniacze, polifenole wzmacniają układ odpornościowy.

Badania przeprowadzone w ramach programu Kaiser Permanente nie precyzują, jaki rodzaj herbaty piły objęte nim kobiety – naszym pacjentom zalecamy jednak herbatę zieloną. Zielona herbata może mieć nawet dziesięciokrotnie więcej polifenoli niż herbata czarna i jedynie połowę zawartości kofeiny. Pijąc dziennie trzy filiżanki zielonej herbaty (lub dwie czarnej herbaty) nie przekroczysz naszych zaleceń, co do jej maksymalnej dziennej dawki . Te same korzyści odniesiesz z dwóch lub trzech filiżanek herbaty bezkofeinowej.

## OD TEGO TRZYMAJ SIĘ Z DALEKA

Obok tych wszystkich dobrych rzeczy, które powinnaś uwzględnić w swojej diecie, jest kilka, których lepiej unikać, jeśli chcesz osiągnąć jak największą płodność. Tłuszcze trans, jak już mówiliśmy, są objęte najostrzejszym zakazem. W następnej kolejności należy wymienić mocno oczyszczone ziarno i wysoko przetworzone artykuły żywnościowe. Wskazane jest umiarkowanie w spożyciu alkoholu. Jest też kilka innych artykułów żywnościowych, których należy się wystrzegać.

Rafinowany cukier i słodkie pokarmy powodują silne skoki poziomu cukru we krwi, co z kolei prowadzi do zaburzenia równowagi hormonalnej i – w dalszej kolejności – do ewentualnych problemów z płodnością. Odbywa się to mniej więcej tak: zjadasz batonik, twoje ciało bardzo szybko trawi cukier, odczuwasz pobudzenie. Na razie wygląda to bardzo dobrze. Jednak za każdym razem, gdy taka sytuacja ma miejsce, twoja trzustka włącza nadbieg i na najwyższych obrotach produkuje insulinę. Ma to na celu odzyskanie z krwi całego cukru i przekazanie go komórkom, gdzie może zostać przekształcony w energię. Wówczas poziom cukru we krwi gwałtownie spada, a ty czujesz się pozbawiona energii i wyczerpana. Gruczoły nadnerczowe, starając się uzupełnić poziom cukru we krwi, wydzielają dodatkowy kortyzol. (Tymczasem ty, dokładnie z tego samego powodu, masz ochotę na kolejną porcję słodyczy.) Czasem nadmiar kortyzolu osłabia nadnercza tak bardzo, że produkują mniej hormonów płciowych. Powtarzające się, wysokie zapotrzebowanie na insulinę prowadzi do insulinooporności, która – jak ustalono – może prowadzić do niepłodności.

Problemy z płodnością, a także wiele innych dolegliwości zdrowotnych wywołują też metale ciężkie, zanieczyszczające produkty żywnościowe codziennego użytku. Rtęć, która zbyt często obecna jest w niektórych rybach (tych dużych, znajdujących się na szczycie łańcucha pokarmowego), jest toksyną. Gdy się dostanie do naszego organizmu zakłóca działanie cynku. Jest to duży problem, ponieważ cynk ma kluczowe znaczenie dla wytwarzania zdrowych plemników i jajeczek. Gdy się starasz zajść w ciążę (lub gdy jesteś w ciąży albo karmisz piersią), nie jedz mięsa miecznika, unikaj też mięsa rekina, płytecznika i makreli królewskiej. Należy też ograniczyć spożycie świeżego bądź mrożonego tuńczyka oraz lucjana czerwonego i pomarańczowego do mniej więcej 35 dekagramów miesięcznie. (Można jeść tuńczyka w konserwach.)

Kadm dostaje się do organizmu poprzez żywność produkowaną na zanieczyszczonych glebach, a także poprzez utrzymujące się na produktach resztki pestycydów. Ten pierwiastek również zakłóca właściwe funkcjonowanie cynku i ma swój udział we wzroście liczby poronień. Unikniesz tego problemu, jeśli będziesz spożywać produkty organiczne.

Jeśli chodzi o słodzik aspartam, ustalono związek między używaniem tej sztucznej substancji słodzącej a przypadkami niepłodności, wadami wrodzonymi, a także rakiem. Unikanie go każdemu wyjdzie na zdrowie. Gdy twoim celem jest poczęcie, daj sobie spokój ze słodzikami – nadają twojemu ciału zbytnią kwasowość.

Badania na szczurach pozwoliły powiązać glutaminian sodu (MSG) z obniżoną płodnością zarówno w przypadku mężczyzn, jak i kobiet. Z naszego punktu widzenia, jest to całkowicie wystarczający powód, aby zalecić jego unikanie.

## DOBRZE SIĘ ODŻYWIAJ

Jak jest to rzetelnie udokumentowane, w czasach głodu (podobnie jak w czasie wojny) liczba urodzeń zmniejsza się. Zjawisko to obserwuje się u wszystkich gatunków zwierząt, a także u ludzi. Gdy zasoby są ograniczone, najlepszą strategią na przetrwanie grupy jest nie dzielenie się nimi z coraz większą liczbą osób. Aby wprowadzić ją w życie, nie musimy podejmować świadomej decyzji i narzucać jej naszemu ciału, bowiem wszystko odbywa się na znacznie głębszym poziomie i w dużej mierze poza naszą kontrolą.

Dlaczego o tym mówimy? Choć czasem bywa trudno, amerykańskie społeczeństwo nie cierpi głodu; wszyscy nasi pacjenci mają w zasięgu ręki wszelką potrzebną im żywność. Wiele osób jednak bardzo ściśle kontroluje to, co je i poddaje się rygorystycznemu reżimowi diety i ćwiczeń. Ostateczny efekt jest taki sam; ich ciała otrzymują te same sygnały, które by do nich trafiały, gdyby głodowały. W tej sytuacji nie podejmują starań, aby sprowadzić nowe życie na ten świat.

Gdy więc zajęta jesteś planowaniem swojej diety pod kątem uzyskania najwyższej płodności, mamy dla ciebie krótką radę: rób to tak, aby jedzenie było dla ciebie przyjemnym przeżyciem, prawdziwym *pokarmem*. Na poziomie podstawowym oznacza to, że jedzenie pożywienia bogatego w składniki odżywcze i w wystarczającej ilości jest jakby ukazaniem twojemu ciału świata zewnętrznego, jako miejsca przyjaznego, które zapewnia potrzebne do życia środki. Możesz ten efekt jeszcze wzmocnić poprzez dbałość o dobre trawienie, tak aby wszystkie użyteczne składniki pokarmowe zostały oddane do dyspozycji organizmu. Powoli przeżuwaj swoje posiłki, nie jedz w biegu, staraj się jadać w sprzyjającym ci emocjonalnie środowisku i nie łącz jedzenia z innymi czynnościami. Jedz produkty, które są tego warte; każdy spożywany w ciągu dnia posiłek powinien być jak oaza – zapewniać ci pokarm i poczucie bezpieczeństwa. Na tym polega odżywianie się.

## Odżywianie się w poszczególnych fazach cyklu
### Faza 1 (*Menstruacja*)
- Jedz pokarmy bogate w żelazo, takie jak mięso, jaja, ryby, wodorosty (krasnorosty morskie), szpinak, brokuły, suszone owoce czy pestki słonecznika. Pomożesz w ten sposób organizmowi skompensować utratę krwi.
- Włącz w swoje menu owoce i warzywa bogate w witaminę C, takie jak owoce cytrusowe, mango, czereśnie, ziemniaki, pomidory, melony kantalupa, truskawki, groch i rzeżuchę. Pomogą one w absorpcji żelaza.
- Zapewnij organizmowi dużo białka – zarówno zwierzęcego, jak i roślinnego.

### Faza 2 (*Przed owulacją*)
- Jadaj dobrze, abyś była dobrze odżywiona i zdolna odżywiać dojrzewający w twoim ciele pęcherzyk. Szczególnie ważne jest białko.
- Wybieraj pokarmy bogate w witaminę E, która znajduje się w płynie wokół rozwijających się jajeczek i odgrywa ważną rolę w ich odżywianiu w oleje. Dobrym źródłem witaminy E są oleje tłoczone na zimno, pataty, awokado, zielone warzywa, orzechy, nasiona i całe ziarno zbóż.
- W tej fazie w szczególności unikaj alkoholu.

### Faza 3 (*Owulacja*)
- Zadbaj o to, aby twoje pożywienie zawierało dużo witamin z grupy B. Są one ogromnie ważne dla prawidłowego przebiegu procesu

uwolnienia komórki jajowej i zagnieżdżenia zapłodnionego jajeczka. Zwróć szczególną uwagę na zielone warzywa, produkty pełnoziarniste, jaja i mięso (jeśli je jadasz).

- Jadaj produkty bogate w cynk, który jest niezbędnie potrzebny w procesie podziału komórek i pomaga w wytwarzaniu progesteronu. Zasobne w cynk są mięso, drób, ryby, kiełki pszenicy, jaja i produkty pełnoziarniste.
- Nie zapomnij o witaminie C, której duże ilości potrzebne są żółtemu ciałku. Uważa się, że witamina C odgrywa istotną rolę w procesie wytwarzania progesteronu.

## Faza 4 (*Możliwe zagnieżdżenie*)

- Teraz nadszedł czas, aby objadać się ananasami. Zawierają bromelainę, która – jak dowiedziono – pomaga w zagnieżdżeniu się jajeczka.
- Aby wspomóc proces zagnieżdżenia, jedz dużo pokarmów rozgrzewających organizm, unikaj natomiast zimnych i surowych lub przynajmniej równoważ je ciepłymi. Na przykład, jeśli chcesz zjeść sałatkę, ociepl swój posiłek, dołączając do niego zupę, pieczony ziemniak lub gotowany na parze brązowy ryż.
- Jeśli cierpisz na zespół napięcia przedmiesiączkowego (PMS), bardzo pomocne jest ograniczenie żywności przetworzonej, rafinowanego cukru, alkoholu i kawy, przy jednoczesnym zwiększeniu spożycia błonnika. Ma to sprawić, aby eliminowanie estrogenu przez organizm odbywało się w sposób wydajny, ale mniej nieprzyjemny.

### Jak się robi dzieci – plan działania

- Pamiętaj: „80 procent to już doskonałość".
- Daleko idące zmiany wprowadzaj stopniowo.
- Zaopatruj się w świeżą, sezonową żywność ekologiczną w stanie naturalnym.
- Wybieraj produkty z pełnego ziarna i dopilnuj, aby były dobrze ugotowane.
- Stawiaj na kolory: żółty, pomarańczowy, czerwony, zielony lub niebieski – owoce i warzywa, zwłaszcza krzyżowe (kapustne), takie jak brokuły, brukselka, kapusta, rzepa, gorczyca i jarmuż oraz te z rodziny Allium – czosnek, cebula, szalotka i szczypiorek. Warzywa należy gotować krótko.
- Wprowadź do swojej diety nieco tłuszczu. Unikaj wszelkich tłuszczów trans i ograniczaj spożycie tłuszczów nasyconych.

- Codziennie dodawaj do swojego pożywienia trochę zdrowych tłuszczów (tłuszcze nienasycone i niezbędne nienasycone kwasy tłuszczowe – NNKT, takie jak bogate w omega-3 kwasy tłuszczowe zawarte w oliwie z oliwek, orzechach, nasionach, awokado, rybach i lnie.)
- Staraj się, aby twój organizm otrzymał codziennie przynajmniej 70 gramów białka. Bogate są w nie: mięso, ryby, jaja, nabiał, soja, fasola, pełne ziarno zbóż, orzechy i nasiona. Nie szkodzi, jeśli spożywasz białka więcej, pod warunkiem że nie popadniesz w przesadę. Większość z nas powinna dążyć do tego, aby białko pochodziło raczej ze źródeł roślinnych, a nie zwierzęcych. Białko spożywaj w niedużych porcjach.
- Posiłki opieraj na żywności zasadowej (warzywa, owoce, kiełki młodej pszenicy), a w mniejszym stopniu na pokarmach zakwaszających (mięso, nabiał, zboża, alkohol i kawa).
- Staraj się pić codziennie 8 szklanek wody (lub innych zdrowych płynów).
- Jeśli lubisz herbatę, pij ją. Ilość kofeiny, jaką zawierają dwie filiżanki czarnej herbaty lub trzy zielonej nie przekracza twojego dziennego limitu. Możesz też pić herbatę bezkofeinową.
- Unikaj mocno oczyszczanych zbóż, cukru i wszelkiego rodzaju przetworzonej żywności.
- Nie używaj aspartamu ani innych sztucznych substancji słodzących. Unikaj też glutaminianu sodu (MSG).
- Dbaj o dobre trawienie.
- Nie stawiaj sobie bardzo ostrych ograniczeń co do rodzaju i ilości pokarmów, które wolno ci spożywać.
- Zadbaj o to, aby spożywanie posiłku dobrze ci się kojarzyło i sprawiało przyjemność.

# ROZDZIAŁ 6

## Składniki odżywcze służące płodności

Pierwszą i najważniejszą informacją, jaką chcemy ci przekazać o płodności, odżywianiu i suplementach diety jest to, że najważniejszych składników odżywczych nie otrzymujesz w postaci kapsułek. Najlepszym sposobem, aby dobrze odżywić swoje ciało jest zaserwować mu dobry posiłek, a nie baterię pigułek. Składniki odżywcze najsilniej działają wtedy, gdy trafiają do nas razem z pożywieniem, którego są częścią i wraz z całą paletą precyzyjnie zbilansowanych makro- i mikroelementów. Zachęcamy cię więc, abyś stosowała się do naszych wskazówek przedstawionych w rozdziale 5.

Jednak nawet osoby bardzo troskliwie dobierające sobie menu i stosujące najlepsze diety nie mogą mieć pewności, że dostarczyły organizmowi wszystkich ważnych składników odżywczych, tak aby ich szanse poczęcia dziecka były największe. W tym rozdziale przedstawiamy ci podstawowy program dodatków do diety, którego celem jest zlikwidowanie ewentualnych niedoborów oraz zapewnienie twojemu ciału większej ilości składników odżywczych o kluczowym znaczeniu, których twoje pożywienie może ci nie zapewniać.

Dużo się mówi, szczególnie na internetowych czatach, o suplementach, które zwiększają płodność. Niestety, wiele spośród podawanych tam informacji jest nieprawdziwych, a wspomaganie płodności przez zalecane tam suplementy w wielu przypadkach nigdy nie zostało potwierdzone. Składniki odżywcze, które my zalecamy, były objęte wieloma badaniami i istnieje wiele dowodów na to, że potrafią zapobiegać często spotykanym problemom z płodnością, a nawet je leczyć. Z drugiej strony, jeśli o czymś nie napisaliśmy w tej książce, to znaczy, że nie znaleźliśmy wystarczających powodów ku temu. Pod koniec tego rozdziału w tabeli „Jak się robi dzieci – plan działania" znajdziesz spis wielu różnych suplementów do wyboru wraz z informacjami o ich dozowaniu. Nasze zalecenia dla mężczyzn i kobiet nieco się różnią, różne są bowiem ich potrzeby związane z płodnością. Przyjmowanie rekomendowanych tu suplementów w trakcie trzymiesięcznego „semestru zerowego" sprawi, że mając odpowiednio dużo czasu, twoje ciało pobierze kluczowe składniki odżywcze w optymalnych dla siebie ilościach, a ty będziesz w najlepszej formie, aby zajść w ciążę.

## ŁYKAJ MULTIWITAMINĘ

Każdy, kto stara się o dziecko, powinien codziennie przyjmować suplement diety w postaci dobrej jakości multiwitaminy, przy czym zalecenie to obejmuje również przyszłych ojców. Kobiety powinny zainteresować się specjalnymi zestawami witamin przeznaczonymi do zażywania w okresie prenatalnym, gdyż ilości poszczególnych składników odżywczych, jakie są w nich zawarte przypuszczalnie najlepiej odpowiadają poziomom rekomendowanym przez nas. Plan działania na końcu tego rozdziału zawiera wyszczególnienie składników odżywczych, na które powinnaś zwrócić uwagę przy wyborze multiwitaminy.

Badania dowodzą, że regularne zażywanie multiwitamin zmniejsza ryzyko owulacyjnej niepłodności. Wykazano, że zażywanie multiwitamin dobrze oddziałuje również na płodność mężczyzn, zwiększając liczbę plemników oraz ich jakość i ruchliwość, zmniejszając też stopień ingerencji w płodność ze strony systemu immunologicznego i podnosząc wskaźniki udanych poczęć, nawet u par, gdzie płodność mężczyzny została zdiagnozowana jako „niepełna". Badanie przeprowadzone przez Uniwesytet Surrey, o którym wspomnieliśmy już w rozdziale 3 wykazało, że 80 procent par ze zdiagnozowaną niepłodnością, które dokonały pozytywnych zmian w swoim stylu życia i przyjmowały odżywcze suplementy diety – poczęło dziecko.

## Witamina A

Ten przeciwutleniacz jest niezbędny do wytwarzania zarówno męskich, jak i żeńskich hormonów płciowych oraz do budowania pęcherzyków. Ważną rolę odgrywa również w wytwarzaniu progesteronu, wspomagając w ten sposób narastanie endometrium. Witamina A pomaga też zwiększyć liczbę plemników i ich ruchliwość, pozytywnie wpływa na błonę plemników i ich kształt, a także chroni je przed stresem oksydacyjnym.

Twoje ciało potrzebuje dwóch odmian witaminy A – retinolu i beta--karotenu. Retinol jest ważnym dla płodności składnikiem odżywczym i ma kluczowe znaczenie dla rozwoju zarodka, ale w ekstremalnie dużych dawkach może powodować wady płodu. Oznacza to, że kobiety w ciąży i kobiety planujące poczęcie powinny bardzo ostrożnie podchodzić do tej formy witaminy A. Retinol jest w mięsie, nabiale, rybach, jajkach, witaminizowanych płatkach zbożowych nie musisz go już pobierać w suplementach diety. Jeśli unikasz suplementów, nigdy nie osiągniesz niebezpiecznie wysokiego poziomu retinolu, za jaki uważa się ponad 10.000 IU na dobę.

Beta-karoten, zwany też prowitaminą A, jest związkiem pochodzenia roślinnego, który ludzki organizm, stosownie do bieżących potrzeb, przekształca w witaminę A. Przyjmowanie beta-karotenu nie wiąże się z zagrożeniami kojarzonymi z retinolem; dopilnuj, aby zawierał go twój suplement diety. Jedząc owoce i warzywa, możesz bezpiecznie przyswoić sobie dowolnie dużą ilość beta-karotenu.

Ze względu na potrzebę utrzymania poziomu witaminy A na optymalnym poziomie, namawiamy naszych pacjentów, aby nie zwiększali sobie dziennych dawek prenatalnych zestawów witaminowych, a także aby nie brali żadnych suplementów, które nie zostały im zalecone przez lekarza. W większości multiwitamin przeznaczonych dla kobiet oczekujących dziecka przynajmniej część zawartej w nich witaminy A jest w postaci beta-karotenu, jednak niektóre ich rodzaje, szczególnie preparaty witaminowe sprzedawane w handlu otwartym, mogą zawierać zbyt dużą ilość retinolu. Uważnie czytaj ulotki.

Ostatnia przestroga dotycząca witaminy A: kobiety w ciąży i kobiety starające się o dziecko powinny unikać przepisywanej na trądzik izotretynoiny (sprzedawanej, między innymi pod marką Accutane) oraz maści retynowej na bazie tretinoiny (Retin-A). Obie powiązane są z retinolem.

## DOBRE ŹRÓDŁA WITAMINY A I BETA-KAROTENU

| witamina A | beta-karoten |
|---|---|
| mięso<br>nabiał<br>ryby<br>jaja<br>wzbogacone płatki zbożowe | ciemnozielone warzywa (groszek, brokuły, szpinak)<br>cytrusy i warzywa (pataty, marchew, morele, kabaczki) |

### Witamina B complex

Witaminy z grupy B odgrywają ważną rolę w uwolnieniu komórki jajowej, a także w procesie zagnieżdżenia i rozwoju zarodka, co sprawia, że nabierają szczególnego znaczenia w fazie trzeciej i czwartej cyklu miesiączkowego. Oto rzut oka na wpływ, jaki poszczególne składniki odżywcze wywierają na płodność.

Niedobór **tiaminy (witaminy B$_1$)** kojarzony jest z anowulacją (brakiem owulacji).

**Ryboflawina (witamina B$_2$)** odgrywa ważną rolę w metabolizmie estrogenów.

**Kwas pantotenowy (witamina B$_5$)** jest niezbędny dla rozwoju płodu.

**Witamina B$_6$** pomaga w wytwarzaniu progesteronu i metabolizmie nadmiaru estrogenów. Może obniżyć podwyższony poziom prolaktyny i jest ważna dla męskich hormonów płciowych. Wykazano, że jej niedobór może być przyczyną niepłodności u zwierząt. Badania przeprowadzone na ludziach wykazały, że kobiety, które mają problemy z zajściem w ciążę, mogą zwiększyć swoją płodność, zażywając witaminę B$_6$.

**Kwas foliowy (witamina B$_9$ lub folian)** jest we wszystkich preparatach witaminowych przeznaczonych dla kobiet w ciąży. Właściwy jego poziom w znacznym stopniu zmniejsza ryzyko wad cewy nerwowej (rozszczep kręgosłupa) w zarodkach. Kwas foliowy odgrywa też bardzo ważną rolę w replikacji DNA[*]. Regularne stosowanie kwasu foliowego (jako dodatku do multiwitamin) zmniejsza ryzyko niepłodności owulacyjnej. Pomaga również w dojrzewaniu jajeczka przed owulacją i wspiera

---

[*] Kwas deoksyrybonukleinowy, wielkocząsteczkowy organiczny związek chemiczny, który występuje w chromosomach i pełni rolę nośnika informacji genetycznej organizmów żywych.

reakcję jajnika na folikulotropinę (FSH). Kwas foliowy powinni zażywać również mężczyźni, ponieważ zwiększa liczbę plemników, a także poprawia ich jakość i ruchliwość. W trakcie jednego z badań mężczyznom cierpiącym na problemy z płodnością podano kombinację kwasu foliowego i suplementów cynku. W wyniku tej kuracji liczba plemników w ich nasieniu wzrosła o 74 procent.

Organizm korzysta z **witaminy B$_{12}$** w trakcie syntezy DNA i RNA (jest to bardzo ważna część procesu rozrodczego, ponieważ zarówno plemniki, jak i komórki jajowe to nic innego jak małe paczuszki z DNA). B$_{12}$ pomaga skorygować obniżoną liczbę plemników i zwiększyć ich ruchliwość. Pomaga też plemnikom w dojrzewaniu i zmniejsza liczbę plemników nieprawidłowo rozwiniętych. B$_{12}$ występuje wyłącznie w produktach pochodzenia zwierzęcego, więc wegetarianie, a w szczególności weganie mogą mieć niedobór tej witaminy i powinni przyjmować suplement (i nie tylko wtedy, gdy próbują począć).

## DOBRE ŹRÓDŁA WITAMINY B COMPLEX

| tiamina (witamina B$_1$) | ryboflawina (witamina B$_2$) |
|---|---|
| całe ziarna zbóż | mleko |
| fasola i rośliny strączkowe | jaja |
| orzechy | ryby |
| brązowy ryż | szpinak |
| żółtka jaj | wątroba |
| drób | szparagi |
| | brokuły |

| kwas pantotenowy (witamina B$_5$) | kwas foliowy (witamina B$_9$ lub folian) |
|---|---|
| kiełki pszenicy | zielone warzywa liściaste |
| łosoś | wątroba |
| pataty (słodkie ziemniaki) | szparagi |
| truskawki | owsianka |
| orzechy nerkowca | awokado |
| rośliny strączkowe | rośliny strączkowe |
| orzechy | |

| witamina B$_6$ | witamina B$_{12}$ |
|---|---|
| zielone warzywa liściaste<br>całe ziarna zbóż<br>mięso | mięso<br>mięczaki<br>nabiał<br>jaja |

## Witamina C

Organizm potrzebuje witaminy C do wytwarzania hormonów, a także w procesie owulacji. Witamina C jest przeciwutleniaczem, a więc osłania przed zagrożeniami ze strony wolnych rodników. Chroni plemniki przed uszkodzeniem oksydacyjnym, które dotyczy zarówno ich samych, jak i znajdującego się w nich DNA. Uszkodzenie DNA może z kolei utrudnić zajście w ciążę. Jeśli nawet dojdzie do poczęcia, nieprawidłowości DNA plemnika zwiększają ryzyko poronienia.

Witamina C dobrze wpływa na liczbę plemników, a także na ich jakość, ruchliwość i morfologię. Zmniejsza także ich skłonność do zlepiania się ze sobą w ciele kobiety, co jest częstą przyczyną niepłodności.

Witamina C odgrywa kluczową rolę w utrzymaniu jajników w dobrym zdrowiu, a także w wytwarzaniu pęcherzyków i ich dojrzewaniu. Jest bardzo ważnym składnikiem płynu otaczającego i odżywiającego ulokowane w pęcherzyku jajeczko, co więcej w dużej koncentracji występuje w ciałku żółtym, ogrywając newralgiczną rolę w procesie uwalniania progesteronu. Obie te funkcje sprawiają, że witamina C jest bardzo ważna podczas drugiej i czwartej fazy cyklu miesiączkowego. Wykazano również, że przeciwdziała endometriozie i stanom zapalnym, które mogą upośledzać płodność oraz poprawia poziom progesteronu i zmniejsza liczbę przedwczesnych poronień u kobiet z defektem fazy lutealnej (LPD). Badania wykazały, że kobiety używające leków stymulujących owulację osiągają lepsze rezultaty, jeśli przyjmują witaminę C.

Kobiety planujące ciążę nie powinny przyjmować dodatkowych, wysokich dawek witaminy C (więcej niż 1000 mg dziennie). Zbyt duża dawka może tak bardzo podnieść kwasowość śluzu, że plemniki nie będą mogły w nim przeżyć. Nadmierne dawki mogą też spowodować przesuszenie śluzu szyjkowego.

# DOBRE ŹRÓDŁA WITAMINY C

| | |
|---|---|
| zielone warzywa (zwłaszcza szpinak, szparagi i groszek) | mango |
| | kiwi |
| owoce cytrusowe | winogrona |
| truskawki | kiełki lucerny |
| kantalupa (melon) | pomidory |
| wiśnie | ziemniaki |

## Witamina D

Witamina D jest przeciwutleniaczem, a więc pomaga chronić plemniki i komórki jajowe przed wadami genetycznymi wspiera również produkcję estrogenów. U kobiet z zespołem policystycznych jajników (PCOS) podniesienie pobieranej dawki witaminy D do odpowiedniego poziomu w niektórych przypadkach może nawet przywrócić owulację.

Witaminę D możesz pozyskiwać z pożywienia, bądź też zażywać ją w suplementach diety. Najlepszym jednak sposobem jest wykorzystanie do tego celu promieni słonecznych. Pamiętaj, aby codziennie przebywać chwilę na słońcu, zanim posmarujesz się kremem z filtrami UV i osłonisz twarz kapeluszem z dużym rondem. Ciało zamienia promieniowanie ultrafioletowe w witaminę D. Optymalny czas nasłonecznienia zależy od typu skóry; dla większości ludzi jest to około dwudziestu minut słońca dziennie. Minimum to dziesięć do piętnastu minut dwa razy w tygodniu, przy czym skóra jaśniejsza nie wymaga tak dużej ekspozycji jak skóra ciemniejsza.

Bardzo wysoki poziom witaminy D może być szkodliwy dla zdrowia. Możesz spotkać się z zaleceniami, w których mówi się o dawkach sięgających 2000 IU dziennie, ale uważamy, że jest to zbyt dużo. Zalecamy od 800 do 1000 IU dziennie. (Dobrze jest połączyć przyjmowanie witaminy z przebywaniem na słońcu.) Lekarz może sprawdzić poziom witaminy D w twojej krwi, co pozwoli ci upewnić się, że przyswajasz jej tyle, ile potrzeba. Jeśli zażywasz witaminę D w suplemencie diety, sprawdź, czy pobierasz wystarczająco dużo magnezu i wapnia. Gdy ich brakuje witamina D, zamiast wspierać twoje zdrowie (co normalnie czyni), może wypłukiwać minerały z kości. Dlatego właśnie tak istotna jest równowaga składników odżywczych.

## DOBRE ŹRÓDŁA WITAMINY D

| mięczaki | tłuste ryby |
|----------|-------------|
| wzbogacone mleko | słońce |

## Witamina E

Witamina E jest bardzo silnym przeciwutleniaczem, który (między innymi) zwalcza stany zapalne i pomaga chronić DNA przed szkodami powodowanymi przez wolne rodniki. Wspomaga tworzenie błony śluzowej macicy i jest istotnym składnikiem płynu pęcherzykowego – wszystko to sprawia, że witamina ta ma szczególnie duże znaczenie w pierwszej i drugiej fazie cyklu miesiączkowego. Badania na zwierzętach wskazały na związki między niedoborem witaminy E a niepłodnością. Z kolei badania przeprowadzone na ludziach wykazały, że suplementy zawierające witaminę E pomagają wyleczyć niepłodność zarówno kobiet, jak i mężczyzn.

Witamina E korzystnie oddziałuje na owulację, wspomaga prawidłowe zagnieżdżenie zarodka i zmniejsza ryzyko wczesnego poronienia. Dobrze wpływa na liczbę plemników, a także na ich jakość i ruchliwość. Pomaga też utrzymać błonę plemników w pełnym zdrowiu i chroni je przed uszkodzeniami powodowanymi przez wolne rodniki. Przeprowadzone badania wskazują, że suplementy diety z witaminą E zwiększają ogólną zdolność plemnika do wniknięcia w jajeczko. Co ważne, wskaźniki powodzenia zabiegów in vitro są wyższe w przypadku tych par, w których mężczyzna przyjmuje dodatkowo witaminę E.

Witamina E jest łatwiejsza do przyswojenia w swojej naturalnej postaci (d-alfa-tokoferol) niż w wersji syntetycznej (dl-alfa-tokoferol) – jest to subtelna, ale ważna różnica. Uważnie czytaj etykiety, aby mieć pewność, że przyjmujesz tę formę witaminy E, którą twoje ciało najlepiej wykorzysta.

Witamina E ma właściwości przeciwzakrzepowe, więc trzeba zmniejszyć jej dawkę, jeśli codziennie zażywasz aspirynę (nawet w niskiej dawce) lub heparynę. Aby trafnie ustalić poziom jej suplementacji, wskazana jest rozmowa z lekarzem.

# DOBRE ŹRÓDŁA WITAMINY E

| | |
|---|---|
| kiełki lucerny | jaja |
| sałata | pataty (słodkie ziemniaki) |
| kiełki pszenicy | awokado |
| tłoczone na zimno oleje | orzechy i nasiona |
| zielone warzywa liściaste | całe ziarna zbóż |

## Wapń

Wapń odgrywa bardzo ważną rolę w uzyskaniu dużej ruchliwości plemników. Bez odpowiedniej ilości wapnia plemniki tracą energię i zdolność przeniknięcia do jajeczka. Wapń jest potrzebny również do prawidłowego krzepnięcia krwi, a także do utrzymania równowagi hormonalnej. Zarówno jedno, jak i drugie ma duże znaczenie dla płodności.

## DOBRE ŹRÓDŁA WAPNIA

| | |
|---|---|
| mleko | ziarna sezamu |
| nabiał | tofu |
| mięczaki | nasiona lnu |
| sardynki | migdały |
| zielone warzywa liściaste | |

## Miedź

Miedź jest niezbędnym minerałem. Pomaga w wytwarzaniu DNA i RNA, ale być może jej największym wkładem w twoją płodność jest umożliwienie ci korzystania z cynku. Niedobór miedzi występuje rzadko, ale jeśli przyjmujesz suplement zawierający cynk, należy dopilnować, aby zawierał również niewielką ilość miedzi. Dzięki temu będziesz pewna, że twojemu organizmowi jej nie brakuje. Nadmierna ilość miedzi jest jednak szkodliwa. Pamiętaj, że zarówno palenie papierosów, jak i stosowanie doustnych środków antykoncepcyjnych może zwiększyć ilość miedzi we krwi powyżej zalecanego poziomu.

## DOBRE ŹRÓDŁA MIEDZI

| | |
|---|---|
| orzechy | mięczaki |
| rośliny strączkowe | podroby |
| melasa | całe ziarna zbóż |
| rodzynki | |

## Żelazo

Żelazo odgrywa kluczową rolę w replikacji DNA i dojrzewaniu komórki jajowej przed owulacją. Badania pokazują, że u kobiet dostarczających swojemu organizmowi wystarczająco dużo żelaza ryzyko wystąpienia owulacyjnej niepłodności jest mniej więcej o połowę mniejsze. Warto też mieć odpowiednio dużo żelaza w czasie menstruacji, bo ułatwi to organizmowi odtworzenie utraconej krwi. (Menstruacyjna utrata krwi sprawia, że kobiety potrzebują więcej żelaza niż mężczyźni.)

Ponad połowa kobiet nie pobiera potrzebnej ich organizmom dziennej dawki żelaza, która wynosi od 10 do 15 mg. Dlatego też, w swoim menu powinnaś uwzględniać wiele różnych źródeł żelaza, możliwe też, że przydałby ci się suplement. Zbyt dużo żelaza może jednak prowadzić do negatywnych następstw zdrowotnych, radzilibyśmy więc, abyś na przyjmowanie żelaza jako oddzielnego dodatku do diety decydowała się jedynie wtedy, gdy stwierdzono u ciebie jego niedobór. Prawie wszystkie prenatalne multiwitaminy zawierają żelazo i choć jego ilość jest na ogół niewielka, dla większości ludzi jest wystarczająca.

Witamina C ułatwia wchłanianie żelaza, pamiętaj więc o niej – szczególnie w pierwszej połowie cyklu miesiączkowego.

## DOBRE ŹRÓDŁA ŻELAZA

| | |
|---|---|
| czerwone mięso | fasola |
| drób | tofu |
| jaja | orzechy |
| ryby | nasiona (zwłaszcza nasiona dyni) |
| zielone warzywa liściaste | owsianka |

## Magnez

Niedobór magnezu jest kojarzony z niepłodnością kobiet. Magnez wspomaga wytwarzanie progesteronu i zwiększa dopływ krwi do macicy. Odgrywa też istotną rolę w procesie produkowania jajeczek. Niektóre badania wskazują, że magnez, jeśli jest przyjmowany wraz z selenem, pomaga obniżyć ryzyko poronienia. Dopilnuj więc, aby przyjmowana przez ciebie multiwitamina zawierał oba te składniki.

### DOBRE ŹRÓDŁA MAGNEZU

| | |
|---|---|
| zielone warzywa liściaste | proso |
| wodorosty morskie | banany |
| tofu | suszone morele |
| żyto | awokado |
| gryka | |

## Mangan

Mangan pomaga rozkładać estrogen, a to może wyjść płodności na korzyść – szczególnie wtedy, gdy w organizmie jest za dużo tego hormonu (np. na skutek zażywania pigułek antykoncepcyjnych) lub gdy zostaje naruszony stan równowagi hormonalnej pomiędzy estrogenem i progesteronem. Niedobór manganu występuje u ludzi rzadko. Zdarza się natomiast jego nadmiar, co może powodować zaburzenia płodności, zwłaszcza u mężczyzn. Problem ten może dotyczyć na przykład spawaczy, gdzie powodem zbyt dużej podaży tego pierwiastka może być środowisko pracy. Nie ma powodu, aby przyjmować mangan jako oddzielny suplement diety – sprawdź jedynie etykietę swojego zestawu multiwitamin, aby upewnić się, że otrzymujesz jego wystarczającą ilość.

### DOBRE ŹRÓDŁA MANGANU

| | |
|---|---|
| marchew | rośliny strączkowe |
| brokuły | orzechy |
| zielone warzywa liściaste | imbir |
| całe ziarna zbóż | |

## Selen

Selen jest kolejnym dobrym przeciwutleniaczem, który chroni przed wadami wrodzonymi i poronieniami. Odgrywa też ważną rolę w procesie wytwarzania jajeczek.

Ustalono związki niedoboru selenu z niepłodnością mężczyzn, podczas gdy – jak wykazano – podanie im odpowiedniej ilości tego składnika przynosi wzrost wskaźników poczęcia. Selen wspomaga rozwój plemników, ich ilość, budowę, jakość, ruchliwość i skuteczność. Najądrza – kanaliki, którymi plemniki przechodzą z jader do penisa – również potrzebują selenu, aby prawidłowo wypełniać swoją rolę.

Bardzo wysokie dawki selenu mogą być jednak toksyczne. Mniejsze (ale nadal dość duże), przyjmowane regularnie przez dłuższy czas także mogą powodować problemy, z których najczęstszymi są wypadanie włosów i łamliwość włosów i paznokci. Źródłem poważnych problemów są prawie zawsze emisje przemysłowe, a nie zażywane suplementy. Aby korzystać z dobroczynnego działania selenu, bez narażania się na skutki uboczne, należy przyjmować selen w dawkach od 50 do 100 $\mu$g (mikrogramów).

### DOBRE ŹRÓDŁA SELENU

| cała ziarna zbóż<br>tuńczyk<br>kiełki pszenicy<br>jaja | czosnek<br>orzechy brazylijskie<br>(zawartość selenu jest w nich tak wysoka,<br>że nie należy jeść więcej<br>niż dwa dziennie) |
| --- | --- |

### Cynk

Typowa współczesna dieta nie jest zasobna w cynk. Zauważyliśmy, że chociaż składnik ten jest niezbędny dla prawidłowego rozwoju płodu i podziału komórek, wielu spośród naszych pacjentów nie pobiera go w wystarczających ilościach.

Cynk wchodzi w skład ponad trzystu enzymów, aktywnie uczestniczących w wielu różnych procesach, odgrywa też ważną rolę w procesach związanych z płodnością. Jego obecność w ciele jest ważna dla płynu pęcherzykowego, produkcji jajeczek oraz dobrego przetwarzania estrogenu i progesteronu. Szczególnie istotną rolę cynk odgrywa w drugiej i czwartej fazie cyklu miesiączkowego. Niedobór cynku kojarzony jest ze zwiększonym ryzykiem poronienia, którego powodem mogą być zmiany chromosomalne w jajeczku lub plemniku.

Cynk może być mikroelementem o największym znaczeniu dla dobrej płodności mężczyzn. Jest go dużo w męskich narządach płciowych, a także w nasieniu. Cynk jest niezbędny do utworzenia błony zewnętrznej i witki plemnika, a także do prawidłowego przebiegu procesu dojrzewania plemnika. Jak wynika z badań, niedobór cynku może obniżyć liczbę plemników, a jego suplementacja gwarantuje wzrost ilości i jakości plemników – poprawia ich ruchliwość, kształt, funkcjonowanie i zdolność do zapłodnienia.

Stres, dym papierosowy, zanieczyszczenia i alkohol mogą powodować wydalanie cynku z organizmu. Stąd też należy spożywać żywność bogatą w ten mikroelement. Jeśli przyjmujesz suplement cynku, wskazane jest równoczesne przyjmowanie miedzi (nadmiarowy cynk uszczupla ilość miedzi w organizmie).

## DOBRE ŹRÓDŁA CYNKU

| | |
|---|---|
| jaja | mięczaki |
| całe ziarna zbóż | (zwłaszcza ostrygi i krewetki) |
| orzechy i nasiona | ryby |
| ser (zwłaszcza cheddar i parmezan) | sardynki |
| | kaczki, indyki, kurczaki i chude |
| | mięso |

## INNE SUPLEMENTY DIETY O KLUCZOWYM ZNACZENIU

Naszym zdaniem, większość ludzi powinna, wraz z multiwitaminą, przyjmować niezbędne nienasycone kwasy tłuszczowe (NNKT). Co do pozostałych dodatków do diety, niemal każdemu przyniosą one jakąś korzyść. Jeśli nie przeszkadza ci wielka kolekcja pigułek w twoim kredensie, śmiało z nich korzystaj. Aby jednak nieco przerzedzić baterię dodatków, jednocześnie optymalizując ich efekt, skorzystaj z informacji podanych w części 5 tej książki. Dowiesz się, które z nich są najbardziej wskazane dla twojego typu płodności.

## Niezbędne nienasycone kwasy tłuszczowe (NNKT)

Kwasy tłuszczowe NNKT, a w szczególności najbardziej znane niezbędne nienasycone kwasy tłuszczowe omega-3 są nieodzowne, aby dobrze funkcjonował układ hormonalny. Mają one również bardzo duże znaczenie dla zdrowia błon komórkowych. Wybierz dodatek z odpowiednio dobraną i zrównoważoną ilością kwasów tłuszczowych omega-3 i omega-6. Upewnij się także, że suplement, który kupujesz został przebadany pod kątem zawartości toksyn.

**Kobiety**: Jest to najważniejszy suplement po prenatalnym zestawie multiwitamin. Dla optymalnego efektu kobiety powinny zażywać niezbędne nienasycone kwasy tłuszczowe przez okres co najmniej trzech miesięcy przed poczęciem, co sprawi, że tkanki będą miały dość czasu, aby je sobie w pełni przyswoić.

NNKT pomagają w zapewnieniu pęcherzykom wszystkich niezbędnych im zasobów. Mają kluczowe znaczenie dla ukształtowania ich błon komórkowych i zapewnienia im zdrowego rozwoju w jajnikach. Pomagają w kształtowaniu się tkanek ciała, w tym tkanek w jajeczku i w rozwijającym się płodzie, są też niezbędne dla rozwoju mózgu u płodu. Oleje rybie, główne źródło NNKT, są to naturalne leki przeciwzakrzepowe, które mogą być szczególnie przydatne w leczeniu poronień nawykowych. (Należy zachować ostrożność, gdy łączy się je z innymi lekami rozrzedzającymi krew.) NNKT wykazały swoją przydatność w leczeniu endometriozy, a tym samym w zwiększaniu płodności.

Dodanie do diety roślinnego źródła NNKT – takiego choćby jak olej z wiesiołka, który ma mnóstwo kwasów tłuszczowych omega-6 – może złagodzić objawy zespołu napięcia przedmiesiączkowego (PMS).

**Mężczyźni**: NNKT są niezbędne do wytwarzania zdrowych plemników. Wzmacniają błonę plemników i chronią je przed stresem oksydacyjnym. Niewystarczające spożycie NNKT zostało powiązane z niską jakością spermy, nieprawidłowościami w budowie plemników, niską ruchliwością i liczebnością plemników – głównie ze względu na ich ważną rolę w tworzeniu błony.

## DOBRE ŹRÓDŁA NNKT

| kwasy tłuszczowe omega-3 | kwasy tłuszczowe omega-6 |
|---|---|
| tłuste ryby (łosoś, śledź, sardynki, makrela) orzechy włoskie siemię lniane jaja (zwłaszcza od kur karmionych zieleniną, a nie kukurydzą) wołowina od krów karmionych trawą (a nie tych karmionych ziarnem) nabiał od krów karmionych trawą | siemię lniane i olej lniany nasiona konopi i konopny olej olej z pestek winogron pestki słonecznika (nieprzetworzone) orzeszki piniowe pistacje oliwki oliwa z oliwek olej z nasion czarnej porzeczki olej z wiesiołka kurczaki |

### Koenzym Q10 (CoQ10)

Ten przeciwutleniacz znajduje się w każdej komórce ludzkiego ciała. Wspiera dobre krążenie krwi, co sprawia, że wiele badań nad CoQ10 skupia się nad jego rolą w leczeniu chorób serca. Dobry przepływ krwi ma jednak duże znaczenie również dla płodności. Organizm wykorzystuje CoQ10, gdy wytwarza energię na poziomie komórkowym. CoQ10 trudno jest uzyskać w większych ilościach wyłącznie z pożywienia, jeśli więc chcesz zwiększyć poziom tego składnika, zalecamy ci odpowiedni suplement diety.

**Kobiety**: CoQ10 poprawia przepływ krwi w obrębie miednicy, zwłaszcza ku macicy, co sprawia, że jest on szczególnie pomocny w pierwszej fazie cyklu kobiety. Badania wykazały, że kobiety przyjmujące CoQ10 miały wyższy wskaźnik udanego zapłodnienia metodą in vitro z docytoplazmatyczną iniekcją plemnika (ICSI). Badania wiążą niedobór koenzymu CoQ10 z poronieniami.

**Mężczyźni**: CoQ10 okazał się pomocny w leczeniu niepłodności mężczyzn. Koenzym ten znajduje się w płynie nasiennym, gdzie chroni plemniki przed uszkodzeniami i poprawia ich motorykę (ruchliwość). Badania wykazały, że podawanie preparatów zawierających CoQ10 może zwiększyć liczbę plemników i ich ruchliwość.

## L-arginina

Ten aminokwas poprawia przepływ krwi w rejonie miednicy. Ustalono, że poprawia płodność zarówno u mężczyzn, jak i u kobiet. Zawierają ją artykuły żywnościowe bogate w białko – warto je włączyć do swojego menu. Zadanie pozyskania dodatkowej l-argininy może być też pretekstem do zjadania większej ilości czekolady. Ludzie, którzy zakażeni są wirusem opryszczki pospolitej, nie powinni przyjmować suplementów zawierających l-argininę, ponieważ może ona sprowokować atak choroby.

**Kobiety**: Wyniki co najmniej jednego badania wskazują, że kobiety o zdiagnozowanej niepłodności, poprzez przyjmowanie l-argininy mogą znacząco zwiększyć swoje szanse na zajście w ciążę. Inne badanie wykazało poprawę wyników zabiegów in vitro, gdy l-argininę podano kobietom zakwalifikowanym do grupy „słabo reagujących" na leki zwiększające płodność.

**Mężczyźni**: L-arginina jest niezbędnie potrzebna w produkcji plemników, a następnie w procesie ich formowania i dojrzewania. Jej znaczną ilość zawiera główka plemnika. Wykazano, że l-arginina poprawia ilość plemników w nasieniu, podnosi ich jakość i ruchliwość. Jej korzystne oddziaływanie jest jednak znacznie słabsze, gdy wyjściowa liczebność plemników jest na bardzo niskim poziomie (mniej niż 10 milionów w mililitrze).

### DOBRE ŹRÓDŁA L-ARGININY

| | |
|---|---|
| orzeszki ziemne | nabiał |
| orzechy włoskie | wieprzowina i wołowina |
| orzechy brazylijskie | kurczak i indyk |
| rośliny strączkowe | owoce morza |
| ciecierzyca | ziarno (zwłaszcza owies i pszenica) |
| orzech kokosowy | czekolada |

## L-karnityna

Ten aminokwas jest przeciwutleniaczem, który pomaga komórkom wytwarzać energię. Badania wykazały, że stosowanie l-karnityny zwiększa wskaźnik powodzenia zarówno jeśli chodzi o naturalne metody poczęcia, jak i inseminację wewnątrzmaciczną (UI).

**Kobiety**: L-karnityna jest dla kobiet ważnym suplementem sprzyjającym płodności.

**Mężczyźni**: L-karnityna jest niezbędna do prawidłowego dojrzewania i funkcjonowania plemników. Wydzielana jest w najądrzach, a jej właściwości przeciwutleniające pomagają chronić plemniki przed uszkodzeniami. U mężczyzn z udokumentowanymi nieprawidłowościami w tych obszarach suplementacja l-karnityny może zwiększyć liczbę plemników, a także ich jakość i ruchliwość. Najlepsze efekty obserwuje się u mężczyzn, u których początkowa ruchliwość plemników była najniższa. Suplement pozwala doprowadzić ją do stanu normalnego. Im wyższy jest poziom l-karnityny w nasieniu, tym większa będzie liczebność i ruchliwość plemników. Brak l-karnityny w znacznym stopniu spowalnia ich rozwój, funkcjonowanie i ruchliwość.

## DOBRE ŹRÓDŁA L-KARNITYNY

| | |
|---|---|
| mięso | nabiał |

### N-acetylo-cysteina (NAC)

Ten przeciwutleniacz łagodzi reakcje zapalne. N-acetylo-cysteiny nie można bezpośrednio pozyskać z artykułów żywnościowych, ale organizm wytwarza NAC z białek. Można je też pobierać w formie suplementu diety.

**Kobiety**: Zapalenie błony śluzowej macicy sprawia, że problematyczne staje się zagnieżdżenie jajeczka i utrzymanie zarodka w dobrym zdrowiu. N-acetylo-cysteina może zapobiec temu problemowi.

**Mężczyźni**: N-acetylo-cysteina wzmacnia błony plemników, chroni plemniki przed stresem oksydacyjnym i pomaga zwiększyć liczbę plemników.

### Glutation

Glutation jest kolejnym dobrym przeciwutleniaczem. Nie znajdziemy go w pożywieniu, nie możemy go też bezpośrednio pobierać w formie suplementu. Aby wytworzyć glutation, organizm korzysta z n-acetylo-cysteiny. Może go też wyprodukować z niepasteryzowanego, bioaktywnego białka serwatki. Rozważ przyjmowanie n-acetylo-cysteiny lub picie serwatki jako uzupełnienie swojej diety. Spożywanie wymienionych niżej artykułów żywnościowych pomoże twojemu organizmowi zwiększyć poziom glutationu.

**Kobiety**: Badania wykazały niższy poziom glutationu u kobiet dotkniętych nawracającymi, bardzo wczesnymi poronieniami.

## DOBRE ŹRÓDŁA GLUTATIONU

| | |
|---|---|
| szparagi | brokuły |
| czosnek | awokado |
| szpinak | białko serwatki (musi być niepasteryzowane) |

**Mężczyźni**: Glutation pomaga uzyskać właściwie uformowane plemniki. Badania potwierdziły jego użyteczność w leczeniu niepłodności mężczyzn.

### Mleczko pszczele

Mleczko pszczele jest pożywieniem, którym pszczoły karmią swoją królową i które ma jej dopomóc w wytwarzaniu setek jajeczek dziennie. Potraktuj mleczko jako pszczeli odpowiednik leku na płodność. Zawiera bogatą mieszankę aminokwasów, witamin, enzymów, niezbędne nienasycone kwasy tłuszczowe i sterole (które są składnikami hormonów). Mleczko pszczele nie powinno być używane przez osoby z alergią na jad pszczeli lub produkty pszczelarskie.

**Kobiety**: Badania wykazały, że mleczko pszczele może mieć korzystny wpływ w przypadku nieregularnego miesiączkowania, a tym samym poprawić płodność, którą obniża nieprzewidywalność cykli miesiączkowych.

**Mężczyźni**: Przeprowadzone badania wskazują, że mleczko pszczele może zwiększyć produkcję spermy.

### Chlorofil

Chlorofil jest podstawą wszelkiego życia roślinnego; może zatrzymać wzrost i rozwój złych bakterii i potrafi budować czerwone krwinki. Jak wykazały badania, u zwierząt z ostrą anemią liczba czerwonych krwinek powraca do normy już po zaledwie czterech lub pięciu dniach suplementacji chlorofilu. Wysoka zawartość magnezu w chlorofilu dodaje wigoru enzymom, które odbudowują hormony płciowe. Co ciekawe, amerykańscy farmerzy podawali krowom młodą pszenicę w celu przywrócenie płodności.

Przyswajasz chlorofil za każdym razem, kiedy jesz zielone warzywa, ale suplement chlorofilu w płynnej postaci (dostępny w sklepach ze zdrową żywnością) dostarczy ci go znacznie więcej niż jesteś w stanie uzyskać z pożywienia, co jest rezultatem jego wysokiej koncentracji. Jeśli to w ogóle wchodzi w grę, byłoby jeszcze lepiej, gdybyś codziennie wypiła lampkę soku z młodej trawy pszenicznej. Jest to jedno z najlepszych źródeł żywego chlorofilu. Równie dobre są inne trawy zbożowe, takie jak młody jęczmień czy młode żyto.

## DOBRE ŹRÓDŁA CHLOROFILU

| zielone warzywa | sok z młodej trawy pszenicznej (lub młodego jęczmienia, lub żyta) |
|---|---|

**Kobiety**: Chlorofil pomaga tworzyć wyściółkę macicy.

**Mężczyźni**: Jeśli chodzi o płodność mężczyzn, nie ma potrzeby suplementacji chlorofilu.

### Kwas para-aminobenzoesowy (PABA)

PABA, jak ustalono, działa korygująco na te aspekty chorób autoimmunologicznych, które mogą wpływać na płodność. Ludzie z zaburzeniami autoimmunologicznymi powinni rozważyć przyjmowanie jego suplementów.

## DOBRE ŹRÓDŁA PABA

| jaja ryż kiełki pszenicy otręby pszenne | melasa podroby zielone warzywa liściaste |
|---|---|

## MĄDRZE WYBIERAJ SUPLEMENTY DIETY

Proszę, nie popadnij w przesadę i nie pochłaniaj garściami suplementów do każdego posiłku. Może się okazać, że za dużo tego dobrego! Wysokie dawki składników odżywczych mogą stać się zbyt dużym obciążeniem dla twojego ciał i wytrącić je z równowagi – nawet jeśli dawki nie są aż tak wysokie, aby były toksyczne. Pamiętaj, że zdrowa, organiczna dieta zaopatruje większość ludzi w to, co ich organizm potrzebuje. Zrównoważona dieta, w ramach której jesz pięć do ośmiu porcji owoców i warzyw dziennie dostarczy ci mnóstwo przeciwutleniaczy. Jeśli dobrze jadasz, bierzesz multiwitaminę i uzupełniasz kwasy tłuszczowe omega-3, możesz być pewny, że zapewni ci to optymalną płodność. Wskazówek, jakie (jeśli w ogóle) suplementy byłyby dobrym uzupełnieniem twojej diety dostarczy twój typ płodności (patrz część 5).

Aby optymalnie odżywiać się w okresie przed poczęciem, zaopatrz się w prenatalny zestaw witamin i minerałów, który zawiera wszystkie składniki wymienione w zestawieniu „Jak się robi dzieci – plan działania", zamieszczonym w tym rozdziale. W zależności od tego, co uda ci się znaleźć, produkt może zawierać kilka niewymienionych tutaj składników, przy czym zazwyczaj nie stanowi to problemu. Nie spodziewaj się, że znajdziesz suplement, którego skład będzie idealnie zgodny z zalecanymi przez nas dawkami. Nasze zalecenia traktuj jako wytyczne. Jeśli w twoim dodatku jest jakiegoś składnika nieco mniej niż wynosi zalecana przez nas dawka, pamiętaj, że składniki odżywcze pobierasz także z pożywienia. Jeśli jest go trochę więcej, pamiętaj, że jeśli tylko nie przekraczasz znacząco rekomendowanych przez nas norm, trochę więcej minerałów nie zrobi ci krzywdy.

Wybierz suplement, który zażywa się trzy razy dziennie, zazwyczaj wraz z posiłkiem. Jedna tabletka dziennie może wydawać się wygodniejszym rozwiązaniem, ale nie jest to jednak wskazane, aby twój organizm jednorazowo otrzymywał tak dużą porcję aktywnych składników. W rezultacie niektóre z nich nie zostałyby przyswojone, co oznacza, że organizm ich nie znajdzie, gdy będą mu potrzebne. (Nie mówiąc o tym, że byłaby to naprawdę spora pigułka do połknięcia.) Aby uniknąć dolegliwości żołądkowych i ułatwić wchłanianie witamin rozpuszczalnych w tłuszczach, takich jak D i E, zażywaj swoje witaminy w trakcie spożywania posiłków.

Kupuj swoje suplementy w renomowanym sklepie ze zdrową żywnością lub poproś lekarza, aby ci polecił sprzedawcę. Pracownicy służby zdrowia mają czasem dostęp do witamin wysokiej jakości, które nie są dostępne w sklepach.

Agencja ds. Żywności i Leków (FDA) określa wytyczne, do których należy się stosować w produkcji suplementów witaminowych i produktów ziołowych, znane pod nazwą „dobre praktyki producenta". Producenci dbający o klienta stosują się do nich. Suplementy diety nie są urzędowo kontrolowane i istnieje pewne ryzyko, że to, co jest w środku pigułek nie zawsze odpowiada temu, co jest wymienione w ulotce bądź na pudełku. Suplementy powinny być testowane pod kątem substancji toksycznych, takich jak ołów, rtęć, a także innych rodzajów zanieczyszczeń. Skontaktuj się z producentem suplementu i zapytaj o ich praktyki w zakresie kontroli jakości – jak testują swoje produkty i na co zwracają uwagę. Solidna firma będzie w stanie odpowiedzieć na te pytania.

Zawsze należy czytać etykiety. Składniki suplementu powinny, w miarę możliwości, pochodzić z naturalnych źródeł. Poszukaj informacji o przeprowadzonym badaniu pod kątem zanieczyszczeń lub toksyn. Jeśli jesteś podatna na uczulenia, rozejrzyj się za produktem hipoalergicznym (unikaj pszenicy, drożdży i kukurydzy). Upewnij się też, że produkt jest świeży. Użyj go przed upływem daty przydatności do spożycia, a jeżeli nie ma daty ważności, kup inny.

Jeśli zażywasz zioła, poinformuj prowadzącego cię zielarza (lekarza homeopatę), o wszystkich suplementach diety, które przyjmujesz. On ci powie, czy działanie suplementów i ziół przypadkiem nie nakłada się na siebie i ewentualnie pomoże ci dopasować je do siebie.

## Jak się robi dzieci – plan działania

Aby optymalnie odżywić organizm w okresie przed urodzeniem dziecka, poszukaj preparatów witaminowych i mineralnych zawierających wskazane niżej elementy. Wybierz suplement, który przyjmuje się trzy razy dziennie w trakcie posiłku, a nie jednorazowo.

# PRENATALNA MULTIWITAMINA DLA KOBIET

| SKŁADNIK ODŻYWCZY | DZIENNA DAWKA | UWAGI |
|---|---|---|
| Witamina A (beta-karoten) | 5000–8000 IU | |
| Witamina $B_1$ (tiamina) | 0,8 mg | |
| Witamina $B_2$ (ryboflawina) | 1,1 mg | |
| Witamina $B_5$ (kwas pantotenowy) | 3–7 mg | |
| Witamina $B_6$ | 25–50 mg | |
| Kwas foliowy (witamina $B_9$) | 800–1000 µg | |
| Witamina $B_{12}$ | 100 µg | Wysokie dawki (1000 mg |
| Witamina C | 200–500 mg | dziennie lub więcej) mogą wysuszać płodny śluz szyjkowy. |
| Witamina D | 1000 IU | |
| Witamina E | 100 IU | Zażywaj w naturalnej postaci (d-alfa-tokoferol), a nie syntetycznej (dl-alfa-tokoferol). Skonsultuj z lekarzem, jeśli przyjmujesz leki rozrzedzające krew lub dzienną dawkę aspiryny. |
| Wapń | 300–600 mg | Zawsze, gdy przyjmujesz |
| Miedź | 2 mg | suplement miedzi, powinnaś równoważyć ją cynkiem. |
| Żelazo | 10–15 mg | |
| Magnez | 250–400 mg | |
| Mangan | 1–2 mg | Dawki wyższe niż tu podane |
| Selen | 50–100 mg | mogą utrudniać przyswajanie |
| Cynk | 15–25 mg | miedzi. Zawsze, gdy przyjmujesz suplement cynku, powinnaś równoważyć go miedzią. |

# INNE ZWIĘKSZAJĄCE PŁODNOŚĆ SUPLEMENTY DLA KOBIET

| SKŁADNIK ODŻYWCZY | DZIENNA DAWKA | UWAGI |
|---|---|---|
| Nienasycone kwasy tłuszczowe (NNKT) | 1000–5000 mg | Szukaj NNKT o zrównoważonym składzie kwasów tłuszczowych omega-3 i omega-6. Jeśli zażywasz środki rozrzedzające krew – porozmawiaj z lekarzem. |
| Koenzym Q10 (CoQ10) | 30–200 mg | |
| L-arginina | 500 mg | Nie przyjmuj, jeśli masz wirusa opryszczki |
| N-acetylo-cysteina (NAC) | 600 µg | |
| Glutation | – | Pobierz z NAC lub białka serwatki |
| Mleczko pszczele | według instrukcji na opakowaniu | Nie stosuj, jeśli jesteś uczulona na jad pszczeli lub pszczele produkty |
| Chlorofil | według instrukcji na opakowaniu | |
| Kwas para-aminobenzoesowy (PABA) | 300–400 mg | |

# PRENATALNA MULTIWITAMINA DLA MĘŻCZYZN

| SKŁADNIK ODŻYWCZY | DZIENNA DAWKA | UWAGI |
|---|---|---|
| Witamina A (beta-karoten) | 5000 IU | |
| Witamina B$_1$ (tiamina) | 1,2–2,5 mg | |
| Witamina B$_2$ (ryboflawina) | 1,3 mg | |
| Witamina B$_5$ (kwas pantotenowy) | 5 mg | |
| Witamina B$_6$ | 50 mg | |
| Kwas foliowy (witamina B$_9$) | 400 $\mu$g | |
| Witamina B$_{12}$ | 100 $\mu$g | |
| Witamina C | 500–1000 mg | |
| Witamina D | 800–1000 UI | |
| Witamina E | 400 UI | Zażywaj w naturalnej postaci (d-alfa-tokoferol), a nie syntetycznej (dl-alfa-tokoferol). Skonsultuj z lekarzem, jeśli przyjmujesz leki rozrzedzające krew lub dzienną dawkę aspiryny. |
| Wapń | 250–300 mg | Zawsze, gdy przyjmujesz |
| Miedź | 2 mg | suplement miedzi, powinieneś równoważyć ją cynkiem. |
| Żelazo | 2 mg | |
| Magnez | 250–500 IU | |
| Mangan | 1–2 mg IU | |
| Selen | 50–100 $\mu$g | Zawsze, gdy przyjmujesz |
| Cynk | 50 mg | suplement cynku, powinieneś równoważyć go miedzią. Dawki wyższe niż tu podane mogą utrudniać przyswajanie miedzi. |

# INNE ZWIĘKSZAJĄCE PŁODNOŚĆ SUPLEMENTY DLA MĘŻCZYZN

| SKŁADNIK ODŻYWCZY | DZIENNA DAWKA | UWAGI |
| --- | --- | --- |
| Nienasycone kwasy tłuszczowe (NNKT) | 1000–5000 mg | Szukaj NNKT o zrównoważonym składzie kwasów tłuszczowych omega-3 i omega-6. Suplement powinien być przebadany pod kątem zawartości substancji toksycznych. Jeśli zażywasztakże środki rozrzedzające krew – porozmawiaj z lekarzem. Nie przyjmuj, jeśli masz wirusa opryszczki. |
| Koenzym Q10 (CoQ10) | 100 mg | |
| L-arginina | 500 mg | |
| L-karnityna | 1–2 mg | Pobierz z NAC lub białka serwatki |
| N-acetylo-cysteina (NAC) | 600 µg | |
| Glutation | – | Nie stosuj, jeśli jesteś uczulona na jad pszczeli lub pszczele produkty. |
| Mleczko pszczele | według instrukcji na opakowaniu | |
| Kwas para-aminobenzoesowy (PABA) | 300–400 mg | |

# CZĘŚĆ 3

**Pięć typów płodności**

# ROZDZIAŁ 7

## Jaki jest twój typ płodności?

Zachodnia medycyna popełnia błąd, próbując wszystkich mierzyć jedną miarą i poddać jednakowej kuracji. Tu właśnie pojawia się przewaga i główna siła tradycyjnej medycyny chińskiej: podchodzi ona do każdego człowieka indywidualnie, a zarazem całościowo, szukając odniesień do uniwersalnych wzorców. To może jednak stać się źródłem kolejnych problemów, bowiem złożoność chińskiej medycyny łatwo osiąga punkt, gdy staje się ona nieprzenikniona dla każdego, kto nie jest ekspertem. Staraliśmy się połączyć mocne strony obu systemów, a uzyskany wynik sprowadzić do postaci, która jest zarazem zrozumiała i przydatna w praktyce.

Połączyliśmy nasze kliniczne doświadczenia i opracowaliśmy pięć typów płodności: Zmęczony, Suchy, Zablokowany, Blady i Nasiąkliwy. Choć inspirowaliśmy się wzorcami używanymi w tradycyjnej medycynie chińskiej, wybraliśmy z nich jedynie te elementy, które mają znaczenie dla płodności. Gdy przystąpiliśmy do weryfikacji naszego systemu, odkryliśmy (i na szczęście wcale nas to nie zdziwiło), że niemal wszystkie zachodnie diagnozy odnoszą się do tych samych kategorii. Z przyjemnością przedstawiamy system łączący Wschód z Zachodem, który zapewni ci bezpośredni dostęp do tego, co w każdym z nich najlepsze i co pasuje do twojej konkretnej sytuacji.

Kolejne, krótkie rozdziały opisują dość szczegółowo poszczególne typy płodności, począwszy od najczęściej występujących do tych występujących rzadziej. Zawierają listy kontrolne najczęściej spotykanych oznak i objawów, które pomogą ci ustalić, jaki typ reprezentujesz.

Nasze działanie opieramy na założeniu, że posiadasz podstawową, intuicyjną wiedzę na temat podstawowych mechanizmów i zasad leżących u podstaw zachodniej medycyny. Medycyna chińska jest jednak zupełnie inna, bowiem oparta jest na innym postrzeganiu świata.

Wiele lat temu zmagałam się (Jill) z przewlekłą chorobą; przez sześć miesięcy zażywałam antybiotyki, nie odnotowując żadnej poprawy. Prowadzący mnie lekarz powiedział, że wyczerpał już wszystkie możliwości i skierował mnie do specjalisty medycyny chińskiej. Kilka tygodni akupunktury i stosowania chińskich ziół rozwiązało problem. To doświadczenie sprawiło, że rozsypał się mój dotychczasowy pogląd na świat. Był to kompletnie odmienny paradygmat, z którym nigdy wcześniej się nie spotkałam. Szczerze mówiąc, trudno mi było uwierzyć, że ta terapia może być skuteczna, pomimo iż doświadczyłam jej na sobie w sposób tak głęboko odczuwalny. Wewnętrzny przymus sprawił, że postanowiłam lepiej poznać medycynę chińską. Zaczęłam czytać wszystko, co wpadło mi w ręce i zadawałam mnóstwo pytań. Im więcej się dowiadywałam, tym więcej chciałam wiedzieć i w rezultacie rozpoczęłam studia uzupełniające i uzyskałam tytuł magistra tradycyjnej medycyny wschodniej.

W trakcie nauki wysłuchałam wykładu lekarki, która sprawiła, że moje życie znowu się odmieniło. Lektorka odbyła szkolenia w Chinach zarówno w zakresie konwencjonalnej ginekologii, jak i akupunktury i ziołolecznictwa. Opowiadała o tym, co potrafi medycyna chińska, a zachodnia nie jest w stanie, a także o rzeczach, których może dokonać medycyna zachodnia, a chińska nie. Wizja współpracy obu tych kierunków podekscytowała mnie i zainspirowała. W całej mojej późniejszej pracy starałam się korzystać z tej komplementarności.

Takie podejście łączące oba kierunki medycyny szczególnie dobrze się sprawdza, jeśli chodzi o problemy związane z płodnością. Niepłodność jest często efektem serii niewielkich zakłóceń równowagi różnych systemów organizmu, które razem składają się na poważny problem. Medycyna chińska dużą wagę przywiązuje do przywracania równowagi i łagodnego dostrojenia organizmu, a tym samym bardzo skutecznie radzi sobie z problemami z płodnością. Zioła i akupunktura bardzo subtelnie oddziałują na organizm i podobne są w swym działaniu do sposobu funkcjonowania systemu hormonalnego. Na przykład, tradycyjna medycyna chińska zna sposoby stabilizowania nieregularnego cyklu, które są trudne do powtórzenia w zachodniej medycynie. Zbliżymy się jednak do granic możliwości medycyny chińskiej, gdy mamy problem, który trzeba rozwiązać chirurgicznie lub podjąć innego rodzaju energiczne działania. Zachodni system badań i analiz jest drogą na skróty, jeśli musimy szybko potwierdzić diagnozę. Dobrze jest mieć wtedy pod ręką silne narzędzia zachodniej medycyny. Jeśli masz, na przykład utrudniające zajście w ciążę mięśniaki macicy, medycyna chińska być może potrafi je nieco zmniejszyć, ale cię od nich całkiem nie uwolni. Do tego potrzebny jest chirurg. Jeśli chodzi o podejście wschodnie i zachodnie, żadne z nich nie jest lepsze od drugiego, ale stosowanie ich łącznie jest często lepszym rozwiązaniem niż poleganie na każdym z nich z osobna.

Regularnie konsultuję się z lekarzami medycyny konwencjonalnej w sprawach dotyczących naszych wspólnych pacjentów. Chcę informować ich na bieżąco o tym, co robię, jak również w pełni rozumieć ich plany. Chcę mieć pewność, że nasze wysiłki będą się nawzajem uzupełniały. Nie przepiszę ziół, jeśli wiem, że pacjentka zażywa leki, które mają podobne działanie. Wielu lekarzy jest bardzo otwartych na współpracę ze mną, a to dlatego, jak sądzę, że mówię ich językiem. Pobierałam nauki w szpitalach i pracowałam z lekarzami przez większość mojej kariery. Nie jest tak, że dzwonię i mówię: „stosuję taką i taką terapię na niedobór yang w nerkach i krwi. Tłumaczę to na ich język, tak jak tłumaczę moim pacjentom: mówię o zakłóconej równowadze hormonalnej i o tym, jak zioła i akupunktura mogą ją przywrócić.

W tej książce trzymamy się tej samej ścieżki, osadzając wszystko w kontekście medycyny zachodniej – tak, aby było to w jak największym stopniu dostępne dla ludzi postrzegających rzeczywistość z perspektywy Zachodu. Chcemy, aby czytelnicy nie mieli problemów ze zrozumieniem, o czym piszemy i mogli o tym porozmawiać ze swoimi lekarzami. Chcemy też, aby potrafili sprawnie porozumieć się ze specjalistą od akupunktury czy ziołolecznictwa – dlatego też omówienie każdego typu zawiera krótki ustęp, mówiący o tym, jak postrzega go medycyna chińska.

Największym zarzutem, jaki lekarze stawiają medycynie alternatywnej, jest jej zbyt luźne osadzenie w czasie. Jeśli chodzi o mnie, wyznaczam moim terapiom limity czasowe i szacunkowe cele, aby każdy – pacjent, lekarz i ja sama – mógł ocenić postępy leczenia. Mówię, na przykład że w trakcie terapii prowadzonej przez trzy cykle miesiączkowe spodziewam się konkretnych oznak wskazujących na powrót do równowagi hormonalnej (mniej bolesne menstruacje i, być może, większy popęd płciowy). Mogę ewentualnie zasugerować, aby w czasie trwania kuracji lekarz wykonywał testy potwierdzające poprawę równowagi hormonalnej.

Moi nauczyciele medycyny chińskiej powiadają, że zdrowi ludzie mają zdrowe dzieci. Uczyli mnie, że jeśli nie wiem, co dokładnie powoduje niepłodność (lub inny problem), należy poddać kuracji każdy dostrzeżony obszar nierównowagi. Jest to podstawowa zasada podejścia holistycznego. Ja mam zwyczaj brać wszystko pod uwagę, w tym pewną liczbę czynników, które nie są jednoznacznie powiązane z reprodukcją – życie rodzinne, stan umysłu, trawienie, odcień skóry, ból pleców i wiele innych. Każde zaburzenie równowagi w organizmie daje jakiś objaw, a każdy objaw oznacza brak równowagi. Przywrócenie równowagi jest drogą do zdrowia, a cieszenie się dobrym ogólnym zdrowiem jest najlepszą drogą do spłodzenia dziecka.

## TYPY PŁODNOŚCI

Powracamy więc do typów płodności. Celem, jaki ci przyświeca jest znalezienie równowagi w obrębie typu płodności, jaki reprezentujesz. Jednak zidentyfikowanie swojego typu płodności w większości przypadków opiera się na rozpoznaniu sytuacji, w której twoja równowaga ulega zakłóceniu. Objawy tej dysharmonii występują wtedy, gdy coś w twoim organizmie przeważy albo w jedną stronę, albo w drugą i są one charakterystyczne dla twojego typu. Mogą być dokuczliwe, a nawet bardzo nieprzyjemne, ale niosą ważne dla ciebie przekazy. Te wysyłane przez twoje ciało wiadomości zawierają podpowiedzi wskazujące, gdzie należy przywrócić równowagę, aby osiągnąć optymalny stan zdrowia. Twój typ (Zmęczony, Suchy, Zablokowany, Blady lub Nasiąkliwy) wyznacza pewien schemat procesów zachodzących w twoim ciele, gdy przygotowujesz się do zajścia w ciążę. Wskazuje ci strategie, które w twoim przypadku będą najbardziej efektywne, a także problemy, które możesz napotkać.

Choć może się to wydawać oczywiste, pełna, indywidualna diagnoza medyczna, niezależnie od tego, czy chińska, czy zachodnia, jest o wiele bardziej szczegółowa i dokładna niż jakikolwiek system opisany w książce. Chiński system diagnostyki medycznej jest bardzo subtelny i wyrafinowany, a tym samym skomplikowany. Medycyna wschodnia bierze pod uwagę wzajemne powiązania wszystkiego ze wszystkim;

specjalistów uczy się odnajdywania wzorców lub schematów dysfunkcji, a nie skupiania się na konkretnych objawach. Każdy objaw musi być rozpatrywany w kontekście całej osoby. Jeśli więc chciałabyś uzyskać pełną chińską diagnozę, powinnaś skonsultować się z licencjonowanym specjalistą od akupunktury (patrz rozdz. 19). Zapewne wiesz, jak ważne jest, abyś jednocześnie pozostawała także w kontakcie z prowadzącym cię lekarzem medycyny konwencjonalnej.

Skupiliśmy się w tej książce na strategiach, które można realizować w domu, na własną rękę. Jeśli chodzi o informacje i porady, które wymagają zaangażowania ze strony pracownika służby zdrowia, naszym zamierzeniem jest pomóc ci zrozumieć swą sytuację, przedstawiając ją w sposób możliwy do ogarnięcia dla laika, a także przygotować cię do merytorycznej, rozsądnej rozmowy z lekarzem prowadzącym. Jeśli naszym celem jest uzyskanie najlepszej możliwej pomocy lekarskiej, musimy stać się rzecznikami własnej sprawy. Przedzierając się przez meandry systemu opieki zdrowotnej, ponosimy odpowiedzialność za siebie. Naszym celem jest dać ci wszystkie potrzebne narzędzia – informacje, słownictwo, samowiedzę – abyś mógł z powodzeniem prowadzić negocjacje w swojej sprawie. Jeśli chcesz być pewna, że poddano cię wszystkim badaniom, że uwzględnione zostały wszystkie opcje i że masz dostęp do najlepszych dla ciebie kuracji – musisz o nich, po pierwsze, wiedzieć, a następnie musisz potrafić o nich rozmawiać ze swoim lekarzem.

Jest to szczególnie trudne zadanie, gdy korzystasz z obu systemów opieki zdrowotnej (nie mówiąc już o tym, że oboje partnerów w związku potrzebuje własnej zindywidualizowanej opieki). Choć systemy te są różne, są też komplementarne. Może musisz tylko połączyć je mostem, o ile tylko nie radzi sobie z tym prowadzący cię lekarz lub specjalista od akupunktury. Najważniejszym zadaniem tej książki jest przygotowanie cię do tego.

## JAK USTALIĆ TYP PŁODNOŚCI

Pierwszym krokiem jest ustalenie swojego typu płodności. Wszystkie nowe informacje, które do ciebie trafią mogą początkowo cię przytłoczyć. Nie przejmuj się: nie musisz pamiętać szczegółowych informacji na temat wszystkich typów, ani nawet zachować w głowie ich nazw. Musisz natomiast przeczytać o wszystkich typach, aby potrafić zidentyfikować swój własny. Gdy już to zrobisz, możesz skupić całą swoją uwagę wyłącznie na tych informacjach, które odnoszą się do ciebie. Proces dzielenia na typy sprawia, że zawęża się obszar informacji, które ciebie dotyczą. Na razie jednak nie idź na żadne skróty. Nie przerywaj czytania, gdy tylko natrafisz na typ o nazwie, która brzmi znajomo. Nieco dalej, możesz trafić na inny typ płodności, który pasuje do ciebie nawet lepiej.

Każdy z kolejnych pięciu rozdziałów zaczyna się od ogólnego opisu typu, po czym następuje objaśnienie, jak to wygląda u kobiet i mężczyzn i wreszcie wyszczególnienie charakterystycznych dla tego typu problemów z płodnością. (Pełna informacja na temat różnych kwestii związanych z płodnością pojawia się w rozdziałach 14–18.) Każdy rozdział zawiera listę najczęściej występujących kombinacji z innymi typami oraz charakterystyczne cechy każdej z nich. Dalej znajdziesz krótkie objaśnienie z perspektywy medycyny chińskiej, a potem konkretny przypadek pacjenta reprezentującego omawiany typ. Na końcu każdego rozdziału jest lista kontrolna, którą należy wypełnić. Podsumowuje ona wszystkie najważniejsze cechy danego typu i ma wyodrębnione sekcje dla kobiet, kobiet prowadzących wykres PTC oraz mężczyzn.

Wykres PTC dostarczy ci wielu informacji, które będą pomocne w określeniu typu płodności, a także pozwolą ci zidentyfikować konkretne problemy. Również prowadzący cię lekarz bądź inny specjalista mogą tam znaleźć użyteczne dla siebie informacje. Prowadzenie wykresu nie jest jednak konieczne, aby określić swój typ płodności lub odnieść korzyść z przeczytania tej książki. Prowadzenie wykresu PTC może sprawę jednak nieco uprościć, gdy masz problemy z ustaleniem swojego typu. Panie, które nie zawracają sobie głowy prowadzeniem wykresu, niech po prostu pominą tę część listy kontrolnej.

Lista kontrolna zawiera wiele szczegółowych pytań na temat cyklu miesiączkowego i samej menstruacji. Medycyna chińska kładzie duży nacisk na przepływ krwi w czasie trwania miesiączki, przy czym interesuje ją zarówno ilość, jak i jakość, jak również kolor krwi, występowanie skrzepów oraz inne tego rodzaju objawy. Odpowiedzi, jakich udzielisz wiele powiedzą o stanie zdrowia twojego układu rozrodczego i pomogą w postawieniu diagnozy. Moi chińscy nauczyciele (Jill) mawiali, że okres powinien rozpoczynać się rzeką, potem przeistaczać się w morze, aby na koniec stać się strumieniem. Powinien rozpocząć się równomierną strużką, a nie plamieniem. Potem krwawienie powinno stać się intensywniejsze, aby następnie łagodnie wygasnąć, cały czas bez plamienia. Jeśli w jakimkolwiek miejscu twój cykl różni się od tego opisu, będzie to cenna wskazówka pomocna w postawieniu diagnozy.

Czytając opisy wszystkich typów, prawdopodobnie rozpoznasz siebie w jednym (czasem w dwóch) spośród nich. Wypełnij listę kontrolną w celu ustalenia, który typ najlepiej do ciebie pasuje. W większości przypadków, jeden z typów będzie miał wyraźną przewagę nad pozostałymi; czasem, aby go ustalić, wystarczy przeczytać opis. Może też tak się zdarzyć, że masz wiele zakreśleń na kilku listach – wtedy twój typ to ten, gdzie figuruje ich najwięcej. Jeśli wynik jest remisowy (lub od remisu dzieli cię niewiele punktów) możliwe, że reprezentujesz typ łączony. Jeśli dodatkowo uwzględnisz pełne opisy, i jeśli którykolwiek z nich bardziej do ciebie pasuje od pozostałych – jest to twój typ dominujący. Najlepiej jednak zrobisz, jeśli będziesz się kierowała poradami dla obu typów płodności. W przypadku wystąpienia konfliktu, kieruj się wskazówkami dla typu dominującego. Jeśli masz kłopot z interpretacją niejednoznacznych i niejasnych dla ciebie wyników, pomoże ci specjalista od akupunktury. Jeśli pojawia się taka potrzeba, radzimy skorzystać z tej możliwości. Nie będzie to jednak potrzebne, aby odnieść korzyść z przeczytania tej książki.

Można też wejść na stronę www.makingbabiesprogram.com i wypełnić tam kwestionariusz, który szybko i sprawnie pozwoli ci ustalić twój typ płodności. Należy jednak także zapoznać się z opisami – przynajmniej z tymi, które odnoszą się do Ciebie – aby dowiedzieć się wszystkiego, co trzeba wiedzieć na temat swojego typu.

## Jak się robi dzieci – plan działania

- Rozważ zwrócenie się do specjalisty z zakresu medycyny chińskiej o postawienie ci pełnej diagnozy.
- Skorzystaj z tej książki, aby dowiedzieć się, jak być skutecznym rzecznikiem własnej osoby w kontakcie z pracownikami służby zdrowia, a także w jaki sposób pomagać specjalistom różnych kierunków, aby mogli skoordynować swoje terapie.
- Jeśli masz problem ze zidentyfikowaniem swojego typu płodności, rozważ prowadzenie wykresu PTC, który ci to ułatwi.
- Zwracaj uwagę na szczegóły cyklu miesiączkowego ze względu na zawarte w nich informacje o stanie twojego zdrowia, stanie układu rozrodczego i typie płodności, jaki reprezentujesz.

- Wypełnij listy kontrolne w każdym z kolejnych pięciu rozdziałów i określ swój typ płodności (Zmęczony, Suchy, Zablokowany, Blady lub Nasiąkliwy), co pozwoli ci korzystać z tych porad programu „Jak się robi dzieci", które są dla ciebie najbardziej odpowiednie.
- Wejdź na stronę www.makingbabiesprogram.com i wypełnij kwestionariusz, który pozwoli ci określić twój typ płodności.
- Zapoznaj się z ikoną twojego typu płodności, dzięki czemu będziesz w stanie łatwo ustalić, które fragmenty książki są dla ciebie najważniejsze.

# ROZDZIAŁ 8

## Typ: Zmęczony

Zmęczeni ludzie są jak opony, z których zeszło powietrze. Brak powietrza nie jest ich stanem permanentnym; dopóki jednak nie zostaną napompowane, nie mogą pełnić swojej roli.

Zmęczeni ludzie są przede wszystkim zwyczajnie zmęczeni. Często są osłabieni i apatyczni, tak jakby brakowało im energii, aby podejmować wyzwania, które stawia przed nimi życie. Jest im dobrze, gdy po prostu siedzą na kanapie. Najważniejszymi objawami wskazującymi, że mamy do czynienia z tym typem są słaby metabolizm, niedoczynność tarczycy oraz uczucie zimna.

Zmęczonym ludziom jest często zimno. Są wrażliwi na niskie temperatury, bardzo ich nie lubią. Jest im chłodno nawet wtedy, gdy wszystkim dookoła jest ciepło. W szczególności skarżą się na zimne dłonie i stopy. Mogą mieć słabe krążenie.

Zmęczeni ludzie potrzebują dużo snu, ale i tak rano czują się wykończeni, często mają też ciemne kręgi pod oczami. Ponieważ są generalnie w marnym stanie, ludzie reprezentujący ten typ łapią każdego wirusa, który pojawi się w okolicy, a dojście do zdrowia zajmuje im więcej czasu niż innym. Są podatni na różne dolegliwości i bóle, w szczególności niskich partii pleców i kolan.

Zmęczeni ludzie często mają bladą lub ziemistą skórę. Łatwo tracą oddech, szybko się pocą i mają wrażenie, że do niczego się nie nadają. Wielu skarży się na trudności z zebraniem myśli – trudno im przychodzi skupianie uwagi, mają niską motywację i czują się ogólnie przytłumieni.

Zmęczeni ludzie często mają słaby układ pokarmowy i doświadczają wielu dolegliwości trawiennych. Często już wcześnie rano występują u nich luźne stolce, wzdęcia i gazy. Zwykle nie mają apetytu. Silnie reagują na cukier, więc posługują się nim, aby dodać sobie energii. Popadają jednak w cykl prowadzący do nikąd: łakną węglowodanów, gdy są zmęczeni, a potem – gdy już zaspokoją swoją potrzebę – uruchamiają kolejkę górską skaczącego poziomu cukru. Wielu reprezentujących ten typ ludzi łatwo przybiera na wadze, szczególnie gdy są przemęczeni i podlegają działaniu stresu. Wielu cierpi na chroniczną nadwagę. Ich organizmy mają skłonność do zatrzymywania wody, choć wielu z nich często oddaje mocz, który jest obfity i jasny.

Objawy te odzwierciedlają ogólne zaburzenia hormonalne wpływające na hormony układu rozrodczego, a także na gruczoły tarczycy, nadnerczy i przysadki mózgowej. Słaba praca tych systemów odbija się na przemianie materii i krążeniu, co z kolei przekłada się na obniżenie płodności. Zmęczeni ludzie często mają niskie libido – po prostu nie mają energii na seks i trudno się wzbudzają. Brak motywacji może poważnie utrudniać podejmowane przez nich próby zajścia w ciążę.

## KOBIETY

Kobiety reprezentujące typ Zmęczony miewają często problemy z przemianą materii, cierpią na przykład na niedoczynność tarczycy. Mogą mieć długie cykle miesiączkowe i późną owulację (długa faza folikularna) lub mogą mieć krótki cykl z krótką fazą lutealną. Często ich okres jest bardzo intensywny, ale krótki z wyraźnie zaznaczonym obfitym krwawieniem w ciągu pierwszych dwóch dni. Krew jest zwykle wodnista i jasna. Niektóre kobiety typu Zmęczonego mają długie miesiączki (dłuższe niż pięć dni). W czasie menstruacji może wystąpić u nich szereg objawów współistniejących, takich jak zmęczenie, słabe krążenie czy problemy z trawieniem ze szczególnym uwzględnieniem luźnych stolców. Kobiety typu Zmęczonego najczęściej mają kłopoty podczas fazy 3. cyklu (owulacji). Zdarza się, że owulują późno. Często podczas uwalniania jajeczka pojawiają się u nich symptomy zbliżone do tych, które towarzyszą ich miesiączkom, takie jak plamienia i wzdęcia brzucha. Niektóre zaczynają plamić jeszcze zanim rozpocznie się u nich okres. Kobiety typu Zmęczonego mają skłonność do niskich poziomów progesteronu, czasem aż do punktu, gdy występuje defekt fazy luteanej (LPD). W skrajnych przypadkach mogą cierpieć z powodu nawracających poronień czy wypadnięcia pochwy lub macicy.

# KARTA PODSTAWOWEJ TEMPERATURY CIAŁA

wiek ......... cykl miesięczny nr ......... ostatnie 12 cykli: najkrótszy ......... najdłuższy ......... miesiąc ......... rok ......... długość cyklu .........

Wiersze karty:

- dzień cyklu: 1, 2, 3, 4, 5, 6, 7, 8, 9, 10, 11, 12, 13, 14, 15, 16, 17, 18, 19, 20, 21, 22, 23, 24, 25, 26, 27, 28, 29, 30, 31, 32, 33, 34, 35, 36, 37, 38, 39, 40
- data
- dzień tygodnia
- godzina pomiaru
- temperatura po przebudzeniu
- okres
- lepkość
- krem
- białko
- test ciążowy
- stosunek w dniu cyklu
- test owulacyjny LH
- pozycja szyjki macicy
- inne symptomy

KARTA PTC: TYP ZMĘCZONY O BARDZO NISKICH TEMPERATURACH CIAŁA.

# KARTA PODSTAWOWEJ TEMPERATURY CIAŁA

wiek ......... cykl miesięczny nr ......... ostatnie 12 cykli: najkrótszy ......... najdłuższy ......... miesiąc ......... rok ......... długość cyklu .........

| dzień cyklu | 1 | 2 | 3 | 4 | 5 | 6 | 7 | 8 | 9 | 10 | 11 | 12 | 13 | 14 | 15 | 16 | 17 | 18 | 19 | 20 | 21 | 22 | 23 | 24 | 25 | 26 | 27 | 28 | 29 | 30 | 31 | 32 | 33 | 34 | 35 | 36 | 37 | 38 | 39 | 40 |
|---|---|---|---|---|---|---|---|---|---|---|---|---|---|---|---|---|---|---|---|---|---|---|---|---|---|---|---|---|---|---|---|---|---|---|---|---|---|---|---|---|
| data | | | | | | | | | | | | | | | | | | | | | | | | | | | | | | | | | | | | | | | | |
| dzień tygodnia | | | | | | | | | | | | | | | | | | | | | | | | | | | | | | | | | | | | | | | | |
| godzina pomiaru | | | | | | | | | | | | | | | | | | | | | | | | | | | | | | | | | | | | | | | | |

temperatura po przebudzeniu (wykres: 37,2 ... 37,0 ... 36,1)

| okres | | | | | | | | | | | | | | | | | | | | | | | | | | | | | | | | | | | | | | | | |
| lepkość | | | | | | | | | | | | | | | | | | | | | | | | | | | | | | | | | | | | | | | | |
| krem | | | | | | | | | | | | | | | | | | | | | | | | | | | | | | | | | | | | | | | | |
| białko | | | | | | | | | | | | | | | | | | | | | | | | | | | | | | | | | | | | | | | | |
| test ciążowy | | | | | | | | | | | | | | | | | | | | | | | | | | | | | | | | | | | | | | | | |

| stosunek w dniu cyklu | 1 | 2 | 3 | 4 | 5 | 6 | 7 | 8 | 9 | 10 | 11 | 12 | 13 | 14 | 15 | 16 | 17 | 18 | 19 | 20 | 21 | 22 | 23 | 24 | 25 | 26 | 27 | 28 | 29 | 30 | 31 | 32 | 33 | 34 | 35 | 36 | 37 | 38 | 39 | 40 |
|---|---|---|---|---|---|---|---|---|---|---|---|---|---|---|---|---|---|---|---|---|---|---|---|---|---|---|---|---|---|---|---|---|---|---|---|---|---|---|---|---|
| test owulacyjny LH | | | | | | | | | | | | | | | | | | | | | | | | | | | | | | | | | | | | | | | | |
| pozycja szyjki macicy | | | | | | | | | | | | | | | | | | | | | | | | | | | | | | | | | | | | | | | | |
| inne symptomy | | | | | | | | | | | | | | | | | | | | | | | | | | | | | | | | | | | | | | | | |

KARTA PTC: TYP ZMĘCZONY. U KTÓREGO NASTĘPUJE SPADEK TEMPERATUR PO OWULACJI.

## KARTA PODSTAWOWEJ TEMPERATURY CIAŁA

wiek ......... cykl miesięczny nr ......... ostatnie 12 cykli: najkrótszy ......... najdłuższy ......... miesiąc ......... rok ......... długość cyklu .........

| dzień cyklu | 1 | 2 | 3 | 4 | 5 | 6 | 7 | 8 | 9 | 10 | 11 | 12 | 13 | 14 | 15 | 16 | 17 | 18 | 19 | 20 | 21 | 22 | 23 | 24 | 25 | 26 | 27 | 28 | 29 | 30 | 31 | 32 | 33 | 34 | 35 | 36 | 37 | 38 | 39 | 40 |
|---|---|---|---|---|---|---|---|---|---|---|---|---|---|---|---|---|---|---|---|---|---|---|---|---|---|---|---|---|---|---|---|---|---|---|---|---|---|---|---|---|
| data | | | | | | | | | | | | | | | | | | | | | | | | | | | | | | | | | | | | | | | | |
| dzień tygodnia | | | | | | | | | | | | | | | | | | | | | | | | | | | | | | | | | | | | | | | | |
| godzina pomiaru | | | | | | | | | | | | | | | | | | | | | | | | | | | | | | | | | | | | | | | | |

**temperatura po przebudzeniu**

okres

lepkość

krem

białko

test ciążowy

stosunek w dniu cyklu

test owulacyjny LH

pozycja szyjki macicy

inne symptomy

KARTA PTC: TYP ZMĘCZONY, U KTÓREGO WYSTĘPUJE KRÓTKA FAZA LUTEALNA.

175

## MĘŻCZYŹNI

Mężczyźni należący do typu Zmęczonego mogą mieć niski poziom testosteronu, a także cierpieć na zaburzenia wzwodu. Często ich nasienie charakteryzuje niska liczba i/lub mała ruchliwość plemników.

## CZĘSTE KOMBINACJE

W tym najbardziej popularnym rodzaju połączenia, nieodpowiednia dieta oraz brak ruchu przyczyniają się do problemów z metabolizmem płynów, ich nagromadzeniem oraz ze wzrostem ilości śluzu.

U tego typu ludzi kłopoty z trawieniem prowadzą do słabej przyswajalności składników odżywczych z pożywienia, co sprawia, że są niedożywieni. Osoby reprezentujące tego rodzaju kombinację typów płodności miewają problemy trawienne, zwłaszcza przed miesiączką lub w sytuacji stresowej. Często objawiają się one luźnym stolcem, szczególnie pod wpływem presji lub w przeddzień miesiączki.

## MEDYCYNA CHIŃSKA

Ludziom typu Zmęczonego przypisuje się niedostatek yang, po części dlatego, że brakuje im qi. Qi, czasami definiowane jako siła życiowa lub energia, nie jest niczym konkretnym czy też fizycznym. Opisuje kilka kluczowych funkcji życiowych: ruch, przemianę, przemieszczanie, ocieplenie, ochronę i przechowywanie. Jeśli chodzi o płodność, każda z tych funkcji ma znaczenie. Zdolność do erekcji opiera się na qi (ruch). Podobnie jest ze zdolnością przekształcania jajeczka i plemnika w zarodek (transformacja). Ciało korzysta z qi, aby przenieść komórkę jajową z jajnika do macicy (transport) oraz stworzyć w macicy środowisko o odpowiedniej temperaturze (ocieplenie). Zdrowy układ odpornościowy jest funkcją qi (ochrona) i kluczem do udanej, zdrowej ciąży. Organizm wykorzystuje qi także do przechowywania różnych rzeczy tam, gdzie jest ich miejsce (przechowywanie) – na przykład dziecka w macicy.

**Studium przypadku: kobieta typu Zmęczonego**

Pierwsze, co usłyszałam od Audrey (42) – po tym jak już poinformowała mnie, że od sześciu miesięcy bezskutecznie próbuje zajść w ciążę – było to, że cały czas czuje się zmęczona. Powiedziała, że rano budzi się wycieńczona, a kolejny spadek energii przychodzi wczesnym popołudniem. Często utrata energii jest tak duża, że potrzebuje węglowodanów w postaci czekolady – po prostu po to, aby przetrwać jakoś do końca dnia. Cykl Audrey był krótki – zaledwie 24 dni – jej miesiączki były bardzo obfite. Towarzyszyło im zawsze rozluźnienie stolca.

Zaleciłam (Jill) Audrey zestaw ziół, aby przywrócić jej system do stanu równowagi i już po zaledwie dwóch miesiącach ich stosowania okazało się, że ma więcej energii niż zwykle, a rankami jest mniej zmęczona. Jej cykl, choć nadal krótki, wydłużył się o jeden dzień, a jej miesiączki stały się nieco mniej dolegliwe. Po czterech miesiącach cykl wydłużył się do 26 dni i popołudniami na ogół radziła sobie bez czekolady.

Podczas szóstego miesiąca leczenia zauważyła, że podczas okresu nie oddaje już luźnych stolców, a jej cykl trwa 27 dni. Dwa miesiące później zaszła w ciążę i urodziła zdrowe dziecko.

## Jak się robi dzieci – plan działania

### Czy reprezentujesz typ Zmęczony?

5 PUNKTÓW ZA KAŻDE ZAZNACZENIE
• Rozpoznano u mnie zaburzenia metabolizmu ciała.
• Mój metabolizm jest spowolniony i łatwo przybieram na wadze.
• Rozpoznano u mnie niedoczynność tarczycy.
• Często jest mi zimno.

3 PUNKTY ZA KAŻDE ZAZNACZENIE
• Często jestem zmęczona lub apatyczna, brakuje mi wytrwałości i motywacji.
• Potrzebuję dużo snu.
• Czasem mam duszności.
• Łatwo się pocę przy każdym wysiłku.
• Mam nadwagę.
• Mój organizm często domaga się węglowodanów.
• Łatwo nabijam sobie siniaki.
• Moje libido jest na niskim poziomie.

1 PUNKT ZA KAŻDE ZAZNACZENIE
• Czasami czuję się przytłumiony i mam problemy z koncentracją.
• Łatwo się przeziębiam.

- Wychodzenie z choroby trwa u mnie długo.
- Moja cera jest blada i ziemista.
- Po jedzeniu odczuwam spadek energii i mam wzdęty brzuch.
- Czasami mam ciemne kręgi pod oczami.
- Często trapią mnie dolegliwości układu trawiennego, takie jak luźny stolec, bóle brzucha i wzdęcia.
- Moje pierwsze wypróżnienie w ciągu dnia jest często luźne.
- Mój apetyt jest generalnie słaby i nieregularny.
- Nie mam dużo mięśni, czuję się słaba.
- Jestem podatna na bóle dolnej części pleców i kolan.
- Mam słabe krążenie.
- Wolę upały / nienawidzę zimna.
- Mam zimne kończyny lub zimne dłonie i stopy.
- Mając do wyboru, wolę gorące napoje.
- Często oddaję mocz. Mocz jest bardzo jasny lub przejrzysty.
- Mój organizm zatrzymuje wodę.

## TYLKO DLA KOBIET
5 PUNKTÓW ZA KAŻDE ZAZNACZENIE
- Rozpoznano u mnie niski poziom progesteronu lub defekt fazy lutealnej (LPD).

3 PUNKTY ZA KAŻDE ZAZNACZENIE
- Mam plamienia, zanim zacznie się miesiączka
- Mój okres jest intensywny, ale trwa krótko; tak jakby wszystko miało stać się w jednej chwili.

1 PUNKT ZA KAŻDE ZAZNACZENIE
- Mój cykl miesiączkowy jest długi.
- Często miewam obfite, pozbawione zapachu upławy, szczególnie w połowie cyklu.
- Mam długi okres; trwa dłużej niż 7 dni.
- Cierpię na luźne stolce podczas miesiączki lub przed nią.
- Mam skurcze menstruacyjne, które ustępują pod wpływem ciepła (np. termoforu).

## DLA KOBIET, KTÓRE PROWADZĄ WYKRES PTC
3 PUNKTY ZA KAŻDE ZAZNACZENIE
- Moje temperatury PTC są czasami tak niskie, że niemal wychodzą poza kartę.
- Mam krótką fazę lutealną, krótszą niż 12 dni; mój okres rozpoczyna się 11 dni lub nawet wcześniej po ostatnim dniu występowania śluzu o konsystencji białka

(możliwość wystąpienia defektu fazy lutealnej LPD z powodu niewystarczającej ilości progesteronu).
- W fazie lutealnej moje temperatury są niskie.

## 1 PUNKT ZA KAŻDE ZAZNACZENIE
- W fazie folikularnej moje temperatury PTC kształtują się poniżej 36,2°C.
- Moja faza folikularna trwa 16 dni lub więcej (późna owulacja).
- Nie mam żadnych zmian temperatury przy przejściu z fazy folikularnej do lutealnej (brak owulacji).
- W trakcie owulacji moje temperatury PTC zmieniają się powoli – rosną o 0,1°C lub 0,15°C na dobę.
- Moja temperatura PTC spada w okolicach owulacji, a następnie przez 3–4 dni powoli rośnie o 0,1°C lub 0,15°C na dobę aż osiągnie moją temperaturę poowulacyjną (ciało powoli reaguje na wzrost progesteronu).
- Moja temperatura PTC spada zbyt szybko po owulacji (niski progesteron). (Po owulacji, temperatura PTC powinna rosnąć przez 1 do 2 dni i utrzymać się na wysokim poziomie niemal do początku kolejnego okresu. W przypadku poczęcia, temperatura powinna utrzymać się na wysokim poziomie przez kilka pierwszych tygodni ciąży.)
- W fazie lutealnej moja temperatura PTC wzrasta powoli (powolna reakcja na wzrost ilości progesteronu).
- W fazie lutealnej moja temperatura PTC wzrasta, ale nie utrzymuje wysokiego poziomu przez 12 dni (przedwczesny spadek poziomu progesteronu).
- Mój wykres temperatur PTC w fazie lutealnej tworzy formację siodła – rośnie, opada, potem znowu rośnie (ze względu na niewielki wzrost ilości estrogenu mniej więcej tydzień po owulacji; może też wystąpić zwiększenie ilości śluzu szyjki macicy, co sygnalizowałoby problem z podtrzymaniem progesteronu).
- Mój wykres PTC nieregularnie opada podczas fazy lutealnej (możliwy defekt fazy lutealnej LPD).
- Mój wykres PTC opada przez 3 do 5 dni przed początkiem okresu (możliwy defekt fazy lutealnej LPD).

## TYLKO DLA MĘŻCZYZN
### 3 PUNKTY ZA KAŻDE ZAZNACZENIE
- Moje libido jest na niskim poziomie.

### 1 PUNKT ZA KAŻDE ZAZNACZENIE
- Zdiagnozowano u mnie niską liczbę lub małą ruchliwość plemników.
- Miewam czasem problemy z utrzymaniem erekcji.

# ROZDZIAŁ 9

## Typ: Suchy

Ludzie typu Suchego są trochę jak pustynia – są tak wysuszeni i gorący, że wspieranie nowego życia przychodzi im z trudnością. Należy jednak pamiętać, że w odpowiednich warunkach pustynia potrafi rozkwitnąć.

Najbardziej zauważalną cechą ludzi tego typu jest suchość skóry, oczu i włosów. Często czują się odwodnieni i chce im się pić. Najważniejsze objawy to nocne poty, uderzenia gorąca i suchość pochwy.

Ludziom typu Suchego jest zazwyczaj zawsze ciepło. Choć nie mają gorączki, jest im gorąco nawet wtedy, gdy inni nie narzekają na temperaturę otoczenia. Łatwo się rumienią, a wtedy ich policzki przybierają różowy kolor. Mają rozgrzane dłonie i stopy. W nocy jest im gorąco i często zrzucają z siebie przykrycie lub domagają się otwierania okien, nawet w zimne dni.

Ludzie typu Suchego odnoszą wrażenie, że ich skóra starzeje się szybciej niż u innych. Mają skłonność do zaparć. Są na ogół szczupli, a nawet żylaści. Mają niską tolerancję na stres. Często są niespokojni, nerwowi, pobudzeni, miewają też stany lękowe. Wszystko to sprawia, że mogą robić wrażenie niezrównoważonych. Wiele osób typu Suchego ma problem ze spaniem, ich sen jest płytki, często budzą się w nocy, miewają też bardzo intensywne sny.

Objawy te zwykle nasilają się z wiekiem – im są starsi, tym bardziej stają się susi.

# KOBIETY

Symptomy, jakie pojawiają się u kobiet należących do typu Suchego, mają związek z brakiem równowagi hormonów układu rozrodczego, a w szczególności z niskim poziomem estrogenów. Kobiety tego typu często cierpią na niedostatek progesteronu, co powoduje kłopoty z endometrium, a także mają wysoki poziom folikulotropiny (FSH).

Kobiety typu Suchego mają skłonność do wpadania w kłopoty w I fazie cyklu. Często mają one długi cykl menstruacyjny i krótkie, lekkie okresy. Mogą je trapić uderzenia gorąca i nocne poty (zwłaszcza przed menstruacją), jak również suchość pochwy. Jednak niektóre kobiety tego typu, szczególnie te, którym jest szczególnie gorąco, mają krótkie cykle i trudne, intensywne okresy z jasnoczerwoną krwią miesiączkową, a także krwawienia w połowie cyklu. Te kobiety charakteryzuje wysokie tempo przemiany materii, a czasem nawet nadczynność tarczycy, co może powodować niechcianą utratę wagi.

W przypadku typu Suchego przebieg wykresu PTC jest mniej przewidywalny niż w przypadku innych typów, szczególnie w fazie folikularnej, z reguły też mają problemy z utrzymaniem wysokiej temperatury w fazie lutealnej. Ich wykresy PTC mogą co miesiąc wyglądać inaczej, w zależności od tego, co im się w życiu przytrafia – jak dużo i jak dobrze sypiają czy są poddane stresom lub też – czy spożywają alkohol.

Ze względu na ten dość szczególny zbiór objawów, wcale nie tak rzadko zdarza się, że kobiety te otrzymują informację, jakoby były już w okresie okołomenopauzalnym. Lekarze mówią im, na przykład, że są zbyt stare, aby mogły zajść w ciążę (przy tym, nieważny jest ich rzeczywisty wiek) lub że zbyt stare są ich jajeczka. Ale te kobiety o Suchym typie płodności wciąż owulują, a odpowiednia kuracja może im przywrócić równowagę i sprawić, że będą w stanie zajść w ciążę.

U kobiet reprezentujących typ Suchy często diagnozuje się problem z funkcjonowaniem jajników. Ich cykle miesiączkowe mają tendencję do wydłużonej fazy folikularnej. Dzieje się tak, ponieważ w związku z występowaniem zakłócenia poziomu folikulotropiny (FSH), a co za tym idzie – niskiego poziomu estrogenu ich pęcherzyki rosną powoli. Jajeczka potrzebują wtedy więcej czasu, aby dojrzeć.

Kobiety o tym typie płodności mogą owulować późno lub nieregularnie. Jajeczko uwolnione w wyniku takiej spóźnionej owulacji może być złej jakości. Może też się zdarzyć, że powstałe po uwolnieniu jajeczka ciałko żółte nie funkcjonuje właściwie i wydziela zbyt mało progesteronu. W efekcie, błona śluzowa macicy jest cienka, co z kolei utrudnia zagnieżdżenie zarodka i obniża zdolność do jego odżywiania. Kobiety reprezentujące Suchy typ płodności narażone są na nawracające poronienia.

Niektóre kobiety o Suchym typie płodności, przede wszystkim te, którym szczególnie często jest gorąco, mają skłonność do wczesnych owulacji. Gdy jedno z takich jajeczek zostaje zapłodnione, może zawierać dodatkowe chromosomy i mieć niewielkie szanse na przeżycie. Dzieje się tak zwłaszcza u kobiet w okresie okołomenopauzalnym, gdy poziom folikulotropiny (FSH) jest wysoki.

Częstym powodem, dla którego kobietom o typie Suchym przepisywane są leki stymulujące płodność, są kłopoty związane z owulacją. Zazwyczaj nie reagują one dobrze na tę ingerencję farmaceutyczną, nie udaje im się wytworzyć dużej liczby jajeczek i bardziej dolegliwie odczuwają skutki uboczne zażywanych lekarstw niż inne kobiety. Stosując te farmaceutyki mogą w jeszcze większym stopniu zakłócić swoją równowagę. Mogą pojawić się nowe symptomy, właściwe dla typu Suchego lub też mogą ulec nasileniu objawy już istniejące. W rzadkich przypadkach, leki stymulujące płodność mogą spowodować u kobiety typu Suchego wystąpienie przedwczesnej menopauzy. Kobiety typu Suchego przy zastosowaniu odpowiedniej kuracji mogą zajść w ciążę bez stosowania tych lekarstw. Kuracja może też przygotować ciało kobiety na ich przyjęcie i wspierać je na wszystkich etapach procesu.

U kobiet o Suchym typie płodności odwodnienie może prowadzić do wytwarzania przez szyjkę macicy niewystarczających ilości śluzu, co z kolei może upośledzać płodność. Śluz szyjki macicy może być u nich zbyt kwaśny lub zbyt gęsty dla plemników, aby mogły przeżyć.

## MĘŻCZYŹNI

Mężczyzn reprezentujących typ Suchy może trapić częste oddawanie moczu, przy czym uryna może mieć kolor ciemny i pojawiać się w małych ilościach. Często mają oni silne libido, ale czasami cierpią na przedwczesny wytrysk lub dysfunkcję wzwodu (ED). U mężczyzn należących

# KARTA PODSTAWOWEJ TEMPERATURY CIAŁA

wiek ......... cykl miesięczny nr ......... ostatnie 12 cykli: najkrótszy ......... najdłuższy ......... miesiąc ......... rok ......... długość cyklu .........

| dzień cyklu | 1 | 2 | 3 | 4 | 5 | 6 | 7 | 8 | 9 | 10 | 11 | 12 | 13 | 14 | 15 | 16 | 17 | 18 | 19 | 20 | 21 | 22 | 23 | 24 | 25 | 26 | 27 | 28 | 29 | 30 | 31 | 32 | 33 | 34 | 35 | 36 | 37 | 38 | 39 | 40 |
|---|---|---|---|---|---|---|---|---|---|---|---|---|---|---|---|---|---|---|---|---|---|---|---|---|---|---|---|---|---|---|---|---|---|---|---|---|---|---|---|---|
| data | | | | | | | | | | | | | | | | | | | | | | | | | | | | | | | | | | | | | | | | |
| dzień tygodnia | | | | | | | | | | | | | | | | | | | | | | | | | | | | | | | | | | | | | | | | |
| godzina pomiaru | | | | | | | | | | | | | | | | | | | | | | | | | | | | | | | | | | | | | | | | |

temperatura po przebudzeniu

37,2 / 37,0 / 9 / 8 / 7 / 6 / 5 / 4 / 3 / 2 / 1 / 37,0 / 36,1 (powtarzane wartości skali)

| | okres | | | | | | | | | | | | | | | | | | | | | | | | | | | | | | | | | | | | | | | |
|---|---|---|---|---|---|---|---|---|---|---|---|---|---|---|---|---|---|---|---|---|---|---|---|---|---|---|---|---|---|---|---|---|---|---|---|---|---|---|---|---|
| lepkość | | | | | | | | | | | | | | | | | | | | | | | | | | | | | | | | | | | | | | | | |
| krem | | | | | | | | | | | | | | | | | | | | | | | | | | | | | | | | | | | | | | | | |
| białko | | | | | | | | | | | | | | | | | | | | | | | | | | | | | | | | | | | | | | | | |
| test ciążowy | | | | | | | | | | | | | | | | | | | | | | | | | | | | | | | | | | | | | | | | |
| stosunek w dniu cyklu | 1 | 2 | 3 | 4 | 5 | 6 | 7 | 8 | 9 | 10 | 11 | 12 | 13 | 14 | 15 | 16 | 17 | 18 | 19 | 20 | 21 | 22 | 23 | 24 | 25 | 26 | 27 | 28 | 29 | 30 | 31 | 32 | 33 | 34 | 35 | 36 | 37 | 38 | 39 | 40 |
| test owulacyjny LH | | | | | | | | | | | | | | | | | | | | | | | | | | | | | | | | | | | | | | | | |
| pozycja szyjki macicy | | | | | | | | | | | | | | | | | | | | | | | | | | | | | | | | | | | | | | | | |
| inne symptomy | | | | | | | | | | | | | | | | | | | | | | | | | | | | | | | | | | | | | | | | |

KARTA PTC: TYP SUCHY Z KRÓTKĄ FAZĄ FOLIKULARNĄ.

# KARTA PODSTAWOWEJ TEMPERATURY CIAŁA

wiek ......... cykl miesięczny nr ......... ostatnie 12 cykli: najkrótszy ......... najdłuższy ......... miesiąc ......... rok ......... długość cyklu .........

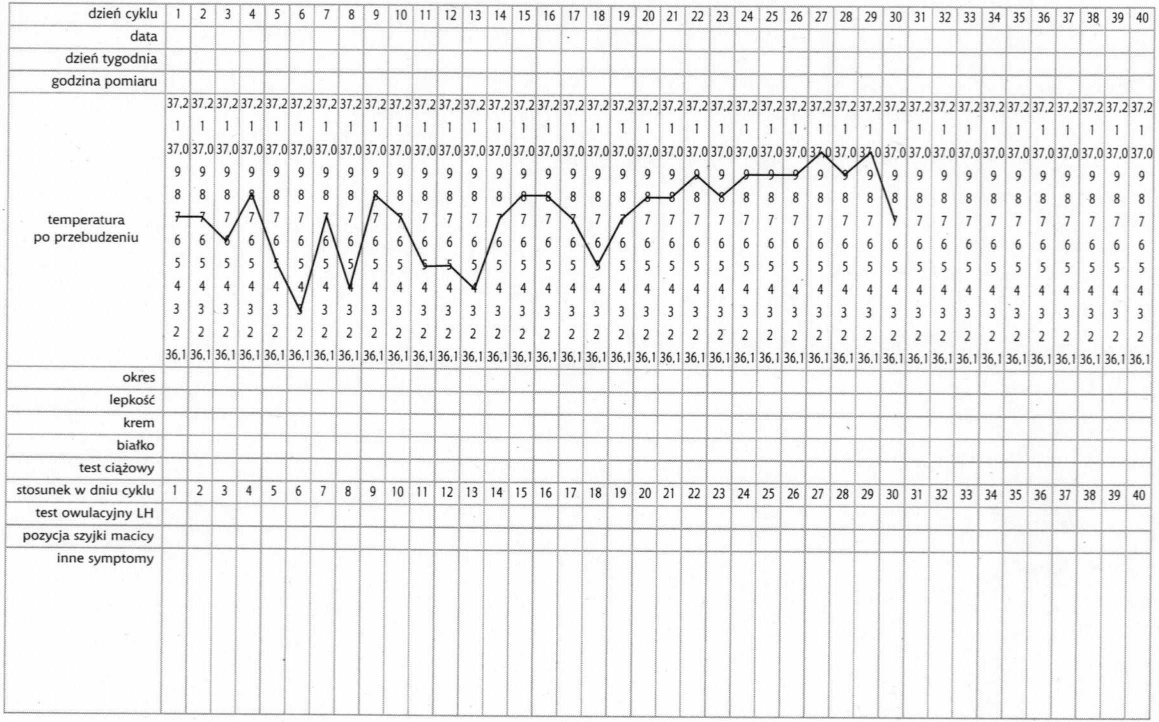
dzień cyklu 1 2 3 4 5 6 7 8 9 10 11 12 13 14 15 16 17 18 19 20 21 22 23 24 25 26 27 28 29 30 31 32 33 34 35 36 37 38 39 40
data
dzień tygodnia
godzina pomiaru
temperatura po przebudzeniu
37,2
1
37,0
9
8
7
6
5
4
3
2
36,1
okres
lepkość
krem
białko
test ciążowy
stosunek w dniu cyklu 1 2 3 4 5 6 7 8 9 10 11 12 13 14 15 16 17 18 19 20 21 22 23 24 25 26 27 28 29 30 31 32 33 34 35 36 37 38 39 40
test owulacyjny LH
pozycja szyjki macicy
inne symptomy

KARTA PTC: TYP SUCHY Z DŁUGĄ FAZĄ FOLIKULARNĄ.

do tego typu wytryski są często ubogie w ejakulat – to znaczy, mają oni zbyt małą ilość płynu w nasieniu. Sytuacja ta może powodować problemy z płodnością. Mężczyźni należący do typu Suchego często też mają niską liczbę plemników.

## CZĘSTE KOMBINACJE

Z upływem czasu ludzie należący do typu Bladego mają tendencję do przechodzenia do typu Suchego.

Kobiety reprezentujące typy Suchy + Zablokowany mają często okołomenopauzalne objawy, takie jak uderzenia gorąca i nocne pocenie się, zwłaszcza w momentach przemian hormonalnych, w tym także tuż przed okresem.

## MEDYCYNA CHIŃSKA

Według chińskiej diagnostyki medycznej znakiem rozpoznawczym typu Suchego jest niedobór yin lub też jego ograniczenie. Yin opisuje te funkcje organizmu, które chłodzą, odżywiają, nawilżają i mają podstawowe znaczenie dla jego działania. Bez wystarczającej ilości yin, ciało wysycha i zarazem staje się cieplejsze.

Yin jest to coś, co sprawia, że czujemy się młodzi. Choć yin w sposób naturalny wyczerpuje się z wiekiem, niektórzy ludzie zużywają je szybciej niż inni. Jest to z reguły wynikiem energochłonnego stylu życia. Palenie świecy po obu końcach, niezależnie od tego czy ma służyć pracy, czy zabawie, fatalnie się na nas odbija, ponieważ zużywa yin. Z największym prawdopodobieństwem na brak yin będą cierpieli ci, którzy nie zostawiają sobie wystarczająco dużo czasu na odpoczynek i odtworzenie zasobów. Jest to bardzo powszechne zjawisko we współczesnym świecie; robienie zbyt wielu rzeczy naraz stało się normą. Nie wysypiamy się, słabo się odżywiamy, jesteśmy ciągle w biegu, wdychamy zanieczyszczone powietrze, nawet nasze ćwiczenia fizyczne to izolowane, krótkie, intensywne zrywy. W rezultacie nasze yin wyczerpuje się, a my starzejemy się przedwcześnie.

Zjawisko to, choć dobrze znane medycynie chińskiej, jest całkowicie nieobecne w zachodnim sposobie myślenia o niepłodności. Jest to problem bardzo powszechny i łatwo poddający się leczeniu, który przy tym ma ogromny wpływ na zdolność poczęcia dziecka i wskaźniki sukcesu większości popularnych terapii. Warto więc, by lekarze konwencjonalnej medycyny zachodniej czerpali w tym zakresie wiedzę od swych chińskich kolegów.

## Studium przypadku: mężczyzna typu Suchego

Mike i Imogen zainteresowali się zapłodnieniem in vitro, gdy tylko zorientowali się, że mają kłopot z zajściem w ciążę. Pomimo iż u Mike'a zdiagnozowano małą liczbę plemników i niską jakość nasienia, lekarze specjalizujący się w metodzie in vitro zapewnili ich, że przypadłość ta nie jest w tej sytuacji istotna. Poddali ich zatem trzem cyklom zapłodnienia in vitro, a jednak Imogen w ciążę nie zaszła. Imogen przyszła do mnie (Jill) jako pierwsza. Dokładne badania nie ujawniły żadnego problemu, co klinikę in vitro wprawiło w zakłopotanie. Ja odniosłam wrażenie, że Imogen jest w dobrej formie, aby zajść w ciążę i poradziłam jej, żeby nadal robiła wszystko tak jak do tej pory.

Mike to już jednak zupełnie inna historia. Medycyna chińska uważa, że mała liczba plemników wskazuje na głębsze zaburzenie równowagi. Wiele z tego, co opowiedział mi o swoim stylu życia, wpisuje się w ten pogląd. Bardzo lubił swoją pracę, ale czuł, że go przytłacza. Odżywiał się nieregularnie, energię czerpał głównie z kawy. Wieczorem, aby się odprężyć, wypijał szklaneczkę whisky, a czasem kilka. Rzadko przesypiał w nocy więcej niż sześć godzin i był zbyt zmęczony, aby ćwiczyć. Niemniej jednak miał szczupłą sylwetkę.

Gdy Mike usiadł naprzeciw mnie, jego policzki pokrywały rumieńce, pomimo iż w moim gabinecie panował chłód. Powiedział, że jego żona żartuje sobie z niego, że grzeje jak piec, szczególnie w nocy jego skóra zawsze jest sucha, a on ciągle odczuwa pragnienie.

Mike był mężczyzną o Suchym typie płodności, co w pewnej mierze wynikało z ogólnej tendencji jego ciała, a w pewnej – z intensywnego trybu życia zarówno pod względem pracy, jak i rozrywki. Pomyślałam, że gdyby mu ofiarować nieco czasu, mógłby zwiększyć liczbę i poprawić jakość swoich plemników. Zaleciłam mu, aby ograniczył spożycie alkoholu, zaczął się porządnie odżywiać i znalazł w swoim życiu chociaż chwilę na ćwiczenia fizyczne. Równolegle do cotygodniowych zabiegów akupunktury, przepisałam mu także zioła, o których wiadomo, że pomagają zwiększyć liczbę plemników, a jednocześnie zmniejszają skłonność organizmu do nadmiernego „grzania".

Mike zrezygnował z whisky, ograniczył kawę do jednej filiżanki dziennie, a w godzinach wieczornych, w drodze z pracy do domu zaczął zaglądać na siłownię. Usunął z jadłospisu wysoko przetworzoną żywność i jedzenie „śmieciowe" oraz kontynuował zabiegi akupunktury, gdyż – jak sam stwierdził – działają na niego uspokajająco. Po pięciu miesiącach badanie nasienia wykazało, że liczba plemników Mike'a wróciła do normy. Mike i Imogen zapisali się na kolejną wizytę u lekarza praktykującego metodę in vitro. Jednak, jeszcze zanim rozpoczęli cykl terapii, Imogen poczęła w sposób naturalny, a dziewięć miesięcy później do ich rodziny dołączyła śliczna dziewczynka.

### Czy reprezentujesz typ Suchy?

5 PUNKTÓW ZA KAŻDE ZAZNACZENIE

• Zdarzają mi się nocne pocenia.

3 PUNKTY ZA KAŻDE ZAZNACZENIE

• Moja skóra, włosy i/lub paznokcie są suche.
• Mam suche oczy.
• Często jest mi gorąco.
• Czasami w godzinach popołudniowych wydaje mi się, że mam gorączkę.
• Budzę się w nocy.

1 PUNKT ZA KAŻDE ZAZNACZENIE

• Często czuję pragnienie.
• Mam często uczucie suchości w ustach i w gardle.
• Mam skłonności do zaparć.
• Moje wypróżnienia są twarde i suche.
• Wolę chłodniejsze dni.
• Mając do wyboru, wolę zimny napój.
• Moje ręce i nogi wydają się gorące lub spocone.
• Poci mi się klatka piersiowa, szczególnie w nocy.
• Łatwo się rumienię, jestem czerwona na twarzy.
• Często odczuwam lęk lub niepokój, ciągle się czymś martwię.
• Jestem chuda.
• Jestem niespokojna i pobudzona.
• Ciągle jestem zmęczona.
• Śpię niespokojnie.
• Mam bardzo wyraziste sny.

### TYLKO DLA KOBIET

5 PUNKTÓW ZA KAŻDE ZAZNACZENIE

• Moja pochwa często sprawia wrażenie suchej, pozbawionej płynu smarującego.
• Stwierdzono u mnie niski poziom estrogenu.
• Zdarzały mi się uderzenia gorąca.

3 PUNKTY ZA KAŻDE ZAZNACZENIE

• Mój cykl jest krótki, a moja miesiączka jest intensywna i jaskrawoczerwona.
• Mam bardzo mało śluzu szyjkowego.

# 1 PUNKT ZA KAŻDE ZAZNACZENIE
- Mój cykl miesiączkowy jest długi, a moja menstruacja krótka i lekka.


## DLA KOBIET, KTÓRE PROWADZĄ WYKRES PTC
# 1 PUNKT ZA KAŻDE ZAZNACZENIE
- Moje temperatury PTC są zawyżone na przestrzeni całego cyklu.
- Mój wykres nieco się zmienia z miesiąca na miesiąc.
- Mam mało stabilny wykres temperatur PTC lub skoki temperatury w fazie folikularnej.
- Moja faza folikularna jest dłuższa niż 13 do 14 dni (niski estrogen, niski poziom folikulotropiny FSH lub zmniejszona wrażliwość na FSH).
- Moja faza folikularna jest krótsza niż 12 dni (wczesna owulacja).
- Owuluję późno.
- Mam plamienia podczas owulacji.
- Nie widzę wyraźnej zmiany temperatury między fazą folikularną i lutealną (nie ma owulacji).
- Moja faza lutealna jest krótka (mniej niż 12 dni); mój okres rozpoczyna się 11 dni lub nawet wcześniej po ostatnim dniu występowania śluzu o konsystencji białka (możliwość wystąpienia defektu fazy lutealnej LPD).
- Moja faza lutealna jest długa (ponad 14 dni).
- Moje temperatury w fazie lutealnej są wysokie (powyżej 36,9°C).
- Moje temperatury w fazie lutealnej są nieregularne.

TYLKO DLA MĘŻCZYZN
3 PUNKTY ZA KAŻDE ZAZNACZENIE
- Mam małą objętość nasienia w wytrysku.
- Miewam przedwczesny wytrysk.

# 1 PUNKT ZA KAŻDE ZAZNACZENIE
- Stwierdzono u mnie niską liczbę plemników.
- Mam silny popęd płciowy.
- Czasami cierpię z powodu zaburzeń erekcji.

# ROZDZIAŁ 10

## Typ: Zablokowany

Ludzie o Zablokowanym typie płodności są bardzo zestresowani, ale swój stres uwewnętrzniają. Podobnie jak w naczyniach do gotowania pod ciśnieniem, u ludzi typu Zablokowanego napięcie narasta pod tak szczelnym zamknięciem, że nic nie wydostaje się na zewnątrz. Ten stres buduje się w nich do chwili, gdy grozi im eksplozja, jeśli nie upuszczą nieco pary. W odróżnieniu od szybkowaru, który posiada zawór bezpieczeństwa, zmniejszający w razie czego panujące w środku ciśnienie, ludzie Zablokowani z reguły nie mają takiego zabezpieczenia ani wiedzy, jak się nim posługiwać. Instynktownie więc próbują redukować ciśnienie, odwołując się do całego wachlarza metod, poczynając od łagodnych (wzdychanie lub zgrzytanie zębami) do bardziej wyrazistych (utrata panowania, ostre słowa).

Ludzie typu Zablokowanego zwykle wyrażają stres poprzez swoje ciało, nawet jeśli nie zawsze są tego świadomi. Często skarżą się na napięciowe bóle głowy lub nerwicę żołądka. Mają skłonność do wysokiego ciśnienia krwi, przy czym niektórzy pomagają sobie używkami i środkami uspokajającymi, czasem aż ryzykując swoim zdrowiem. Ich mięśnie są mocno napięte – tak mocno, że aż mogą boleć – zwłaszcza nad żebrami i po bokach ciała lub w rejonie pleców, szyi i ramion. Ludzie typu Zablokowanego mają wąski przewód trawienny. Ich stolec jest często długi i cienki (jak wstążka), mały i zwarty. Cykl ludzi Zablokowanych, polegający na gromadzeniu napięcia, a potem na gwałtownym jego rozładowaniu, przekłada się na naprzemienne zaparcia i biegunki.

W przypadku kobiet kluczowymi symptomami wskazującymi, że mamy do czynienia z typem Zablokowanym są przedmiesiączkowe huśtawki nastrojów, tkliwość piersi, mięśniaki macicy i endometrioza. Ludzie typu Zablokowanego mają tendencję do słabego krążenia. Często cierpią też na brak równowagi hormonalnej. Są spięci, usztywnieni i niezrównoważeni. Łatwo wpadają w gniew i są bardzo krytyczni, szczególnie wobec samych siebie. Czasem mogą czuć się zapędzeni do narożnika. Dobrą wiadomością jest to, że ludzie typu Zablokowanego mogą znaleźć swój własny zawór bezpieczeństwa, który przywróci im zdrową równowagę. Najlepiej w tej roli sprawdzają się niektóre połączeniu ruchu i medytacji, takie jak tai chi lub joga, a czasem po prostu spokojny spacer.

## KOBIETY

Kobiety typu Zablokowanego mogą mieć kłopoty ze swoimi miesiączkami. Doświadczają w szczególności trzech typowych symptomów: tępy lub kłujący ból, okresy, które zatrzymują się i ruszają ponownie oraz ciemna krew miesiączkowa ze skrzepami lub też o odcieniu brązowym i „starym" wyglądzie. Ich miesiączki mogą być bardzo intensywne, choć w niektórych przypadkach kobiety typu Zablokowanego przechodzą okres bardzo lekko.

Kobiety o Zablokowanym typie płodności mają często nieregularny cykl menstruacyjny, który jest tak nieprzewidywalny, jak i one same. Ich kłopoty najczęściej dotyczą fazy 3 cyklu (owulacja). Skłaniają się ku długiej fazie folikularnej i późnej owulacji, podczas której mogą występować bóle. Mogą mieć też objawy syndromu napięcia przedmiesiączkowego (PMS), w tym także że tkliwość piersi, wahania nastroju i zaburzenia trawienia (wszystkie oznaki wskazujące na trudności z przejściem z fazy do fazy). Słabe krążenie prowadzi do bolesnych miesiączek i bólów w środku cyklu w trakcie owulacji.

Wiele kobiet należących do Zablokowanego typu płodności doświadcza następstw dominacji estrogenu – zbyt dużej ilości estrogenu w organizmie w stosunku do ilości progesteronu. Następstwami tego zjawiska są nieregularne okresy, zespół napięcia przedmiesiączkowego (PMS), mięśniaki macicy, endometrioza i torbiele piersi.

Kobiety należące do typu Zablokowanego mają skłonność do zaburzeń układu rozrodczego w postaci endometriozy, mięśniaków i polipów macicy czy torbieli. Mogą również doznawać bolesności podczas współżycia, co też nie sprzyja poczęciu.

Większość symptomów, jakie występują u nich, to objawy zakłócenia przez stres wzorców hormonalnych, przy czym potencjalnymi czynnikami

# KARTA PODSTAWOWEJ TEMPERATURY CIAŁA

wiek ......... cykl miesięczny nr ......... ostatnie 1 2 cykli: najkrótszy ......... najdłuższy ......... miesiąc ......... rok ......... długość cyklu .........

| dzień cyklu | 1 | 2 | 3 | 4 | 5 | 6 | 7 | 8 | 9 | 10 | 11 | 12 | 13 | 14 | 15 | 16 | 17 | 18 | 19 | 20 | 21 | 22 | 23 | 24 | 25 | 26 | 27 | 28 | 29 | 30 | 31 | 32 | 33 | 34 | 35 | 36 | 37 | 38 | 39 | 40 |
|---|---|---|---|---|---|---|---|---|---|---|---|---|---|---|---|---|---|---|---|---|---|---|---|---|---|---|---|---|---|---|---|---|---|---|---|---|---|---|---|---|
| data | | | | | | | | | | | | | | | | | | | | | | | | | | | | | | | | | | | | | | | | |
| dzień tygodnia | | | | | | | | | | | | | | | | | | | | | | | | | | | | | | | | | | | | | | | | |
| godzina pomiaru | | | | | | | | | | | | | | | | | | | | | | | | | | | | | | | | | | | | | | | | |

temperatura po przebudzeniu (wartości od 36,1 do 37,2)

wzrost poziomu lutropiny LH

powolny wzrost temperatury

| | | | | | | | | | | | | | | | | | | | | | | | | | | | | | | | | | | | | | | | |
|---|---|---|---|---|---|---|---|---|---|---|---|---|---|---|---|---|---|---|---|---|---|---|---|---|---|---|---|---|---|---|---|---|---|---|---|---|---|---|---|
| okres | | | | | | | | | | | | | | | | | | | | | | | | | | | | | | | | | | | | | | | | |
| lepkość | | | | | | | | | | | | | | | | | | | | | | | | | | | | | | | | | | | | | | | | |
| krem | | | | | | | | | | | | | | | | | | | | | | | | | | | | | | | | | | | | | | | | |
| białko | | | | | | | | | | | | | | | | | | | | | | | | | | | | | | | | | | | | | | | | |
| test ciążowy | | | | | | | | | | | | | | | | | | | | | | | | | | | | | | | | | | | | | | | | |
| stosunek w dniu cyklu | 1 | 2 | 3 | 4 | 5 | 6 | 7 | 8 | 9 | 10 | 11 | 12 | 13 | 14 | 15 | 16 | 17 | 18 | 19 | 20 | 21 | 22 | 23 | 24 | 25 | 26 | 27 | 28 | 29 | 30 | 31 | 32 | 33 | 34 | 35 | 36 | 37 | 38 | 39 | 40 |
| test owulacyjny LH | | | | | | | | | | | | | | | | | | | | | | | | | | | | | | | | | | | | | | | | |
| pozycja szyjki macicy | | | | | | | | | | | | | | | | | | | | | | | | | | | | | | | | | | | | | | | | |
| inne symptomy | | | | | | | | | | | | | | | | | | | | | | | | | | | | | | | | | | | | | | | | |

KARTA PTC: TYP ZABLOKOWANY Z POWOLNYM WZROSTEM TEMPERATURY PO OWULACJI.

191

# KARTA PODSTAWOWEJ TEMPERATURY CIAŁA

wiek ......... cykl miesięczny nr ......... ostatnie 12 cykli: najkrótszy ......... najdłuższy ......... miesiąc ......... rok ......... długość cyklu .........

| dzień cyklu | 1 | 2 | 3 | 4 | 5 | 6 | 7 | 8 | 9 | 10 | 11 | 12 | 13 | 14 | 15 | 16 | 17 | 18 | 19 | 20 | 21 | 22 | 23 | 24 | 25 | 26 | 27 | 28 | 29 | 30 | 31 | 32 | 33 | 34 | 35 | 36 | 37 | 38 | 39 | 40 |
|---|---|---|---|---|---|---|---|---|---|---|---|---|---|---|---|---|---|---|---|---|---|---|---|---|---|---|---|---|---|---|---|---|---|---|---|---|---|---|---|---|
| data | | | | | | | | | | | | | | | | | | | | | | | | | | | | | | | | | | | | | | | | |
| dzień tygodnia | | | | | | | | | | | | | | | | | | | | | | | | | | | | | | | | | | | | | | | | |
| godzina pomiaru | | | | | | | | | | | | | | | | | | | | | | | | | | | | | | | | | | | | | | | | |

temperatura po przebudzeniu

Nieregularne zmiany temperatury ciała w fazie lutealnej.

| stosunek w dniu cyklu | 1 | 2 | 3 | 4 | 5 | 6 | 7 | 8 | 9 | 10 | 11 | 12 | 13 | 14 | 15 | 16 | 17 | 18 | 19 | 20 | 21 | 22 | 23 | 24 | 25 | 26 | 27 | 28 | 29 | 30 | 31 | 32 | 33 | 34 | 35 | 36 | 37 | 38 | 39 | 40 |
|---|---|---|---|---|---|---|---|---|---|---|---|---|---|---|---|---|---|---|---|---|---|---|---|---|---|---|---|---|---|---|---|---|---|---|---|---|---|---|---|---|

okres, lepkość, krem, białko, test ciążowy, test owulacyjny LH, pozycja szyjki macicy, inne symptomy

KARTA PTC: TYP ZABLOKOWANY Z TEMPERATURAMI FAZY LUTEALNEJ W KSZTAŁCIE PIŁY.

# KARTA PODSTAWOWEJ TEMPERATURY CIAŁA

wiek ......... cykl miesięczny nr ......... ostatnie 12 cykli: najkrótszy ......... najdłuższy ......... miesiąc ......... rok ......... długość cyklu .........

Owulacja

Ciało przygotowuje się do owulacji w 12 dniu cyklu, ale owulacja opóźnia się z powodu stresu.

Wiersze: dzień cyklu | data | dzień tygodnia | godzina pomiaru | temperatura po przebudzeniu | okres | lepkość | krem | białko | test ciążowy | stosunek w dniu cyklu | test owulacyjny LH | pozycja szyjki macicy | inne symptomy

KARTA PTC: TYP ZABLOKOWANY Z OWULACJĄ OPÓŹNIONĄ Z POWODU STRESU.

zaostrzającymi problem są alkohol, zła dieta i toksyny środowiskowe. Poradzenie sobie z przemianami towarzyszącymi zmianom hormonalnym w ciągu cyklu jest dla ciała trudnym wyzwaniem: albo poziom hormonów gwałtownie rośnie, albo też ciało reaguje nadmiernie na ich normalny poziom. Kobiety należące do Zablokowanego typu płodności zazwyczaj odczuwają objawy wtedy, gdy w ich cyklu dokonują się przemiany hormonalne – na przykład gdy następuje spadek progesteronu przed początkiem okresu. Stres szczególnie mocno oddziałuje na hormony przysadki. Podnosi, na przykład poziom prolaktyny, co powoduje nieregularne cykle miesiączkowe i zakłóca działanie lutropiny (LH). Niektóre kobiety o Zablokowanym typie płodności mogą cierpieć na zespół luteinizacji przetrwałego pęcherzyka (LUFS). Ciało zachowuje się wówczas tak, jakby owulacja miała miejsce, gdy tymczasem do niej wcale nie doszło. Dzieje się tak wtedy, gdy pojawia się na tyle dużo lutropiny LH, aby organizm mógł utworzyć ciałko żółte, ale nie wystarczająco dużo, aby uwolnić jajeczko.

## MĘŻCZYŹNI

U mężczyzn reprezentujących typ Zablokowany najczęściej występującymi problemami ograniczającymi płodność są te związane z utrudnieniami ruchu plemników, na przykład żylaki powrózka nasiennego. Mężczyźni tego typu mogą również cierpieć na impotencję na tle stresowym, a także odczuwać ból w jądrach i penisie. Ich popęd płciowy może być nadmierny, albo też nieregularny. Niektórzy mogą mieć kłopot z przedwczesnym wytryskiem lub dysfunkcją wzwodu (ED). Podatni są również na zniekształcenia plemników.

Mężczyźni typu Zablokowanego łatwo poddają się stresowi i mogą próbować sobie pomagać poprzez spożywanie alkoholu lub zażywanie rekreacyjnych narkotyków. Zarówno jedno, jak i drugie ma negatywny wpływ na płodność.

### CZĘSTE KOMBINACJE

Połączenie to zwykle ujawnia się poprzez całą gamę objawów związanych z funkcjonowaniem układu trawiennego, takich jak gazy i luźne stolce, które występują w chwilach stresu lub gdy organizm przechodzi przemiany hormonalne (np. podczas owulacji). Kobiety typu Zablokowanego + Zmęczonego są podatne na rozwój mięśniaków i endometriozy ze względu na spowolnienie metabolizmu i zastój krwi.

Ludzie o tej kombinacji typów raczej się rozpłaczą niż wybuchną gniewem. Jeśli uważasz, że to może być twój przypadek przyjrzyj się temu, co się z tobą dzieje tuż przed rozpoczęciem okresu. Niektóre kobiety gotowe są wtedy odgryźć głowę każdemu, kto je wyprowadzi z równowagi, ale kobiety typu Zablokowanego + Bladego są bardziej skłonne rozpłakać się z powodu rzewnej reklamy w telewizji.

Ludziom reprezentującym połączenie typów Zablokowanego i Suchego jest z zasady gorąco, mają czerwone oczy i oznaki stanu zapalnego. Kobiety należące do tego połączenia typów mogą cierpieć z powodu przedmiesiączkowych nocnych potów lub wyprysków. Często też mają zbyt mało śluzu szyjki macicy, albo też ich śluz jest zbyt kwaśny. Temperatury na ich wykresie PTC wydają się mieć zbyt wysoki poziom, co może świadczyć o wysokim tempie przemiany materii i prawdopodobnie nadczynności tarczycy, zwłaszcza jeśli towarzyszy im pobudzenie, bezsenność lub utrata masy ciała.

Połączeniu temu często towarzyszą zastoje śluzu i płynów, które powodują stany zapalne i zakażenia, takie jak powtarzające się drożdżakowe infekcje pochwy u kobiet, a u mężczyzn – zapalenia najądrzy. Endometriozę i mięśniaki mogą mieć zarówno kobiety należące do typu Zablokowanego, jak i Nasiąkliwego.

## MEDYCYNA CHIŃSKA

Z punktu widzenia medycyny chińskiej całe napięcie właściwe dla typu Zablokowanego wynika ze słabego przepływu energii i krwi w ciele lub z tego, co określa się jako zastój qi lub też zastój krwi. Słabe krążenie z upływem czasu prowadzi także do zastoju układu rozrodczego. W efekcie, przemiany hormonalne są słabe i pojawiają się symptomy zespołu napięcia przedmiesiączkowego (PMS).

U mężczyzn niedrożność przepływu może stać się przyczyną impotencji. U kobiet stagnacja qi może prowadzić do problemów z uwolnieniem komórki jajowej z jajnika i braku elastyczności jajowodów. Zastój krwi może być przyczyną bolesnych lub przerywanych miesiączek – takich, gdy krwawienie ustaje, aby potem znowu ruszyć. Słaby przepływ krwi prowadzi do zagęszczenia tkanek, co może stać się powodem powstania

w układzie rozrodczym różnych anatomicznych utrudnień – endometriozy, mięśniaków macicy, polipów, torbieli i torbielowatości piersi.
W medycynie chińskiej dostrzegamy korelację między nasileniem bólu,
a stopniem zastoju krwi, począwszy od stosunkowo błahej tkliwości
piersi po naprawdę dolegliwe bóle menstruacyjne. Zastój krwi może
także opóźnić okres, wydłużając w ten sposób cykl.

---

## Studium przypadku: mężczyzna typu Zablokowanego

Wstępną diagnozę postawiłam (Jill) Dave'owi, gdy tylko usiadł w moim biurze i wes-
tchnął. Tego rodzaju westchnienie jest jakby znakiem rozpoznawczym ludzi należących
do typu Zablokowanego i pomyślałam, że już coś wiem o źródle problemów tego
pacjenta. Ale, oczywiście, musiałam usłyszeć od niego więcej, aby się upewnić.

Dave i jego żona chcieli mieć drugie dziecko, ale on miał trudności z uzyskaniem
erekcji, a niekiedy zdarzały mu się przedwczesne wytryski. Dave był człowiekiem przy-
zwyczajonym do odnoszenia sukcesów. Jego motywacja była silna, a kariera dobrze
się rozwijała. Podkreślał jednak w rozmowie, jak bardzo go to stresuje. Sypiał słabo
i cierpiał na nerwicę żołądka. W noc przed zawarciem dużego kontraktu zdarzało mu
się mieć biegunkę, a jego stomatolog poinformował go, że ściera sobie zęby, zgrzy-
tając nimi podczas snu. Dave powiedział też, że wstydzi się swojego wybuchowego
charakteru, bo często zdarza mu się krzyczeć na żonę i córeczkę. Wyrzuty sumienia,
jakie potem czuł, nie zapobiegały jednak kolejnym wybuchom.

Dave wyjaśnił, że rzadko rozmawia z żoną o swoich problemach. Odniosłam wrażenie,
że jest sfrustrowany i bardzo zamknięty. Rozmawialiśmy o sposobach, które pozwo-
liłyby mu upuścić nieco pary i zmniejszyć wewnętrzne ciśnienie. Zgodził się włączyć
w swój plan dnia regularne ćwiczenia fizyczne. Nie chciał zażywać chińskich ziół, ale
zapisał się na cotygodniowe zabiegi akupunktury. Bardzo je polubił, gdy okazało
się, że świetnie obniżają napięcia w jego ciele. Czułam, że Dave potrzebuje również
emocjonalnego odreagowania, bo wszystko, co chował w sobie źle wpływało na jego
zdrowie fizyczne. Skierowałam go do psychoterapeuty.

Każdego tygodnia, gdy wracał, aby poddać się zabiegowi akupunktury, informował
mnie, że czuje się coraz lepiej, a jego sesje terapeutyczne ułatwiają mu wyrażenie
siebie. Po jakimś czasie psychoterapii poddała się także jego żona i razem pracowali
nad czynnikami, które wniosły do ich związku kłopoty. Dave zaczął lepiej panować
nad sobą, zbudował też bardziej zrównoważony pogląd na życie. Nie wymagał już
od siebie tak wiele i nie przejmował się tak bardzo pracą. Jego seksualne problemy
również przestały być tak bardzo dolegliwe i oboje z żoną powrócili – zaczynając tym
razem ze znacznie lepszego miejsca – do planowania kolejnego dziecka.

Gdy Dave odnotował poprawę, przestał umawiać się ze mną na konsultacje. Kilka
miesięcy później spotkałam go na ulicy i po raz pierwszy zobaczyłam jego żonę.
Z przyjemnością skonstatowałam, że była w ciąży.

---

## Jak się robi dzieci – plan działania

**Czy reprezentujesz typ Zablokowany?**

3 PUNKTY ZA KAŻDE ZAZNACZENIE
- Często jestem poirytowana.
- Czuję się spięta, przytłoczona lub po prostu ogólnie zablokowana.
- Moje wypróżnienia są cienkie i długie jak wstążki.
- Moje wypróżnienia są jak małe kamyczki.
- Moje żebra i boki sprawiają ból, wydają się spuchnięte.
- Dzięki ćwiczeniom czuję się lepiej i mam więcej energii.

1 PUNKT ZA KAŻDE ZAZNACZENIE
- Jestem bardzo zestresowana.
- Często wzdycham.
- W nocy zgrzytam zębami.
- Moje mięśnie są stale napięte.
- Mam słabe krążenie.
- Czuję się tak, jakbym stale miała coś w gardle.
- Mam nerwicę żołądka i mdłości lub biegunki, kiedy jestem zestresowana.
- Mam zimne dłonie i stopy.

### TYLKO DLA KOBIET

5 PUNKTÓW ZA KAŻDE ZAZNACZENIE
- W czasie okresu odczuwam dyskomfort, mam skurcze i bóle.
- Bolą mnie piersi przed menstruacją, a czasem również podczas owulacji.
- Mam wahania nastroju i/lub jestem drażliwa, zwłaszcza tuż przed okresem.
- Mam zespół napięcia przedmiesiączkowego (PMS).
- Rozpoznano u mnie mięśniaki lub polipy macicy.
- Rozpoznano u mnie endometriozę.
- Stwierdzono u mnie podwyższony poziom prolaktyny.

3 PUNKTY ZA KAŻDE ZAZNACZENIE
- Mam nieregularne cykle menstruacyjne.
- Mój okres zatrzymuje się, a potem rusza ponownie.

1 PUNKT ZA KAŻDE ZAZNACZENIE
- Moje okresy są bardzo lekkie.
- Moja miesiączka jest bardzo intensywna, mam duże krwawienie.
- W mojej krwi miesiączkowej są skrzepy i/lub jest ciemnoczerwona lub brązowa, a nie jasnoczerwona.

## DLA KOBIET, KTÓRE PROWADZĄ WYKRES PTC

1 PUNKT ZA KAŻDE ZAZNACZENIE

- Moje temperatury PTC podnoszą się dopiero po kilku dniach, licząc od wzrostu poziomu lutropiny (LH), jaki następuje wraz z owulacją (ciało powoli zaczyna reagować na wzrost progesteronu). (Po owulacji temperatury PTC powinny wzrosnąć w ciągu 1–2 dni i utrzymać się na wysokim poziomie niemal do chwili rozpoczęcia się kolejnego okresu. W przypadku zajścia w ciążę, powinny pozostać na wysokim poziomie przez kilka pierwszych tygodni.)
- Podczas fazy lutealnej mój wykres PTC ma kształt piły, przy czym jego dzienne wahania wynoszą $0,15\,^{\circ}C$ lub nawet więcej (prawdopodobnie są spowodowane stresem).
- Moje temperatury PTC nie obniżają się od razu, gdy rozpoczynam nowy cykl.
- Moje temperatury PTC są niestabilne i nieprzewidywalne, co miesiąc mój wykres wygląda inaczej.

## TYLKO DLA MĘŻCZYZN

3 PUNKTY ZA KAŻDE ZAZNACZENIE

- Rozpoznano u mnie żylaki powrózka nasiennego.

# ROZDZIAŁ 11

## Typ: Blady

Jak można się spodziewać, ludzie reprezentujący typ Blady mają bladą karnację. Blade są ich twarze, a zwłaszcza usta, blade są także macierze ich paznokci. Mają również tendencję do wysuszania się – ich włosy, oczy i skóra są suche, a paznokcie łamliwe, choć nie w takim w takim stopniu, jak w przypadku ludzi należących do typu Suchego. Zdarzają im się również kłopoty ze wzrokiem, na przykład zmącone widzenie lub męczliwość oczu. Osoby tego typu mogą też mieć skłonność do utraty włosów. Głównymi objawami wskazującymi na typ Blady są bladość twarzy i mało intensywne krwawienia menstruacyjne.

Ludzie typu Bladego mają problem z zasypianiem, a więc nic dziwnego, że wielu spośród nich uskarża się na ciągłe zmęczenie. Od czasu do czasu zdarza im się czuć się „niewyraźnie", a także doznawać szybkiego bicia serca i zawrotów głowy, zwłaszcza gdy rano wstają z łóżka.

Ludzie o Bladym typie płodności wydają się słabo rozciągnięci i podatni na urazy mięśni. Bywają niedożywieni: być może jedzą generalnie za mało lub w ich menu jest za mało zdrowej żywności. Czasem spożywają zbyt dużo dań sprzedawanych w postaci gotowej do spożycia (jedzenia „śmieciowego"), a ich sposób odżywiania nie jest dobrze dopasowany do ich potrzeb. Nawet jeśli ich dieta jest odpowiednia, może się zdarzyć, że ich organizmy nie przyswajają dobrze składników odżywczych. Do tego typu płodności należą często wegetarianie, weganie i ludzie, którzy ograniczają ilość spożywanego mięsa. Czasem diagnozuje się u nich anemię. Ludzi reprezentujących typ Blady łatwo jest zranić, są płaczliwi i podatni na lęki.

# KARTA PODSTAWOWEJ TEMPERATURY CIAŁA

wiek ......... cykl miesięczny nr ......... ostatnie 12 cykli: najkrótszy ......... najdłuższy ......... miesiąc ......... rok ......... długość cyklu .........

KARTA PTC: TYP BLADY Z DŁUGĄ FAZĄ FOLIKULARNĄ.

## KOBIETY

Kobiety należące do typu Bladego mogą mieć kłopoty w 1 fazie cyklu miesiączkowego. Miesiączki przechodzą lekko i są one z reguły krótkie, przy czym krew nie jest jaskrawoczerwona, ale wodnista, o bladym odcieniu. Czasami ich okresy opóźniają się; zdarza się też, że „przeskakują" lub nie pojawiają się wcale (amenorrhea). Niektóre kobiety typu Bladego podczas okresu stają się jeszcze bardziej woskowobiałe. Wtedy też, w związku z utratą krwi, mogą nasilić się takie objawy jak bladość, zmęczenie, suchość skóry i słabe krążenie.

Niektóre kobiety tego typu cierpią na zawroty głowy, zwłaszcza jeśli szybko zmieniają pozycję ciała na stojącą. Inne skarżą się, że po miesiączce czują się bardzo wyczerpane. Mogą im się również przytrafiać skurcze. Przed okresem mogą wpadać w płaczliwy nastrój i potrzebować emocjonalnego wsparcia. Kobiety typu Bladego mają niski poziom estrogenu, co sprawia (między innymi), że jajeczko potrzebuje więcej czasu, aby dojrzeć albo też, że pęcherzyk będzie niedożywiony i do uwolnienia jajeczka w ogóle nie dojdzie. Ten sam efekt może wystąpić, jeśli poziom folikulotropiny (FSH) jest za niski lub też, gdy ciało ma zmniejszoną wrażliwość na FSH.

Kobiety należące do typu Bladego mają cienką błonę śluzową macicy, co utrudnia zarodkowi zagnieżdżenie.

## MĘŻCZYŹNI

Mężczyźni reprezentujący typ Blady mają często małą objętość nasienia i/albo słabe wyniki morfologii. Niektórzy z nich mają słabe lub kapryśne libido.

## CZĘSTE KOMBINACJE

Typem płodności, który najczęściej współwystępuje z typem Bladym jest typ Zmęczony. Osoba reprezentująca kombinację Blady + Zmęczony często jest niedożywiona, ponieważ jej układ pokarmowy nie działa najlepiej i często miewa kłopoty z przyswojeniem sobie zawartych w żywności składników odżywczych. Słaba cyrkulacja krwi sprawia, że często mają zimne dłonie i stopy. (Tę kombinację reprezentuje, na przykład, wiele osób cierpiących na chorobę Raynauda lub zaburzenia naczyniowe.) Osoby tego typu łatwo doznają kontuzji, jeśli nie rozciągną się przed ćwiczeniami.

Kobiety należące do typu Blady + Zablokowany na przemiany hormonalne, takie jak owulacja reagują zmęczeniem i płaczliwością. (Ty tam, na kanapie z oczami utkwionymi w jakimś łzawym filmie – to o tobie!) Kobiety o tej kombinacji typów mogą mieć lekkie okresy, zespół napięcia przedmiesiączkowego (PMS), a także nocne pocenia, które nasilają się przed okresem.

Ta kombinacja staje się bardziej prawdopodobna wraz z wiekiem, gdyż z upływem czasu wielu ludzi typu Bladego zaczyna coraz bardziej przypominać typ Suchy.

## MEDYCYNA CHIŃSKA

Uważa się, że osoby typu Bladego cierpią na niedobór krwi. Nie oznacza to, że nie mają wystarczającej ilości krwi w organizmie, ale raczej, że jej jakość pozostawia wiele do życzenia. Co więcej, koncepcja krwi w medycynie chińskiej obejmuje nie tylko to, co krąży w naszych żyłach i tętnicach, ale także zdolność organizmu do odżywiania jego tkanek i narządów. Krew odżywia endometrium sprawiając, że staje się gościnnym domem dla zarodka. Jej niedobór na to nie pozwala, dając w efekcie cienkie endometrium.

Niedobór krwi może być spowodowany przez skłonność do anemii, z którą niektórzy ludzie przychodzą na świat. Może być także wynikiem ubogiej diety lub znacznej utraty krwi w obfitych miesiączkach.

---

**Studium przypadku: kobieta typu Bladego**

Amy, lat 31, przyszła do mnie (Jill), ponieważ miała trudności z poczęciem dziecka, była bladą i wątłą kobietą. Uważała, że wszystkiemu winny jest jej nieregularny cykl miesiączkowy. Często okres nie nadchodził, a gdy się już pojawiał, był bardzo lekki i trwał zaledwie dwa dni. Narzekała też na zmęczenie, a w nocy trudno jej było zasnąć.

Pomyślałam, że najprawdopodobniej należy do typu Bladego, więc poprosiłem, aby opowiedziała mi o swoim sposobie odżywiania się, ponieważ w przypadku osób tego typu jest to częstą przyczyną kłopotów. Jako nastolatka cierpiała na anoreksję, ale ten problem jest już za nią. Zapewniła mnie, że jej dieta jest naprawdę zdrowa

– zawiera głównie warzywa i produkty pełnoziarniste (była wegetarianką). Jednak kiedy zapytałam o jej codzienne posiłki, uświadomiłam sobie, że z wyjątkiem pewnej ilości sojowego mleka i sporadycznie tofu, Amy nie pobiera zbyt wiele białka. Jej dieta była też bardzo uboga w żelazo. Przedyskutowałyśmy różne sposoby zwiększenia ilości przyjmowanego przez nią białka i żelaza. Postanowiła codziennie rano pić koktajl na bazie serwatki i zażywać suplement żelaza w płynie. Zapisałam jej też zioła, które miały jej dopomóc w zrównoważeniu organizmu. Po upływie dwóch miesięcy, Amy odczuła przypływ energii i wyglądała już lepiej. Gdy jej ciało nabrało sił, poddałam ją zabiegom akupunktury, które podregulowały jej cykl i sprawiły, że okresy stały się dłuższe i bardziej obfite. Już w następnym miesiącu w 13 dniu cyklu liczącego 27 dni miała owulację. W następnym miesiącu owulacja nastąpiła również o czasie, ale tym razem okres już nie nadszedł, zaszła bowiem w ciążę. Przez całą ciążę przyjmowała dodatkowe białko i żelazo i wydała na świat zdrowego chłopca.

## Jak się robi dzieci – plan działania

### Czy reprezentujesz typ Blady?

5 PUNKTÓW ZA KAŻDE ZAZNACZENIE
• Moja twarz jest blada, w szczególności moje wargi.

3 PUNKTY ZA KAŻDE ZAZNACZENIE
• Macierze moich paznokci są blade, a same paznokcie są suche i łatwo się łamią.
• Łatwo dostaję zawrotów głowy, szczególnie jeśli szybko podnoszę się do pozycji stojącej.

1 PUNKT ZA KAŻDE ZAZNACZENIE
• Mam niewyraźne widzenie lub widzę plamki.
• Mam problemy z zasypianiem.
• Jestem zmęczona.
• Moje włosy są cienkie i/lub suche; zdarzało się, że mi wypadały.
• Jestem weganką lub wegetarianką.
• Czasem mam kołatania serca.
• Często czuję się niewyraźnie.
• Moje mięśnie są ciągle napięte i łatwo je nadwerężam.

### TYLKO DLA KOBIET

5 PUNKTÓW ZA KAŻDE ZAZNACZENIE
• Podczas moich miesiączek wypływ krwi jest niewielki.

**3 PUNKTY ZA KAŻDE ZAZNACZENIE**
- Mój okres trwa krótko (mniej niż 3 dni).

**1 PUNKT ZA KAŻDE ZAZNACZENIE**
- Czasami okres nie przychodzi lub też bardzo się opóźnia.
- Moja krew menstruacyjna jest bardziej różowa niż jaskrawoczerwona.
- Przed okresem staję się płaczliwa i potrzebuję wsparcia emocjonalnego.
- Gdy minie okres, odczuwam tępy ból.

### DLA KOBIET, KTÓRE PROWADZĄ WYKRES PTC
**1 PUNKT ZA KAŻDE ZAZNACZENIE**
- Mój wykres temperatur PTC wskazuje na długą fazę folikularną (późna owulacja).
- Mój wykres temperatur PTC wskazuje na długą fazę lutealną.

### TYLKO DLA MĘŻCZYZN
**3 PUNKTY ZA KAŻDE ZAZNACZENIE**
- Rozpoznano u mnie niską liczbę plemników (małą objętość nasienia).
- Czasem moje libido jest na niskim poziomie.

# ROZDZIAŁ 12

## Typ: Nasiąkliwy

Ludzie należący do typu Nasiąkliwego są jak gąbki. Choć gąbki bez wątpienia posiadają zdolność nasiąkania, nie ma powodu, aby przez cały czas pozostawały w tym stanie. Tak jak w przypadku wielu innych rzeczy, również i tu istotą sprawy jest równowaga – stan pośredni między nasiąknięciem i wysuszeniem na kość. To właśnie wtedy gąbka najlepiej nam służy. Również osoby o Nasiąkliwym typie płodności muszą odnaleźć swój stan równowagi.

Ciała osób należących do typu Nasiąkliwego słabo metabolizują płyny, co sprawia, że płyny zalegają i zakłócają różne funkcje organizmu. U ludzi typu Nasiąkliwego mogą pojawić się obrzęki i podpuchnięcia, gdyż płyny gromadzą się u nich szybciej niż ciało jest w stanie je przetworzyć. Częstą reakcją ich ciał na podrażnienie jest produkowanie nadmiaru śluzu. Wiele osób o tym typie płodności uskarża się, że ich ciała zatrzymują wodę i w związku z tym łatwo przybierają na wadze. Do najważniejszych symptomów wskazujących, że możemy mieć do czynienia z osobą typu Nasiąkliwego należą zespół policystycznych jajników (PCOS) i podatność na infekcje drożdżakowe.

Nagromadzenie śluzu i płynów może u ludzi typu Nasiąkliwego powodować stany wyczerpania. Może ich spowolnić i sprawić, że ich umysły nie pracują jasno. Ludzie tego typu podatni są na różnego rodzaju zapalenia. Wielu skarży się na bóle stawów, ciężkie, obolałe nogi, bóle głowy i uczucie, jakby ich głowę krępowała ciasna opaska.

Ludzie należący do typu Nasiąkliwego są także podatni na zaburzenia przemiany materii oraz nadwagę. Mogą mieć, na przykład słaby metabolizm insuliny, co może prowadzić do dalszego zakłócenia równowagi hormonalnej. Co gorsza, często łakną cukru, co może tylko zaostrzyć niekorzystne zjawiska w ich organizmie.

Wielu ludzi należących do Nasiąkliwego typu płodności uważa, że ich objawy nasilają się w wilgotne dni. Źle reagują na pleśń zarówno w żywności, jak i w środowisku. Nadmiar śluzu w przewodzie pokarmowym sprawia, że ich wypróżnienia są powolne, a stolec bezkształtny. Jeśli mają również kłopoty z pęcherzem, ich mocz jest mętny.

Ludzie tego typu mają zwykle słaby system immunologiczny. Mają skłonność do przewlekłych, a także ostrych zakażeń, w szczególności do tlących się infekcji dróg rodnych i zakażeń drożdżakowych. Mogą przechodzić infekcję i nawet o niej nie wiedzieć, ponieważ nie odczuwają wyraźnych objawów. Te ukryte infekcje mogą jednak upośledzać płodność. Dla ludzi typu Nasiąkliwego charakterystyczne są infekcje zatok, obrzęki i problemy z odprowadzaniem płynów, a także alergia, astma i zespół kaszlowy związany z górnymi drogami oddechowymi. Problemem mogą być przekrwienia (zatory) płuc. Osoby o tym typie płodności mają też skłonność do trądzika torbielkowatego, włóknisto-torbielkowatego zwyrodnienia piersi (mastopatii lub dysplazji piersi), torbieli tłuszczowych, guzów i przewlekłego powiększenia węzłów chłonnych. U osób o Nasiąkliwym typie płodności często występują choroby serca i cukrzyca. Dość pospolite są również chroniczne zmęczenie i fibromialgia.

Niektórzy ludzie typu Nasiąkliwego to czarnowidze i pesymiści, choć z drugiej strony wydają się też spokojni i budzący zaufanie. Są to ludzie uparci i niechętni zmianom, mają też skłonność do nadmiernego roztrząsania każdej kwestii.

## KOBIETY

Kobiety typu Nasiąkliwego mają tendencję do długich lub nieregularnych cykli i bolesnych miesiączek. Ich okresy mogą być skąpe, jeśli chodzi o ilość krwi, ale jest ona gęsta, śluzowata i ze skrzepami. Kobiety należące do tego typu narażone są na przewlekłe drożdżakowe infekcje pochwy i nadmierne upławy, z tym że podczas owulacji mogą mieć mało płodnego śluzu szyjki macicy. Podczas owulacji często doznają tkliwości piersi oraz wzdęć. Skłonność do wzdęć powraca też przed miesiączką, a wraz z nią retencja wody w organizmie, zwiększenie masy ciała i tkliwość piersi.

# KARTA PODSTAWOWEJ TEMPERATURY CIAŁA

wiek ......... cykl miesięczny nr ......... ostatnie 12 cykli: najkrótszy ......... najdłuższy ......... miesiąc ......... rok ......... długość cyklu .........

Wiersze karty:
- dzień cyklu (1–40)
- data
- dzień tygodnia
- godzina pomiaru
- temperatura po przebudzeniu (skala 37,0 – 36,1)
- okres
- lepkość
- krem
- białko
- test ciążowy
- stosunek w dniu cyklu
- test owulacyjny LH
- pozycja szyjki macicy
- inne symptomy

KARTA PTC: TYP NASIĄKLIWY O WYKRESIE JEDNOFAZOWYM WSKAZUJĄCYM NA BRAK OWULACJI.

## KARTA PODSTAWOWEJ TEMPERATURY CIAŁA

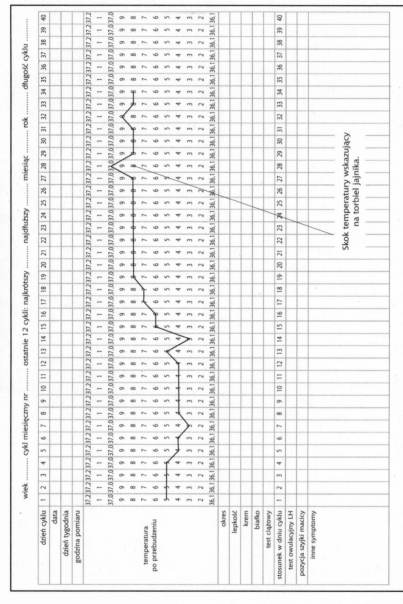

wiek .......... cykl miesięczny nr .......... ostatnie 12 cykli: najkrótszy .......... najdłuższy .......... miesiąc .......... rok .......... długość cyklu ..........

KARTA PTC: TYP NASIĄKLIWY ZE SKOKIEM TEMPERATURY W MOMENCIE SPODZIEWANEGO POCZĄTKU OKRESU, WSKAZUJĄCYM NA TORBIEL JAJNIKA.

Skok temperatury wskazujący na torbiel jajnika.

Kobiety o Nasiąkliwym typie płodności mogą produkować śluz szyjkowy również w okresach, gdy nie przechodzą owulacji, co może sprawić, że jej zidentyfikowanie jest utrudnione i niezbędny jest wykres PTC lub zestaw testów. U tego typu kobiet podczas owulacji wytwarzają się czasem torbiele jajnika. Torbiele te potrafią hormonalnie imitować w organizmie procesy właściwe dla ciąży, wywołując charakterystyczne dla niej objawy, takie jak tkliwość piersi, nudności czy też zatrzymani okresu.

Kobietom typu Nasiąkliwego zdarza się cierpieć na zapalenie szyjki macicy, które utrudnia dostęp do niej lub do jajowodów. Są one również podatne na endometriozy, polipy macicy i mięśniaki, przy czym wszystkie te schorzenia mogą ograniczać płodność. Ścianki jajowodu są zwykle pokryte śluzem, co nadaje im poślizg i pozwala jajeczku łatwo się przesuwać. Kobiety omawianego typu produkują jednak nadmierną ilość śluzu – czasem tak dużą, że może to zablokować jajowody. U wielu kobiet reprezentujących ten typ płodności występuje brak równowagi hormonalnej, w tym zespół policystycznych jajników (PCOS) i typowa dla PCOS insulinooporność. U wielu kobiet rozpoznaje się zapalenie narządów miednicy mniejszej (PID, które również może upośledzać płodność.

## MĘŻCZYŹNI

Mężczyźni należący do typu Nasiąkliwego mają skłonność do tlących się infekcji dróg rozrodczych. Mogą cierpieć z powodu zapalenia gruczołu krokowego, bolesnego oddawanie moczu, bolesności jąder lub impotencji. Mogą mieć chroniczną wydzielinę z penisa lub gęste, częściowo ścięte nasienie, przy czym zarówno jedno, jak i drugie są objawami infekcji mogących upośledzać płodność.

## CZĘSTE KOMBINACJE

Ludzie o typie Nasiąkliwy + Zmęczony mają tendencję do przewlekłych chorób, którym towarzyszy wydzielanie flegmy, takich jak obrzęk błony śluzowej zatok i zapalenie oskrzeli. Często skarżą się na wzdęcia i gazy, a także na tłusty smak w ustach. Kobiety należące do kombinacji typów Nasiąkliwy + Zmęczony mają niekiedy chroniczny problem z białymi upławami i ogólne kłopoty z przemianą materii. Ten typ płodności reprezentują też często kobiety z zespołem policystycznych jajników (PCOS). To połączenie najczęściej zdarza się po długim okresie gromadzenia się śluzu. Nagromadzenie śluzu jest cechą typu Zablokowanego, która nakłada się na analogiczną cechę typu Nasiąkliwego i może doprowadzić do zablokowania jajowodów oraz endometriozy. Kobiety reprezentujące typ Nasiąkliwy + Zablokowany mogą mieć wszystkie objawy typu Nasiąkliwego, a do tego słabe przemiany hormonalne, właściwe dla typu Zablokowanego. Symptomy typu Zablokowanego, takie jak zespół napięcia przedmiesiączkowego (PMS) dołączają do gamy objawów typu Nasiąkliwego, wśród których są retencja wody przed miesiączką i śluzowata krew miesiączkowa ze skrzepami. W okresie przedmiesiączkowym nasilają się też wszystkie problemy związane ze śluzem.

## MEDYCYNA CHIŃSKA

Medycyna chińska uważa, że ludzie typu Nasiąkliwego akumulują w sobie wilgoć, a powodem tego jest zastój płynów w ich organizmach. „Wilgoć flegmy" lub „zastój wilgoci" są pojęciami charakterystycznymi dla medycyny chińskiej. Opisują one zbieranie się i zastyganie płynów w niektórych miejscach lub w niektórych systemach w organizmie, co może osiągnąć taki stopień nasilenia, że zaburza jego normalne funkcjonowanie.

Do zastoju wilgoci często dochodzi w wyniku innych problemów – niedostatku yang lub zastoju krwi, jeśli odwołamy się do terminologii chińskiej. Ale może on też być po prostu skutkiem spożywania nadmiaru kalorycznych, słodkich pokarmów. Taka dieta uszkadza układ pokarmowy, który przestaje sobie radzić z przetwarzaniem żywności i płynów. To tworzy złogi tłuszczowe, które mogą nawet całkowicie zablokować pracę narządów. Na tym właśnie polega związek między zastojem wilgoci i otyłością.

W przypadku tego typu płodności, główną przyczyną nierównowagi hormonalnej jest stagnacja. Zastój wilgoci jest powodem słabych przemian (wszystkich ich rodzajów), w tym tych wielu trudnych zmian hormonalnych związanych z cyklem menstruacyjnym, zapłodnieniem i zagnieżdżeniem jajeczka. Osoby typu Nasiąkliwego zazwyczaj wolniej reagują na akupunkturę i terapię ziołową niż osoby reprezentujące inne typy płodności. Usunięcie z organizmu wilgoci może zająć parę miesięcy.

## Studium przypadku: kobieta typu Nasiąkliwego

Lorraine, 38 lat, próbowała zajść w ciążę od ponad dwóch lat. Jej okresy były nieregularne, a cykl miał tendencję do wydłużania się. Kiedy zaczęła badać swój cykl za pomocą wykresu PTC, odkryła, że jej temperatury były niższe od normalnych i że rzadko owuluje. Każdej zimy Lorraine zapadała na sezonowe alergie oraz przewlekłe zapalenia oskrzeli. Oddech miała świszczący, często też musiała odchrząkiwać. Miała nadwagę i skarżyła się, że jej przemiana materii jest tak słaba, że przybiera na wadze od samego spojrzenia na kawałek ciasta. Niedawno odbyła konsultację u wyspecjalizowanego w kwestiach rozrodczości endokrynologa, który rozpoznał u niej zespół policystycznych jajników (PCOS) i przepisał metforminę, która utrzymuje pod kontrolą poziom insuliny. Miał on nadzieję, że pozwoli to uregulować działanie innych hormonów i umożliwi jej zajście w ciążę. Lekarz poradził też Lorraine, aby radykalnie ograniczyła spożycie węglowodanów.

Opracowałam dla niej zestaw ziół, które mogła zażywać wraz z lekarstwami aptecznymi. Przeprowadzone w Chinach badania kliniczne wykazały, że jeśli chodzi o przywracanie owulacji kobietom z zespołem policystycznych jajników, niektóre zioła działają skuteczniej niż farmaceutyki. Zalecone przez mnie zioła miały również zmniejszyć zaflegmienie i zapobiegać powstawaniu torbieli jajników. Zapisałam jej również cotygodniowe zabiegi akupunktury, które miały jej pomóc w uregulowaniu cyklu i wspomóc owulację.

Lorraine bardzo poważnie potraktowała swoją dietę i zaangażowała się w program terapeutyczny. Wkrótce zaczęła chudnąć i poinformowała mnie, że czuje przypływ energii. Po dwóch miesiącach leczenia przy zastosowaniu skojarzonego podejścia medycyny wschodniej i zachodniej jej temperatury PTC podniosły się, choć wciąż nie było owulacji. Był to jednak dobry znak. Po czterech miesiącach Lorraine przeszła owulację. Jej cykl był w dalszym ciągu długi (nigdy mniej niż trzydzieści pięć dni), ale stał się przewidywalny i po ośmiu miesiącach leczenia Lorraine zaszła w ciążę.

## Jak się robi dzieci – plan działania

### Czy reprezentujesz typ Nasiąkliwy?

3 PUNKTY ZA KAŻDE ZAZNACZENIE

- Mam problem z kontrolowaniem wagi ciała.
- Często nie mam jasności myślenia.
- Mam problemy z zatokami, sezonowymi alergiami lub przewlekłym kaszlem.
- Mam skłonność do obrzęków lub napuchnięć.
- Puchną mi dłonie lub stopy.

1 PUNKT ZA KAŻDE ZAZNACZENIE

- Często czuję się zmęczony i ospały.
- Mam obolałe stawy.

- Moje ręce i nogi wydają się ciężkie.
- Mój mocz jest mętny.
- Mam wrażenie, jakby moje usta były tłuste.
- Czuję się wzdęty.

## TYLKO DLA KOBIET
5 PUNKTÓW ZA KAŻDE ZAZNACZENIE
- Często cierpię z powodu infekcji drożdżakowych lub też zostało u mnie rozpoznane zapalenie narządów miednicy mniejszej (PID).
- Cierpię na zespół policystycznych jajników (PCOS).

3 PUNKTY ZA KAŻDE ZAZNACZENIE
- Rozpoznano u mnie mięśniaki lub polipy macicy.
- Rozpoznano u mnie endometriozę.
- Mam bolesne miesiączki, którym towarzyszy śluz i skrzepy.

1 PUNKT ZA KAŻDE ZAZNACZENIE
- Mam jasny, obfity śluz szyjki macicy na przestrzeni całego mojego cyklu lub nieregularnie, w różnych jego momentach.

## DLA KOBIET, KTÓRE PROWADZĄ WYKRES PTC
1 PUNKT ZA KAŻDE ZAZNACZENIE
- Mój wykres PTC zmienia się z miesiąca na miesiąc.
- Mój wykres PTC tworzy postrzępiony wzór piły, temperatura niemal codziennie zmienia się o 0,15 °C lub więcej.
- Mój wykres PTC wskazuje na długą fazę folikularną.
- Nie przechodzę owulacji (anowulacja).
- Owuluję w sposób nieprzewidywalny, podczas każdego cyklu owulacja przypada na inny dzień.
- Po owulacji mój wykres PTC zmienia się bardzo niewiele lub nie ulega żadnej zmianie. (Mam jednofazowy wykres PTC, w przeciwieństwie do dwufazowego.)
- o owulacji moje temperatury PTC rosną powoli; osiągnięcie górnego poziomu zajmuje im kilka dni.
- Mój wykres PTC wskazuje, że faza lutealna liczy u mnie ponad 16 dni (nie jestem w ciąży), pokazuje też skok temperatury w dniu, gdy powinien zaczynać się u mnie okres (możliwość występowania torbieli jajnika).

## TYLKO DLA MĘŻCZYZN
5 PUNKTÓW ZA KAŻDE ZAZNACZENIE
- Mam wydzielinę z penisa.

3 PUNKTY ZA KAŻDE ZAZNACZENIE
- Oddaję mocz w sposób przerywany lub nie do końca opróżniam pęcherz.

# CZĘŚĆ 4

**Często spotykane problemy z płodnością
i ich rozwiązania**

# ROZDZIAŁ 13

## W czym tkwi twój problem?

W kolejnych pięciu rozdziałach przyjrzymy się najczęściej spotykanym problemom z płodnością, w tym kwestiom hormonalnym i endokrynologicznym, kwestiom o charakterze strukturalnym i anatomicznym, infekcjom układu immunologicznego oraz ogólnym problemom zdrowotnym. Rozdziały i podrozdziały są ułożone według częstości pojawiania się omawianych problemów – od występujących najczęściej do występujących najrzadziej. Jak łatwo zauważyć, zaburzenia hormonalne i endokrynologiczne są problemami, z którymi mamy najwięcej do czynienia. Pierwszym problemem, jaki omawiamy w rozdziale poświęconym kwestiom hormonalnym jest defekt fazy lutealnej LPD – zaburzenie, z którym w naszej praktyce spotykamy się szczególnie często.

Każde schorzenie opatrujemy krótkim omówieniem i wyjaśniamy, jaki ma wpływ na płodność. Następnie zapoznajemy cię ze sposobami jego rozpoznawania, a także objaśniamy, w jaki sposób najczęściej się je leczy oraz jak się je *powinno* leczyć. Jeśli masz już postawioną diagnozę, możesz korzystać z tych podrozdziałów, aby lepiej zrozumieć swój stan zdrowia i zapoznać się ze sposobami stymulowania płodności – tymi, które dotyczą twojego konkretnego przypadku.

### MEDYCYNA CHIŃSKA

Medycyna chińska może być pomocna w rozwiązaniu większości (choć nie wszystkich) problemów związanych z płodnością, a my zalecamy, w zależności od sytuacji, akupunkturę lub zioła. Akupunktura i zioła mogą poprawić zdolność do poczęcia dziecka, gdyż oddziałują na organizm wielokierunkowo. Poniżej zamieszczamy spis tych oddziaływań.

## Akupunktura i płodność

Choć mieszkanki Chin już od wielu pokoleń korzystają z dobrodziejstw akupunktury, naukowcy stosunkowo niedawno zaczęli badać to zjawisko i dokumentować jego dobroczynne oddziaływanie na zdrowie. Rozważ poddanie się cotygodniowym zabiegom tego typu, aby przygotować ciało do ciąży, ułatwić poczęcie metodą naturalną, uwolnić się od kłopotów z płodnością i ewentualnie wspomóc zabieg wykonany przy użyciu jednej z technik wspomaganego rozrodu (patrz rozdz. 25). Chińczycy uważają, że stosowane w akupunkturze igły stymulują qi oraz krew, a także yin i yang. Zwiększanie energii yin oraz krwi wspiera rozwój pęcherzyków; tonizowanie yin i krwi poprawia krążenie w jajnikach i macicy; pobudzanie przepływu qi sprzyja silnym owulacjom, a tonizowanie yang sprzyja zagnieżdżeniu zapłodnionego jajeczka.

Oto, co można osiągnąć poprzez stosowanie akupunktury (używając terminologii zachodniej):

• Pozytywny wpływ na szlaki przepływów hormonalnych w celu stymulowania produkcji hormonów, korygowania niewielkich zakłóceń równowagi, a także regulowania menstruacji i owulacji.

• Zwiększenie przepływu krwi do macicy, poprawienie jakości endometrium (wyściółki macicy) poprzez jego zagęszczenie i przygotowanie do zagnieżdżenia zapłodnionego jajeczka.

• Zwiększenie dopływu krwi do jajników, usprawnienie ich działania i odżywienie jajeczek, co wspomaga ich rozwój. Jest to szczególnie istotne, gdy stajemy się coraz starsi, ponieważ z wiekiem przepływ krwi do jajników pogarsza się z powodów naturalnych. Gdy nadchodzi menopauza, ukrwienie jajników jest pięciokrotnie mniejsze niż w naszym szczytowym okresie rozrodczym.

• Wytworzenie większej liczby pęcherzyków u kobiet, których jajniki nie reagują dobrze na stymulację ze strony hormonów przysadki.

• Pomoc w uwolnieniu jajeczka i wspieranie silnej, zdrowej owulacji.

• Wsparcie dla procesu zagnieżdżenia zapłodnionego jajeczka poprzez zmniejszenie skurczy macicy.

• Zmniejszenie stresu, a także reakcji organizmu na stres, w tym tonowanie działania hormonów stresu, których działanie może nie sprzyjać płodności.

- Wyeliminowanie tlących się stanów zapalnych, które mogą upośledzać płodność.
- Wyregulowanie systemu odpornościowego, którego nadaktywność może upośledzać płodność.
- Zwiększenie liczby plemników i gęstości nasienia u mężczyzn, którzy mają z tym problemy.
- Poprawienie jakości i ruchliwości plemników.

## Zioła i płodność

W medycynie chińskiej zioła stosuje się do tonizowania krwi, yin i yang, wspierania yin, wzbudzenia przepływu qi, zwiększania energii yang, qi oraz krwi. W kategoriach zachodniej terminologii medycznej poprzez kuracje ziołowe można osiągnąć następujące rezultaty:
- Zapewnienie sprzyjających warunków do wytworzenia zdrowego endometrium.
- Stworzenie sprzyjających warunków dla wzrostu i rozwoju pęcherzyków.
- Zwiększenie ilości śluzu szyjkowego.
- Delikatne stymulowanie organizmu do wytworzenia niezbędnych hormonów. (Na przykład powiązane z yin czynniki tonizujące pomagają ciału produkować estrogen, podczas gdy farmaceutyki zwiększają ilość estrogenu w sposób bezpośredni. Odmienne mechanizmy pozwalają obu tym podejściom zgodnie ze sobą współdziałać, przy zachowaniu skuteczności, gdy stosowane są osobno.)
- Zwiększenie przepływu krwi do jajników i macicy.
- Sprzyjanie silnej owulacji.
- Pomoc w osiągnięciu i utrzymaniu odpowiednio wysokich temperatur PTC w fazie lutealnej, stymulowanie wytwarzania progesteronu, zwiększenie prawdopodobieństwa, że zapłodnione jajeczko dobrze się zagnieździ.
- Wydłużenie krótkiej fazy lutealnej, aby wspomóc proces zagnieżdżenia.
- Zwiększenie jakości i ilości plemników.

## HISTORIA CHOROBY I BADANIE FIZYKALNE

Planując wizytę u lekarza, większość z nas skupia się na badaniu fizykalnym. Ma to oczywiście pewien sens – sami sobie tych badań nie zrobimy. Badanie fizykalne wchodzi w skład pełnego diagnostycznego badania płodności – nie jest to jednak to samo badanie, które przechodzisz przy okazji corocznego sprawdzenia ogólnego stanu zdrowia (co nie zmienia faktu, że powinnaś zostać zapytana, kiedy takie badanie było po raz ostatni wykonane), nie jest to też badanie wyłącznie ginekologiczne, czy też endokrynologiczne. Sposób przeprowadzenia takiego badania i obszary zainteresowania mogą być różne w zależności od rodzaju specjalisty, do którego się udasz. Trzeba jednak pamiętać, że ważne podpowiedzi mogą napłynąć z różnych miejsc w twoim ciele i ktokolwiek będzie cię badał, powinien to zrobić wnikliwie, od stóp po czubek głowy.

Równie istotnym elementem każdej diagnozy jest pełen opis historii choroby, sporządzony dla obojga partnerów. Choć jest on, być może, nawet ważniejszy od samego badania fizykalnego, często bywa pomijany przez lekarzy specjalizujących się w leczeniu płodności. Jeśli postawienie dokładnej diagnozy nie wydaje się potrzebne – z reguły dzieje się tak, gdy zapadła decyzja, co do sposobu leczenia (leki zwiększające płodność lub zabieg in vitro) – lekarz może ograniczyć się do krótkiego wywiadu lub nawet pominąć ten etap całkowicie, jak to się często dzieje w przypadku mężczyzn. Jeśli jednak nie wiesz dokładnie, gdzie leży twój problem, być może tracisz szansę zlikwidowania go u samego źródła i odzyskania pełnej płodności, a przynajmniej szansę poddania się leczeniu, które tę płodność zwiększy. Czym bardziej diagnoza jest rozmyta i niekonkretna, tym bardziej prawdopodobne jest, że towarzyszy jej spłycona i pośpiesznie sporządzona historia choroby.

Dobra, uszczegółowiona historia choroby powinna uwzględniać siedem kategorii ewentualnych przyczyn niepłodności, a więc przyczyny: anatomiczne, hormonalne lub metaboliczne, infekcyjne, autoimmunologiczne, genetyczne, środowiskowe i psychologiczne. Lekarz powinien zadać ci mnóstwo pytań dotyczących twojego cyklu miesiączkowego, zdrowia w aspekcie ginekologicznym, hormonów, historii współżycia, poprzednich ciąż, ogólnego stanu zdrowia, zdrowia psychicznego, poziomu stresu, twojej rodziny, sposobu odżywiania się i stylu życia. Wywiad powinien obejmować takie informacje jak wiek, waga, choroby przenoszone drogą płciową i inne infekcje, wykonywane ćwiczenia, nawyki higieniczne, częstotliwość współżycia, techniki i pozycje współżycia, dni i pory, kiedy dochodzi do współżycia, jakość i ilość śluzu szyjki macicy i stopień ekspozycji na toksyny (ołów, pestycydy, rozpuszczalniki, produkty przemysłu petrochemicznego i metale ciężkie).

Wiedza, jaką przekazałem w poprzednich rozdziałach pozwoli ci zrozumieć, dlaczego wiele spośród pytań, jakie zadaję (Sami) w trakcie wywiadu lekarskiego (patrz następny podrozdział) ma tak duże znaczenie. Do wielu spośród poruszonych tam kwestii będziesz w stanie ustosunkować się sama poprzez uczestnictwo w programie „Jak się robi dzieci".

Wiele spośród stawianych przeze mnie pytań ma na celu sprawdzenie, czy wszystkie systemy organizmu działają prawidłowo, czy nie masz jakichś przewlekłych chorób i poważnych problemów zdrowotnych, a także, czy jesteś otoczona należytą opieką lekarską – wszystko po to, aby upewnić się, że jesteś ogólnie zdrowa i możesz mieć dziecko. Na wiele z tych pytań nie oczekuję konkretnych odpowiedzi, mają one jedynie pomóc mi w nakreśleniu obrazu sytuacji lub zasygnalizować niedawno zaszłą zmianę. Słucham uważnie moich pacjentów, gdy mówią mi, że robią coś „zawsze" lub „zazwyczaj". Odstąpienie przez nich od czegoś, co było dla nich normalne wskazuje na ważny obszar, którym należy się zainteresować. Na przykład to, czy miesiączki moich pacjentek są gęste i ze skrzepami samo w sobie nie jest dla mnie tak istotną informacją, jak fakt, że skrzepy te pojawiły się dopiero niedawno. Oznacza to, że może być konieczne wykonanie badań pod kątem mięśniaków i polipów macicy. Krótkie miesiączki mogą ci się obecnie wydawać normalne, choć kiedyś były dłuższe. Jest to jednak sygnał, że wraz z wiekiem mogła ulec zmniejszeniu produkcja hormonów. *Czy zaobserwowałaś jakąś zmianę?* – jest często kluczowym pytaniem w procesie diagnostycznym.

Niektóre pytania nie mają na celu postawienia diagnozy, ale prawidłowe zaplanowanie badań lub terapii – temu może służyć, na przykład pytanie o dzień rozpoczęcia ostatniej miesiączki. Inne pytania mogą odsłonić ukryte wskazówki, które mogą okazać się pomocne w dotarciu do problemu z płodnością i rozwiązaniu go. Jeśli brałaś tabletki antykoncepcyjne, odstawiłaś je pół roku temu i wciąż nie masz okresu możliwe, że zażywanie tabletek maskowało jakiś problem, na przykład wczesną menopauzę. Możliwe też, że produkcja hormonów jest nadal przytłumiona i pomocne byłyby działania wspierające i stymulujące owulację. Bardzo lekkie krwawienia miesiączkowe mogą być rezultatem blizny na macicy, na przykład w wyniku niedawnego poronienia, aborcji czy też zabiegu rozszerzenia i łyżeczkowania D & C, które mogą spowodować wytworzenie się zespołu Ashermana. Może to oznaczać, że jest mało endometrium do wyłuszczenia i być może jest go generalnie za mało, aby mogło dojść do zagnieżdżenia jajeczka.

Lekarz powinien wziąć pod uwagę wszystkie elementy twojej historii i stylu życia. Istotne wskazówki dotyczące problemu z płodnością mogą kryć się w różnych obszarach twojego życia. Ważne jest, abyś współpracowała z lekarzem, któremu ufasz i który uważnie wszystkiemu się przyjrzy.

## Pogłębiony wywiad medyczny

Bardzo wielu naszych pacjentów zostało już kiedyś przepuszczonych przez tryby medycyny płodności, przy czym szokująco wielu z nich albo nie zna swojej diagnozy, albo nie wie, na czym ją oparto. Nie mają też pojęcia, czym jest pogłębiony wywiad lekarski, który powinien poprzedzić badania diagnostyczne i samą diagnozę. Skąd zresztą mieliby je mieć, jeśli nikt nigdy nie przeprowadził z nimi takiego wywiadu?

Niżej zamieszczam (Sami) pytania, które rutynowo zadaję moim pacjentom. Jeśli nikt nigdy nie zadał ci tak długiej listy pytań, oznacza, że nigdy nie przeprowadzono z tobą pogłębionego wywiadu lekarskiego. A jeśli takiego wywiadu nie było i wciąż nie wiesz, dlaczego właściwie nie możesz zajść w ciążę, nie powinnaś przyjmować diagnozy, w której zamiast rozpoznania napisano „niewyjaśniony przypadek niepłodności". Nie można powiedzieć, że niepłodność jest „niewyjaśniona", dopóki lekarz nie pójdzie każdym tropem i nie sprawdzi wszystkich możliwości. Jeśli twój lekarz nie trzyma się tej zasady, trzeba rozejrzeć się za innym.

Chcę, żebyś wiedziała, jak wygląda i co powinien zawierać pogłębiony wywiad lekarski.

## WYWIAD LEKARSKI – PYTANIA

### Płodność

- Ile masz lat?
- Od jak dawna starasz się zajść w ciążę?
- Jakie środki stosowałaś, aby zajść w ciążę?
- Czy znasz swój najbardziej płodny dzień? Czy wiesz kiedy przechodzisz owulację? W jaki sposób do tego doszłaś?
- Czy poddawałaś się kuracjom stymulującym płodność? Jeśli tak, to jakim, kiedy i gdzie? Co z tego wynikło? Jakie było twoje własne rozpoznanie?

- Czy brałaś kiedyś lekarstwa, które miały wspomóc owulację? Jeśli tak, to jakie i kiedy? Jaki był wynik tej kuracji?
- Czy lekarz kiedykolwiek badał twoje jajowody? Jeśli tak, to jak i kiedy? Jaki był wynik tego badania? (Przynieś zdjęcie rentgenowskie, nie polegaj na samym tylko opisie.)
- Czy twoje hormony zostały przebadane? Jeśli tak, to jak, kiedy i gdzie? Jaki był wynik tego badania?
- Czy masz jednego partnera, z którym starasz się zajść w ciążę? Od jak dawna jesteście ze sobą?
- Czy twój parter poddał się dokładnemu badaniu diagnostycznemu w zakresie płodności?
- Czy ty bądź twój partner mieliście dzieci z poprzednimi partnerami?

**Wywiad dotyczący współżycia**
- Jak często odbywacie stosunki waginalne?
- Jak wygląda sytuacja z twoim libido? Czy wzbudzenie seksualne przychodzi ci łatwo?
- Czy w ramach starań, aby zajść w ciążę stosujecie inne pozycje niż misjonarska?
- Jak planujesz swoje pożycie?
- Czy używasz lubrykantów?
- Czy robisz sobie irygacje?
- Czy podczas stosunku odczuwasz ból? Jeśli tak, czy występuje on w fazie inicjalnej, czy podczas głębszej penetracji?
- Czy macie problem z przedwczesnym wytryskiem?
- Jakie stosujecie środki antykoncepcyjne? Czy kiedykolwiek stosowałaś pigułkę? Jeśli tak, to kiedy i jak długo? Czy stosowałaś kiedyś wkładkę wewnątrzmaciczną?

**Cykl miesiączkowy**
- Ile miałaś lat, gdy zaczęłaś miesiączkować?
- Jaka była twoja pierwsza miesiączka? Czy miałaś jakieś problemy, czy wszystko przebiegło prawidłowo?
- Czy twój okres jest regularny?
- Jak długi jest twój cykl? Jak długo trwa miesiączka? Czy nie zaszły tu żadne zmiany?
- Jak wygląda twoje krwawienie? Jest lekkie czy intensywne?
- Czy pojawiają się skrzepy? Czy krew jest jasnoczerwona czy ciemna?

- Czy okresowi towarzyszy ból? Gdzie go odczuwasz? (Z tyłu? W okolicach brzucha?) Jest łagodny, umiarkowany czy ostry? Kiedy się zaczyna? Jak długo trwa?
- Czy miewasz plamienie przed okresem?

Którego dnia rozpoczął się twój ostatni okres?

- Czy okresowi towarzyszy obolałość piersi? Jeśli tak, to czy odczuwasz to w każdym cyklu, czy tylko sporadycznie? Czy są takie miesiące, gdy twoje sutki są szczególnie wrażliwe?
- Czy odczuwasz objawy napięcia przedmiesiączkowego, takie jak wahania nastroju, bóle głowy, łaknienie, wypryski na skórze, luźne stolce lub mdłości?

## Historia ciąży

- Czy zdarza się, że objawy napięcia przedmiesiączkowego trwają dłużej niż zazwyczaj?
- Czy masz czasem metaliczny posmak w ustach? Czy zdarzają się miesiące, gdy wszystko wydaje się smakować i pachnieć inaczej?
- Czy byłaś już w ciąży? Jeśli tak, to czy towarzyszyły im jakieś komplikacje?
- Czy kiedyś poroniłaś?
- Czy poddałaś się kiedyś aborcji? Czy z jakiegokolwiek innego powodu przechodziłaś zabieg rozszerzenia i łyżeczkowania? Jeśli tak, to ile razy?

## Ginekologiczny stan zdrowia

- Czy miałaś kiedyś zły wynik badania cytologicznego (wymazu z szyjki macicy)?
- Czy kiedykolwiek przeszłaś biopsję szyjki macicy, kauteryzację bądź konizację?
- Czy kiedykolwiek zapadłaś na chorobę przenoszoną drogą płciową?
- Czy łatwo (często) nabawiasz się drożdżakowych infekcji pochwy?
- Czy kiedykolwiek stwierdzono u ciebie zakażenie chlamydią*?
- Czy masz występującą chronicznie lub nieprawidłową wydzielinę z pochwy (brązowy lub zielony kolor, dziwny zapach lub inne nietypowe cechy)?
- Czy masz jakieś wrzody na genitaliach?
- Czy kiedykolwiek stwierdzono u ciebie zapalenie narządów miednicy mniejszej (PID)?

---

\* Pasożyt wewnątrzkomórkowy, łączący w sobie cechy bakterii i wirusów.

- Czy kiedykolwiek szukałaś pomocy lekarskiej w związku z bólami w okolicach miednicy?
- Czy miałaś torbiele jajnika?
- Czy miałaś mięśniaki macicy?
- Czy miałaś problemy z tarczycą? (Powiększenie tarczycy? Torbiele tarczycy? Rak tarczycy? Nadczynność lub niedoczynność tarczycy?)
- Czy twoje piersi są asymetryczne bądź są na nich blizny? Czy mają jakieś inne nieprawidłowości?
- Czy zdiagnozowano u ciebie jakieś nieprawidłowości anatomiczne, np. w pochwie, macicy, szyjce macicy, jajnikach lub gdziekolwiek indziej w rejonie miednicy?

## Hormony
- Jak oceniasz swój ogólny stan zdrowia psychicznego: średni, powyżej średniej lub poniżej średniej?
- Czy konsultujesz się z psychiatrą lub psychoterapeutą?
- Czy kiedykolwiek brałeś leki psychotropowe?
- Czy jesteś niespokojny? Czy miewasz rozpoznane stany lękowe?
- Czy czujesz się przygnębiony lub stwierdzono u ciebie depresję?
- Czy twoje emocje i nastroje łatwo (często) ulegają gwałtownym zmianom?
- Czy ty i twój partner tak samo pragniecie dziecka? Czy twój partner okazuje ci wsparcie? Jaki jest wasz związek? Czy dobrze się rozumiecie?
- Czy twoja praca bardzo cię męczy?

## Historia rodziny
- Czy Twoi rodzice lub rodzeństwo przeszli przed ukończeniem 60. roku życia udar mózgu lub zawał serca; toczeń, reumatoidalne zapalenie stawów lub inne problemy immunologiczne; cukrzycę, raka jajnika lub piersi; cierpieli na niepłodność lub zdarzyły im się poronienia?
- Czy Twoi rodzice i rodzeństwo żyją? Czy są zdrowi? Jeśli zmarli, co było przyczyną? Czy którykolwiek z twoich bliskich krewnych ma problemy z płodnością lub częste poronienia?
- Czy twoja matka przyjmowała DES[*], gdy była w ciąży z tobą? Czy twoje rodzeństwo miało jakieś problemy związane z płodnością, z zajściem w ciążę lub może zdarzyły im się poronienia?

---

[*] diethylstilbestrol – silny, syntetyczny estrogen stosowany do lat siedemdziesiątych

## Sposób odżywiania

- Czy Twoja dieta jest zrównoważona? Jak opisałabyś swój sposób odżywiania się – odżywiasz się dobrze, umiarkowanie czy źle? Czy twój apetyt jest dobry, umiarkowany czy słaby?
- Czy stosujesz jakieś ograniczenia dietetyczne (dieta wegetariańska, wegańska, makrobiotyczna, o niskiej zawartości tłuszczu, itp.)?
- Czy jadasz ryby? Jakie? Ile i jak często?
- Czy jadasz skorupiaki?
- Czy jadasz sushi, surowe ryby albo owoce morza? Czy jadasz surowe mięso, pijesz niepasteryzowane mleko?
- Czy jadasz mięso? Czy jadasz czerwone mięso?
- Czy jadasz mielonki i wędliny?
- Czy nie tolerujesz jakichś pokarmów?
- Ile kofeiny przyswajasz przeciętnie w ciągu dnia?
- Czy pijesz kawę i/lub herbatę? Jeśli tak, to ile?
- Czy pijesz alkohol? Jeśli tak, to jakiego rodzaju, ile i jak często?

### Także tatusiowie!

Jest sprawą niezmiernej wagi, aby przyszli tatusiowie także poddali się badaniom i dokonali pełnego przeglądu stanu swojego zdrowia. Około 40 procent wszystkich przypadków niepłodności można powiązać ze zdrowiem mężczyzny. Mniej więcej tyle samo wiąże się ze stanem zdrowia kobiet. Pozostałe 20 procent jest kombinacją czynników leżących zarówno po stronie mężczyzn, jak i kobiet lub dotyczy przypadków zaklasyfikowanych jako „niewyjaśnione". Wciąż jednak nie możemy się nadziwić, jak często kobiety szukają naszej pomocy, podczas gdy ich partnerzy nie zostali nigdy porządnie przebadani albo nawet wcale. Jeśli pojawia się nawet najmniejsze podejrzenie, że z plemnikami lub nasieniem jest coś nie w porządku, mężczyzna powinien udać się do lekarza wyspecjalizowanego w kwestiach męskiej płodności (np. do androloga), który przeprowadzi z nim pogłębiony wywiad lekarski i podda badaniu fizykalnemu.

Zacząć należy od badania nasienia, które pozwoli sprawdzić stan plemników, zarówno pod względem ich jakości, jak i ilości. Mężczyźni powinni również sprawdzić, czy nie występują u nich jakieś problemy hormonalne, wady anatomiczne, uniemożliwiające plemnikom osiągnięcie celu, a także czy wytwarzane przez nich plemniki są właściwie ukształtowane. Podobnie jak kobiety, mężczyźni powinni nawiązać współpracę z lekarzem, który przyjrzy się problemowi z każdej strony. Powinni odpowiedzieć na wiele takich samych pytań, jakie ja (Sami) zadaję swoim pacjentkom (oczywiście nie tych, które dotyczą miesiączki!) oraz na pytania dotyczące kwestii czysto męskich i męskiej anatomii.

## BADANIE 1, 2, 3...

Gdy już masz za sobą pogłębiony wywiad lekarski i badanie fizykalne, przyszła pora na dodatkowe badania, które powinny wskazać istotę problemu. Wywiad lekarski i badanie fizykalne w dużej mierze mają służyć właśnie ustaleniu dodatkowych badań i testów, którym powinnaś się poddać. Nie chodzi o to, abyś przechodziła jakieś niepotrzebne badania, ale o to, aby czasem nie przeoczyć jakiejś informacji, która może mieć istotne znaczenie.

Niektóre badania muszą zostać wykonane w określonych momentach twojego cyklu miesiączkowego, nie uda się więc załatwić wszystkiego za jednym razem, ani też w ciągu jednego dnia. Zaplanować badania trzeba jednak jak najszybciej. Jeśli wszystko dokładnie ustalisz ze swoim lekarzem, miesiąc lub dwa powinny wystarczyć, aby przejść wszystkie testy (w tym okresie możesz również realizować program „Jak się robi dzieci").

W trakcie lektury kolejnych rozdziałów dowiesz się, jakie badania i testy należy przeprowadzić w konkretnych sytuacjach. Zestaw testów może obejmować:

- **Test postkoitalny.** Zadaniem tego testu jest sprawdzenie, czy plemniki docierają do celu i czy są w stanie przeżyć podróż, którą rozpoczynają w efekcie naturalnie odbytego stosunku. Test ten może stać się dla ciebie ostrzeżeniem, że lubrykanty, których używasz lub pozycje, w których współżyjesz nie sprzyjają poczęciu, że masz tzw. wrogi śluz, który z różnych powodów nie traktuje przyjaźnie plemników (może to być wynik infekcji, kwasowości lub gęstości) albo też, że wytwarzasz przeciwciała, które atakują plemniki. W większości przypadków nieprawidłowości, które wychodzą na jaw w wyniku testu postkoitalnego dają się łatwo usunąć.
- **Badanie hormonów.** Badaniem powinny zostać objęte wszystkie istotne dla płodności hormony. W przypadku kobiet większość testów

powinna zostać przeprowadzona w konkretnych momentach ich cyklu miesiączkowego. Drugiego lub trzeciego dnia optymalnego dwudziestoośmiodniowego cyklu wykonaj badania hormonalne obejmujące stymulujący rozwój pęcherzyków folikulotropinę (FSH), estradiol, luteinę (LH), prolaktynę i stymulującą gruczoł tarczycy tyreotropinę (TSH). Gdzieś pomiędzy 21. i 25. dniem zbadaj sobie krew pod kątem poziomu progesteronu – lub, jeszcze lepiej, serię testów 21, 23. i 25. dnia. Również mężczyźni powinni zbadać swoje hormony, w tym folikulotropinę (FSH), luteinę (LH) i testosteron.

- **Badanie pod kątem problemów strukturalnych.** USG rejonu miednicy może ujawnić problemy anatomiczne. U kobiet może pojawić się potrzeba zrobienia zdjęcia rentgenowskiego macicy i jajowodów, znanego pod nazwą histerosalpingogram (HSG) lub w skrócie – histerogram. Należy go wykonać 7, 8. lub 9. dnia cyklu, gdy już ustanie krwawienie miesiączkowe, ale zanim zacznie się owulacja. Histeroskopia może pomóc poprzez wizualne przedstawienie wszelkich ewentualnych nieprawidłowości wewnątrz macicy. Może również okazać się potrzebne wykonanie ambulatoryjnego zabiegu laparoskopowego w celu przeprowadzenia oględzin różnych szczegółów narządów rejonu miednicy, których histerogram może nie pokazać. W przypadku mężczyzn wskazane może być wykonanie USG jąder lub badania genetycznego.
- **Badania immunologiczne lub chromosomowe.** Mogą pojawić się wskazania wykonania tych testów.
- **Posiewy.** Badania tego typu służą sprawdzeniu, czy żaden z parterów nie cierpi na zakażenia bakteryjne lub grzybicze.

## CO TERAZ?

Efektem szczegółowego badania powinno być postawienie diagnozy. Opis rozpoznanego u ciebie schorzenia przypuszczalnie znajdziesz na kartach kolejnych rozdziałów tej książki. Każdy podrozdział jest poświęcony konkretnemu problemowi zdrowotnemu, upośledzającemu płodność i zawiera wskazówki dotyczące najlepszych sposobów rozwiązania go we własnym zakresie, a także informację, jak zwykle podchodzą do tego lekarze. Niezależnie od tego, jaka nieprawidłowość zostanie u ciebie rozpoznana, rady zawarte w części 5, dostosowane do twojego typu płodności powinny ci dobrze posłużyć. Jeśli rozpoczęłaś już trzy-miesięczny „semestr zerowy" programu „Jak się robi dzieci", może się zdarzyć, że odnotujesz poprawę, jeszcze zanim zostaną zakończone wszystkie badania i będzie postawiona diagnoza, a ty będziesz gotowa rozpocząć kurację. W każdym razie będziesz dobrze przygotowana, aby wesprzeć zaplanowane leczenie.

## Jak się robi dzieci – plan działania

- Upewnij się, że przeprowadzono z tobą pogłębiony wywiad lekarski.
- Upewnij się, że zostałaś poddana pełnemu badaniu fizykalnemu.
- Zaplanuj wszystkie niezbędne badania lekarskie tak, abyś mogła je przejść w możliwie krótkim czasie i w odpowiednich momentach cyklu miesiączkowego.
- Upewnij się, że przyszły tatuś również poddał się szczegółowemu przeglądowi stanu zdrowia.
- Napraw lub obejdź wszystkie przeszkody na drodze ku płodności, jakie uda ci się odkryć.

# ROZDZIAŁ 14

## Zagadnienia hormonalne i endokrynologiczne

Tak w przypadku mężczyzn, jak i kobiet warunkiem osiągnięcia pełnej płodności jest zestrojenie działania wszystkich hormonów i skłonienie ich do zgodnej współpracy. Wiele hormonów powszechnie uważanych za „męskie" bądź „kobiece" w rzeczywistości służy obu płciom, pełniąc w ich ciałach ważne role. W tym rozdziale omawiamy najczęstsze zaburzenia hormonalne, z jakimi borykają się osoby mające kłopoty z płodnością. Zaburzenia prezentowane są w kolejności od najbardziej pospolitych do rzadziej spotykanych. Zamieszczony na końcu rozdziału plan działania zbiera w jednym miejscu informacje o badaniach medycznych, które dołączyliśmy do każdego z podrozdziałów.

### KOBIETY
#### Defekt fazy lutealnej (LPD)

Faza lutealna, która trwa mniej niż dwanaście dni jest zbyt krótka, aby endometrium zdążyło wystarczająco się rozwinąć i przygotować na przyjęcie zapłodnionego jajeczka. Zjawisko to, znane pod nazwą defektu fazy lutealnej (LPD), jest częstym zaburzeniem endokrynologicznym, które dotyka znaczną liczbę kobiet, mających problemy z zajściem w ciążę i ponad jedną trzecią kobiet borykających się z nawracającym wczesnym poronieniem.

Jednym ze wskaźników defektu LPD jest niski poziom progesteronu. Jednak nawet jeśli masz całkowicie normalną 12–14-dniową fazę lutealną, ilość progesteronu w twoim organizmie może być niewystarczająca. Rezultat jest identyczny: poziom progesteronu jest zbyt niski i endometrium nie może się rozwijać, ani też prawidłowo funkcjonować. Niektóre badania wskazują, że defekt fazy lutealnej może również przekładać się na słaby rozwój pęcherzyków i zbyt niski poziom folikulotropiny (FSH) i luteiny (LH).

Bardzo wczesna owulacja (przed dniem 10) lub bardzo późna owulacja (po dniu 20) może oznaczać, że cierpisz na defekt fazy lutealnej. Innymi oznakami wskazującymi na LPD są plamienie przed menstruacją oraz objawy typowe dla menopauzy. Objawy te mogą jednak być wynikiem także innych problemów, więc choć należy je brać pod uwagę, nie należy na nich nadmiernie polegać.

Jeśli lekarz podejrzewa LPD, powinien to podejrzenie zweryfikować korzystając z jednego z poniższych sposobów:

• Przeprowadzić w trakcie jednego cyklu serię testów poziomu progesteronu – 7., 9. i 11. dnia po owulacji (w typowym, 28-dniowym cyklu są to dni 21., 23. i 25.).

• Zbadać stężenie prolaktyny (podwyższenie stężenie prolaktyny może powodować niedostatek progesteronu).

• Zbadać czynność tarczycy poprzez wykonanie testu krwi na TSH (hormon tyreotropowy).

• Sprawdzić po kątem występowania zespołu policystycznych jajników (PCOS) poziom cukru we krwi na czczo (FBS), insuliny, luteiny (LH) i folikulotropiny (FSH). (Defekt fazy lutealnej najczęściej występuje w powiązaniu z PCOS.)

Czasami zalecane jest wykonanie USG pochwy. Choć za pomocą tego badania można ustalić grubość endometrium, nie jest ono wystarczające, aby rozpoznać defekt fazy lutealnej (LPD). W przeszłości do diagnozowania w kierunku LPD stosowano biopsję endometrium, jednak obecnie lekarze rzadko odwołują się do tej metody, bowiem może być bolesna dla pacjenta i jest stosunkowo kosztowna.

Ważną sprawą jest, aby badać progesteron na przestrzeni kilku dni, bowiem uznanie go za „wysoki" czy też „niski" jest sprawą subiektywną. Badanie jednodniowe może co najwyżej potwierdzić, że organizm wytwarza progesteron. Aby poznać trend czy kierunek rozwoju sytuacji, badanie należy powtórzyć trzykrotnie w różne dni. W przypadku gdy poziom progesteronu okaże się niski, należy podać progesteron uzupełniający.

Jeśli to nie wystarczy, skuteczny może okazać się klomifen (Clomid) – lek wspomagający płodność poprzez stymulowanie rozwoju pęcherzyków. Pomocne może być również ustalenie przyczyny niskiego progesteronu. Na liście podejrzanych figurują zazwyczaj stres, zaburzenia tarczycy i wysoki poziom prolaktyny.

## Medycyna chińska

Medycyna chińska uważa, że LPD narusza równowagę całego cyklu, a nie tylko fazy lutealnej. Medycyna zachodnia zgadza się z tym podejściem, gdy łączy interwencję w fazie lutealnej (podanie progesteronu) z interwencją w fazie folikularnej i w momencie owulacji (podanie klomifenu). Fazą lutealną zarządza energia yang, która rozwija się z dominującej w fazie folikularnej energii yin. Przemiana yin w yang dokonuje się poprzez wzbudzenie przepływu qi oraz krwi w chwili owulacji. Jeśli w dowolnym momencie cyklu powstanie przerwa w tym przepływie, może ona spowodować wystąpienie defektu fazy lutealnej (LPD). Zbyt mała ilość yin w pierwszej połowie cyklu prowadzi do zbyt małej ilości yang w drugiej połowie (typowe dla kobiet o Bladym i Suchym typie płodności). Zastój qi oraz krwi podczas owulacji może spowolnić przemianę yin w yang (typowe dla kobiet o Zablokowanym typie płodności). Może też po prostu wystąpić niedobór yang (typowe dla kobiet o Zmęczonym typie płodności).

Gdy problem z dynamiką zostanie już zidentyfikowany, można przepisać odpowiednią kurację ziołową lub zabiegi akupunktury.

## Pomóż sobie sama

• Wypróbuj jagody niepokalanka mniego w celu wydłużenia fazy lutealnej: przyjmuj 16 kropli roztworu (lub według instrukcji na opakowaniu) dwa razy dziennie; rozpocznij dzień po owulacji i kontynuuj do rozpoczęcia miesiączki. Kuracja ta jest szczególnie skuteczna, jeśli przejście od szczytu luteinowego do owulacji następuje u ciebie powoli.

• Wypróbuj liść czerwonej maliny (w postaci herbaty lub nalewki), aby poprawić przepływ krwi do macicy. (Przerwij, gdy zajdziesz w ciążę.)

• Skonsultuj się ze specjalistą od medycyny chińskiej w sprawie terapii ziołowej i zabiegów akupunktury.

## Zespół policystycznych jajników (PCOS)

Zaburzenia polegające na braku owulacji (anowulacji) należą do najczęstszych przyczyn niepłodności kobiet. Około 15 procent przypadków niepłodności jest następstwem jakiegoś problemu w układzie hormonalnym, który powoduje anowulację. Oczywiście, jeśli cierpisz na anowulację – a więc pęcherzyk nie uwalnia jajeczka w połowie cyklu – nie będziesz mogła zajść w ciążę.

Do anowulacji najczęściej prowadzi zespół policystycznych jajników. Jest on przy tym najczęstszą przyczyną niepłodności kobiet na tle hormonalnym. Cierpi na niego około 10 procent kobiet. PCOS często występuje w powiązaniu z defektem fazy lutealnej.

W przypadku zespołu policystycznych jajników dysfunkcja hormonalna sprawia, że jajniki nie są w stanie doprowadzić jajeczka do pełnej dojrzałości. Pęcherzyki zaczynają się rozwijać i wypełniać płynem, ale żaden z nich nie rozwinie się na tyle, aby mogło dojść do uwolnienia jajeczka. Nie ma owulacji i ciąża nie jest możliwa. Tymczasem niektóre pęcherzyki – te, które nie rozwinęły się do końca – przekształcają się w maleńkie napełnione płynem komory, znane pod nazwą torbieli lub cyst. Bez progesteronu, który zostałby wytworzony przez dojrzałe pęcherzyki, menstruacja staje się nieregularna lub nawet ustaje całkowicie. Co gorsza, torbiele produkują androgeny, nazywane hormonami męskimi (choć wytwarzane są również przez ciało kobiety), które mogą wstrzymać owulację. Jest to więc błędne koło.

Niektóre kobiety z zespołem policystycznych jajników są przekonane, że przechodzą owulację, ponieważ zgodnie z oczekiwaniami wystąpił u nich wzrost luteiny (LH). Jednak wzrost poziomu luteiny jest wynikiem wysokiego poziomu androgenów. Androgeny z cyst wysyłają zafałszowane sygnały do układu hormonalnego, czego efektem jest wzrost poziomu estrogenu. Podwyższony estrogen powoduje wzrost ilości luteiny, ale tak naprawdę nie dochodzi do uwolnienia żadnego jajeczka.

Niektóre kobiety z zespołem policystycznych jajników (PCOS) przechodzą owulację, tyle że w bardzo późnym momencie swojego cyklu. Może to sprawić, że jakość jajeczka będzie obniżona. Jeśli kobietom tym uda się począć, ciąży towarzyszy zwiększone ryzyko poronienia, związane z niskim poziomem progesteronu lub złą jakością jajeczka. Niektóre z nich nie reagują dobrze na leki stymulujące płodność. W niektórych przypadkach owulację udaje się wymusić, ale jakość uwolnionego ja-jeczka nie ulegnie poprawie. Kobiety cierpiące na PCOS i używające leków na płodność muszą liczyć się również z możliwością wystąpienia zespołu hiperstymulacji jajników (OHSS), choćby ze względu na samą liczbę pęcherzyków, które w jajnikach oczekują na impuls stymulujący.

U części kobiet nie występują żadne symptomy związane z PCOS. Ich cykl może być nieco nieregularny, ale nadal dochodzi do owulacji. Choć poczęcie może im zająć nieco więcej czasu, z reguły zachodzą w ciążę bez podejmowania jakichś szczególnych starań. Większość kobiet cierpiących na PCOS ma nieregularne bądź zanikające miesiączki, które pogłębiają trudności związane z zajściem w ciążę. Wiele z nich boryka się ze wzrostem owłosienia w niepożądanych miejscach (twarz, dolna część brzucha, klatka piersiowa) lub trądzikiem. U większości wystę-puje wysoki poziom lipidów we krwi (w tym cholesterolu), co może doprowadzić w przyszłości do wystąpienia chorób sercowo-naczynio-wych. Duża część ma problem z kontrolowaniem wagi; połowa z nich to kobiety otyłe. Ich sylwetka przypomina jabłko – masa ma tendencję do gromadzenia się w połowie ciała, co jest odbiciem podwyższonego poziomu androgenów.

Problemy z wagą często są u tych kobiet pochodną insulinooporności – zaburzenia przetwarzania przez ciało cukru (homeostazy glukozy). Może to doprowadzić do zaburzenia równowagi hormonalnej, a tym samym zakłócić funkcjonowanie jajników oraz cykl miesiączkowy. Insuli-na jest hormonem wykorzystywanym przez organizm do przetwarzania w energię zawartych w pożywieniu cukrów. Insulinooporność oznacza, że organizm przestał reagować na ten hormon. Podczas gdy trzustka produkuje go coraz więcej, podejmując bezskuteczne próby wypełnienia swojego zadania, poziom cukru we krwi stale się podnosi, gdyż insulina nie jest w stanie go przetwarzać.

Gdy masz problem z PCOS, najlepszymi domowymi strategiami prowadzącymi do zwiększenia płodności są: zdrowo się odżywiać i uprawiać ćwiczenia w celu kontrolowania wagi. Nasze rekomenda-cje dietetyczne dla kobiet z zespołem policystycznych jajników znacz-nie odbiegają od zwyczajowo udzielanych porad. Również w tym przypadku zalecamy jednak spożywanie warzyw, owoców, pełnych zbóż i chudego białka. Niezależnie od innych pożytecznych właściwo-ści, poprawiają one sposób, w jaki organizm wykorzystuje insulinę, wspomagają przetwarzanie cukrów, a także stabilizują poziom cukru i hormonów we krwi. W dalszym ciągu namawiamy też do zrezygnowania z niezdrowych pokarmów o niskiej wartości odżywczej (junk food), żywności wysoko przetworzonej, a także do ograniczenia spożycia cukru. Dla kobiet z PCOS najlepsza będzie dieta niskowęglowodanowa. Powinny więc znacznie ograniczyć węglowodany, nawet te zdrowe, zawarte w produktach pełnoziarnistych, a spożywać więcej białka i zdrowych tłuszczy. W innych okolicznościach nie byłaby to może najodpowiedniejsza dieta, aby zajść w ciążę, ale – jeśli chodzi o kobiety z tym konkretnym problemem – daje dobre rezultaty.

---

**Studium przypadku: Sandra**

Sandra ma PCOS, ale jej wygląd tego nie zdradza: ma jasną skórę, jest wysoka i szczupła, nie ma jednego zbędnego kilograma, ani też nawet cienia włosów gdziekolwiek poza pięknie uczesaną głową. Jest redaktorką w czasopiśmie poświęconym modzie i wygląda tak, jak wymaga tego jej praca. Bardzo się stara, żeby dobrze wyglądać; codziennie ćwiczy i jest bardzo zdyscyplinowana, jeśli chodzi o to, co i w jakiej ilości wkłada do ust.

Kiedy jednak Sandra chciała zajść w ciążę, napotkała te same trudności, co wszystkie kobiety z zespołem policystycznych jajników. Ponieważ jednak utrzymywała poziom insuliny pod kontrolą, odżywiając się zgodnie z zaleceniami diety Atkinsa, która dopuszcza bardzo niewiele węglowodanów – niewielka dawka leku okazała się wystarczająca, aby wywołać u niej owulację. Wkrótce potem Sandra poczęła.

---

Wielu kobietom z zespołem policystycznych jajników odżywianie się w opisany sposób i uczestniczenie w programie „Jak się robi dzieci" (który jest odpowiednio dopasowany do konkretnego typu płodności) zupełnie wystarczy, aby zajść w zdrową ciążę. (Większość kobiet cierpiących na PCOS może zajść w ciążę w sposób naturalny.) Ponieważ PCOS ma dwa oblicza – insulinooporność i hiperandrogenizm – leczenie powinno zostać dostosowane do tego z nich, które w danym przypadku dominuje.

Jeśli cierpisz na zespół policystycznych jajników lub jeśli obawiasz się, że może cię ten problem dotyczyć, zbadaj sobie poziom testosteronu i DHEA-S (siarczan dehydroepiandrosteronu – badanie na podwyższony poziom androgenów), a także poziom cukru we krwi na czczo (FBS) i poziom insuliny. Większość kobiet z PCOS w jednym badaniu uzyska wyniki w granicach normy, a w innym – wysoki. Obraz ultrasonograficzny może ujawnić liczne pęcherzyki ułożone obwodowo pod torebką jajnika, które tworzą tzw. sznur pereł – znak rozpoznawczy PCOS.

Jeśli twój poziom androgenów jest powyżej normy, najlepszym dla ciebie rozwiązaniem będzie prawdopodobnie przyjęcie stymulującego owulację klomifenu wraz z deksametazonem, łagodnym sterydem, który ma za zadanie obniżyć poziom hormonów męskich. Do pobudzenia owulacji można również użyć gonadotropin, jednak takie leczenie jest droższe, wiąże się z możliwością ciąży mnogiej i hormony te muszą zostać wprowadzone do organizmu poprzez iniekcję.

---

**Studium przypadku: Lana**

U Lany PCOS zdiagnozowano wiele lat temu, wiedziała więc, że gdy przyjdzie czas na dzieci, może potrzebować dodatkowej pomocy. Przez rok przyjmowała Clomid i co miesiąc przechodziła owulację, jednak nie mogła zajść w ciążę. Jej lekarz nie miał żadnego pomysłu na dalszą terapię, więc przyszła do mnie (Sami).

Mój plan terapii uzależniony był od tego, jak odpowie na jedno proste pytanie: czy rosną Ci włosy w jakichś nietypowych miejscach? Nie zauważyłem żadnego owłosienia na jej twarzy, ale kiedy zapytałem, Lana poskarżyła się na włosy wokół sutków i na dolnej części brzucha. Jest to typowa oznaka nadmiaru „męskich" hormonów. Przepisałem jej bardzo niewielką dawkę leku sterydowego. Miała go zażywać tego samego dnia, którego przyjmowała Clomid. Zadaniem tego leku było stłumić działanie androgenów, które utrudniały poczęcie. Sposób okazał się skuteczny... i to nie jeden raz: Lana urodziła sześcioro dzieci, jedno po drugim!

---

Jeśli poziom insuliny jest bardzo wysoki (insulinooporność), lepszy wynik może dać metformina (preparat Glucophage), doustny lek często stosowany w leczeniu cukrzycy typu 2. Kontroluje ilość insuliny poprzez zwiększenie wrażliwości na nią, czego konsekwencją jest obniżenie poziomu cukru we krwi. W ten sposób można wyeliminować negatywne skutki zbyt dużej ilości insuliny, w tym także zaburzenia owulacji. Metformina powinna również dopomóc ci w obniżeniu wagi ciała. (Najlepiej jednak działa wraz ze zmniejszeniem ilości przyjmowanych kalorii.) Twój poziom estrogenu powinien być monitorowany w trakcie całego cyklu, aby mieć pewność, że ciało reaguje na metforminę w sposób, który pozwala jajeczku rozwijać się. Jeśli nie przechodzisz owulacji, możesz zwiększyć swoje szanse na ciążę, wykonując zalecenia zawarte w rozdz. 2. Jeśli stężenie estrogenu nie wzrasta i nie masz dowodu na to, że owulujesz – począwszy od następnego cyklu możesz zacząć przyjmować również klomifen.

---

**Studium przypadku: Melanie**

Melanie była od ponad roku pod opieką dobrego lekarza specjalizującego się w kwestiach niepłodności. Kilkakrotnie próbowała zażywać Clomid, a także przyjmowała wspomagające płodność leki w zastrzykach. Wszystko to jednak nie dało oczekiwanych rezultatów. Kiedy przeniosła się do Nowego Jorku i musiała poszukać sobie nowego lekarza, trafiła do mojego (Sami) gabinetu. Pierwszą rzeczą, jaką zrobiłem, było skierowanie jej na badanie insuliny, gdyż wcześniej badanie takie nie zostało wykonane. Ponieważ miała problem z jajeczkowaniem, jej poprzedni lekarz starał się przede wszystkim wymusić owulację i na tym się skupił. Jednak jej bardzo wysoki poziom insuliny podpowiedział mi, że Melanie cierpi na insulinooporność, więc wycofałem Clomid, a zamiast niego przepisałem metforminę, aby ustabilizowała poziomu cukru we krwi. W ciągu dwóch miesięcy Melanie zaszła w ciążę i to bez leków stymulujących płodność.

---

Zanim zajmiemy się postrzeganiem PCOS przez medycynę chińską i sposobami pomagania sobie we własnym zakresie, chcielibyśmy uczulić cię na potrzebę leczenia zespołu policystycznych jajników – nawet jeśli twój problem z płodnością został już rozwiązany. PCOS ma długotrwały wpływ na zdrowie. W porównaniu z kobietami o tej samej masie ciała, ale nie cierpiącymi na to schorzenie, PCOS podwyższa ryzyko cukrzycy, nadciśnienia tętniczego i chorób serca w młodym wieku. Za tym idą wszystkie zagrożenia, których źródłem jest nadwaga, często towarzysząca PCOS. Zbyt często zarówno lekarz, jak i pacjent uważają płodność za główne zmartwienie i gdy już się z nim uporają, przechodzą do porządku dziennego nad innymi problemami, postrzeganymi jako mniej istotne.

### Medycyna chińska

Uważa się, że PCOS najczęściej występuje u kobiet Nasiąkliwego typu płodności, a w szczególności, jeśli typ Nasiąkliwy łączy się z typem Zmęczonym. Zdarza się jednak również u kobiet reprezentujących inne typy, na przykład typ Zablokowany. Medycyn chińska uważa torbiele na jajnikach za efekt zastoju spowodowanego przez słaby metabolizm płynów. Tak jak w przypadku innych zastoi, może on utrudniać owulację i wydłużać fazę folikularną albo też całkowicie zahamować owulację.

Akupunktura uspokaja układ współczulny i odpręża układ neuroendokrynny. Pomaga w ten sposób ustabilizować system hormonalny, co doprowadza w końcu do normalnej owulacji.

Zabiegi akupunktury przepisane w celu wywołania owulacji mogą być używane z innymi lekami lub zamiast nich. Badania kliniczne w Chinach wykazały, że niektóre chińskie zioła są bardziej skuteczne w wywoływaniu owulacji u osób z PCOS niż metformina – lek stabilizujący poziom cukru we krwi. Dowiedziono, że niektóre zioła zmniejszają torbiele, zwłaszcza w połączeniu z ziołami pobudzającymi przepływ krwi i wspomagającymi owulację w ramach formuły leczącej źródło choroby.

---

**Studium przypadku: Carolyn**

Ponieważ Carolyn miała PCOS, a jeden z jej jajowodów był zablokowany, nie była zaskoczona faktem, że trudno jej zajść w ciążę. Ale po pięciu latach próbowania i kilku próbach zapłodnienia in vitro zaczęła się już naprawdę martwić.

Na początek zaleciłam jej zioła i akupunkturę, aby uregulować u niej okres i doprowadzić do owulacji. Mając na względzie insulinooporność, która towarzyszy PCOS, zasugerowałam przejście na dietę bardzo ubogą w węglowodany. Zaleciłam jej też całkowite odstawienie kawy i alkoholu. Na przestrzeni sześciu miesięcy ogólny stan zdrowia Carolyn stale się poprawiał. Uważnie śledziła swój uregulowany już cykl, co pozwoliło jej i mężowi dokładnie zaplanować pożycie. Musieli chyba to zrobić dobrze, bo wkrótce potem, już bez żadnej pomocy, zaszła w ciążę.

---

**Pomóż sobie sama**

- Zrzuć zbędne kilogramy, jeśli tylko jest taka potrzeba. Badania dowodzą, że w przypadku kobiet z zespołem policystycznych jajników pozbycie się 10 procent masy ciała może przywrócić normalną owulację.
- Ogranicz spożycie tłuszczów zwierzęcych i zwiększ ilość niezbędnych nienasyconych kwasów tłuszczowych (NNKT).
- Włącz w swoją dietę szeroką gamę owoców, warzyw oraz niskotłuszczowe źródła białka, takie jak kurczaki, ryby i fasola.
- Ustabilizuj cukier we krwi, ograniczając spożycie węglowodanów. Nie rezygnuj całkowicie z węglowodanów, gdyż mogłoby to obniżyć poziom serotoniny i wywołać poczucie przygnębienia. Jedz zdrowe węglowodany zawarte w produktach pełnoziarnistych.

- Zażywaj suplementy zawierające N-Acetyl Cysteinę (NAC). NAC pomoże ci obniżyć poziom wolnego testosteronu, cholesterolu, trójglicerydów w osoczu, lipoprotein o niskiej gęstości i insuliny.
- Spożywaj dużo przeciwutleniaczy zarówno w postaci pokarmów, jak i suplementów. Leczą one stany zapalne, które PCOS może zaostrzać.
- Regularnie ćwicz, aby poprawić swój metabolizm. Staraj się zapewnić sobie co dzień pół godziny energicznego marszu (lub jego ekwiwalent).
- Ćwicz zarządzanie stresem. Stres pobudza produkcję hormonów, w tym testosteronu, zaostrzając objawy PCOS. Wypróbuj jogę, medytację lub ciepłą kąpiel.
- Wypróbuj fałszywy korzeń jednorożca*.
- Jeśli potrzebujesz pomocy w przywróceniu owulacji, zwróć się do specjalisty od akupunktury. Europejskie badania wykazały, że prawie jedna trzecia kobiet cierpiących na PCOS leczonych akupunkturą zaczyna ponownie owulować. Akupunktura przywraca równowagę hormonów takich jak LH, FSH i testosteron, stwarzając warunki do normalnej owulacji.
- Odwiedź specjalistę medycyny chińskiej i poproś go o przepisanie odpowiedniego dla ciebie preparatu ziołowego, który – odpowiednio dobrany do twoich potrzeb – zmniejszy torbiele lub też przywróci równowagę hormonalną.
- Kontynuuj terapię przez co najmniej trzy miesiące, zanim podejmiesz próby zajścia w ciążę. Pęcherzyki w nadmiernym stopniu poddane działaniu androgenów będą złej jakości, co zwiększy ryzyko poronienia.

## Przedwczesna niewydolność jajników (POF)

Szacuje się, że na przedwczesną niewydolność jajników (POF) cierpi około 1 procent kobiet, ale my (Sami i Jill) z przypadkami tego schorzenia mamy regularnie do czynienia i wydaje nam się, że występuje ono coraz częściej. Przedwczesna niewydolność jajników polega na tym, że normalne funkcjonowanie jajników ustaje u kobiet poniżej

---

* łac. *Chamaelirium luteum*; ang. false unicorn root – do celów leczniczych używany jest korzeń rośliny

40. roku życia. Albo dużo za wcześnie wyczerpuje się u nich zapas jajeczek, albo też jajeczka nie reagują na folikulotropinę (FSH) i nie dojrzewają. Tak czy inaczej, obniża się u nich poziom estrogenu, ponieważ pęcherzyki przestają uwalniać ten hormon. POF w dużym stopniu przypomina menopauzę; gdy poziom estrogenu obniża się, pojawiają się symptomy zazwyczaj kojarzone z menopauzą, takie jak brak miesiączki, uderzenia gorąca, nocne poty, problemy ze snem, wahania nastroju, suchość pochwy i niski popęd płciowy. Niemal wszystkim kobietom cierpiącym na POF jest niezmiernie trudno zajść w ciążę.

Wystąpienie przedwczesnej niewydolności jajników jest zwykle rozpoznawane i ostatecznie potwierdzane na podstawie badania krwi pod kątem poziomu estrogenu i folikulotropiny (FSH). W przypadku tego schorzenia poziom estrogenu będzie bardzo niski, natomiast FSH – podwyższony. Normalny poziomu FSH to 5 do 12 mIU/ml. U kobiet cierpiących na POF, FSH często przekracza 40 mIU/ml (a więc wynosi tyle, ile w przypadku naturalnej menopauzy). Jajniki przestają reagować na FSH wytwarzaniem estrogenu (i produkowaniem zapłodnionych jajeczek), a więc poziom estrogenu obniża się. Tymczasem ciało wciąż oczekuje odpowiedzi zwrotnej i wytwarza coraz więcej FSH. Przyczyny POF są często niejasne. W niektórych przypadkach jest to schorzenie dziedziczne – od 10 do 20 procent kobiet cierpiących na POF miało przypadki tej choroby w swoich rodzinach. POF może mieć również tło genetyczne; przyczyną schorzenia może być zespół Turnera lub też zespół łamliwego chromosomu X. Przedwczesna niewydolność jajników może powstać również w wyniku infekcji, takiej choćby jak zapalenie narządów miednicy mniejszej (PID). Czasem POF występuje w powiązaniu z chorobą autoimmunologiczną, taką jak cukrzyca czy dysfunkcja tarczycy, a czasem kojarzona jest z zaburzeniem funkcjonowania gruczołów wydzielania wewnętrznego (wytwarzających hormony). Przedwczesna niewydolność jajników może też pojawić się w wyniku chemioterapii i radioterapii, które stosowane są w leczeniu raka. Wreszcie, może być też powodowana przez rozmaite zabiegi chirurgiczne wykonywane w obrębie miednicy. Oczywistym powodem POF jest usunięcie jajników.

W leczeniu przedwczesnej niewydolności jajników z reguły stosuje się hormonalną terapię zastępczą (HTZ). Stosując ją, można kontrolować objawy i reagować na wykryte zagrożenia, takie jak choroba serca czy osteoporoza, ale nie uda się przywrócić płodności. Nie uda się tego dokonać żadną metodą z obszaru medycyny konwencjonalnej. Cierpiącym na POF kobietom, które pragną zajść w ciążę najczęściej proponuje się wykorzystanie jajeczka pobranego od dawcy.

Warto zapamiętać, że blisko 10 procent spośród kobiet cierpiących na POF, które chcą zajść w ciążę, może tego dokonać własnymi siłami. Udawało mi się (Sami) do tego doprowadzić poprzez podanie małej dawki estrogenów, które osłabiały działanie folikulotropiny (FSH). Po takiej terapii następuje wzrost poziomu estrogenu i – jeśli tylko w jajnikach są jeszcze pęcherzyki – dochodzi do udanej owulacji.

### Medycyna chińska

Najbardziej zagrożone zachorowaniem na przedwczesną niewydolność jajników (POF) są kobiety reprezentujące Suchy typ płodności. Diagnoza zazwyczaj wspomina o spowodowanym ciepłem niedoborze yin. Niedobór yin wywołuje wiele takich samych objawów jak POF: nocne poty, uderzenia gorąca, suchość pochwy czy też rzadko pojawiające się miesiączki lub nawet ich brak.

## Studium przypadku: Karen

Karen była nieco po trzydziestce i od roku próbowała zajść w ciążę. Gdy trafiła do mnie (Jill) skarżyła się na nieregularny cykl menstruacyjny, krótkie i lekkie miesiączki, bezsenność, niepokój, nocne poty, uderzenia gorąca, suchość pochwy i nieustanne pragnienie. Wszystkie te objawy są nietypowe dla kobiety w jej wieku, więc poradziłam, aby zamówiła sobie wizytę u swojego ginekologa, który sprawdzi jej poziom hormonów. Badanie krwi wykazało, że Karen ma niski poziom estrogenu i wysoki folikulotropiny (FSH). Lekarz wyjaśnił, że przechodzi przedwczesną menopauzę (miała POF) i zaproponował jej hormonalną terapię zastępczą (HTZ) w celu złagodzenia objawów. Powiedział, że jej jedyną szansą na ciążę jest skorzystanie z jajeczek pobranych od dawcy. Uznałam jednak, że mogę jej pomóc. Karen miała jeszcze pęcherzyki, a poziom FSH nie był zbyt wysoki. Byłam z nią szczera. Mogłam złagodzić przykre objawy POF, ale nie mogłam zagwarantować, że medycyna chińska pomoże jej zajść w ciążę. Postanowiłyśmy, że zanim Karen podejmie decyzję o poddaniu się HTZ czy też skorzystaniu z jajeczek pobranych od dawcy, przez sześć miesięcy będzie stosowała metody medycyny chińskiej. Przepisałam jej zioła, których zadaniem było zasilenie yin i odprowadzenie z jej ciała nadmiernego ciepła, przy czym celem tej terapii było dopomóc organizmowi w wytwarzaniu estrogenu. Karen zwiększyła ilość soi w swoich posiłkach, aby wykorzystać jej estrogenne właściwości i zaczęła przyjmować suplement zawierający niezbędne nienasycone kwasy tłuszczowe. Po trzech miesiącach poczuła, że ma w sobie mniej ciepła, zaczęła lepiej spać, a jej nastrój uległ poprawie – były to sygnały, że poziom estrogenu rośnie. Wtedy, zaleciłam jej cotygodniowe zabiegi akupunktury. Pod koniec szóstego miesiąca, jej cykl stał się bardziej regularny, a Karen zaczęła owulować. Zachęcone osiągniętymi wynikami, postanowiłyśmy nie przerywać terapii. Po kolejnych sześciu miesiącach Karen w końcu poczęła. Niestety, w szóstym tygodniu ciąży nastąpiło poronienie. Karen zdecydowała się jednak kontynuować współpracę ze mną i pięć miesięcy później ponownie zaszła w ciążę. Tym razem wszystko poszło dobrze i wydała na świat piękną dziewczynkę.

Zioła mogą wspomóc produkcję hormonów. Gdy już poziom hormonów unormuje się, akupunktura może wesprzeć owulację, aktywizując uśpione pęcherzyki. Jeśli jednak pęcherzyków nie ma ani akupunktura, ani zioła nic już na to nie poradzą.

### Pomóż sobie sama

- Niezależnie od stosowania się do zaleceń sformułowanych z myślą o osobach o Suchym typie płodności (patrz rozdz. 21), które szczególnie często zapadają na POF – w sprawach doraźnej pomocy medycznej konsultuj się ze swoim lekarzem.

- Zwróć się do specjalisty od medycyny chińskiej, aby pomógł ci podwyższyć poziom estrogenu.
- Weź pod uwagę akupunkturę jako sposób na pobudzenie owulacji.

**Wczesna utrata ciąży**

Niektóre kobiety są przekonane, że mają problemy z zajściem w ciążę, gdy tymczasem w rzeczywistości w ciążę zachodzą, ale następuje u nich bardzo wczesne poronienie – tracą ciążę, zanim się o niej dowiedzą. Dochodzi do poczęcia, rozpoczyna się proces zagnieżdżenia zapłodnionego jajeczka, ale ciąża nie rozwija się prawidłowo. Choć ciało wytwarza chemiczny wskaźnik ciąży – ludzką gonadotropinę kosmówkową (HCG), ciąża nie jest odpowiednio umocowana i organizm jej nie jest w stanie utrzymać. Okres przychodzi mniej więcej w tym samym czasie, co zazwyczaj lub parę dni później. Ten rodzaj bardzo wczesnego poronienia medycyna czasem nazywa ciążą chemiczną.

Ciąże chemiczne są dość powszechne. Nawet, jeśli wszystkie układy w organizmie działają jak należy, a plemnik znajduje drogę do jajeczka, wciąż jeszcze może zaistnieć wiele powodów, dla których proces poczęcia zakończy się fiaskiem. Mogą to być, na przykład nieprawidłowości związane z plemnikiem, jajeczkiem lub zarodkiem, potknięcia hormonalne, infekcje czy też problemy związane z endometrium, czy budową macicy. Nie ma nic nienormalnego w tym, że zarodek nie może rozwijać się lub zagnieździć, czy też bez wyraźnego powodu przestaje rosnąć. Jest to element naturalnego planu, zgodnie z którym najważniejsze jest, aby oszczędzać zasoby na prawidłową, zdrową ciążę. To właśnie dlatego lekarze nie przejmują się, gdy młode, zdrowe kobiety potrzebują nawet roku, aby zajść w ciążę.

Jakiś czas temu pewnie nigdy nawet nie dowiedziałabyś się o tym, że przeszłaś chemiczną ciążę. Obecnie dysponujemy bardzo czułymi testami ciążowymi, które powiedzą ci, że jesteś w ciąży, jeszcze zanim zorientujesz się, że nie masz okresu. Tym samym dowiadujesz się, że ciąża skończyła się niepowodzeniem.

Jeśli zdarza się to często, lekarz może pomóc ci w wyjaśnieniu powodów tej sytuacji, tak aby można było pomyśleć o leczeniu. Pierwszym krokiem jest ustalenie, czy rzeczywiście dochodzi u ciebie do wczesnych poronień. Najważniejsze to poddać się ciążowemu testowi z krwi, gdy twój okres opóźnia się dzień lub dwa. Testy krwi mogą wykryć ciążę już dziesięć dni po owulacji. Jeśli twój okres zaczyna się zgodnie z oczekiwaniami, ale pomimo to czujesz się jakoś inaczej (lub też jeśli twój cykl jest nieregularny, a ty czujesz się inaczej), również powinnaś wykonać test krwi, który powie, czy jesteś w ciąży. Najlepiej to zrobić trzy do czterech dni przed spodziewanym początkiem okresu.

Większość kobiet jest w stanie wyczuwać objawy ciąży od najwcześniejszych chwil, nawet jeśli nie poświęcają temu szczególnej uwagi, bądź więc wyczulona na wszelkie odstępstwa od normy – oczywiście, twojej normy. W szczególności zwróć uwagę na obrzmienie piersi lub tkliwość brodawek, częstsze oddawanie moczu w dzień, a zwłaszcza w nocy, nienaturalne zmęczenie późnym popołudniem lub wieczorem, zmiany w odczuwaniu zapachów lub smaków (niektóre kobiety, gdy pierwszy raz zajdą w ciążę czują metaliczny smak w ustach). Większość opisanych tu objawów może przypominać symptomy zespołu napięcia przedmiesiączkowego (PMS), jednak jeśli ich intensywność jest większa lub trwają dłużej niż zwykle, mogą zwiastować ciążę. Bądź jednak czujna – pamiętaj, że objawy, które u siebie dostrzegasz mogły zostać wywołane przez zupełnie inne okoliczności. Na przykład zwiększona tkliwość piersi mogła zostać spowodowana wyjątkowo dużą ilością kofeiny, jaką w tym miesiącu zaaplikowałaś swojemu organizmowi.

Gdy już wiesz na pewno, że dochodzi u ciebie do poczęcia, po czym nie możesz utrzymać ciąży, twój lekarz powinien spróbować ustalić przyczynę tego stanu. Zazwyczaj podejrzenia kierują się w stronę niskiego progesteronu (poniżej 15 ngm/ml) lub defektu fazy lutealnej (LPD), niezadawalającego endometrium lub infekcji u któregoś z partnerów. Brane pod uwagę są również mięśniaki macicy, blizny, polipy endometrium, zaburzenia genetyczne i komórki NK*. Udało mi się (Sami) wyleczyć wielu pacjentów stosując kombinację progesteronu, który ma za zadanie podtrzymanie fazy lutealnej i endometrium z antybiotykami, których celem jest zwalczanie infekcji.

**Medycyna chińska**
Medycyna chińska uważa wczesne poronienia za skutek niedoboru qi w nerkach. Sprawia on, że ciało nie jest w stanie zapewnić odpowiednich warunków zagnieżdżonemu zarodkowi. Sytuacja taka z reguły dotyczy kobiet o Suchym i Zmęczonym typie płodności. Skontaktuj się

---

\* ang. *Natural Killer* – główna grupa komórek układu odpornościowego odpowiedzialna za zjawisko naturalnej cytotoksyczności

ze specjalistą w dziedzinie medycyny chińskiej i porozmawiaj z nim o ziołach i zabiegach akupunktury, które mogłyby ci pomóc.

## Pomóż sobie sama

• Posłuż się swoim wykresem PTC, aby sprawdzić, czy nie zachodzisz w ciąże, których nie możesz utrzymać. Zwróć uwagę na charakterystyczną trójfazową formację – trzy odrębne fazy temperatur – z nagłym spadkiem temperatury ciała pod koniec cyklu (zanim zacznie się okres).

• Jeśli na wykresie pojawią się objawy ciąży, należy porozmawiać z lekarzem na temat ciąży chemicznej i dalszego postępowania.

---

### Studium przypadku: Marguerite

Marguerite przez ponad cztery lat zażywała leki wspomagające płodność, ale wciąż nie miała dziecka. Jej lekarz nie miał jednak innego pomysłu niż kontynuowanie kuracji przy zastosowaniu tego samego leku. Marguerite nie cierpiała jednak na niepłodność, więc tego rodzaju lekarstwa nie mogły rozwiązać jej problemu.

Kiedy pokonała Atlantyk po to, aby się ze mną spotkać (Sami), opisała pewien powtarzający się schemat występowania tkliwości piersi: jej piersi były obolałe zawsze przez te same cztery dni regularnego jak szwajcarski zegarek dwudziestoośmiodniowego cyklu. Raz na kilka miesięcy dolegliwość ta utrzymywała się jednak przez bite dwa tygodnie. Ta informacja naprowadziła mnie na trop tego, co się z nią dzieje: kilka razy w ciągu roku dochodziło u niej do poczęcia, a potem zawsze następowało wczesne poronienie. Przepisałem jej suplement zawierający progesteron, który należy zażywać w konkretnym momencie cyklu miesiączkowego. Po czterech miesiącach Marguerite była w ciąży.

---

### Zespół luteinizacji niepękniętego pęcherzyka (LUF)

Czasem nazywany zespołem uwięzionego jajeczka jest rzadkim schorzeniem, które polega na tym, że w pęcherzyku dojrzewa jajeczko, ale pęcherzyk nie pęka i jajeczka nie uwalnia. Poziom luteiny gwałtownie wzrasta, co zazwyczaj sygnalizuje początek owulacji, ale owulacja nie następuje, a tym samym nie może dojść do poczęcia. LUF może przytrafić się każdej kobiecie, ale częściej dotyka kobiety przyjmujące leki stymulujące płodność, cierpiące na endometriozę, a także te, które przeszły zapalenie narządów miednicy mniejszej (PID).

LUF jest schorzeniem trudnym do zdiagnozowania, ponieważ wszystko wskazuje na to, że jajeczkowanie nastąpiło: temperatury PTC rosną, ilość progesteronu w organizmie zwiększa się, a poziom pozostałych hormonów utrzymuje się w normie. Aby sprawdzić, czy pęcherzyk pęka i uwalnia jajeczko zgodnie z oczekiwaniami, potrzebna będzie seria badań USG wykonanych w precyzyjnie ustalonych momentach cyklu. Jeśli niezbędnych informacji nie uda się uzyskać metodami nieinwazyjnymi, w postawieniu diagnozy może dopomóc laparoskopia.

Kobietom cierpiącym na LUF często zaleca się zabieg in vitro, gdyż wtedy jajeczko zostaje wyjęte z pęcherzyka za pomocą igły. Zabieg in vitro nie jest jednak konieczny. Wstrzyknięcie w dobrze dobranym momencie gonadotropiny kosmówkowej (HCG) może wymusić uwolnienie jajeczka. Jeśli po udanym uwolnieniu jajeczka nie wystąpią żadne inne problemy z płodnością, pozostaje już tylko dobrze zaplanować współżycie (lub sztuczne zapłodnienie).

---

### Studium przypadku: Lucy

Lucy, kobieta nieco po trzydziestce, przez trzy lata bezskutecznie usiłowała zajść w ciążę. Prowadzący ją ginekolog nie mógł dopatrzeć się przyczyny. Gdy zjawiła się w moim gabinecie, poddałem ją szczegółowym badaniom, ale mimo to też nie udało mi się znaleźć wytłumaczenia dla jej kłopotów z poczęciem. Gdy zaleciłem laparoskopię z zamiarem sprawdzenia kwestii anatomicznych w obrębie miednicy mniejszej, Lucy powiedziała, że już wcześniej poddała się temu zabiegowi, a jej lekarz ocenił, że wszystko    jest w najlepszym porządku. Zgodziła się poddać zabiegowi laparoskopii ponownie, jeśli istnieje możliwość, że jej poprzedni lekarz coś przeoczył.

Laparoskopia wykazała, że jej jajniki były całkowicie gładkie – nic nie wskazywało na to, aby w którymś z nich kiedykolwiek pękł jakiś pęcherzyk. Powiedziałem jej, że choć jej cykle miesiączkowe były regularne, prawdopodobnie nigdy nie doszło u niej do uwolnienia jajeczka. W ciągu tych wszystkich lat, gdy starała się zajść w ciążę, przypuszczalnie nigdy nie przeszła owulacji. Na szczęście, po kolejnych dwóch cyklach i dwóch wstrzyknięciach HCG wspomagających uwolnienie jajeczka, Lucy zaszła w ciążę.

---

### Medycyna chińska

W medycynie chińskiej zespół luteinizacji niepękniętego pęcherzyka (LUF) uważa się za efekt zastoju. Najbardziej zagrożone tą dolegliwością są kobiety reprezentujące Zablokowany typ płodności.

Stosowanie przez pięć dni w trakcie fazy folikularnej ziołowej formuły zawierającej Zao Jiao Ci* jest skutecznym sposobem, aby dopomóc

---

* Iglicznia chińska; łac. *Gleditsiae Sinensis*, ang. *Gleditsia Spine*.

pęcherzykowi w pęknięciu. Na podstawie mojego doświadczenia mogę powiedzieć, że to ziołowe lekarstwo odznacza się fantastyczną wręcz skutecznością, jeśli chodzi o zmuszenie pęcherzyka do uwolnienia jajeczka (a także zmniejszanie torbieli jajnika, co ma podobnie dobroczynny skutek). Konwencjonalna medycyna nie zna podobnie działającego leku. Jeśli chodzi o wspomaganie owulacji, bardzo skuteczna jest też akupunktura.

**Pomóż sobie sama**
• Wypróbuj fałszywy korzeń jednorożca*.
• Odwiedź specjalistę w dziedzinie medycyny chińskiej i poproś go o ziołowy preparat zawierający Zao Jiao Ci.
• Zapisz się na zabiegi akupunktury w celu wspomożenia owulacji.


## MĘŻCZYŹNI

**Zaburzenia powodujące dysfunkcję seksualną**
Brak wzwodu, przedwczesny wytrysk lub jego brak – to niektóre spośród najbardziej znanych męskich problemów z płodnością. Należą one również do najczęstszych – dla około 5 procent par zmagających się z niepłodnością jedno z tych zaburzeń jest największym zmartwieniem. Sposób poradzenia sobie z tymi kłopotami będzie zależał od tego, co jest ich źródłem (jaka jest ich etiologia). Funkcje seksualne mogą zostać zakłócone przez zaburzenia zdrowotne, niektóre leki, a także wady wrodzone. Istotnym czynnikiem jest wiek. Przyczyną problemów może być także uszkodzenie układu rozrodczego, w tym uszkodzenie pooperacyjne oraz uraz rdzenia kręgowego. Także niski poziom testosteronu lub wysoki poziom prolaktyny mogą upośledzać funkcje seksualne. Alkoholizm czy nawet tylko regularne spożywanie alkoholu również mogą być przyczyną dysfunkcji. Podobnie – zmęczenie, stres, niepokój lub niska samoocena. W obliczu problemów z płodnością nawet ludzie, którzy nie podlegają wielkim stresom, ani nie są przemęczeni mogą przeżywać silne niepokoje lub mieć bardzo obniżoną samoocenę. „Lęk przed rezultatem" może nas dotknąć

---

* łac. *Chamaelirium luteum*; ang. *false unicorn root* – do celów leczniczych używany jest korzeń rośliny

z wielu powodów i na wielu obszarach działania; zmaganie się z niepłodnością jest z pewnością jednym z nich.

Zaburzenia funkcji seksualnych mogą wiązać się z cukrzycą, wysokim ciśnieniem, stwardnieniem rozsianym lub innym zaburzeniem neurologicznym, chorobami nerek, udarem, lub chorobą serca. W takich przypadkach należy porozmawiać z lekarzem o tym jak prowadzić leczenie tych schorzeń, aby efekty uboczne były jak najmniej dolegliwe. Jeśli masz problem związany z dysfunkcją seksualną, ale nie znasz jego przyczyny, być może warto przebadać się pod kątem tych chorób.

Leki na ciśnienie i choroby serca mogą powodować zaburzenia wzwodu. Podobnie mogą działać leki uspokajające i antydepresyjne, które także poważnie osłabiają libido. Jeśli podejrzewasz, że to przyjmowany lek jest źródłem twojego problemu, porozmawiaj z lekarzem na temat zmniejszenia dawki lub zmiany sposobu leczenia tak, aby ograniczyć efekty uboczne.

Nieprawidłowości anatomiczne, które mogą osłabiać płodność mężczyzny to spodziectwo (nieprawidłowo zlokalizowane ujście cewki moczowej – w niektórych przypadkach powoduje upośledzenie płodności) i choroba Peyroniego (skrzywienie prącia spowodowane przez tkankę bliznowatą lub stwardnienie ciał jamistych – może utrudniać współżycie i powodować zaburzenia wzwodu). Jeśli cię to dotyczy przedyskutuj z twoim lekarzem kwestie dotyczące poczęcia – być może najlepszym rozwiązaniem będzie sztuczne zapłodnienie.

Chirurgiczna interwencja w obszarze prostaty i pęcherza moczowego może spowodować uszkodzeniu nerwu lub utrudnić dopływ krwi do prącia, co z kolei może stać się przyczyną zaburzenia wzwodu. Leki, takie jak Viagra, Levitra, czy Cialis mogą zwiększyć napływ krwi do penisa. Korzystne byłoby zrzucenie wagi, prowadzenie aktywniejszego trybu życia i zrezygnowanie z palenia.

O tym, że masz dysfunkcję seksualną przypuszczalnie nikt ci nie musi mówić. Warto jednak pamiętać, że badanie lekarskie może wykryć lub potwierdzić problem, a odpowiednio dobrane testy mogą pomóc w ustaleniu jego źródła, a tym samym dalszego toku leczenia. Najważniejszymi elementami procesu diagnostycznego w przypadku dysfunkcji seksualnej są: pogłębiony wywiad lekarski, sporządzenie listy wszystkich przyjmowanych lekarstw, badanie fizykalne oraz test krwi w celu ustalenia poziomu hormonów

## Studium przypadku: Burt i Sarah

Burt i Sarah byli znacznie młodsi niż większość par, które trafiają do mojego (Sami) gabinetu, przy czym zarówno wywiad lekarski, jak i badanie fizykalne nie dawały czytelnej wskazówki, dlaczego para ta nie może począć dziecka. Badanie postkoitalne wskazało na istotny powód: w pochwie nie ma nasienia.

Nie była to dla Burta łatwa rozmowa, ale wyznał, że ma przedwczesny wytrysk. Następuje u niego natychmiast, gdy zaczyna wprowadzać członek do pochwy. Plemniki, które powinny zostać uwolnione w pobliżu szyjki macicy, już na starcie tracą duży dystans. Czasami tego rodzaju problemy najlepiej jest omówić z kimś zajmującym się poradnictwem seksuologicznym. Burt i Sarah zastosowali prostsze rozwiązanie: szczypanie moszny tuż przed stosunkiem dodawało im nieco czasu i wytrysk następował już w momencie pełnej penetracji. W ciągu kilku miesięcy Sarah zaszła w ciążę.

## Medycyna chińska

W przypadkach zaburzenia erekcji, medycyna chińska opiera się na trzech głównych diagnozach: niedobór yang (osoby o Zmęczonym typie płodności), wilgotność z gorącem (osoby o Nasiąkliwym typie płodności) lub zastój qi oraz krwi (osoby o Zablokowanym typie płodności). Bardzo pomocne w leczeniu zaburzeń erekcji mogą być zioła i akupunktura; wyjątkiem jest sytuacja, gdy problem jest efektem ubocznym przyjmowanych leków.

Przedwczesny wytrysk jest kojarzony z niedoborem qi (typ Zablokowany), niedoborem yin (typ Suchy) i zastojem qi (typ Zablokowany). W leczeniu pomocne są zioła i akupunktura.

## Pomóż sobie sam

- Ogranicz spożycie alkoholu lub zrezygnuj z niego całkowicie.
- Regularnie wykonuj ćwiczenia fizyczne.
- Redukuj stres.
- Wysypiaj się.
- Pozbądź się stanów lękowych i depresji.
- Przestań palić.
- Skontaktuj się ze specjalistą w dziedzinie medycyny chińskiej i poproś o zioła i zabiegi akupunktury. Pamiętaj, że chińska terapia skupia się na przyczynie problemu, podczas gdy farmaceutyki takie jak Viagra leczą objawowo. Unikaj pigułek i mikstur sprzedawanych w internecie pod nazwą „ziołowa Viagra". Podobnie jak ich apteczna imienniczka,

tego rodzaju specyfiki leczą jedynie objawy, przy czym robią to mało skutecznie. Z reguły nie mają wystarczająco silnego działania lub też nie są wystarczająco ukierunkowane na daną dolegliwość, aby mogły okazać się przydatne w leczeniu źródła problemu.

## KOBIETY I MĘŻCZYŹNI

### Hormon wspierający rozwój pęcherzyków (FSH)

#### Kobiety i wysokie FSH

Często problem stanowi nie tyle sam wzrost ilości hormonu w organizmie, ile sposób, w jaki większość lekarzy wykorzystuje tę informację. Jeśli badał cię kiedyś lekarz specjalizujący się w kwestiach płodności, najprawdopodobniej zlecił ci wykonanie badania FSH (poziom folikulotropiny).

Jak już sama nazwa hormonu wskazuje, folikulotropina stymuluje i wspomaga odbywający się w jajnikach proces rozwoju i dojrzewania pęcherzyków, które – gdy przyjdzie odpowiedni moment – uwalniają zawarte w nich jajeczka. Gdy w jajnikach jest dużo jajeczek, uwalnianie ich nie jest trudne i poziom FSH jest niski. (Poziom FSH może być jednak zbyt niski – więcej o tym za chwilę.) W miarę jednak jak podaż jajeczek maleje, gruczoł przysadki musi wkładać coraz więcej wysiłku, aby pobudzić jajniki do ich wytwarzania. W rezultacie poziom FSH podnosi się i mobilizuje jajniki do pracy. To właśnie dlatego kobiety starsze mają z reguły wyższy poziom FSH niż młodsze. „Normalny" poziom FSH w drugim lub trzecim dniu cyklu miesiączkowego nie powinien przekraczać 12 mIU/ml.

Zmniejszający się zapas jajeczek w jajnikach nie jest jedynym powodem wzrostu FSH. Przyjmowanie w sposób automatyczny, że każdy wysoki wynik badania FSH oznacza, iż kobieta nie ma wystarczającej ilości jajeczek lub że ma jedynie „złe" jajeczka – jest błędem. Wysoki poziom FSH nigdy nie powinien być uważany za definitywny dowód, że ciąża nie jest możliwa.

Po pierwsze, „złe jajeczka" jest to bardzo pojemna formuła diagnostyczna, którą lekarz przywołuje, gdy nie rozumie istoty problemu. Prawie się nie zdarza, aby kobieta miała wyłącznie złe jajeczka, choć prawdą jest, że wraz z wiekiem coraz więcej jej jajeczek ma obniżoną żywotność. Nie oznacza to jednak, że w jej jajnikach nie ma w ogóle dobrych, pełnowartościowych jajeczek.

Wysoki poziom FSH może być także wynikiem działania czynników innych niż zmniejsza podaż jajeczek. Choć te inne nieprawidłowości zdarzają się rzadziej, należy je zbadać, zanim zaakceptujemy rozpoznanie wskazujące na niską rezerwę jajnikową. Podwyższenie FSH może być następstwem niektórych chorób autoimmunologicznych lub genetycznych, chirurgicznego usunięcia jednego jajnika, palenia tytoniu lub braku miesiączki (amenorrhea) spowodowanego brakiem równowagi hormonalnej. Wysokie FSH może wiązać się też z przedwczesną niewydolnością jajników (POF) lub wczesną menopauzą.

Zdarza się dość często, że FSH szaleje z powodu stresu. Podobnie jak to się dzieje w przypadku każdego innego procesu, przemęczenie i stres sprawiają, że wytworzenie jajeczka przychodzi ciału dużo trudniej. Widziałam (Jill) niejednokrotnie jak FSH moich pacjentek wędruje w górę, gdy są pod działaniem silnego stresu, a następnie powraca do normy, gdy sytuacja się uspokaja. Wielu z nich udało się potem zajść w ciążę. Zdarza się, że FSH czasem rośnie bez żadnego wyraźnego powodu, a potem powraca do stanu normalnego. Co więcej, w każdym cyklu FSH może być inne. Podsumowując, wysokie FSH nie oznacza, że nie możesz owulować lub począć. Wysoki poziom FSH może utrudniać zajście w ciążę, ale z pewnością tego nie wyklucza.

Nawet jeśli wysoki poziom FSH rzeczywiście ma związek z mniejszą ilością jajeczek w jajnikach, to ostatecznie nie ilość jajeczek jest ważna, ale jakość owulacji. Tak długo, jak długo przechodzisz owulacje, nie ma znaczenia, czy uwolnione jajeczko pochodzi z rezerwy jajnikowej, która liczy sto tysięcy czy milion jajeczek. Jeśli masz wysokie FSH i zaburzenia owulacji, możesz mieć problem, ale wysokie FSH samo w sobie nie oznacza przegranej.

---

**Studium przypadku: Imani**

Gdy lekarze zobaczyli, że u Imani poziom FSH oscyluje między od 15 i 25 mIU/ml, powiedzieli jej, że nigdy nie urodzi własnego dziecka. Miała dopiero 34 lata. Kiedy przyszła do mojego (Sami) gabinetu i zapoznałem się z tą okropną diagnozą, poddałem ją bardziej szczegółowym badaniom niż te, które przeszła wcześniej, w tym HSG*, a potem także laparoskopii. W ten sposób poznałem prawdziwy powód jej problemów z płodnością: otaczająca jajowody tkanka bliznowata na jajnikach. Cztery miesiące po tym, jak chirurgicznie usunąłem blizny, Imani poczęła – bez dalszego leczenia (a także bez zmian w poziomie FSH).

---

\* *Histerosalpingografia* (HSG) – badanie radiologiczne mające na celu uwidocznienie jamy macicy i jajowodów, stosowane w diagnostyce niepłodności.

Poziom folikulotropiny (FSH) bada się w drugim lub trzecim dniu cyklu miesiączkowego. Pomiar jest dość trudny i może się zdarzyć, że wyniki różnych laboratoriów będą się od siebie różniły. Postaraj się wykonywać badania w laboratorium, z którego usług korzysta twój lekarz, aby zachować spójność wyników. Większość lekarzy przyjęła pewien poziom graniczny FSH, powyżej którego nie podejmuje się leczenia niepłodności. Granica ta jest nieco odmienna u różnych lekarzy, ale w większości przypadków mieści się w przedziale od 12 do14 mIU/ml.

Jeśli w wyniku przeprowadzonego testu, uzyskałaś podwyższony wynik, badanie powinno się powtórzyć. Jeden wysoki wynik nie powinien być powodem do niepokoju. (Po menopauzie poziom FSH utrzymuje się na wysokim poziomie. Tak długo, jak wyniki wychodzą różne, nie jesteś jeszcze w tym punkcie.) Wielu lekarzy jednak właśnie ten najwyższy wynik uważa za znaczący, nie przywiązując wagi do wyników na niższym poziomie.

Wysoki poziom FSH nie oznacza, że leki wspomagające płodność w ogóle ci nie pomogą. Działanie tych leków polega na stymulowaniu wytwarzania większej ilości FSH (lub w przypadku iniekcji, na dostarczeniu jej bezpośrednio). Jeśli masz już dużo FSH, twoje jajniki mogą się uodpornić na folikulotropinę. Tak więc, zanim zaczniesz przyjmować leki wspomagające płodność, zbadaj swój poziom FSH.

W przypadku kobiet z wysokim FSH zabieg zapłodnienia in vitro nie zwiększy prawdopodobieństwa zajścia w ciążę. Tak samo dobrym, a może nawet lepszym rozwiązaniem będzie dla nich staranie się o ciążę metodą naturalną. Lekarze wykonujący zabiegi in vitro mogą mieć słuszność, gdy odwodzą kobiety z wysokim poziomem FSH od poddania się zabiegowi zapłodnienia pozaustrojowego, nie mają jednak racji, nie oferując im żadnej innej możliwości poza skorzystaniem z jajeczka pobranego od dawcy. Osobiście (Sami) podaję niektórym moim pacjentkom estrogen w celu obniżenia u nich poziomu FSH. Gdy już FSH obniży się, ich jajniki mogą lepiej zareagować na duże dawki FSH zawarte w lekach.

**Studium przypadku: Priti**

Priti już od dwóch lat miała FSH na poziomie 100 mIU/ml, gdy przyszła do mnie na konsultację. Przez cały ten okres nie przechodziła menstruacji. Lekarze rozpoznali u niej przedwczesną niewydolność jajników (POF) i nie dali jej nadziei na własne dziecko. Priti miała 33 lata.

Przepisałem jej estrogen, aby obniżyć poziom FSH, a następnie monitorowałem poziomy hormonów, aby wychwycić moment owulacji. Rozwinęło się u niej pojedyncze jajeczko, przeszła zabieg sztucznego zapłodnienia i dziewięć miesięcy później urodziła zdrowego chłopca. Jej miesiączki stały się regularne. Niewydolność jajników miała u niej charakter okresowy.

## Kobiety i niskie FSH

Również niski poziom FSH może stanowić problem dla płodności. Zazwyczaj jest on związany z występowaniem stresu. Hormony stresu są w stanie obniżyć poziom FSH. Poddana stresowi kobieta może owulować, choć do owulacji dochodzi u niej w ramach wydłużonego cyklu. Tak długo jak kobieta przechodzi owulacje, nie powinna mieć trudności z zajściem w ciążę (pod warunkiem że potrafi rozpoznać moment owulacji i odpowiednio zaplanować współżycie). Jeśli poziom FSH obniży się tak znacznie, że owulacja ustanie, dopomóc mogą leki stymulujące płodność. Pomocne może być też obniżenie poziomu stresu! Wpływ stresu na poziom FSH jest jednym z wielu powodów, dla których zarządzanie stresem jest tak ważne dla utrzymania dobrej płodności.

## Mężczyźni i FSH

W przypadku mężczyzn FSH pobudza produkcję plemników. Jej poziom rośnie wraz z wiekiem (co jest czymś w rodzaju męskiej menopauzy). Zwiększenie ilości FSH może jednak nastąpić również w wyniku urazu lub skręcenia jąder, a także wskutek infekcji, która niszczy ich komórki. Jeśli u mężczyzny poziom FSH osiąga zbyt wysoki poziom i się na tym poziomie utrzymuje, wytwarzanie plemników zostanie wstrzymane. Temu wzrostowi zazwyczaj nie udaje się zapobiec, a gdy poziom folikulotropiny osiągnie już wysoki poziom, pole manewru jest niewielkie. Wysokie FSH jest jedynie objawem niewydolności jąder, a mała liczba plemników diagnozę tę tylko potwierdza.

W przypadku mężczyzn powód zbyt niskiego poziomu FSH jest często ten sam, co w przypadku kobiet: stres. Jeśli rzeczywiście to właśnie on leży u źródeł problemu, recepta będzie identyczna: klomifen w bardzo małych dawkach, a także stosowanie technik obniżania poziomu stresu. Spowodowanemu stresem, niskiemu FSH z reguły towarzyszy słaba jakość plemników – mała ich liczba i ruchliwość, kiepska morfologia, albo też wszystkie te czynniki łącznie.

Mężczyzna ze zbyt niskim lub zbyt wysokim FSH powinien skonsultować się ze specjalistą w kwestiach męskiej niepłodności (np. z lekarzem andrologiem).

### Medycyna chińska

Według medycyny chińskiej, wysokie FSH, tak u kobiet, jak i u mężczyzn, wiąże się z niedoborem yin, co sprawia, że nieprawidłowość ta w szczególnym stopniu dotyka osoby o Suchym typie płodności. Drugą w kolejności grupą o największym prawdopodobieństwie wystąpienia wysokiego FSH są kobiety o typie Bladym. W przypadku kobiet o Suchym i Bladym typie płodności wysokie FSH upośledza rozwój endometrium i pęcherzyków, a także obniża jakość płodnego śluzu szyjki macicy. W obniżeniu FSH i zwiększeniu płodności pomóc mogą akupunktura i terapia ziołowa.

Niskie FSH jest bardziej związane z niedoborem yang, a więc częściej występuje u osób o Zmęczonym i Zablokowanym typie płodności, tak u mężczyzn, jak i u kobiet.

### Pomóż sobie

- Jeśli twój poziom FSH jest wysoki, sprawdź, czy owulujesz, a jeśli tak – kontynuuj starania, aby począć metodą naturalną.
- Nalegaj, aby poddano ciebie i twojego partnera szczegółowym badaniom i nie poprzestano na stwierdzeniu poziomu FSH. Domagaj się, aby lekarz poddał cię takim samym badaniom, na jakie kieruje inne pacjentki i nie kierował się ani twoim wiekiem, ani poziomem FSH.
- W kwestii uzyskania pomocy w obniżeniu poziomu FSH porozum się ze specjalistą medycyny chińskiej.
- W celu zmniejszenia stresu i unormowania poziomu FSH skorzystaj z techniki wizualizacji.

### Podwyższony poziom prolaktyny

Prolaktyna jest hormonem wydzielanym przez przysadkę mózgową. Jej główną funkcją u kobiet jest stymulowanie rozwoju piersi i wytwarzania mleka. Prolaktyna występuje również u mężczyzn, choć u nich jej poziom jest niższy. Do czego jest ona potrzebna mężczyznom nie wiedzą nawet naukowcy.

Podwyższony poziom prolaktyny we krwi jest znany jako hiperprolaktynemia. Zaburzenie to, choć nie jest częste, może być przyczyną sporej liczby przypadków braku miesiączki (amenorrhea) i innych zaburzeń cyklu miesiączkowego, a także niepłodności. Wysoki poziom prolaktyny może powstrzymać owulację, co nie powinno dziwić, bo przecież to właśnie zwiększone wydzielanie prolaktyny zatrzymuje miesiączkowanie u karmiących matek i chroni je przed zajściem w ciążę (choć czasem bywa to zawodne). Również mężczyźni mogą mieć kłopoty z płodnością powodowane przez podwyższony poziom tego hormonu.

Najczęstszą przyczyną podwyższonego poziomu prolaktyny jest stres. Sprawcą nadmiernego wydzielanie tego hormonu może jednak być również niedoczynność tarczycy czy też łagodny guz przysadki mózgowej[*], choć zdarza się to znacznie rzadziej. Podnieść poziom prolaktyny może też wiele różnych substancji, takich jak alkohol, opiaty, niektóre środki uspokajające, leki przeciwdepresyjne, leki na ciśnienie krwi i środki przeciw mdłościom. Wraz z lekarzem powinnaś przejrzeć wszystkie przyjmowane przez ciebie farmaceutyki, aby sprawdzić, czy to czasem nie któryś z nich jest odpowiedzialny za twój problem.

---

**Studium przypadku: Jess**

Jess przeszła kilka nieudanych zabiegów in vitro. Zbliżała się do czterdziestki, więc wszyscy lekarze mówili jej, że jej jajeczka muszą być niskiej jakości i radzili, aby poddała się zabiegowi in vitro z wykorzystaniem jajeczka od dawcy. W ramach ostatniej próby znalezienia innego rozwiązania Jess przyleciała do Nowego Jorku, aby się ze mną (Sami) skonsultować. Podstawowe badanie krwi wykazało, że ma lekko podwyższony poziom prolaktyny, a wykonane w następnej kolejności obrazowanie rezonansu magnetycznego wykazało niewielki guz przysadki. Choć guz był łagodnego typu, powodował wytwarzanie nadmiernej ilości prolaktyny. Przepisałem pacjentce bromokryptynę (Parlodel), aby przytłumić nadmierne wydzielanie tego hormonu. Lek spowodował również zmniejszenie się guza, tak że nie wymagał już potem podjęcia dodatkowego leczenia. Z kolei test, jakiemu poddano męża Jess wykazał u niego obecność pałeczki okrężnicy, oboje dostali więc antybiotyk, aby zlikwidować infekcję. Gdy poziom prolaktyny powrócił do stanu normalnego, a infekcja została zlikwidowana, Jess jeszcze raz poddała się zabiegowi zapłodnienia in vitro z wykorzystaniem jej własnego jajeczka. Zwierzyła się, że musiała niemal błagać lekarzy, aby przeprowadzili jeszcze jeden zabieg, ponieważ byli przekonani, że jej jajeczka są do niczego. A jednak Jess poczęła i urodziła zdrowego chłopca. Po roku ponownie zaszła w ciążę, tym razem bez żadnej pomocy ze strony lekarzy.

---

U kobiet wysoki poziom prolaktyny prowadzi do obniżenia poziomu estrogenu i zakłóca regularność owulacji. Może też osłabić libido, zakłócić równowagę metaboliczną, a nawet spowodować niepłodność. W łagodnym przypadku może oznaczać obniżenie poziomu progesteronu

---

[*] tzw. gruczolak

i krótką fazę lutealną, co wystarcza, aby upośledzić płodność – nawet jeśli cykl miesiączkowy nadal przebiega regularnie. W przypadku już nieco trudniejszym mogą występować sporadyczne, lekkie lub nieregularne miesiączki i związane z tym problemy z płodnością. Utrzymanie płodności jest też istotną kwestią w najcięższych przypadkach, gdy menstruacja i owulacja mogą ustać całkowicie. Wysoki poziom prolaktyny może być też przyczyną hipogonadyzmu – nienormalnie niskiego poziomu hormonów płciowych, który w przypadku kobiet wiąże się z takimi konsekwencjami, jak obniżony poziom estrogenu i menopauza. W rzadkich przypadkach prolaktyna może powodować mlekotok (galactorrhea) – wydzielanie mleka bez związku z ciążą i urodzeniem dziecka.

U mężczyzn, wysoki poziom prolaktyny pociąga za sobą problemy z płodnością, począwszy od niskiego poziomu testosteronu (hipogonadyzm), zaburzeń metabolicznych i słabego libido po zakłócenia ilości wytwarzanego nasienia i zaburzeń wzwodu. Jeśli wystąpi u ciebie któryś z tych symptomów, poproś lekarza, aby – oprócz innych hormonów – sprawdził u ciebie również poziom prolaktyny.

### Medycyna chińska
Największe prawdopodobieństwo wystąpienia wysokiego poziomu prolaktyny występuje u kobiet reprezentujących Zablokowany typ płodności. Ustaliłam (Jill), że zioła, które pobudzają przepływ qi mogą obniżyć jej poziom.

### Pomóż sobie
• Zadbaj, aby twoja dieta zawierała dużo witamin z grupy B, a także magnez i cynk.
• Znajdź sposoby na łagodzenie skutków stresu: regularnie poddawaj się masażom, naucz się medytować lub wyszukaj dla siebie inne redukujące stres aktywności, które przynoszą ci ulgę.
• Regularnie wykonuj nieforsujące ćwiczenia fizyczne. (Zbyt wiele ćwiczeń może podwyższyć poziom prolaktyny.)
• Unikaj spożywania alkoholu.
• Wyciąg z jagód niepokalanka mniejszego może przywrócić równowagę hormonalną, a także pomóc w uregulowaniu zbyt wysokiego poziomu prolaktyny.
• Skonsultuj się ze specjalistą w zakresie medycyny chińskiej w sprawie ziół, które mogą pobudzić przepływ qi.

## Studium przypadku: Bruce i Justine

Bruce i Justine mieli kłopoty z poczęciem, ale przy pomocy specjalisty w kwestiach płodności w końcu im się udało. Niestety, Justine poroniła następnego dnia po wykonaniu rutynowej amniopunkcji, po czym pogrążyła się w depresji. Mieli problem z ponownym zajściem w ciążę. Bruce miał problemy ze wzwodem, a liczba plemników w jego nasieniu była niska, choć problemy te nie pojawiły się podczas wcześniejszej fazy terapii. Urolog Bruce'a w związku z ich depresją spisał oboje na straty.

Gdy trafili do mojego gabinetu (Sami) dalsze badania wykazały, że stężenie prolaktyny w krwi Bruce'a przekraczało 100 ng/ml (norma jest poniżej 20), co było spowodowane guzem przysadki mózgowej. Aby zahamować produkcję prolaktyny i zmniejszyć rozmiary guza (łagodnego typu), przepisałem bromokryptynę (Parlodel). Wkrótce potem wzrosła liczba plemników w nasieniu Bruce'a, a on przestał mieć kłopoty ze wzwodem. Zaledwie trzy miesiące po rozpoczęciu leczenia para ponownie poczęła, w rezultacie czego przyszedł na świat zdrowy chłopiec.

## Inne hormonalne problemy zdrowotne

Znanych jest też wiele nietypowych przyczyn zaburzeń płodności na tle hormonalnym. Z braku miejsca nie możemy ich tu omówić szczegółowo, ale jeśli żadne zwyczajne wyjaśnienie nie pasuje do twojego przypadku, należy dopilnować, aby lekarz je wszystkie sprawdził i ewentualnie wykluczył zanim zaakceptujesz diagnozę mówiącą o niepłodności z niewyjaśnionych przyczyn.

## Kobiety:

choroby nadnerczy
guzy jajników, przysadki lub nadnerczy
choroba, zaburzenie pracy lub niewydolność przysadki
hiperandrogenizm
zespół mlekotoku i braku miesiączki[*]
brak miesiączki związany z osią podwzgórze – przysadka (zwykle kojarzony ze skrajnym stresem i utratą wagi lub bulimią)
hiperinsulinemia
zespół odpornego jajnika[**]

---

[*] zespół Forbesa-Albrighta (?)
[**] brak reakcji jajnika na gonadotropiny spowodowany defektem receptorów gonadotropiny w pęcherzykach

**Mężczyźni:**
choroba, zaburzenie pracy lub niewydolność przysadki
choroby nadnerczy
zaburzenia endokrynologiczne

## Jak się robi dzieci – plan działania

Poniższe plany działania przedstawiają w sposób skomasowany badania niezbędne, aby ustalić, czy twoje problemy z płodnością są efektem któregoś z zaburzeń hormonalnych. Tak efektywnie jak to tylko możliwe poprowadzą cię przez cykl badań, którym, być może, będziesz musiała się poddać. Mając na uwadze kobiety, uporządkowaliśmy badania w takiej kolejności, w jakiej powinny być wykonywane w ciągu cyklu miesiączkowego; możesz więc je tak zaplanować, abyś mogła je przejść w możliwie najkrótszym czasie. (W przypadku mężczyzn planowanie zazwyczaj nie jest tak istotne.) Nie każda kobieta będzie musiał wykonać wszystkie poniższe testy, ale możliwe jest również, że nie są to wszystkie badania, którym będziesz musiała się poddać. Oczywiście, lekarz pomoże ci wybrać te, które powinnaś przejść – sprawdź jednak, czy wiedza, jaką wyniosłaś z lektury tego rozdziału koresponduje z planami twojego lekarza.

## BADANIA DLA KOBIET

| Badanie | Stan | Najbardziej podatne typy płodności | Planowanie |
|---------|------|-----------------------------------|------------|
| Ciążowy test krwi | Wczesne poronienie | Zmęczony Suchy | Gdy okres spóźni się o dzień lub dwa lub też 10–11 dni po owulacji |
| Badanie krwi na poziom estrogenu i FSH | Przedwczesna niewydolność jajników (POF); rezerwa jajnikowa (zasób jajeczek); stres | Suchy | Drugi lub trzeci dzień cyklu (aby zbadać rezerwę jajnikową) |

| | | | |
|---|---|---|---|
| Badanie krwi na poziom LH | Zespół policystycznych jajników (PCOS); rezerwa jajnikowa (zasób jajeczek); stres | Zmęczony Nasiąkliwy Zablokowany | Drugi lub trzeci dzień cyklu |
| Badanie USG jajników | Zespół policystycznych jajników (PCOS); torbiele jajnika | Zmęczony Nasiąkliwy Zablokowany | Tuż po zakończeniu miesiączki (4, 5 lub 6 dzień typowego cyklu) |
| Badanie USG jajników | Ocena stanu jajeczek w jajnikach i sprawdzenie rozwoju pęcherzyków; monitorowanie skuteczności leków wspomagających płodność i śledzenie rozwoju pęcherzyka | Suchy Zmęczony | Tuż po zakończeniu miesiączki (4, 5 lub 6 dzień typowego cyklu) |
| Badanie kultur śluzu szyjki macicy (test poskoitalny) | Infekcja powodująca wczesne poronienia | Nasiąkliwy | Dzień do trzech przed spodziewanym terminem owulacji |
| Badanie krwi na poziom estrogenu | Monitorowanie skuteczności leków wspomagających płodność i śledzenie rozwoju pęcherzyka | Suchy Blady | Przed owulacją; często gdy prowadzi się monitorowanie skuteczności leków |
| Laparoskopia | Endometrioza, tkanka bliznowata, zablokowane jajowody | Zablokowany Nasiąkliwy | Po zakończeniu okresu, ale przed owulacją (dzień 7, 8 lub 9 typowego cyklu) |

| | | | |
|---|---|---|---|
| Przezpochwowe badanie USG | Defekt fazy lutealnej (LPD): cienka wyściółka macicy; wczesne poronienia | Blady Suchy Zablokowany Zmęczony | Tuż przed owulacją |
| Badanie USG jajników | Zespół luteinizacji przetrwałego (niepękniętego) pęcherzyka (LUFS) | Zablokowany | Przed spodziewaną owulacją i po owulacji |
| Seria testów krwi na progesteron | Defekt fazy lutealnej (LPD): wczesne poronienia | Zmęczony Suchy | 7, 9 i 11 dzień po owulacji (pomiędzy dniem 21 i 25 typowego cyklu) |
| Biopsja endometrium | Defekt fazy lutealnej (LPD): wczesne poronienia | Blady Zablokowany Zmęczony | 8 do 20 dni po owulacji (i po ciążowym teście krwi) |
| Badanie krwi na poziom prolaktyny | Podwyższone stężenie prolaktyny; defekt fazy lutealnej (LPD) | Zablokowany | Dowolnego dnia |
| Badanie krwi na stężenie tyreotropiny (TSH) | Zaburzenie równowagi tarczycy (nad- lub niedoczynność) | Zmęczony | Dowolnego dnia |
| Badanie krwi na poziom testosteronu i DHEA1 | Zespół policystycznych jajników | Zmęczony Nasiąkliwy Zablokowany | Dowolnego dnia |
| Badanie krwi na czczo na poziom glukozy i insuliny | Zespół policystycznych jajników (PCOS) | Zmęczony Nasiąkliwy Zablokowany | Dowolnego dnia rano (na czczo) |

# BADANIA DLA MĘŻCZYZN

| Badanie | Stan | Najbardziej podatne typy płodności |
|---|---|---|
| Badanie fizykalne oraz wywiad lekarski (uwzględniający przyjmowane leki) | Dysfunkcje seksualne | Wszystkie typy płodności |
| Badanie krwi na poziom hormonów, takich jak FSH, LH, testosteron, TSH | Zachwianie równowagi hormonalnej, dysfunkcje seksualne | Zmęczony Każdy, kto cierpi na dysfunkcję seksualną powinien poprosić lekarza o rozważenie wykonania tych badań. |
| Badanie krwi na poziom prolaktyny | Zachwianie równowagi hormonalnej, dysfunkcje seksualne | Zablokowany Każdy, kto cierpi na dysfunkcję seksualną powinien poprosić lekarza o rozważenie wykonania tych badań. |

[1] dehydroepiandrosteron, naturalny hormon sterydowy produkowany z cholesterolu przez nadnercza

# ROZDZIAŁ 15

## Problemy strukturalne i anatomiczne

Zarówno mężczyźni, jak i kobiety mogą napotkać na swojej drodze wiele różnych problemów o charakterze strukturalnym i anatomicznym, które mogą negatywnie oddziaływać na ich płodność. Odniesiemy się do nich w tym rozdziale w kolejności odpowiadającej częstości ich występowania. Omówimy interwencje chirurgiczne, a w niektórych przypadkach także strategie, jakie możesz realizować na własną rękę w celu poprawy zdolności do poczęcia dziecka. Znajdziesz je w sekcji *Pomóż sobie sama*.

### KOBIETY

**Zablokowane jajowody**
Jajeczka przemieszczają się jajowodami w stronę macicy. Jajowody są wyścielone maleńkimi, podobnymi do włosków rzęskami, których ruchy pomagają jajeczku przesuwać się do przodu. Za śliskie podłoże, które ma ułatwiać jego podróż, odpowiedzialne są komórki produkujące śluz.

Gdy jajowody ulegają zablokowaniu, komórka jajowa nie może zostać pochwycona i przetransportowana do macicy, plemnik nie ma szans spotkać się z jajeczkiem, a ty nie zachodzisz w ciążę. Jajowody mogą być też niedrożne częściowo, co sprawia, że choć plemnik może dotrzeć do jajeczka, zapłodnione jajeczko nie może przedostać się do macicy. W takiej sytuacji dochodzi do ciąży pozamacicznej.

Zablokowanie jajowodu zdarza się dość często i jest przyczyną około 20 proc. przypadków niepłodności kobiet. Zablokowanie jajowodów może nastąpić z czterech powodów:

**1. Nadmiar gęstego śluzu.** W normalnych warunkach wytwarzana przez jajowody ilość śluzu ma pokryć powierzchnię kanałów i sprawić, że będzie wystarczająco śliska, aby jajeczko mogło się przez nie przemknąć bez ryzyka utknięcia. Śluz gęstnieje nieco w końcowym odcinku jajowodów, w miejscu gdzie łączą się one z macicą. Ma to na celu opóźnić o parę dni podróż zapłodnionego jajeczka, gdy jest ono w fazie pierwszych podziałów komórkowych. Jeśli jednak tego śluzu jest za dużo, może on całkowicie zablokować jajowód. Może również zasłonić ujście jajnika, co uniemożliwi przejęcie jajeczka przez jajowód. Ponieważ jajowody są bardzo cienkie, nie trzeba wiele, aby je zatkać. Problem ten dotyka w szczególności kobiety reprezentujące Nasiąkliwy typ płodności.

**2. Infekcje i stany zapalne.** Jajowody są podatne na ataki bakterii przedostających się od strony szyjki macicy. Spowodowany przez nie stan zapalny może sprawić, że wewnętrzne powierzchnie jajowodu skleją się ze sobą, powodując niedrożność. Schorzenie to często występuje pod/ nazwą zapalenia narządów miednicy mniejszej (PID), choć umiejscowienie PID w obszarze miednicy mniejszej może być różne. Zapalenie zlokalizowane w jajowodach nosi nazwę zapalenia jajowodów (salpingitis). Zapalenie jajowodów (i generalnie PID) może być wywołane przez szereg różnych drobnoustrojów, z których wiele, ale nie wszystkie, są przenoszone drogą płciową, przy czym często sprawcami są mikroby więcej niż jednego rodzaju. Tego rodzaju zakażenia najczęściej występują u kobiet o Nasiąkliwym typie płodności.

**3. Płyn.** Przewlekłe zapalenie jajowodów może spowodować, że jajowody wypełniają się płynem (hydrosalpinx) lub ropą (pyosalpinx), przy czym w każdym z tych przypadków jajeczko nie może przedostać się dalej. Zdarza się, że płyny te wyciekają do macicy, gdzie mogą utrudniać jajeczku zagnieżdżenie się lub toksycznie oddziaływać na embrion.

**4. Zgrubienie.** Jeśli na zewnętrznej powierzchni jajowodów utworzą się zrosty z tkanki podobnej do bliznowatej, mogą one unieruchomić jajowody i jajniki, sprawiając, że skądinąd zdrowy i drożny jajowód nie będzie w stanie przejąć jajeczka. Tkanka ta, będąca częstą pozostałością po zabiegach chirurgicznych w obrębie miednicy lub poprzednich ciążach (trudne porody przez pochwę, cięcia cesarskie i inne komplikacje), może zablokować jajowody od wewnątrz.

---

**Studium przypadku: Viriginia**

Virginia przez 3 lata próbowała bez powodzenia zajść w ciążę. Prowadzący ją lekarze ze względu na wysokie FSH orzekli, że jej wszystkie jajeczka są „złe". A miała zaledwie 32 lata i nie miała problemów ze zdrowiem. Kiedy przyszła do mnie (Sami), miała już za sobą dość szczegółowe badania, w tym histerosalpingografię (HSG), która wykazała, że jej jajowody są drożne. Ale jedno badanie nigdy nie zostało wykonane: eksploracja chirurgiczna.

W trakcie ambulatoryjnego zabiegu chirurgii laparoskopowej znalazłem i usunąłem zrosty wokół jajowodów, a także w okolicach jajników. Zrosty wokół jajowodów unieruchamiały jajeczka do tego stopnia, że jajowody nie byłyby w stanie przejąć żadnego jajeczka. Usunięcie zrostów (spowodowanych przez wcześniejsze infekcje w rejonie miednicy mniejszej) umożliwiło uwolnienie jajeczek, a jajowody odzyskały sprawność niezbędną do ich transportu. W niecałe cztery miesiące po zabiegu Virginia zaszła w ciążę.

---

Zablokowane jajowody na ogół nie dają żadnych innych objawów oprócz uniemożliwienia zajścia w ciążę. Wyjątkiem są przypadki, gdy infekcja w obrębie miednicy, pęknięcie torbieli lub perforacja wyrostka robaczkowego powodują zarówno zablokowanie jajowodu, jak i ból. Twój lekarz może sprawdzić stan twoich jajowodów, wykonując badanie radiologiczne HSG lub laparoskopię . Obie procedury mogą mieć charakter zarówno leczniczy, jak i diagnostyczny Kiedy przeszkodę stanowi nagromadzony śluz można łatwo go usunąć „przepłukując" jajowody w trakcie HSG. Badania wykazały, że wskaźnik zajść w ciążę wzrasta po tego typu diagnostyce i dzieje się tak prawdopodobnie dlatego, że niewielkie zatory ulegają likwidacji w trakcie działań, jakie są podejmowane w celu uzyskania klarownego obrazu (histerosalpingogramu).

Całkowita blokada może zostać usunięta chirurgicznie podczas ambulatoryjnego zabiegu laparoskopii. Możliwe, że po nim będziesz mogła zajść w ciążę już bez żadnej pomocy. Rezultat będzie zależał od twojego wieku, stanu zdrowia partnera i wszystkich innych zmiennych, które wpływają na płodność. Rozwiązaniem może być też zabieg in vitro, gdyż wtedy jajeczko nie musi odbywać podróży przez jajowód. Jeśli jednak doszło do całkowitego zatoru, mimo wszystko musi on zostać usunięty, gdyż uwięziony wewnątrz jajowodów płyn może utrudnić zagnieżdżenie zapłodnionego jajeczka lub – jeśli przecieknie do macicy – uszkodzić embrion.

## Medycyna chińska

Chińska medycyny zablokowane jajowody wiąże z zastojem krwi (Zablokowany typ płodności) lub flegmy (typ Nasiąkliwy). Leczenie ziołami może być przydatne w przypadku kobiet o Nasiąkliwym typie płodności. Pomocna jest też akupunktura, choć w bardziej ograniczonym zakresie. Większość kobiet reprezentujących Zablokowany typ płodności będzie potrzebowała pomocy ze strony medycyny zachodniej.

### Pomóż sobie sama

Większość kobiet dotkniętych całkowitą blokadą jajowodów będzie musiała przejść zabieg chirurgiczny, który je udrożni. Jednak kobiety, których jajowody są jedynie częściowo niedrożne mogą skorzystać z poniższych wskazówek:

• Zaprzestań palenia. Palenie upośledza pracę rzęsek, co z kolei przekłada się na utrudnione przesuwanie się zapłodnionych jajeczek wzdłuż jajowodów.

• Jeśli drożność jajowodów jest tylko częściowo ograniczona śluzem, warto skontaktować się ze specjalistą medycyny naturalnej i poprosić o chiński preparat, który pobudza przepływ krwi i flegmy.

• Skonsultuj się z masażystą przeszkolonym w technikach głębokiego masażu brzucha, np. masażu Majów Arvigo Maya. Możesz praktykować też automasaż. Techniki opisane w rozdziale 4 mogą nie wystarczyć, aby udrożnić całkowicie zablokowany jajowód, skutecznie jednak zapobiegają powstawaniu zatorów.

• Jeśli wytworzyła się u ciebie tkanka bliznowata lub masz zrosty, stosuj okłady z oleju rycynowego.

### Mięśniaki (włókniaki)

Mięśniaki macicy są to łagodne przyrosty w ścianie macicy utworzone z mięśnia gładkiego i tkanki włóknistej. Ich powstawanie wiąże się z nadmiarem estrogenu w organizmie. Mięśniaki mogą mieć różne rozmiary: od maleńkich jak groszek aż po osiągające wielkość melona. W większości przypadków mieszczą się w przedziale wielkości pomarańcza – grejpfrut. Szacuje się, że 20–30 procent kobiet między 35. a 50.

rokiem życia cierpi na mięśniaki macicy. Niektóre z nich nigdy się o tym nie dowiedzą, gdyż mięśniaki często pozornie nie sprawiają żadnych kłopotów, ani też nie dają objawów.

Jednak mięśniaki, w zależności od rozmiaru, ilości i usytuowania w ciele, *mogą* powodować problemy. Są w stanie naruszyć prawidłową anatomię rejonu miednicy, zakłócić dopływ krwi do macicy, uniemożliwić pobranie jajeczka przez jajowód lub utrudnić zagnieżdżenie. Mogą również sprawić, że współżycie staje się bolesne. Najczęstsze objawy to długie (ponad pięć dni) obfite krwawienia miesięczne ze skrzepami (czasem tak obfite, że mogą powodować anemię), miesiączki, które ustają i zaczynają się ponownie, krwawienia między miesiączkami, uczucie ucisku na pęcherz lub w innym miejscu w rejonie miednicy, albo też zauważalny obrzęk brzucha. Czasem pierwszym objawem mięśniaków są trudności z poczęciem.

Jeśli masz takie objawy, omów je z lekarzem. Standardowe badanie narządów miednicy (badanie ginekologiczne) będzie pierwszym krokiem w kierunku diagnozy – lekarz będzie w stanie wyczuć, czy macica jest powiększona albo czy ma nieregularny kształt. Pożądane mogą być kolejne badania w celu zlokalizowania i zmierzenia mięśniaków: USG, histeroskopia (przeprowadzany ambulatoryjnie zabieg eksploracyjny, w trakcie którego przez szyjkę macicy zostaje wprowadzona niewielka kamera, która pozwala lekarzowi dokładnie zobaczyć, co się dzieje w macicy), HSG (histerosalpingografia) lub laparoskopia. Na podstawie odczytu informującego, czy masz mięśniaki, w którym miejscu macicy są usytuowane, ile ich jest, jakiej są wielkości, czy mogą uniemożliwiać zagnieżdżenie – lekarz doradzi ci, czy powinnaś poddać się operacji. Z reguły jest to konieczne jedynie wtedy, jeśli jeden z mięśniaków ma średnicę większą niż 5 cm lub w przypadku grupy mięśniaków, jeśli ich średnice są większe niż 3 cm. Mięśniaki umiejscowione w obrębie jamy macicy (mięśniaki podśluzówkowe) powinny zostać usunięte bez względu na ich rozmiar.

### Medycyna chińska

Medycyna chińska uważa, że występowanie mięśniaków ma związek z zastojem krwi lub flegmy. Najbardziej narażone są kobiety o Zablokowanym lub Nasiąkliwym typie płodności. W celu zmniejszenia wielkości mięśniaków i powodowanych przez nie przykrych skutków ubocznych zioła i akupunkturę można łączyć z terapiami medycyny zachodniej, bowiem jest mało prawdopodobne, aby samo leczenie nieinwazyjne było w stanie całkowicie zlikwidować problem. W mojej (Jill) praktyce lekarskiej wielokrotnie z powodzeniem zmniejszałam niewielkie mięśniaki, ale nie udawało się to w przypadku dużych. W leczeniu mięśniaków użyteczne mogą być zioła pobudzające przepływ krwi, aby jednak taka kuracja była bezpieczna i skuteczna, musi być prowadzona pod okiem specjalisty. Wielu ziół nie należy używać w okresie ciąży, ponieważ mogą powodować wczesne poronienie.

### Pomóż sobie sama

Większość działań, jakie możesz podjąć w celu zwalczenia mięśniaków sprowadza się do zmniejszenia ekspozycji na nadmierny estrogen, wspomagania wątroby (która aktywnie rozkłada estrogen), pobudzenia krążenia krwi w obrębie miednicy i uspokojenia emocji.

• Poradź się ginekologa w kwestii mięśniaków, stosuj zioła i akupunkturę jako terapię uzupełniającą.
• Jeśli masz nadwagę, zrzuć kilka kilogramów. Dodatkowe komórki tłuszczowe zwiększają ilość estrogenu w twoim organizmie.
• Wybierz niskotłuszczową, bogatą w błonnik i głównie wegetariańską dietę.
• Ostrożnie z produktami mlecznymi, choć nie ma powodu, abyś ich unikała całkowicie.
• Dołóż starań, aby spożywane przez ciebie mięso oraz nabiał pochodziły od zwierząt, które nie zostały poddane działaniu hormonów.
• Unikaj soi. Wielu „alternatywnych" medyków zaleca na mięśniaki soję i inne źródła fitoestrogenów (estrogenów roślinnych), wychodząc z założenia, że delikatne fitoestrogeny zwiążą się w organizmie z receptorami, uniemożliwiając im w ten sposób wejście w interakcję z bardziej szkodliwymi ksenoestrogenami (syntetycznymi lub chemicznymi estrogenami). Na przestrzeni lat widziałam (Jill) jednak wystarczająco wiele kobiet, u których pod wpływem fitoestrogenów zawartych w ziołach i żywności mięśniaki jeszcze bardziej się rozrosły, aby mieć w tej sprawie inne zdanie. Przetworzone produkty sojowe wydają się być najbardziej szkodliwe.
• Wybieraj produkty ekologiczne – pozwoli ci to uchronić się przed estrogenowymi pestycydami.
• Jedz dużo warzyw krzyżowych (kapustowatych), takich jak brokuły, kapusta, kalafior, jarmuż i brukselka. Zawierają one fitoskładnik

o nazwie diindolilometan (DIM), który poprawia efektywność metabolizmu estrogenów.

- Unikaj rafinowanych i uwodornionych olejów.
- Ogranicz spożycie cukru, czekolady, kofeiny i alkoholu.
- Zapewnij sobie dużo witamin z grupy B, spożywając pełnoziarniste produkty spożywcze, takie jak soczewica, otręby ryżowe i końcową melasę z trzciny cukrowej lub też pobierając je w suplementach. W szczególności witamina $B_6$ przyspiesza rozpad estrogenów i ich usuwanie z organizmu.
- Jedz karczochy.
- Stymuluj pracę wątroby, pijąc sok z cytryny i dodając do sałatek gorzkie zieleniny, takie jak mniszek lekarski, cykoria i radicchio (czerwoną cykorię).
- Stosuj zioła wspomagające wątrobę, w tym korzeń mniszka, oset, łopian i kurkumę.
- Aby poprawić krążenie, uprawiaj regularnie niemęczące ćwiczenia.
- Zażywaj regularnych kąpieli z dodatkiem soli Epsom. Rozpuść 6 filiżanek soli w wannie napełnionej ciepłą wodą i leż w niej przez 20 minut. Potem wyjdź z wanny, wysusz się i połóż. Leż spokojnie przez kolejne 20 minut. Możesz wypróbować też ciepłą kąpiel z olejkami eterycznymi, takimi jak olejek kadzidłowca i olejek lawendowy.
- Włącz w swoją dietę kwasy tłuszczowe omega-3, które przeciwdziałają zaburzeniom krzepnięcia krwi i powstawaniu skrzepów. Jedz tłuste ryby, stosuj olej lniany i/lub przyjmuj suplementy.
- Dwa razy dziennie w czasie okresu (i tylko w czasie okresu) na dolnej części brzucha przykładaj sobie okłady z oleju rycynowego. To pobudzi krew i pomoże układowi chłonnemu odprowadzić i usunąć niepotrzebne substancje. Wyciągnij się wygodnie, natrzyj brzuch olejem rycynowym, przykryj go plastikową folią i połóż na nim termofor lub butelkę z gorącą wodą (woda powinna być ciepła, nieparząca; jeśli jest zbyt gorąca, między źródłem ciepła a folią połóż ręcznik). Przez 20 minut zażywaj relaksu.
- Zajrzyj w głąb siebie i sprawdź, czy nie przechowujesz stłumionych emocji, które mogłyby zaostrzać twoje problemy zdrowotne. Na przestrzeni lat zauważyłam (Jill), że kobiety z pewnego typu problemami emocjonalnymi są bardziej podatne na mięśniaki macicy. Kobiety te często czują się przytłoczone, nie radzą sobie, są przepracowane lub nie mają możliwości twórczej realizacji. Mogą mieć trudne,

o charakterze konfliktu relacje z małżonkami lub innymi ważnymi osobami w ich życiu. Konflikt emocjonalny może też wiązać się z ich pracą lub też z ich odczuciami na temat macierzyństwa. Skonsultuj się z terapeutą lub wyspecjalizowanym w problemach życiowych trenerem i spróbuj z jego pomocą ustalić, co i w jaki sposób cię blokuje.

• Spróbuj medytacji.
• Ćwicz jogę.
• Naucz się mówić nie!

## Endometrioza

Endometrioza jest jedną z najczęstszych przyczyn niepłodności. Szacuje się, że problem ten dotyczy od 10 do 20 procent wszystkich kobiet (niezależnie od tego, czy pojawiły się symptomy, czy też nie). Cierpi na nią też od 20 do 50 procent kobiet, które przeprowadzają badania diagnostyczne w związku z niepłodnością.

W przypadku endometriozy, *na zewnątrz* macicy tworzą się rozrosty błony śluzowej macicy – tkanki, z jakiej zbudowana jest jej wyściółka. Ogniska mogą pojawić się prawie wszędzie w rejonie miednicy, w tym na zewnętrznej ścianie macicy, na jajnikach, jajowodach i na ścianie miednicy. Ta źle usytuowana tkanka reaguje na hormony, zwłaszcza na estrogeny, tak jak to czyni wewnątrz macicy, przy czym cyklicznie powiększa się i kurczy. Jednak w przeciwieństwie do prawdziwego endometrium, które każdego miesiąca podlega złuszczeniu, tkanka endometriozy nie może opuścić ciała, gdy ulega rozpadowi i może wywołać stan zapalny. W niektórych przypadkach powoduje blizny lub blokuje jajowody. Nawet jednak, jeśli nie wyrządza aż takich szkód, może powodować problemy z płodnością. Kobiety dotknięte endometriozą mogą mieć słabsze wyniki w zabiegach in vitro, co z reguły jest powodowane kłopotami z zagnieżdżeniem jajeczka.

Objawami endometriozy są między innymi: bolesne miesiączki lub skurcze, obfite miesiączki, ból podczas owulacji i plamienia przed nadejściem okresu. Endometrioza może również powodować ból podczas lub po stosunku z pełną penetracją, bolesne ruchy jelit w czasie menstruacji i torbiele jajnika. Charakterystycznym objawem jest przewlekły ból w rejonie miednicy, który czasem może być bardzo dolegliwy i który może obejmować także plecy. Niektóre kobiety cierpiące na endometriozę odczuwają niewielki ból, a nawet nie odczuwają go wcale, nawet jeśli jej ogniska są rozległe, czy też utworzyły się na bliznach. Inne mają silne bóle przy stosunkowo łagodnych i ograniczonych postaciach endometriozy. Są też kobiety, które bolesne miesiączki uważają za coś normalnego – w ich przypadku endometrioza może przez dłuższy czas pozostać nierozpoznana. Pierwszym objawem endometriozy są nierzadko problemy z płodnością.

Tak naprawdę, to nikt nie wie, co powoduje endometriozę. Najbardziej przekonujące teorie mówią o nadmiarze estrogenów, osłabieniu odporności systemu i wstecznym miesiączkowaniu (krew i tkanki płyną z powrotem do jajowodów). Wczesna pierwsza miesiączka i późna pierwsza ciąża są czynnikami zwiększającymi ryzyko wystąpienia tej choroby.

Niezależnie od przyczyny, jaka ją spowodowała, endometrioza upośledza płodność na kilka sposobów:

- Tkanka endometrium może zablokować jajowody lub przykryć jajniki. Jest to powodem niepłodności u 5 procent kobiet cierpiących na endometriozę.
- Endometrioza może przyciągnąć lub zaktywizować większą niż zazwyczaj liczbę makrofagów. Makrofagi są to duże komórki, które pochłaniają odpadki i bakterie, co jest korzystne dotąd, dopóki ograniczają się do usuwania niewłaściwie usytuowanej tkanki endometrium. Makrofagi pochłaniają także plemniki, które przedostały się przez jajowody do jamy brzusznej. Nie ma w tym nic złego, dopóki u kobiet z endometriozą nadmiernie pobudzone makrofagi nie zapuszczą się w jajowody i nie zaczną przechwytywać plemniki, zanim te osiągną swój cel. Produktami makrofagów są również cytokiny – substancje chemiczne, które są toksyczne zarówno dla plemników, jak i dla zarodka.
- Rozproszone tkanki błony śluzowej macicy mają gruczoły podobne do gruczołów właściwego endometrium; wydzielają one śluz, który może zapchać zarówno jajniki, jak i grzywiaste fimbrie. Te ostatnie usytuowane są na końcu jajowodów od strony jajnika, a ich zadaniem jest wprowadzanie do jajowodów uwolnionych przez jajnik jajeczek.
- Endometriozie towarzyszy zwiększenie ilości prostaglandyn, co sprawia, że jajowody stają się mniej elastyczne. Wzrasta prawdopodobieństwo ich zablokowania, a tym samym maleje szansa, że poradzą sobie z przeprowadzeniem jajeczka do macicy.
- Kobiety z endometriozą są bardziej narażone na zespół luteinizacji niepękniętego pęcherzyka (LUF) i defekt fazy lutealnej (LPD).

- Wiele przypadków endometriozy spowodowanych jest przez niewłaściwą reakcję układu odpornościowego. Ciało wykrywa komórki endometrium w miejscu, w którym ich nie powinno być i broni się poprzez wywołanie stanu zapalnego. Atakuje *wszystkie* tkanki endometrium, co tworzy wrogie środowisko, które nie sprzyja zagnieżdżeniu się jajeczka.

Czasem endometriozę leczy się pigułkami lub innymi hormonalnymi środkami antykoncepcyjnymi, ale oczywiście nie wchodzi to w grę, jeśli planujesz ciążę. Lekarz może zaproponować ci inną terapię hormonalną lub ambulatoryjny zabieg laparoskopowy. Laparoskopia jest wykorzystywana także do zdiagnozowania endometriozy – aby znaleźć jej ogniska, lekarz musi rozejrzeć się wewnątrz jamy brzusznej. W trakcie tego zabiegu często diagnozowanie i leczenie są wykonywane równocześnie. Po rozpoznaniu endometriozy chirurg wypala narosłe w nieodpowiednich miejscach tkanki za pomocą kautera lub lasera.

### Medycyna chińska
Medycyna chińska wiąże endometriozę z zastojem krwi. Podatne na nią są przede wszystkim kobiety o Zablokowanym typie płodności, ale dotknąć może także kobiety o typie Nasiąkliwym.

Akupunktura może usunąć stany zapalne i poprawić przepływ krwi w okolicach miednicy. Niektóre zioła mogłyby pomóc, ale niestety te najskuteczniejsze nie są bezpieczne w podczas ciąży. Zazwyczaj zalecam (Jill) moim pacjentkom, aby stosowały je w trakcie okresu, kiedy istnieje pewność, że nie są w ciąży. Czasem odwołuję się do bardzo czułych testów ciążowych, aby ustalić tak wcześnie, jak tylko jest to możliwe, czy nastąpiło poczęcie, czy też nie, a tym samym, czy można stosować terapię ziołową również przed terminem miesiączki. Preparaty ziołowe pomocne w leczeniu endometriozy można kupić bez recepty, ale nie należy ich używać na własną rękę, jeśli starasz się zajść w ciążę.

### Pomóż sobie sama
Większość działań mogących sprawić, że endometrioza nie będzie tak dolegliwa sprowadza się do zmniejszenia ekspozycji organizmu na nadmierne ilości estrogenu, wspierania wątroby (która rozkłada estrogen) i pobudzenia krążenia, przy czym sposoby są te same, co w przypadku mięśniaków. Jest jednak pewna różnica. W przypadku endometriozy nie zaobserwowałam (Jill) komponentu stłumionych emocji, tak jak w przypadku mięśniaków.

Oto działania, jakie możesz podjąć:

- Aby usunąć stany zapalne i poprawić przepływ krwi w okolicach miednicy, zwróć się do specjalisty od akupunktury.
- Skontaktuj się ze specjalistą medycyny naturalnej w sprawie dobroczynnie działających chińskich preparatów ziołowych.
- Włącz w swoją dietę kwasy tłuszczowe omega-3, które pomagają zwalczać stany zapalne i poprawiają cyrkulację krwi.
- Zażywaj olej z wiesiołka, jedz owoce bogate w witaminę C i bioflawonoidy*, a także, aby zwalczać stany zapalne, unikaj tłuszczów nasyconych.
- Popraw przepływ krwi: nie wykonuj w czasie okresu wyczerpujących ćwiczeń (wskazane są ćwiczenia łagodne i nieforsujące), unikaj pozycji odwróconych (np. stania na głowie w ramach ćwiczeń jogi) i używaj podpasek, a nie tamponów, które mogą hamować swobodny wypływ krwi.

## Polipy endometrium

Polipy endometrium są to mięsiste narośle na błonie śluzowej macicy. Polipy mogą wytworzyć środowisko wrogie implantacji (rezultat podobny jak w przypadku wkładki domacicznej). Jeśli rozwiną się w pobliżu jajowodów, mogą spowodować ich zablokowanie. Polipy zwiększają ryzyko poronienia i niepłodności.

Polipy są zazwyczaj naroślami o łagodnym charakterze. Ma je do 10 procent kobiet, z których wiele nie odczuwa żadnych objawów. Oznakami występowania polipów są dłuższe miesiączki (ponad pięć dni), miesiączki, które ustają i zaczynają się znowu, czy obfite krwawienia miesiączkowe z zakrzepami. Polipy mogą powodować anormalne krwawienia w każdym momencie cyklu.

Lekarze mogą również odwołać się do sonohisterografii (SIS – saline infusion sonogram, badanie, w którym do rozszerzenia jamy macicy przed badaniem USG używa się roztworu soli fizjologicznej) lub histerosalpingogramu (HSG), które pozwalają lepiej przyjrzeć się polipom. Może zajść potrzeba chirurgicznego usunięcia polipów drogą histeroskopii operacyjnej. Dokonuje się jej ambulatoryjnie w znieczuleniu ogólnym

---

* substancje fitochemiczne, które znajdują się w roślinach i chronią ich komórki przed chorobami i szkodliwym działanie słońca, grzybów i insektów

lub zewnątrzoponowym, a w usuwaniu polipów pomaga chirurgowi kamera.

## Medycyna chińska
Medycyna chińska postrzega polipy w zasadzie tak samo jak mięśniaki – jako powiązane z zastojem krwi (typ Zablokowany) lub flegmy (typ Nasiąkliwy). Pomocne są zioła i akupunktura.

## Pomóż sobie sama
Nasze rady są takie same jak w przypadku mięśniaków.

## Torbiele jajnika
Torbiele jajnika to usytuowane w jajniku pęcherzyki z płynem. Torbiele te są niemal zawsze łagodne, przy czym większość sama zanika w ciągu kilku cykli. Mogą jednak powodować ból w obszarze miednicy, ból pleców i bolesność miesiączek. Mogą też zmienić normalne warunki anatomiczne na tyle, że jajowody nie są w stanie pobrać jajeczka, co uniemożliwia poczęcie.

Wiele torbieli nie daje żadnych symptomów. Wykrywa się je dopiero podczas rutynowego badania miednicy (lub testu wchodzącego w skład szczegółowych badań płodności), gdy lekarz wyczuje wypukłość. USG wykonane 4, 5 lub 6 dnia cyklu może potwierdzić rozpoznanie i pomóc w ocenie wielkości i wyglądu torbieli.

Ponieważ większość torbieli ustępuje samoistnie w ciągu kilku cykli, jedną z możliwości jest ich obserwowanie i odczekanie dwóch lub trzech miesięcy. Jeśli w tym czasie torbiel nie ulegnie wchłonięciu, lekarz może zalecić wykonanie obrazowania metodą rezonansu magnetycznego lub innego typu badanie ultradźwiękowe 3D.

Czasami przez kilka miesięcy podaje się tabletki antykoncepcyjne. Ich zadaniem jest wstrzymanie owulacji, aby nowe torbiele nie mogły się tworzyć, a te już istniejące zdążyły się skurczyć i zaniknąć. Ale jeśli czas odgrywa ważną rolę, najlepszym rozwiązaniem może być laparoskopowy zabieg chirurgiczny. (Rozwiązanie to może być zalecane także wtedy, gdy torbiel nie zniknie samoistnie po kilku cyklach, jeśli się powiększa lub jeśli lekarzowi wyda się w jakiś sposób podejrzana.) Torbiele mogą być usunięte przez małe nacięcia w trakcie zabiegu laparoskopowego.

## Studium przypadku: Lara

Lara, lat 32, miała dużą torbiel jajnika, która powstała po nieudanym leczeniu płodności folikulotropiną (FSH). (Torbiele mogą pojawić się jako efekt uboczny stosowania w zasadzie każdego leku wspomagającego płodność.) Ona i jej mąż wciąż bardzo pragnęli począć dziecko, ale nie udawało im się to z powodu torbieli. Przepisałam (Jill) zioła, które Lara wykupiła, ale nigdy nie stosowała, ponieważ odradził jej to jej lekarz. Po kilku miesiącach torbiel w dalszym ciągu miała tę samą wielkość. W tej sytuacji Lara postanowiła zapisać się na operację, której data została ustalona na około miesiąc później.

Wychodząc z założenia, że w tej sytuacji nie ma już nic do stracenia, postanowiła wypróbować zioła. Przyjmowała je przez dwa tygodnie, po czym, na dwa tygodnie przed zabiegiem, wstrzymała terapię ziołową. Pierwszą rzeczą, jaką zrobił lekarz na sali operacyjnej było wykonanie USG torbieli... ale torbieli już nie było. Operacja została odwołana.

### Medycyna chińska

W medycynie chińskiej torbiele jajnika są zwykle przypisywane połączeniu zastoju wilgoci (Nasiąkliwy typ płodności) i zastoju krwi (typ Zablokowany).

W leczeniu przypadków torbieli jajnika przepisuję (Jill) ziołowe formuły, które zadziwiają mnie swoją cudowną skutecznością. Z dużą dozą pewności można powiedzieć, że pozwalają pozbyć się torbieli w ciągu jednego cyklu. Zachodnia medycyna nie dysponuje niczym, co dawałoby porównywalne efekty. Preparat nie jest dostępny bez recepty, więc musi go przepisać specjalista medycyny naturalnej. W skład preparatu wchodzi Huang Qi[*] (korzeń traganka błoniastego), Zao Jiao Ci[**] (iglicznia chińska), Kun Bu (glon listownica), Xia Ku Cao[***] (kwiatostan stożkowaty głowienki), San Leng (sitowie), E Zhu (kurkuma plamista), Zao Jiao (owoc igliczni), a Shui Zhi (pijawki).

### Pomóż sobie sama

Skontaktuj się ze specjalistą medycyny naturalnej.

---

[*] łac. *Astragalus membranaceus*, roślina występująca w północnych i wschodnich rejonach Chin; jej suszony korzeń wchodzi w skład leków tradycyjnej chińskiej medycyny

[**] łac. *Gleditsia sinensis* (drzewo), Spina gleditschiae sinensis (nazwa leku)

[***] łac. *Prunella vulgaris*, bylina stosowana w chińskiej medycynie, występująca w wielu rejonach Chin; łac. *Spica Prunellae* – kwiatostan stożkowaty głowienki

## Zwężenie szyjki macicy

Zwężenie szyjki macicy jest rzadką sytuacją, gdy prowadzący do macicy otwór w szyjce macicy jest bardzo wąski (możesz usłyszeć, że jest „zamknięty"). To sprawia, że plemnikom jest bardzo trudno przedostać się do środka i niewielu z nich się to uda.

Jest mało prawdopodobne, abyś odczuwała jakieś objawy w związku ze zwężeniem szyjki macicy, choć możesz mieć bolesne skurcze miesiączkowe, gdy skrzepy próbują wydostać się z macicy przez wąski otwór. Diagnozę mówiącą o zwężeniu szyjki macicy lekarze stawiają z reguły na podstawie bezpośredniej obserwacji – zwężenie można zobaczyć i wyczuć w trakcie badania ginekologicznego.

Zwężenia szyjki macicy nie można co prawda wyleczyć, ale – jeśli chcesz zajść w ciążę – możesz obejść problem, poddając się wewnątrzmacicznej inseminacji. Na szczęście, podczas porodu szyjka macicy zazwyczaj mięknie, a zwężenie poszerza się.

## Zespół Ashermana

Zespół Ashermana dotyczy rzadkich przypadków, gdy w macicy tworzą się bliznowate zrosty, najczęściej pochodzenia pooperacyjnego – np. po rozszerzeniu i łyżeczkowaniu (D & C). Po każdej interwencji chirurgicznej w obrębie miednicy mogą pozostać blizny powodujące kłopoty z płodnością. Zbliznowacenia mogą zmniejszyć krwawienia miesięczne lub je całkowicie zablokować (amenorrhea), spowodować niepłodność, wczesne poronienie i/lub nawracające poronienia. Tkanka bliznowata może być również pozostałością po ciążach i trudnych porodach przez pochwę, cięciach cesarskich i innych komplikacjach.

Zespołu Ashermana nie można wykryć podczas okresowego badania ginekologicznego. Może się zdarzyć, że ujawni się dopiero wraz z wystąpieniem problemów z zajściem w ciążę. Jego występowanie można stwierdzić poprzez badanie USG z użyciem roztworu soli fizjologicznej lub histerosalpingografię HSG . W celu postawienia diagnozy wskazane może być wziernikowanie macicy, czyli histeroskopia. Histeroskopia jest również pomocna w samym rozwiązaniu problemu; chirurg, usuwając sprawiające kłopot tkanki, kieruje się obrazem z wziernika (minikamery). Taki zabieg jest skuteczny w większości przypadków zespołu Ashermana, a większość kobiet, których problemy z płodnością były spowodowane przez ten zespół po kuracji zachodzi w ciążę.

### Medycyna chińska

Powodem wystąpienia zespołu Ashermana jest zastój krwi spowodowany traumą (np. operacją).

## MĘŻCZYŹNI

### Problemy z plemnikami

Mężczyźni często nie chcą przyjąć do wiadomości, że to oni mogą być powodem problemu z płodnością, jaki występuje w ich związku. Zadzwonił do mnie kiedyś (Sami) pewien mężczyzna i poprosił, abym jego żonie przepisał leki wspomagające płodność, choć sam nigdy nie był u lekarza. (Oczywiście, odmówiłem.) Proces myślenia przebiegał u niego następująco: Jeśli mężczyzna jest sprawny seksualnie, problem nie leży po jego stronie.

Wielu lekarzy skwapliwie na to przystaje. Zdarza się, że ci, którzy w siłowe rozwiązanie problemu gotowi są zaprząc potężne technologie nie zawracają sobie głowy niską liczbą plemników, ich słabą ruchliwością, ani też ewentualnymi deformacjami i generalną nieskutecznością. Przed pojawieniem się technik wspomaganego rozrodu (ART), a w szczególności techniki wstrzyknięcia plemnika do komórki jajowej (ICSI) mężczyźni nie byli tak ignorowani. Obecnie zaczyna dominować podejście, że tak naprawdę potrzeba tylko jednego dobrego plemnika. Czy tak trudno go zdobyć? I mają rację, przynajmniej dopóki trzymamy się tej logiki. „Niska liczba" wciąż może oznaczać 10 milionów plemników. „Słaba ruchliwość" może oznaczać, że ponad połowa to nie są dobrzy pływacy. „Słaba morfologia" (budowa) może wyeliminować kolejne parę milionów tych poskręcanych, pokrzywionych, z dwiema witkami lub upośledzonych w inny sposób. Lekarz uzbrojony w dobry mikroskop wciąż może wybierać wśród około dwóch milionów plemników w jednym mililitrze nasienia. Wybierze takiego, który dobrze wygląda i wstrzyknie go do jajeczka. (Kogo to martwi, czy dotarłby on tam o własnych siłach?) A dla kobiety sprawa jest załatwiona – przynajmniej w jednej trzeciej przypadków.

### Przebadaj się

Możemy tylko zapytać: nie zbadałbyś przynajmniej swojego nasienia? Możliwe, że jest z nim jakiś problem, możliwe też, że go nie ma – ale przynajmniej będziesz to wiedział na pewno. Jeśli problem jest, właściwym posunięciem może okazać się wstrzyknięcie plemnika do komórki jajowej (ICSI), wykonanie zabiegu in vitro (IVF), czy też przeprowadzenie inseminacji domacicznej (IUI). Nie można jednak wykluczyć, że udałoby się znaleźć rozwiązanie znacznie mniej inwazyjne. Nigdy się tego nie dowiesz, jeśli nie przełamiesz swojego oporu i nie pobierzesz próbki nasienia do zbadanie pod mikroskopem. Większość przyczyn męskiej niepłodności jest niewidoczna, a więc jest to jedyny sposób, abyś dowiedział się jaka jest prawda. (Dopilnuj, aby lekarz wybrał bardzo dobre laboratorium albo takie, które specjalizuje się w badaniu nasienia – pozwoli to zmniejszyć ryzyko wypaczenia wyników wskutek laboratoryjnego błędu.)

Podczas badania nasienia ocenia się liczebność, mobilność i kształt plemników – medyczne nazwy tych cech to liczba, ruchliwość i morfologia. Zaawansowane techniki pozwalają określić strukturalne i biochemiczne zaburzenia w obrębie poszczególnych plemników. Problemy w którymkolwiek z tych obszarów mogą bardzo utrudnić poczęcie dziecka. Możliwe, że zbyt mało plemników dociera do szyjki macicy lub zbyt mało plemników dociera żywych. Może się zdarzyć, że te, którym uda się osiągnąć cel, nie mogą przyczepić się do jajeczka i w nie wniknąć ze względu na nieprawidłowości w swojej budowie. Pamiętasz tego mężczyznę, który poprosił mnie (Sami) o przepisanie żonie leków stymulujących płodność? Przekonałem go, aby poddał się specjalistycznemu badaniu. Lekarz stwierdził, że jego plemniki są nieprawidłowo ukształtowane, co uniemożliwiało im przeniknięcie do komórki jajowej. Bez względu na to, ile jajeczek wytwarzał organizm żony, jego nasienie nie było w stanie zapłodnić żadnego z nich. W końcu zgodził się poddać leczeniu przez urologa specjalizującego się w kwestiach płodności mężczyzn, a wkrótce potem para poczęła dziecko.

Istnieje również możliwość, że nasienia jest zbyt mało i w rezultacie zbyt mało plemników zmierza w stronę jajeczka. Przyczyną małej ilości (objętości) nasienia mogą być kwestie anatomiczne lub wytwarzanie przez gruczoł krokowy (prostatę) i pęcherzyki nasienne zbyt skąpej ilości płynu nasiennego. Sytuacja ta może być również spowodowana przez odwodnienie – w tym przypadku picie większej ilości wody może natychmiast rozwiązać problem.

**Mała liczba plemników; i co teraz?**

Kiedy w wyniku rzetelnie wykonanego badania twojego nasienia pojawiają się niekorzystne dla ciebie liczby, powinieneś skonsultować się z urologiem, który specjalizuje się w kwestiach płodności mężczyzn na temat ewentualnych kierunków terapii. Czekając na spotkanie z lekarzem, możesz sam podjąć działania prowadzące ku poprawie twojej sytuacji: dobrze się odżywiać, wystarczająco dużo sypiać, a także unikać alkoholu, papierosów, sterydów, wysokich temperatur i stresu. Jak wspominaliśmy w rozdziale 3, należy sobie radzić bez jacuzzi, sauny, koców elektrycznych, ciasnej bielizny, gorących kąpieli, podgrzewanych foteli w samochodzie i laptopa umieszczonego na kolanach. Ponadto, należy zintensyfikować współżycie, a przynajmniej postarać się o częstsze wytryski, gdyż przedłużająca się abstynencja może obniżać jakość plemników.

Po kilku miesiącach warto wykonać kolejne badanie nasienia, aby monitorować rezultaty obranej przez siebie strategii, a także zweryfikować poprzednie wyniki. Ponieważ mężczyźni odnawiają swój zasób plemników co trzy miesiące, ponowne badanie może dać odmienny wynik, gdyż inne będą właściwości powstałych komórek. Co więcej, uzyskane wyniki mogą być różne w zależności od momentu pobrania próbki. Jeśli twój poziom stresu jest wysoki, nasienia może być niewiele, a plemniki nie są sprawnie wyprowadzane do nasieniowodów, co prowadzi do gorszych wyników. W warunkach mniej stresujących, wyniki mogłyby być normalne. Inne sytuacje – na przykład gorączka lub nadużycie alkoholu również mogą powodować przejściowe problemy z jakością nasienia. Test powtórzony po pewnym czasie, gdy plemniki miały szansę się zregenerować, powinien dać wyniki w normie.

**Spadek liczby plemników**

W całej, szeroko rozumianej populacji mężczyzn już od dziesięcioleci liczba plemników gwałtownie obniża się. Zaledwie dwa pokolenia wstecz niemal wszyscy dzisiejsi mężczyźni zostaliby uznani za bezpłodnych. W 1940 roku przeciętny mężczyzna miał 113 milionów plemników na mililitr nasienia. W 1960 roku miał tylko 66 mln zł (spadek o 45 procent), a liczba ta przez cały czas spada.

Zmniejszyła się również średnia objętość nasienia, podobnie jak odsetek mężczyzn z prawidłową morfologią plemników. Ostatnie badania wykazały, że według zapisów prowadzonych od 1990 roku ponad 40 procent dawców spermy miało nieprawidłowe plemniki, podczas gdy u mężczyzn badanych przed 1980 rokiem takie przypadki stanowiły jedynie 5 procent.

Spadek średniej liczby plemników był tak znaczny, że lekarze musieli redefiniować „normalność". Dwadzieścia lat temu, aby mężczyzna mógł być uznany za płodnego musiał mieć około 40 milionów plemników na mililitr nasienia. Dzisiaj za normę uważa się 20 milionów. Niezależnie od tego, jaki próg uzna się za właściwy, jak wynika z badań opublikowanych w „British Medical Journal", liczba mężczyzn, którzy mają poniżej 20 milionów plemników wzrosła trzykrotnie. Badanie to wykazało również, że w 2005 roku 30-letni mężczyzna miał średnio tylko jedna czwartą plemników 30-latka z 1955 roku.

Być może eksperci posunęli się nieco za daleko w przedefiniowaniu męskiej płodności i że to, co jest teraz uważane za normalne, jest po prostu zbyt niskie. Dwadzieścia milionów plemników może być teraz wartością średnią, ale samo nazwanie tej ilości normą nie przysłoni faktu, że taka ilość często okazuje się niewystarczająca, aby łatwo począć dziecko. Badanie opublikowane w „New England Journal of Medicine" pokazuje, że u mężczyzn, którzy nie mieli problemów z poczęciem dziecka liczba plemników wynosiła ponad 48 milionów plemników na mililitr nasienia.

Jeśli chodzi o ruchliwość plemników, to co „normalne" pozostaje w nieco bliższym kontakcie z rzeczywistością. Badanie nasienia otrzymuje parafkę „wszystko w normie", jeśli około 60 procent plemników potrafi żwawo się poruszać. Badanie „The New England Journal of Medicine" wskazuje, że naturalne, spontaniczne zapłodnienie zdarza się mężczyznom, u których ruchliwość plemników wynosi co najmniej 63 procent.

### Przyczyny

Przyczyna ogólnego spadku ilości i jakości plemników pozostaje tajemnicą, choć nietrudno dostrzec, że w grę wchodzi wiele czynników: rosnące wskaźniki spożycia leków na receptę, popularność alkoholu, papierosów i miękkich narkotyków oraz większy stopień narażenia na toksyny środowiskowe, takie jak pestycydy i inne zanieczyszczenia (oddziaływają już w łonie matki), które wchodzą w kolizję z kluczowymi hormonami. Zaburzenia genetyczne (które są przyczyną od 2 do 5 procent rozpoznanych przypadków bezpłodności mężczyzn), choroby nerek, cukrzyca i rak, a także terapia na raka również mogą negatywnie wpływać na liczbę i jakość plemników. Wspomnieliśmy już, że przyczyną może być również stres, przy czym stres może mieć zarówno wymiar fizyczny, jak i psychiczny.

## Medycyna chińska

Medycyna chińska wiąże produkcję plemników z energią qi nerek. Większość problemów z plemnikami przypisuje niedoborowi yang (Zmęczony typ płodności) lub niedoborowi yin (Suchy typ płodności), chociaż niektóre zaburzenia mogą być efektem zastoju wilgoci (Nasiąkliwy typ płodności). Problemy te mogą dotknąć również mężczyzn o Zablokowanym i Bladym typie płodności. Akupunktura i chińskie zioła mogą pomóc w zwiększeniu liczby i ruchliwości plemników, a także, choć w mniejszym stopniu, mogą poprawić morfologię . Chodzi tu o zioła, które działają w sposób bardzo zróżnicowany w zależności od rodzaju i specyfiki problemu.

## Pomóż sobie sam

W przypadku problemów z plemnikami zwróć się o pomoc do specjalisty od akupunktury i/lub specjalisty medycyny naturalnej.

## Żylaki powrózka nasiennego

To jedno, najczęstszych schorzeń upośledzających płodność mężczyzn. Na schorzenie to cierpi do 20 procent wszystkich mężczyzn, ale wśród mężczyzn z zaburzeniami płodności odsetek sięga 40 procent. Wskaźnik ten jest jeszcze wyższy wśród mężczyzn, którzy spłodzili już potomstwo, a teraz mają problemy z płodnością ("niepłodność wtórna").

Żylaki powrózka nasiennego jest to wiązka rozszerzonych żył w jądrach. Krew, która zbiera się w obszarze żylaków podgrzewa jądra do 37°C, podczas gdy optymalna temperatura dla jąder wynosi od 35,5°C do 36,1°C. Dodatkowe ciepło jest w stanie uszkodzić lub zniszczyć wytworzone plemniki, zmienić ich kształt i niekorzystnie wpływać na produkcję nowych. Może to prowadzić do upośledzenia płodności i przyczyniać się do poronień. Żylaki powrózka nasiennego mogą również być powodem niskiego poziomu testosteronu.

Większość mężczyzn z żylakami powrózka nasiennego nie odczuwa żadnych objawów; problem z płodnością może być pierwszą oznaką występowania tego schorzenia. Ale żylaki powrózka nasiennego mogą powodować dyskomfort, coś w rodzaju ciągnącego bólu. Ty lub twój lekarz możecie je wykryć podczas rutynowego badania, gdy zauważycie, że jedno z jąder daje wrażenie dotykowe „woreczka robaków". Jeśli wyczujesz żylaki powrózka nasiennego lub tylko podejrzewasz, że je masz, bo nie znalazłeś innego wyjaśnienia dla swoich problemów z płodnością, zwróć się o diagnozę do urologa lub innego specjalisty do spraw męskiej płodności i przedyskutuj z nim możliwości terapii. Mikrochirurgia może uwolnić cię od żylaków powrózka nasiennego i przywrócić płodność. Potem będziesz musiał jednak okazać nieco cierpliwości. Tylko około 35 procent par poczyna dziecko w ciągu roku po chirurgicznej korekcji żylaków powrózka nasiennego, ale po dwóch latach wskaźnik ten zwiększa się do 80 procent.

---

### Studium przypadku: Khalid i Fatima

Khalid i Fatima przez ponad rok próbowali począć dziecko i kilkakrotnie byli u mnie w celu przeprowadzenia inseminacji. Zachęcałem Khalida, aby skontaktował się ze specjalistą do spraw męskiej płodności i gdy wreszcie skorzystał z mojej wskazówki, lekarz rozpoznał u niego żylaki powrózka nasiennego i zaproponował przeprowadzenie zabiegu chirurgicznego w celu ich usunięcia. Kilka dni po operacji przekazałem im dobrą nowinę: Fatima zaszła w ciążę.

Khalid zadzwonił do mnie, aby podzielić się swoimi przemyśleniami. Nie był zadowolony z faktu, że poddał się operacji, której „nie potrzebował", ponieważ sztuczne unasiennienie okazało się skuteczne. Po kilku tygodniach Fatima poroniła, prawdopodobnie z powodu wady DNA plemnika. Już nigdy więcej nie spotkaliśmy się, ponieważ urodziło im się dwoje dzieci bez odwoływania się do zabiegów inseminacji, ani też innych form pomocy. Gdy żylaków powrózka nasiennego już nie było, plemniki Khalida same poradziły sobie z zadaniem.

---

### Medycyna chińska

Nietrudno zrozumieć chiński punkt widzenia, jeśli chodzi o żylaki powrózka nasiennego: zastój krwi. Jest to powszechny problem wśród mężczyzn o Zablokowanym typie płodności.

Są dowody, że u pacjentów cierpiących na to schorzenie chińskie zioła mogą poprawić krążenie, doprowadzić do obkurczenia się żylaków i zwiększenia liczby i ruchliwości plemników. Nie ma jednak wątpliwości, że zabieg chirurgiczny jest nie tylko skuteczniejszą formą terapii, ale także szybszą i rozwiązującą problem na dłuższy czas.

## Uraz jąder

Zranienie jąder może zmniejszyć dopływ krwi, co z kolei może uszkodzić mechanizm wytwarzania plemników. Czasem wystarczy silne uderzenie otrzymane podczas zajęć sportowych lub walki. Bądź czujny, jeśli pojawi się obrzęk jąder lub zewnętrzne, czy też wewnętrzne krwawienie w ich obrębie. Podobne problemy może spowodować obrażenie znane pod nazwą skręcenia jądra, chyba że szybko zostanie podjęta interwencja chirurgiczna.

### Medycyna chińska

Medycyna chińska postrzega uraz jąder jako zastój krwi spowodowany urazem. W terapii swoją rolę odgrywają zioła i akupunktura.

### Pomóż sobie sam

Zmniejszaj pourazowy obrzęk jąder za pomocą zimnych okładów i leków przeciwzapalnych.

## Niedrożność nasieniowodu

Niedrożność nasieniowodu (przewodu, którym plemniki transportowane są z jąder do cewki moczowej) może uniemożliwić plemnikom dotarcie do celu, jak również osiągnięcie pełnej i prawidłowej formy rozwojowej. Poniżej wymienione są najczęstsze przyczyny niedrożności.

**Przepuklina.** Operacja przepukliny, korekta wnętrostwa (jądra, które nie zeszło do moszny), operacja prostaty, operacja związana z rakiem jądra, operacja usunięcia wodniaka (wypełniona płynem przestrzeń dookoła jądro, która powoduje obrzęk moszny), a także w zasadzie każda operacja w rejonie pachwiny mogą spowodować niedrożność nasieniowodu.

**Wazektomia.** Celem wazektomii jest skuteczne zablokowanie nasieniowodu, co uzyskuje się przez jego przecięcie i podwiązanie. Warto pamiętać, że mężczyźni, którzy przeszli tzw. odwróconą wazektomię mogą mieć problem z drożnością nasieniowodów, jeśli po zabiegach pozostały zbliznowacenia.

**Wrodzony brak nasieniowodów.** Niektórzy mężczyźni rodzą się bez nasieniowodów po jednej lub po obu stronach. Istnieje też możliwość wrodzonego braku pęcherzyków nasiennych, które wytwarzają inne komponenty nasienia.

**Wnętrostwo.** Dla zachowania płodności niezbędne jest operacyjne skorygowanie wnętrostwa (robi się to najczęściej w okresie niemowlęcym lub w dzieciństwie). Nawet jednak, jeśli schorzenie zostało wcześnie wykryte, zabieg chirurgiczny nie gwarantuje przyszłej płodności.

**Infekcja.** Każda infekcja może spowodować niedrożność nasieniowodów. Szczególnie szkodliwe są chlamydioza, rzeżączka i gruźlica.

**Zapalenie jądra.** Infekcje wirusowe mogą powodować zapalenie jąder, które z kolei potrafią zahamować produkcję plemników.

**Świnkowe zapalenie jądra.** Jest to dość pospolite powikłanie po przebytej śwince, pojawiające się kilka dni po pojawieniu się wirusa. Dotkniętych nim jest około jednej trzeciej dojrzałych płciowo pacjentów płci męskiej. Świnkowe zapalenie jądra może doprowadzić do zniszczenia znajdujących się w jądrach komórek produkujących spermę, czego efektem jest bardzo znaczne zmniejszenie liczby plemników lub też ich całkowity brak.

Na szczęście, w większości przypadków świnkowe zapalenie jądra atakuje tylko jedno jądro, a więc większość mężczyzn, którzy już po pokwitaniu przeszli tę chorobę nadal wytwarza spermę, choć liczba plemników może być obniżona. Są w stanie zapłodnić swoją partnerkę, ale mogą potrzebować pomocy w postaci inseminacji domacicznej (IUI) czy zabiegu in vitro (IVF). Świnkowe zapalenie jądra może prowadzić do zaniku jądra, ale – także tym razem – z reguły choroba atakuje tylko po jednej stronie.

### Medycyna chińska
W medycynie chińskiej niedrożność nasieniowodów przypisywana jest zastojowi krwi (Zablokowany typ płodności) lub zastojowi flegmy (typ Nasiąkliwy).

## INNE ZAGADNIENIA STRUKTURALNE LUB ANATOMICZNE

Problemy z płodnością może spowodować także cała gama niezbyt często spotykanych problemów strukturalnych bądź anatomicznych. Są one dość rzadkie, ale jeśli żadne z typowych wyjaśnień nie pasuje do twojego przypadku, dopilnuj, aby twój lekarz wykluczył również te pozostałe ewentualności, zanim pogodzisz się z diagnozą mówiącą o niewyjaśnionych przyczynach niepłodności.

**Kobiety:**
Hiperplazja endometrium (rozrost błony śluzowej macicy)
Adenomioza (endometrioza wewnątrz mięśnia macicy)
Zrosty w obrębie miednicy lub zbliznowacenia
Dysfunkcjonalne krwawienia z macicy
Przegroda macicy
Macica dwurożna
Pochwica (Vaginismus)
Zapalenie sromu (Vulvitis)
Zespół zapalenia przedsionka pochwy (Vulva vestibulitis)
Wada wrodzona powodująca dysfunkcje seksualne
Bolesne współżycie lub inne dysfunkcje seksualne

**Mężczyźni:**
Wodniak
Zablokowanie kanału wytrysku
Zaburzenia genetyczne lub wrodzone

## Jak się robi dzieci – plan działania

Przedstawione poniżej plany działania zawierają wykaz badań niezbędnych do ustalenia, czy wasze problemy z płodnością są efektem któregoś z zaburzeń hormonalnych albo anatomicznych. Mając na uwadze kobiety uporządkowaliśmy badania w takiej kolejności, w jakiej powinny być wykonywane w ciągu cyklu miesiączkowego; możesz więc je tak zaplanować, abyś mogła je przejść w możliwie najkrótszym czasie. (W przypadku mężczyzn planowanie zazwyczaj nie jest tak istotne.) Nie każda kobieta będzie musiała wykonać wszystkie te badania, ale nie można też wykluczyć, że nie są to wszystkie badania, którym będziesz musiała się poddać. Oczywiście, lekarz pomoże ci wybrać te, które powinnaś przejść.

# BADANIA KOBIET

| Badanie | Stan | Najbardziej podatne typy płodności | Planowanie |
|---|---|---|---|
| USG jajników i macicy | Mięśniaki, torbiele jajników, adenomioza | Zablokowany Nasiąkliwy | Tuż po zakończeniu okresu (4, 5 lub 6 dzień typowego cyklu; w przypadku mięśniaków – dowolnego dnia) |
| Histerosalpingografia HSG | Niedrożne jajowody, mięśniaki, polipy, endometrium | Zablokowany Nasiąkliwy | Po zakończeniu okresu, ale przed owulacją (7, 8 lub 9 dzień typowego cyklu) |
| Histerosalpingografia HSG | Zespół Ashermana, nawracające poronienia, w celu sprawdzenia kształtu macicy | Nie sprecyzowany | Po zakończeniu okresu, ale przed owulacją (7, 8 lub 9 dzień typowego cyklu) |
| Laparoskopia | Niedrożne jajowody, mięśniaki, endometrioza, zrosty (tkanka bliznowata) | Zablokowany Nasiąkliwy | Po zakończeniu okresu, ale przed owulacją (7, 8 lub 9 dzień typowego cyklu) |
| Badanie ginekologiczne | Zwężona szyjka macicy | Suchy | Najlepiej przed owulacją |

283

| | | | |
|---|---|---|---|
| USG z podaniem płynu do jamy macicy | Zespół Ashermana, polipy endometrium, mięśniaki podśluzówkowe | Zablokowany Nasiąkliwy | Po zakończeniu okresu |
| Histeroskopia | Mięśniaki, polipy endometrium | Zablokowany Nasiąkliwy | Po zakończeniu okresu |
| Histeroskopia | Zespół Ashermana, polipy endometrium, patologiczne zaburzenia endometrium | Zablokowany | Po zakończeniu okresu |
| Magnetyczny rezonans jądrowy MRI lub inna technika obrazowania 3D | Mięśniaki, torbiele jajników, polipy endometrium | Zablokowany Nasiąkliwy | Po zakończeniu okresu |
| Badanie ginekologiczne | Mięśniaki, torbiele jajników | Zablokowany Nasiąkliwy | Po owulacji |

# BADANIA DLA MĘŻCZYZN

| Badanie | Stan | Najbardziej podatne typy płodności |
|---|---|---|
| Badanie nasienia | Liczba plemników, ruchliwość lub problemy z morfologią, infekcja | Niesprecyzowany |
| | Niedrożność nasieniowodów (brak plemników) | Zablokowany |
| Badanie fizykalne | Żylaki powrózka nasiennego | Zablokowany |
| | Uraz jądra | Nie sprecyzowany |
| USG moszny | Żylaki powrózka nasiennego, guz jądra | Zablokowany |
| | Uraz jądra | Nie sprecyzowany |
| Biopsja jąder | Azospermia (nieobecność plemników w nasieniu) | Zablokowany |
| Kultury bakteryjne w nasieniu | Zapalenie gruczołu krokowego, zapalenie cewki moczowej | Nasiąkliwy<br><br>Każdy mężczyzna z tymi problemami powinien porozmawiać z lekarzem o kulturach bakteryjnych |
| Poziom folikulotropiny FSH, luteiny LH, testosteronu | Zaburzona równowaga hormonalna; niewydolność jąder | Nie sprecyzowany |

# ROZDZIAŁ 16

## Infekcje

Infekcje, rzecz jasna, mogą dotknąć każdego i niestety mogą też mieć wpływ na płodność. Niewykryte i nieleczone stany zapalne są najczęściej pomijanymi przyczynami niepłodności. W około 15 procent przypadków niepłodność ma swoje źródło w ognisku zapalnym. Udział infekcji jest jeszcze większy, jeśli chodzi o przypadki wczesnego poronienia. Stany zapalne stanowią tak częste rozwiązanie dla zagadki, jaką jest niepłodność o niewyjaśnionym charakterze, że żartujemy sobie, iż antybiotyki to ulubione lekarstwa Samiego na zaburzenia płodności. Są one też częstą przyczyną fiaska zabiegów zapłodnienia in vitro. Szczególnie podatne na problemy z płodnością, których podłożem jest niewyleczona infekcja, są osoby o Nasiąkliwym typie płodności.

Każda kobieta, która poddaje się zabiegowi zapłodnienia in vitro otrzymuje antybiotyki w ramach przepisanej jej terapii. Wynika to z obawy, że jakieś bakterie, które zasiedziały się w jej drogach rodnych – nawet jeśli na razie nie wywodują objawów – mogą zakłócić przebieg ciąży.

Infekcje bezobjawowe są tak powszechne, że w naszym przekonaniu są najbardziej prawdopodobną przyczyną niepłodności w przypadkach, w których nie udało się postawić konkretnej diagnozy. Ale chcemy podkreślić, że nie wszystkie infekcje powodujące niepłodność są przenoszone drogą płciową, czy tylko drogą płciową. Bakterie Ureaplasma, Mycoplasma, E. Coli, Klebsiella i inne nie przenoszą się jedynie poprzez stosunki seksualne, a ich obecność w organizmie często nie wiąże się z żadnymi symptomami – oprócz niepłodności lub wczesnej utraty ciąży. Nie popełniaj więc tego błędu i nie zakładaj pochopnie, że skoro żyjesz w monogamicznym związku, problem zakażeń cię nie dotyczy.

Każda para zmagająca się z problemem niewyjaśnionej niepłodności powinna zostać przebadana pod kątem występowania w ich organizmie bakterii, a także infekcji – nawet tych bardzo łagodnych i trudnych do wykrycia. (Badanie takie to dobry pomysł w przypadku każdego, kto przygotowuje się do macierzyństwa lub ojcostwa.) Pary powinny to zrobić na długo zanim zapiszą się na zabieg zapłodnienia in vitro lub inny, równie mocno interweniujący w naturalne procesy organizmu. Jak wspomnieliśmy wcześniej, osoby należące do Nasiąkliwego typu płodności są szczególnie podatne na upośledzające płodność infekcje, choć tak naprawdę problem ten dotyczy wszystkich typów płodności. Stąd wniosek, że osoba o Nasiąkliwym typie płodności raczej nie będzie odwlekała badań pod kątem infekcji, podczas gdy przedstawiciele pozostałych typów płodności nie muszą aż tak bardzo się spieszyć – chyba że istnieje problem niewyjaśnionej bezpłodności.

Silny układ odpornościowy, wspomagany dobrą dietą i regularnym snem, może sam poradzić sobie z infekcjami. Proces ten może jednak zająć stosunkowo dużo czasu – czasu, którego już nie masz lub tak ci się wydaje. Co więcej, nie masz też pewności, czy twój system odpornościowy będzie w stanie zwalczyć istniejący stan zapalny. Jest przecież także możliwe, że nosisz w sobie tę infekcję już od dawna i układ odpornościowy do tej pory nie był w stanie jej pokonać. Zalecamy więc usunięcie bakterii za pomocą antybiotyków oraz prowadzenie zdrowego trybu życia w celu wspomagania systemu odpornościowego.

## KOBIETY

Od dawna wiadomo, że nieleczona chlamydia bywa przyczyną niepłodności kobiet. Przewlekłe zakażenie chlamydią może rozwinąć się w zapalenie narządów miednicy mniejszej (PID), które niekiedy pozostawia po sobie blizny na jajowodach i zwiększa ryzyko wystąpienia ciąży pozamacicznej lub niepłodności. Gdy sprawy już zajdą tak daleko, antybiotyki problemu nie rozwiążą. Zakażenie chlamydią często ma przebieg bezobjawowy, więc można je łatwo przeoczyć.

Chlamydia jest tylko jedną z bakterii, które mogą zaszkodzić płodności. Sprawcami kłopotów są często również bakterie E. Coli, Enterococcus, Staphylococcus (gronkowce), Ureaplasma, Mycoplasma i rzeżączka. Także zakażenia drożdżakami (Candida albicans) mogą dostarczyć zmartwień. Badania wykazały, że około 25 do 30 procent kobiet zgłaszających się na leczenie niepłodności jest nosicielkami mikroorganizmów, które mogą upośledzać ich płodność.

Niezależnie od zamieszania, jakie powodują w żeńskich narządach rozrodczych, infekcje mogą uszkadzać, zatrzymywać lub nawet zabijać plemniki. Mogą sprawić, że plemniki przyklejają się jeden do drugiego (tzw. aglutynacja), co nie pozwala im prawidłowo funkcjonować oraz upośledza ich zdolność do poruszania się i penetracji komórki jajowej. Bakterie w śluzie szyjkowym (stan zapalny szyjki macicy) mogą również przylgnąć do przepływających obok plemników, a następnie dostać się jajeczka, infekując zarodek. Plemniki mogą również przenosić bakterie, które zabierają ze sobą, gdy przechodzą przez cewnik w trakcie zabiegu zapłodnienia wewnątrzmacicznego (IUI) lub in vitro (IVF).

Zakażenia te mogą mieć przebieg bardzo łagodny, w zasadzie niepowodujący żadnych objawów, co sprawia, że jedynym sposobem, aby dowiedzieć się, czy je masz, jest zlecenie przez lekarza wykonania badania laboratoryjnego twojego śluzu szyjkowego. Mogą również wydzielać zapach lub powodować pieczenie, ból i gorączkę, a w ciężkich przypadkach, takich jak zakażenie chlamydią lub rzeżączką, zbliznowacenia w rejonie miednicy i niepłodność, której leczenie jest znacznie trudniejsze i nie wystarcza tu już zwykła kuracja antybiotykowa. Jeśli u jednego z partnerów zostało rozpoznane zakażenie, kuracji antybiotykowej należy poddać obydwoje. Prawdopodobnie bakterie zainfekowały już drugą osobę i jeśli jedna z nich nie zostanie poddana leczeniu, łatwo może ponownie zarazić tę wyleczoną.

## MĘŻCZYŹNI

Te same bakterie, które powodują problemy z płodnością u kobiet mogą także upośledzać płodność mężczyzn, gdy osiedlą się w męskim układzie rozrodczym. Zakażenia mogą obniżać liczbę plemników, a także ich ruchliwość i jakość, mogą też powodować genetyczne uszkodzenia. U mężczyzn mogą wystąpić problemy z płodnością nawet wtedy, gdy ich plemniki nie wykazują żadnych anomalii, a wyniki analizy nasienia w podstawowym zakresie nie sygnalizują problemów. Ponadto, w przypadku zapalenia gruczołu krokowego (prostatitis) lub zapalenia cewki moczowej (urethritis), bakterie mogą przylgnąć do plemników w trakcie wytrysku, po czym zostać przetransportowane aż do komórki jajowej.

Podobnie jak u kobiet, bakterie te najczęściej powodują jedynie łagodne, bezobjawowe infekcje, które czasem przez całe lata pozostają niewykryte i nieleczone. Aby dowiedzieć się, czy nie masz czasem takiej utajonej infekcji, lekarz musi zlecić laboratoryjne przebadanie twojego nasienia. Nawet jeśli posiew nasienia nie wykazuje występowania bakterii, ale w standardowej analizie nasienia pojawiają się białe krwinki, sygnalizując reakcję immunologiczną – jest to wystarczający powód, aby założyć, iż infekcja występuje i poddać oboje partnerów kuracji antybiotykowej. W niektórych przypadkach zakażenia bakteryjne mogą powodować u mężczyzn bardzo poważne objawy. Nieleczona chlamydia, na przykład, może prowadzić do obrzęku jąder i najądrza, zbliznowaceń i niepłodności. Przypadki te jednak prawie zawsze są poddawane leczeniu ze względu na dolegliwości bólowe, jakie powodują, a więc – paradoksalnie – nie budzą takich obaw jak infekcje utajone.

Jeśli badanie potwierdzi obecność zakażenia, można je łatwo wyleczyć serią antybiotyku. Kuracja antybiotykowa nie tylko usunie infekcję, ale również spowoduje cofnięcie się następstw jej negatywnego oddziaływania na plemniki – i w ten sposób znacznie zwiększy szansę na ciążę. Po zakończeniu kuracji organizm będzie wytwarzał znacznie mniej nieprawidłowych plemników, kontynuując produkcję nowych i zdrowych, w efekcie czego jakość spermy szybko wróci do normy. Przeprowadzone w Meksyku badania zobrazowały rangę problemu: w grupie 193 mężczyzn, którzy wraz ze swoimi partnerkami zgłosili się na leczenie bezpłodności około trzech czwartych było zarażonych zarówno chlamydią, jak i mykoplazmą. Po serii antybiotyków, zdecydowana większość z tych par zaszła w ciążę już bez potrzeby poddawania się jakiejkolwiek innej kuracji.

Warto wspomnieć przy okazji, że każda infekcja, gdziekolwiek by nie była usytuowana – na przykład wirusowa grypa z wysoką gorączką, czy nawet tylko solidne przeziębienie – może mieć negatywny wpływ na plemniki nawet jeszcze dwa miesiące po jej wyleczeniu. Prawie wszystko, co powoduje gorączkę może utrudniać mężczyźnie jego reprodukcyjne starania – aż do czasu, gdy w drodze naturalnej wymiany uszkodzone plemniki zostaną zastąpione zdrowymi.

### Medycyna chińska

Medycyna chińska, podobnie jak medycyna zachodnia, uważa, że infekcje są wynikiem czynników chorobotwórczych, ale także konsekwencją określonego środowiska wewnątrz ciała, które czyni obecność patogenów bardziej prawdopodobną. Sama infekcja jest postrzegana jako wilgoć w połączeniu z gorącem i toksycznością. Choć osoby o Nasiąkliwym typie płodności są bardziej podatne na zakażenia, infekcje mogą dotknąć każdego, niezależnie od typu płodności. Do rozwoju stanu zapalnego może dojść jedynie wtedy, gdy broniące organizm qi (układ odpornościowy) jest słabe i wytwarzają się sprzyjające warunki dla rozwoju patogenu.

Chińskie zioła i akupunktura mogą być pomocna w zwalczaniu infekcji układu reprodukcyjnego. Obie te terapie należy wspomagać antybiotykami, aby zapobiec nawrotowi choroby.

### Pomóżcie sobie sami

• Wzmacniaj swój układ odpornościowy przez spożywanie pokarmów bogatych w substancje odżywcze, a zwłaszcza w beta-karoten oraz witaminy C i E. Cynk zwiększa odporność i, jak dowiedziono, zapobiega nawrotom infekcji – zadbaj więc, aby znajdował się w twojej diecie.

• Jedz czosnek, który ma silne właściwości antybakteryjne – pomoże ci zwalczać infekcje.

• Jeśli jesteś leczona antybiotykami, przyjmuj probiotyk, który przywróci jelitom „dobre" bakterie. Niezłą alternatywą, nawet jeśli nie tak samo skuteczną, jest pić dwa razy dziennie po pół szklanki jogurtu.

• Umów się ze specjalistą medycyny naturalnej bądź/i specjalistą w zakresie leczenia akupunkturą, aby dodatkowo wesprzeć walkę z zakażeniem. Niektóre infekcje są bardzo uparte i nawroty choroby są poważnym problemem. Aby im zapobiegać, zioła czy też akupunkturę stosuj zawsze w połączeniu z antybiotykami.

# Jak się robi dzieci – plan działania

Przedstawione poniżej plany działania przedstawiają w sposób skomasowany badania niezbędne, aby ustalić, czy twoje problemy z płodnością są wynikiem zakażenia. Upośledzające płodność infekcje mogą dotknąć osoby reprezentujące wszystkie typy płodności. Typem szczególnie podatnym na nie jest typ Nasiąkliwy. Osoby o innych typach płodności powinny poddać się stosownym badaniom, jeśli nie udało się znaleźć innego wytłumaczenia dla ich problemów z płodnością. Nie każdy będzie musiał wykonać wszystkie te badania, ale nie można też wykluczyć, że nie są to wszystkie badania, które będą potrzebne.

## BADANIA DLA KOBIET

| Badanie | Stan | Najbardziej podatne typy płodności | Planowanie |
|---------|------|-----------------------------------|------------|
| Badanie kultur bakteryjnych śluzu szyjki macicy (badanie postkoitalne) | Zakażenie | Nasiąkliwy | 1 do 3 dni przed spodziewanym terminem owulacji |

## BADANIA DLA MĘŻCZYZN

| Badanie | Stan | Najbardziej podatne typy płodności |
|---------|------|-----------------------------------|
| Badanie kultur bakteryjnych nasienia | Zakażenie | Nasiąkliwy |
| Liczba białych krwinek (w nasieniu) | Reakcja immunologiczna (oznaka zakażenia) | Nasiąkliwy |

# ROZDZIAŁ 17

## Zagadnienia systemu odpornościowego

Immunologiczne problemy z płodnością występują we wszystkich typach płodności, przy czym szczególnie mocno dotykają one kobiet. Pierwsza część tego rozdziału poświęcona jest reakcjom autoimmunologicznym, które mogą spowodować utratę ciąży lub fiasko zabiegu zapłodnienia in vitro (głównie ze względu na podatność kobiet). Druga część poświęcona jest przeciwciałom przeciwplemnikowym, które powodują niepłodność immunologiczną.

### REAKCJE AUTOIMMUNOLOCZNE

Na przestrzeni ostatnich kilku lat zaobserwowaliśmy zwiększenie liczby kobiet dotkniętych jakiegoś rodzaju problemem autoimmunologicznym (alergią, toczeniem, chorobą Crohna, reumatoidalnym zapaleniem stawów, chronicznym zmęczeniem, problem z tarczycą), który upośledza ich płodność. W tej grupie częste są przypadki endometriozy, nawracających poronień czy nieudanych zabiegów in vitro. Niestety, nie wszyscy lekarze są świadomi faktu, w jak dużym stopniu problemy te rzutują na proces rozmnażania. Naszym zdaniem, kwestie immunologiczne są trzecią w kolejności, najczęściej pomijaną przyczyną niepłodności (po infekcjach i endometriozie).

Jeśli cierpisz z powodu nawracających poronień, winny tej sytuacji może być twój system odpornościowy. Eksperci szacują, że do 20 procent poronień jest następstwem reakcji autoimmunologicznej.

W uproszczeniu polega to na tym, że ciało kobiety reaguje alergicznie na zarodek. Co więcej, „niewyjaśniona niepłodność" często nie jest żadną niepłodnością, ale wczesnymi, nawracającymi poronieniami, powodowanymi przez nieprawidłowe reakcje immunologiczne.

Z technicznego punktu widżenia, poronienie nie może zostać uznane za zaburzenie płodności (dochodzi bowiem do poczęcia i zagnieżdżenia). Są jednak dwa powody, dla których o nim piszemy. Po pierwsze, ostateczny rezultat jest taki sam – pragnienie rodzicielstwa nie zostaje zaspokojone. Po drugie, te same problemy układu immunologicznego, które powodują poronienia, mogą również powodować zaburzenia płodności (gdy nie dochodzi do poczęcia i zagnieżdżenia). W przypadku kobiet z nawracającymi poronieniami wyróżnia się cztery główne markery problemów immunologicznych: przeciwciała przeciwtarczycowe, przeciwciała antyfosfolipidowe (trombofilia), komórki NK oraz przeciwciała przeciwjądrowe. Niżej przyjrzymy się wszystkim po kolei.

**Przeciwciała przeciwtarczycowe**
Niedoczynność tarczycy (niskie stężenie hormonów tarczycy) jest najczęściej spowodowane wysokim poziomem przeciwciał, których działanie skierowane jest przeciwko tarczycy. Może się też zdarzyć, że choć przeciwciał tych jest dużo, tarczyca jest w dobrym stanie, przynajmniej na razie. Ponieważ przeciwciała zwiększają jednak ryzyko wystąpienia niedoczynności tarczycy, twój lekarz powinien mieć je na oku. Co ważne, nie tylko kobiety z niedoczynnością tarczycy są bardziej narażone na poronienie. W takiej samej sytuacji są kobiety o wysokim poziomie przeciwciał, ale normalnym stężeniu hormonów tarczycy. Zagrożenie to odnosi się również do kobiet poddawanych zabiegom in vitro. Należy pamiętać, że czynność tarczycy może się zmienić w okresie ciąży, a lekarz powinien monitorować rozwój sytuacji, zwłaszcza w pierwszym trymestrze. Choć kobiety z rozpoznanymi zaburzeniami tarczycy wymagają więcej uwagi, wszystkie ciężarne kobiety powinny być przebadane w pierwszym trymestrze ciąży w tym kierunku Poziom przeciwciał przeciwtarczycowych może określić badanie krwi.

Naukowcy wciąż nie rozumieją do końca, na czym polega związek między przeciwciałami przeciwtarczycowymi i występującymi poronieniem. Być może przeciwciałom przeciwtarczycowym towarzyszą inne zaburzenia układu odpornościowego i te dopiero są prawdziwym źródłem kłopotów. Albo może być też i tak, że przeciwciała po prostu tracą orientację i wchodzą w reakcję krzyżową przeciwko łożysku lub embrionowi. W każdym razie, niezależnie od natury procesów, jakie tu zachodzą, przyjmowanie suplementu hormonu tarczycy może zmniejszyć ryzyko poronienia.

## Przeciwciała antyfosfolipidowe (APA)

Przeciwciała antyfosfolipidowe (APA) w wyniku błędnego rozpoznania atakują zdrowe komórki, jakby to byli najeźdźcy. Kiedy APA przyczepiają się do fosfolipidów (molekuł tłuszczu, ważnego składnika błony komórkowej), stają się lepkie i sklejają się ze sobą, co prowadzi do złego przepływu krwi i powstawania skrzepów. Może to w dalszym okresie życia spowodować wiele poważnych zagrożeń dla zdrowia, takich jak udar mózgu czy zawał serca. Ograniczony dopływ krwi do macicy lub łożyska oznacza, że otrzymują one zbyt mało składników odżywczych i tlenu, a to może uniemożliwić zagnieżdżenie zapłodnionego jajeczka lub spowodować wczesne poronienie.

Jeśli masz problem z niewyjaśnioną niepłodnością, nawracającymi poronieniami lub ciążą chemiczną i nie wiesz, dlaczego tak się dzieje, porozmawiaj z lekarzem o wykonaniu badania krwi pod kątem przeciwciał antyfosfolipidowych (APA). APA są wykrywane u około 15 procent kobiet borykających się z nawracającymi poronieniami.

Jeśli masz APA, twój lekarz przypuszczalnie zaleci codzienne zażywanie aspiryny w małej dawce (dawniej była to „aspiryna dziecięca") i/albo w cięższych przypadkach antykoagulant w zastrzyku, taki jak heparyna lub Lovenox[*], co ma zapobiegać negatywnym skutkom występowania tych przeciwciał. Taka terapia spowoduje rozcieńczenie krwi i zmniejszy ryzyko tworzenia się skrzepów, a także poronienia.

Osobiście (Sami), niemal wszystkim moim pacjentom zalecam przyjmowanie aspiryny w niskich dawkach. Aspiryna rozcieńcza krew, a niewielka jej ilość poprawia przepływ krwi do macicy i do łożyska, a także zapobiega skrzepom, które mogą stanąć na przeszkodzie zagnieżdżeniu zapłodnionego jajeczka. Medycyna chińska podąża podobną drogą, gdy zaleca akupunkturę na poprawienie przepływu krwi do macicy.

U wielu kobiet występują problemy z zagnieżdżeniem zapłodnionego jajeczka, które są trudne do wykrycia, bądź zlokalizowania i tu aspiryna

---

[*] handlowa nazwa enoksaparyny, inna nazwa to Clexane

może okazać się pomocna. Raczej nie wyrządzi krzywdy ani matce, ani zarodkowi (jedynym wyjątkiem mogą być osoby z historią choroby wrzodowej żołądka lub krwawieniem bądź zapaleniem błony śluzowej żołądka czy też osoby z zaburzeniami krzepnięcia, które nie powinny przyjmować kwasu acetylosalicylowego). Z tych samych powodów, dla których niewielkie dawki aspiryny są powszechnie stosowane w ramach ochrony przed atakiem serca czy też udarem, codzienna dawka tego leku może dopomóc wielu kobietom, które próbują zajść w ciążę.

Kobiety, u których powtarzały się poronienia lub wczesne utraty ciąży, a cykle zapłodnienia in vitro kończyły się fiaskiem, powinny zostać przebadane pod kątem poważniejszych zaburzeń krzepnięcia, w tym trombofilii (nadkrzepliwości). Być może powinny one udać się do hematologa, który specjalizuje się w tego rodzaju problemach. Możliwe, że w niektórych przypadkach trzeba będzie wstrzyknąć leki rozrzedzające krew. Choć większość kobiet powinna zaprzestać przyjmowania niskich dawek aspiryny po pierwszym trymestrze, w niektórych przypadkach wskazane jest przyjmowanie ich przez cały okres ciąży. Na przykład kobieta, u której wykryto MTHFR[*] – genetyczną anomalię, która zwiększa krzepliwość, a wraz z nią ryzyko ataku serca, udaru i poronienia – może być w stanie donosić dziecko z pomocą niewielkiej dawki aspiryny przyjmowanej przez cały okres ciąży wraz z dużą dawką kwasu foliowego.

## Komórki NK

Komórki NK, pomimo przerażającej nazwy (Natural Killers – naturalni zabójcy), stanowią normalną i pomocną część układu odpornościowego. Ciało wykorzystuje te szczególnie agresywne białe krwinki do wyszukiwania szybko rosnących i dzielących się komórek – na przykład takich, jakie pojawiają się w przypadku infekcji wirusowych i bakteryjnych czy też raka – i niszczenia ich. W fazie lutealnej komórki NK obecne są w wyściółce macicy, gdzie wspierają proces zagnieżdżenia zapłodnionego jajeczka.

Komórki NK mogą być jednak także przyczyną nawracających poronień. U niektórych kobiet komórki te stają się nadaktywne i zbyt mocno reagują na ciążę; atakują zarodek tak, jakby to była komórka rakowa.

---

[*] reduktaza metylenotetrahydrofolianu

Aby dowiedzieć się, czy komórki NK za bardzo nie harcują, wystarczy wykonać proste badanie krwi.

Terapia, jaką rekomenduję (Sami), polega na podaniu dożylnie globuliny gamma i steroidów, a także infuzji intralipidu*, co ma na celu przytłumienie działania systemu odpornościowego na okres wystar-czająco długi, aby ciąża zdążyła się umocnić (zazwyczaj przez pierwszy trymestr). Trzeba jednak zaznaczyć, że nie wszyscy specjaliści w sprawach płodności podzielają to podejście, a niektórzy nawet nie zlecają badania na komórki NK.

**Przeciwciała przeciwjądrowe**
Zadaniem przeciwciał przeciwjądrowych jest atakowanie jąder komórek dokonujących inwazji na twój organizm. Jeśli tak się zdarzy, że zapłodniona komórka jajowa zostanie wzięta za wroga, przeciwciała mogą zaatakować także jej jądro. Obecność niewielkich ilości przeciwciał przeciwjądrowych we krwi to zjawisko normalne – ma je około 5 procent zdrowych ludzi. Osoby z chorobami autoimmunologicznymi, takimi jak toczeń i reumatoidalne zapalenie stawów mają zwykle wysoki poziom tych przeciwciał, co może prowadzić do stanu zapalnego w macicy i łożysku, a następnie do niemożności zagnieżdżenia jajeczka, poronienia nawracającego lub niewyjaśnionej niepłodności. Kobiety z wysokim poziomem przeciwciał przeciwjądrowych mają mniejsze szanse na powodzenie zabiegu zapłodnienia in vitro (IVF) czy mikroiniekcji plemnika do komórki jajowej (ICSI).

Jeśli masz trudności z zajściem w ciążę, porozmawiaj z lekarzem na temat prostego badania krwi, które mierzy poziom przeciwciał przeciwjądrowych. Standardowym leczeniem jest podanie steroidu, np. prednizonu, w celu stłumienia reakcji zapalnej i odpornościowej poprzez obniżenie poziomu przeciwciał. Jeśli Twój poziom jest bardzo wysoki, powyżej 1:160, powinnaś również skonsultować się z reumatologiem.

**Medycyna chińska**
Pewnie wydaje ci się, że najlepszym sposobem na poradzenie sobie z problemami odporności jest wzmocnienie układu odpornościowego – tego właśnie byś sobie pewnie życzyła, gdybyś cały czas łapała przeziębienia lub miała jakieś inne objawy braku odporności. Ale proste wzmacnianie układu odpornościowego, gdy i tak jest on już raczej nadaktywny jest

---

\* emulsja tłuszczowa do odżywiania pozajelitowego

błędem – i to błędem często popełnianym. Tym, co naprawdę trzeba zrobić jest przywrócenie układowi odpornościowemu równowagi, a nie jego turbodoładowanie. Uzyskanie znaczącej poprawy sytuacji wymaga ze strony specjalisty medycyny naturalnej pewnej dozy finezji.

Według medycyny chińskiej, nie ma takiego typu płodności, w którym prawdopodobieństwo wystąpienia problemów odpornościowych jest większe niż w innych. Ich źródła są w słabych qi i yang (typ Zmęczony), co prowadzi do złego metabolizmu płynów (typ Nasiąkliwy), zastoju qi i krwi (typ Zablokowany), a także gorąca, powodując niedobór yin (typ Suchy) i krwi (typ Blady).

Uważa się, że zaburzenia krzepnięcia krwi, takie jak APA i MTHFR mają związek z zastojem krwi. Z punktu widzenia medycyny chińskiej, zastój krwi odnosi się do wszystkich rodzajów słabego przepływu krwi, w tym przypadku – w macicy. Ten rodzaj zastoju w szczególnym stopniu dotyka osoby o Zablokowanym typ płodności.

Medycyna chińska, jeśli stosowana jest właściwie, może być bardzo skuteczna w leczeniu „rozbrykanego" układu odpornościowego. Leczenie powinno uwzględniać twój typ płodności, a także wszelkie inne twoje uwarunkowania i schorzenia. Celem jest uzyskanie stanu równowagi całego układu, a nie tylko pobudzenie qi.

### Pomóż sobie sama

- Odwiedź specjalistę medycyny chińskiej i poproś o zestaw ziół i akupunktury dopasowany do twojego konkretnego przypadku, który usunąłby gorąco, pobudził qi, a także wilgotność oraz/lub wsparł qi i yin.
- Nabierz zwyczaju codziennego wykonywania redukujących stres ćwiczeń, takich jak joga, medytacja czy spacer po pracy. Stres zwiększa produkcję i uwalnianie kortyzolu, który bardzo poważnie osłabia układ odpornościowy.
- Unikaj alkoholu, nie pal tytoniu, a spożycie rafinowanego cukru i kofeiny ogranicz do minimum, gdyż one dodatkowo obciążają twój układ odpornościowy.
- Dostarczaj swojemu ciału dużo przeciwutleniaczy, takich jak witamina C (w rozsądnych ilościach), witamina E i beta-karoten, które korzystnie działają na układ odpornościowy. Uwzględnij je w swojej diecie, a także pomyśl o suplementach.
- Pomyśl o zażywaniu suplementu cynku, gdyż cynk dobrze służy układowi odpornościowemu.

- Porozmawiaj ze swoim lekarzem o uzupełnieniu diety o suplement kwasu para-aminobenzoesowego (PABA), który pomaga przy niektórych schorzeniach autoimmunologicznych.
- Jedz więcej produktów wspierających zasadowość, takich jak zboża pełnoziarniste i warzywa, a mniej produktów wspierających kwasowość, takich jak mięso, alkohol czy kawa.
- Upewnij się, że przyswajasz wystarczająco dużo kwasu foliowego – 2 do 3 mg (2.000 do 3.000 mcg) dziennie.

### Przeciwciała antyfosfolipidowe
- Weź jedną małą dawkę (81 mg) aspiryny dziennie. Jest to szczególnie ważne dla osób o Zablokowanym typie płodności. W aptece możesz kupić opakowanie aspiryny w małych dawkach, znanej dawniej pod nazwą aspiryny dziecięcej. Odpowiada to jednej czwartej „normalnej" tabletki. Aby zapobiec podrażnieniu żołądka, aspirynę należy przyjmować po pełnym posiłku. Gdy starasz się zajść w ciążę, niskie dawki aspiryny możesz przyjmować jak długo chcesz, jednak pod koniec pierwszego trymestru ciąży trzeba ją odstawić, chyba że lekarz zaleci inaczej. Dowiedziono, że takie stosowanie aspiryny dobrze wpływa na wyściółkę macicy, a także wspiera zagnieżdżenie zapłodnionego jajeczka. Badania opublikowane w 2000 roku wykazały, że leczenie aspiryną dziecięcą, poprzez poprawę przepływu krwi zwiększa grubość wyściółki macicy, co z kolei podwyższa wskaźnik poczęć wśród kobiet zmagających się z niepłodnością. Jak dowodzi jedno z izraelskich badań kobiety, u których rozpoznano problemy autoimmunologiczne i którym nie powiodły się kilkakrotnie powtarzane cykle zapłodnienia in vitro, osiągnęły imponujący 37-procentowy odsetek ciąż, gdy zabiegi te wspomagały niskimi dawkami aspiryny.
- Odwiedź licencjonowanego specjalistę medycyny naturalnej i poproś go o preparat pobudzający przepływ krwi (zioła o działaniu przeciwkrzepliwym). Nie jest to sytuacja, w której możesz stosować zioła na własną rękę; potrzebujesz opieki specjalisty. Jest to szczególnie ważne, jeśli zamierzasz łączyć zioła z leczeniem aspiryną.
- Aby zwiększyć dopływ krwi do macicy, wypróbuj akupunkturę.

### Komórki NK
- Przyjmuj olej rybny w suplemencie, aby zahamować aktywność komórek NK.

- Aby przemieścić komórki NK z krwi do tkanek, stosuj suplement chlorofilu w płynie. Mniej komórek NK w krwioobiegu oznacza, że mniej komórek będzie mogło niewłaściwie zareagować na plemnik lub zarodek.

### Przeciwciała przeciwjądrowe
- Udaj się do specjalisty medycyny naturalnej i poproś go o preparat regulujący wilgotność i gorąco w organizmie. Nie jest to sytuacja, w której możesz stosować zioła na własną rękę; potrzebujesz opieki specjalisty.

## PRZECIWCIAŁA PRZECIWPLEMNIKOWE

Najczęstszą, wpływającą na płodność nieprawidłowością systemu odpornościowego jest coś, co w swojej istocie jest uczuleniem na spermę. W wielu sytuacjach, gdy mamy do czynienia z niewyjaśnioną niepłodnością, tajemnicę można byłoby rozwiać, wykonując test na obecność przeciwciał przeciwplemnikowych.

Jak wspomnieliśmy wcześniej, przeciwciała są białkami używanymi przez układ odpornościowy do rozpoznawania intruzów i obrony przed nimi. To dobrze, gdy ograniczają się one do prowadzenia walki z wirusami przeziębienia, ale źle się dzieje, gdy ciało pomyłkowo atakuje „niewinne" cele – na przykład pyłki drzew (tak jak to się dzieje w alergii sezonowej) lub też – tak jak w naszym przypadku – plemniki.

Ciało kobiety może wytwarzać przeciwciała skierowane przeciwko plemnikom jej partnera. Zabijają je lub unieszkodliwiają, gdy te tylko dotrą do śluzu szyjkowego. Również mężczyzna może wytwarzać przeciwciała skierowane przeciwko jego własnej spermie. W taki czy inny sposób eliminują one plemniki jeszcze zanim te zdążą się zbliżyć do jajeczka. Jeśli nawet plemniki nie zostaną zabite, przeciwciała mogą inaktywować ich zdolność przyczepiania się do jajeczka i przeniknięcia do środka. Przeciwciała przeciwplemnikowe mogą również sprawić, że plemniki sklejają się ze sobą (aglutynacja) i tracą wszelką skuteczność. U mężczyzn przeciwciała przeciwplemnikowe są zazwyczaj wytwarzane w związku z powstałą niedrożnością (w tym także zablokowaniem nasieniowodu) lub jakimś uszkodzeniem, na przykład pozostałością po odwróconej wazektomii. U kobiet przyczyna tego zjawiska pozostaje nieznana.

Submikroskopowych przeciwciał nie można dostrzec w śluzie, w nasieniu czy też na plemnikach, a one same nie powodują żadnych objawów. Najprostszym sposobem, aby się dowiedzieć, czy przeciwciała przeciwplemnikowe mogą być przyczyną twoich tarapatów jest przeprowadzenie badania postkoitalnego. Jeśli badanie pokazuje, że płodny śluz szyjkowy ma odpowiednią rozciągliwość i neutralne pH (nie jest kwaśny), ale plemniki są martwe lub drgają w miejscu zamiast rześko pływać, przyczyną problemu mogą być przeciwciała przeciwplemnikowe. Jedynym skutecznym sposobem, aby dowiedzieć się, czy ty lub twój partner posiadacie przeciwciała przeciwplemnikowe jest wykonanie badania IBT (immunobead binding test). Badanie to bada nasienie mężczyzny na obecność przeciwciał, które pojawiają się na plemniku w postaci charakterystycznych paciorków. W trakcie badania łączy się plemniki z krwią mężczyzny i z krwią kobiety, po czym sprawdza się, czy pojawiły się jakieś przeciwciała.

Przeciwciała mogą łączyć się z główką lub witką plemnika. Jeśli przyłączają się do główki, białka pokrywają ją jakby plastikową folią (opłaszczają ją), co sprawia, że enzymy, które pomagają mu przyczepić się do jajeczka i przeniknąć do środka nie mogą wydostać się na zewnątrz i pomóc plemnikowi w wypełnieniu zadania. Jeśli natomiast przeciwciała usadzą się na witce, plemnik nie jest w stanie pływać. W jednym i drugim przypadku plemnik, choć traci możliwość wypełnienia swojej misji, wciąż jest żywy, a więc test postkoitalny nie sygnalizuje zagrożenia. Jeśli twój test postkoitalny wypadł dobrze i wykazał żywe plemniki, ale pomimo to cierpisz na niewyjaśnioną niepłodność, powinnaś zrobić test na obecność przeciwciał przeciwplemnikowych. Podobnie w przypadku, jeśli przeszłaś zabieg in vitro, plemniki i jajeczko nie wzbudzały zastrzeżeń, ale zapłodnienie nie nastąpiło – powinniście wraz z partnerem kwestię tę wyjaśnić.

Typowym postępowaniem w takim przypadku (podobnie jak w przypadku większości innych problemów z płodnością) jest podjęcie próby zapłodnienia drogą zabiegu in vitro (IVF) lub mikroiniekcji plemnika do komórki jajowej (ICSI). Możliwe, że osiągniemy sukces, choć jest on też możliwy przy zastosowaniu mniej inwazyjnej metody zapłodnienia wewnątrzmacicznego (IUI). W każdym przypadku, w ciągu kilku dni przed owulacją należy przyjmować niskie dawki steroidu, takiego jak prednizon, którego zadaniem jest stłumienie niepożądanej reakcji immunologicznej. Działanie takie bardzo zwiększa szanse zajścia w ciążę. (Oczywiście można również zajść w ciążę poprzez stosunek, ale wtedy skuteczność nie jest tak duża jak w przypadku IUI.) Jeśli na przestrzeni trzech lub czterech cykli miesiączkowych metoda IUI nie spełni pokładanych w niej nadziej, następnym logicznym posunięciem jest odwołanie się do metody zapłodnienia in vitro.

Medycyna chińska uważa, że u kobiet lub mężczyzn wytwarzających skierowane przeciw plemnikom przeciwciała występuje zastój krwi w łagodnej postaci. Problem ten może występować we wszystkich typach płodności. Ziołowe preparaty odżywcze dla yin z dodatkiem ziół pobudzających przepływ krwi są w stanie złagodzić szkodliwe działanie przeciwciał, zarówno w przypadku mężczyzn, jak i kobiet.

**Pomóż sobie sama**

• Poproś specjalistę medycyny naturalnej o preparat ziołowy odpowiednio dobrany do twojego problemu.

• Wypróbuj sprzedawany bez recepty chiński preparat Bai Zhi Di Huang WAN (anemarrhena, filodendron, rehmannia). Według badań przeprowadzonych na Uniwersytecie Medycznym w Szanghaju w 1995 roku, ta formuła ziołowa redukuje przeciwciała przeciwplemnikowe u ponad 80 procent niepłodnych par z przeciwciałami. Powinien być dostępny w sklepie ze zdrową żywnością. Zażywaj go zgodnie ze wskazówkami na opakowaniu.

## Jak się robi dzieci – plan działania

Przedstawiony poniżej plan działania przedstawia w sposób skomasowany badania niezbędne, aby ustalić, czy twoje problemy z płodnością są wynikiem problemów o charakterze immunologicznym. Tak efektywnie, jak to tylko możliwe poprowadzi cię przez cykl badań, którym, być może, będziesz musiała się poddać. Badania te są takie same dla kobiet i mężczyzn, z wyjątkiem testu postkoitalnego, któremu poddawane są jedynie kobiety. Nie każdy będzie musiał wykonać wszystkie spośród wymienionych, ale nie można też wykluczyć, że nie są to wszystkie badania, które będą potrzebne. Oczywiście, twój lekarz pomoże ci wybrać badania, które należy przeprowadzić – sprawdź jednak, czy wiedza, jaką wyniosłaś z lektury tego rozdziału koresponduje z planami twojego lekarza.

| Badanie | Stan | Najbardziej podatne typy płodności | Planowanie |
|---|---|---|---|
| Badanie postkoitalne | Przeciwciała przeciwplemnikowe | Nie sprecyzowany | 1 do 3 dni przed spodziewaną owulacją |
| Badanie krwi na przeciwciała przeciwtarczycowe | Przeciwciała przeciwtarczycowe | Nie sprecyzowany | W dowolnym czasie |
| Badanie krwi na przeciwciała przeciwfosfolipidowe | Przeciwciała przeciwfosfolipidowe | Nie sprecyzowany | W dowolnym czasie |
| Badanie krwi na komórki NK | Komórki NK | Nie sprecyzowany | W dowolnym czasie |
| Badanie krwi na przeciwciała przeciwjądrowe | Przeciwciała przeciwjądrowe | Nie sprecyzowany | W dowolnym czasie |
| Badanie IBT | Przeciwciała przeciwjądrowe | Nie sprecyzowany | W dowolnym czasie |
| Badanie w kierunku trombofilii i innych zaburzeń krzepnięcia | Skrzepy | Nie sprecyzowany | W dowolnym czasie |

# ROZDZIAŁ 18

## Ogólny stan zdrowia

Kilka rodzajów zaburzeń ogólnego stanu zdrowia ma negatywny wpływ na płodność, przy czym dotyczy to mężczyzn i kobiet należących do wszystkich typów płodności. W tym rozdziale przyjrzymy się tym najczęściej spotykanym, a także tym najczęściej pomijanym. Kolejność odpowiada częstości, z jaką się z nimi spotykamy – od najczęstszych do najrzadszych.

### ŚLUZ SZYJKI MACICY

Aby począć (w sposób naturalny) musisz dysponować w momencie owulacji odpowiednią ilością płodnego śluzu (o konsystencji białka). Umożliwia on plemnikom łatwe poruszanie się i dostarcza im pożywienie. Jeśli nie masz wystarczająco dużo śluzu szyjkowego lub jeśli twój śluz jest zbyt gęsty lub zbyt kwaśny, plemnik nie będzie się rozwijał. Może nie żyć wystarczająco długo albo też nie nabyć zdolności pływania niezbędnej, aby dotrzeć do jajeczka. Prawdopodobnie nie będziesz miała żadnych objawów innych niż problemy z płodnością.

Lekarz może sprawdzić twój śluz szyjki macicy przy okazji badania postkoitalnego, pobierając nieco śluzu przy użyciu długich szczypiec (poprzez wziernik). Odbywa się to jeden do trzech dni przed spodziewanym terminem owulacji – a więc wtedy, gdy twój śluz powinien być najbardziej płodny. Lekarz rozciągnie śluz między szczękami kleszczy, co pozwoli mu sprawdzić jego rozciągliwość (spinnbarkeit) i zmierzyć pH (kwasowość lub zasadowość) papierkiem lakmusowym. Najbardziej odpowiednia dla plemników wartość pH to 7 lub 8.

Część pobranego śluzu można wysłać do laboratorium w celu wykonania posiewu i zbadania kultur bakteryjnych – a więc sprawdzenia, czy nie masz jakiejś infekcji. Zakażenie bakteryjne może sprawić, że śluz szyjkowy stanie się „wrogi", a jeśliby tak rzeczywiście było, to trzeba będzie ciebie i twojego partnera poddać kuracji antybiotykowej. Jeśli infekcji nie ma, spróbuj poprawić jakość swojego śluzu poprzez działania opisane w sekcji *Pomóż sobie sama*. Aby ominąć wrogi śluz, niezbędny może okazać się zabieg unasiennienia domacicznego (IUI). Przy metodzie IUI jednak czas życia plemników w macicy jest znacznie krótszy, tylko około dwunastu godzin, co wynika z braku odżywiającego je śluzu.

---

**Studium przypadku: Elisheva**

Elisheva przez kilka miesięcy zażywała Clomid zgodnie z zaleceniem lekarza – jedną tabletkę dziennie, ale w ciążę nie zaszła. Wtedy dawka tego wspomagającego płodność leku została podwojona. Nadal jednak bez powodzenia. Elisheva miała zaledwie dwadzieścia kilka lat i była ogólnie zdrowa, nie było więc prostego wyjaśnienia, dlaczego nie może zajść w ciążę.

Kiedy złożyła mi wizytę (Sami), zaskoczyło mnie, że nigdy jej nie zrobiono USG, aby sprawdzić ile wytwarzała jajeczek w czasie, gdy przyjmowała Clomid oraz że nigdy nie poddano jej badaniu postkoitalnemu. Pewnie też dlatego nikt nie wiedział, dlaczego nie zachodzi w ciążę. Przepisałem jej mniejszą dawkę Clomidu – pół tabletki dziennie, a więc połowę dawki początkowej i zaledwie jedną czwartą jej aktualnej dawki. Podczas badania USG zobaczyłem dwa jajeczka, a więc z owulacją nie było problemu. Przeprowadziłem też badanie postkoitalne. Wykazało ono, że śluz szyjki macicy jest zbyt gęsty, co jest działaniem ubocznym Clomidu. W tej sytuacji poradziłem jej, aby przed owulacją przez kilka dni przyjmowała Mucinex. Zrobiła tak i zaszła w ciążę, jeszcze w tym samym cyklu.

---

### Medycyna chińska

Medycyna chińska łączy brak śluzu z niedoborem yin (Suchy typ płodności), natomiast kwaśny lub gęsty śluz z wewnętrznym gorącem, powstającym w wyniku zastoju qi (Zablokowany lub Nasiąkliwy typ płodności).

Akupunktura może zwiększyć ilość płodnego śluzu szyjkowego. Moje (Jill) pacjentki często mówią mi, że po rozpoczęciu cyklu zabiegów akupunktury zauważyły większą ilość śluzu (nawet jeśli nie było to głównym celem leczenia).

**Pomóż sobie sama**

- Skonsultuj się ze specjalistą od akupunktury w sprawie zwiększenia ilości płodnego śluzu szyjkowego. Zioła również mogą okazać się pomocne.

- Jeśli twój śluz szyjki macicy został poddany badaniu i okazało się, że jest zbyt kwaśny (pH jest zbyt niskie) w okresie przechodzenia owulacji, przed stosunkiem, rób sobie irygacje z roztworu sody kuchennej. (To jest jedyna sytuacja, w której zalecamy irygacje. Przepłukiwanie wodą lub roztworem octu zabija plemniki – choć, oczywiście, nie jest to w żadnym wypadku sposób na antykoncepcję.) Soda kuchenna ma charakter zasadowy. Wartość pH śluzu zmienia się szybko, więc nawet krótka ekspozycja podczas irygacji na działanie alkalicznego roztworu wystarczy, aby pH powrócił do właściwego punktu na skali kwasowości i zasadowości. Irygacja nie wypłucze śluzu szyjkowego – podobnie jak woda i olej roztwór i śluz nie mieszają się ze sobą. Stosuj ją jedynie wtedy, gdy współżyjesz w połowie cyklu, przez okres dwóch do trzech dni przed samą owulacją. Oto jak to zrobić:

1. Dokładnie rozpuść 1 łyżkę świeżej sody kuchennej w 1 szklance gorącej wody.
2. Poczekaj, aż roztwór przestygnie do temperatury pokojowej.
3. Napełnij roztworem prosty, ręczny irygator.
4. Połóż się płasko w wannie. Aby nie czuć chłodu, wyściel wannę ręcznikiem lub nalej 5 cm ciepłej wody.
5. Przez minutę delikatnie przepłukuj pochwę. Nie musisz zużyć całego, przygotowanego roztworu.
6. Podnieś się i stań w wannie.
7. Usuń wodę z pochwy, umieszczając w niej palec i kasłąc.
8. Odczekaj przynajmniej godzinę (ale nie więcej niż 12 godzin), zanim odbędziesz stosunek.

- Jeśli twój śluz szyjki macicy jest zbyt kwaśny, unikaj pokarmów wytwarzających kwasowość, takich jak kawa, alkohol i czerwone mięso. Spożywaj natomiast pokarmy zwiększające zasadowość, takie jak warzywa i produkty pełnoziarniste.
- Jeśli śluz szyjki macicy jest zbyt gęsty, aby go rozrzedzić użyj dostępną bez recepty gwajafenezynę o działaniu zwiększającym wydzielanie śluzu i zmniejszającym jego lepkość (Mucinex lub Humibid). (Jest to

środek stosowany w celu rozrzedzenia śluzu w płucach i udrożnienia dróg oddechowych.) Przyjmuj w dawkach po 600 mg leku dwa razy dziennie przez pięć dni, kończąc kurację wraz z nadejściem owulacji.

- Więcej pij. Dobre nawodnienie organizmu zapobiega tworzeniu się zbyt gęstego śluzu.
- Jeśli twój śluz szyjki macicy jest zarazem gęsty i kwaśny, stosuj zarówno gwajafenezynę, jak i irygacje z sody kuchennej.

**Studium przypadku: Klara**

Klarze odmówiło pomocy dwóch lekarzy – specjalistów od in vitro. Powiedzieli, że nigdy nie zajdzie w ciążę ze względu na swój wiek (41 lat) i zbyt wysoki poziom folikulotropiny (FSH). Żadnego z tych czynników nie uważam (Sami) za dobry wskaźnik zdolności do poczęcia. Odkryłem natomiast, że jej śluz szyjki macicy jest bardzo kwaśny. Plemniki mogą obumrzeć w kwaśnym środowisku w niecałe 20 minut, więc w organizmie Klary po prostu nie miały szansy dokończyć swojego pływackiego maratonu. Zaleciłem Klarze stosowanie irygacji roztworem sody kuchennej (patrz *Pomórz sobie sama*) na godzinę do dwóch przed współżyciem, aby do maksimum zwiększyć zasadowość zarówno pochwy, jak i śluzu. Gdy zastosowała się do moich rad, zaszła w ciążę i urodziła jednojajowe bliźnięta.

## ZABURZENIA GENETYCZNE I WRODZONE

Zaburzenia w budowie chromosomów lub błąd w kodowaniu genetycznym mogą powodować różnego rodzaju problemy, w tym – co szczególnie nas interesuje – niepłodność. Zdarza się, choć stosunkowo rzadko, że to właśnie w genach tkwi przyczyna takich problemów jak powtarzające się poronienia (lub nieudane zabiegi in vitro), dysfunkcje seksualne, defekty anatomiczne, a także mała liczba plemników w nasieniu lub ich całkowity brak. Tak to się dzieje, na przykład w zespole Klinefeltera (dodatkowy chromosom X u mężczyzn) i zespole Turnera (tylko jeden chromosom X u kobiet). Czasami problemem ten można rozpoznać na podstawie objawów takich, jak niezróżnicowane lub obojnacze narządy płciowe, brak plemników, wielokrotne poronienia lub całkowity brak miesiączki (w sytacji, gdy nigdy jej nie było). Czasami zaburzenia te są odkrywane właśnie podczas poszukiwania przyczyn niepłodności. U jednej z moich (Jill) pacjentek wyszło na jaw, że ma dwie macice. (Na szczęście, każda z nich umożliwiała jej zajście w ciążę.)

Tego rodzaju zaburzenia genetyczne mogą występować we wszystkich typach płodności i na własną rękę niewiele da się z nimi zrobić. Kluczowe znaczenie ma upewnienie się, czy przyczyny genetyczne zostały wzięte pod uwagę, zanim twoją niepłodność uznano za „niewyjaśnioną".

Jeśli okaże się, że twój kłopot z płodnością ma podłoże genetyczne, lekarz zaleci ci najlepszy tryb leczenia, w tym suplementy hormonów, korektę chirurgiczną lub jakąś formę leczenia bezpłodności, która omija ten problem.

## NIEDOCZYNNOŚĆ TARCZYCY

Niedobór hormonów tarczycy, czyli jej niedoczynność, zwiększa niestety szanse na kłopoty z poczęciem, a także na poronienie. Niski poziom hormonu tarczycy wpływa spowalniająco na metabolizm, a zamieszanie w metabolizmie może się odbić na produkcji hormonów. Jeśli tarczyca pracuje ospale, efekt tego może być na tyle poważny, że nastąpi zatrzymanie owulacji (nawet, jeśli okres był regularny) lub wczesna utrata ciąży. Sytuacja taka może też spowodować nieregularność cyklu miesiączkowego, co samo w sobie już wystarczy, aby utrudnić poczęcie. Ponadto, upośledzać płodność mogą niektóre schorzenia, które przyczyniły się do niedoczynności tarczycy, takie jak choroby autoimmunologiczne i zaburzenia przysadki. Na przykład zdarza się wcale nie tak rzadko, że sprawcą niskiego poziomu hormonu tarczycy jest zespół policystycznych jajników (PCOS), który też powoduje problemy z płodnością. Niektóre kobiety z niedoczynnością tarczycy cierpią na defekt fazy lutealnej (LPD), który może prowadzić do niepłodności lub powodować wczesną utraty ciąży. Niski poziom hormonu tarczycy może też prowadzić do zwiększonej produkcji hormonu prolaktyny, co może upośledzać płodność, powodując nieregularność cykli miesiączkowych, cykle bezowulacyjne (jajeczko nie zostaje uwolnione) lub nawet całkowity brak okresu.

Niski poziom hormonu tarczycy występuje dziesięć razy częściej u kobiet, ale może także przysparzać kłopotów mężczyznom. Jeden procent niepłodnych mężczyzn ma niedoczynność tarczycy. Za niski poziom hormonu tarczycy może powodować obniżenie jakości nasienia, niski poziom testosteronu oraz osłabienie popędu płciowego.

Zarówno w przypadku mężczyzn, jak i kobiet klasycznymi objawami niskiego poziomu hormonu tarczycy są zmęczenie, zwiększenie masy ciała, wzrost wrażliwości na zimno, utrata libido, zaparcia, sztywność stawów, depresja, utrata włosów lub cienkie włosy, sucha skóra i włosy, łamliwość paznokci i problemy skórne. Pewnych wskazówek może dostarczyć kobietom cykl menstruacyjny. Niedoczynności tarczycy często towarzyszą krótki cykl, trudne lub długie miesiączki i zespół napięcia przedmiesiączkowego (PMS). Poważna niedoczynność tarczycy może stać się powodem braku jajeczkowania, braku miesiączki (amenorrhea) lub nieregularności cyklu.

Stężenie hormonu tarczycy może być niskie z trzech powodów: zaburzenia działania gruczołu tarczycy, niewydolności mechanizmu sprzężenia zwrotnego, skłaniającego gruczoł do wydzielania hormonu lub też niezdolności ciała do produktywnego wykorzystywania hormonu. Niezależnie od tego, co w twoim przypadku stanowi główną przyczynę, możliwości leczenia są takie same: wydawany na receptę hormon tyreotropowy (TSH), który stymuluje pracę gruczołu tarczycy.

Lekarz może zlecić badanie krwi w celu określenia stężenia hormonu tarczycy. Specjaliści czasami nie zgadzają się co do optymalnego poziomu TSH, ale w twoim przypadku powinien on mieścić się między 1,0 a 2,5 mIU/l. Skorygowanie poziomu hormonu poprzez zażywanie aptecznego TSH powinno usunąć objawy niedoczynności tarczycy, a także rozwiązać problem z płodnością. Musisz regularnie monitorować swój poziom hormonu tarczycy, aby przyjmowana przez ciebie dawka leku uwzględniała zmiany zachodzące w twoim ciele.

### Medycyna chińska

Medycyna chińska kojarzy niedoczynność tarczycy ze słabym yang (Zmęczony typ płodności).

Zioła, które oddziałują tonizująco na yang pomagają ciału wytwarzać więcej TSH. Ponieważ nie zawierają hormonu tarczycy, chińskie zioła możesz przyjmować jednocześnie z aptecznym TSH, pod warunkiem, że prowadzi cię specjalista medycyny naturalnej, a poziom hormonu tarczycy jest regularnie sprawdzany. Ponieważ zioła działają wspomagająco na pracę tarczycy możliwe, że będziesz potrzebowała mniej lekarstw. Poprawę funkcjonowania tarczycy można również uzyskać poddając się zabiegom akupunktury.

### Pomóż sobie sama

• Złóż wizytę specjaliście medycyny naturalnej i poproś go o energetyzujący tonik, który pomoże organizmowi wytwarzać więcej TSH. Nie byłby to jednak dobry pomysł, aby niedoczynność tarczycy leczyć jedynie metodami alternatywnymi. Najlepsze rezultaty uzyskuje się, łącząc zachodnią diagnostykę i zachodnie metody leczenia z terapiami komplementarnymi.

- Skonsultuj się z akupunkturzystą i poproś, aby ci pomógł wzmocnić działanie tarczycy. Także w tym przypadku akupunktura nie powinna zastępować leków na receptę.
- Nie należy przyjmować suplementów przez trzy godziny od zażycia leku na tarczycę, aby mieć pewność, że nie będą utrudniały wchłaniania.
- Unikaj fluoru. Fluor wypiera jod z gruczołu tarczycy i zakłóca prawidłowe funkcjonowanie tarczycy poprzez blokowanie wytwarzania tyroksyny (hormon tarczycy często oznaczany symbolem T4).
- Jedz wodorosty. Jest to dobre źródło jodu, który jest niezbędny do prawidłowego funkcjonowania tarczycy.
- Przyjmuj dobową dawkę 500 mg aminokwasu tyrozyny, który organizm wykorzystuje do budowy tyreotropiny (TSH).
- Zażywaj suplement koenzymu Q10, magnez oraz witaminy z grupy B, które są szczególnie ważne u osób z niskim poziomem hormonów tarczycy.
- Gotuj brokuły, kapustę, kapustę sitowatą, jarmuż, brukselkę, kapustę chińską, kalafior, rzepę, kalarepę i brukiew. Warzywa te, jedzone na surowo, hamują pracę tarczycy.
- Unikaj cukru i wysoko oczyszczanych węglowodanów.
- Unikaj soi, która może pogorszyć stan tarczycy.
- Wykonuj regularnie nieforsujące ćwiczenia fizyczne.

## NAWRACAJĄCE PORONIENIA

Nawracające poronienia z technicznego punktu widzenia nie są formą niepłodności, ale podejmujemy ten problem w naszej książce na podobnej zasadzie jak wczesną utratę ciąży, ponieważ jest to poważna przeszkoda na drodze do urodzenia zdrowego dziecka. Ponadto poronienie, które nie kończy się pełnym zejściem łożyska, może powodować problemy z płodnością poprzez zakłócanie procesu owulacji lub zagnieżdżenia. Poronienie może również pozostawić po sobie tkankę bliznowatą, która może spowodować niepłodność. Jest też jedną z najczęstszych przyczyn niepowodzenia zabiegu in vitro.

Nawracające poronienia uznaliśmy za ogólny problem zdrowotny, ponieważ nie ma możliwości przypisania im jednej konkretnej przyczyny. Tym razem przyjrzymy się poronieniom, które zdarzają się po siedmiu tygodniach ciąży lub później. Poronienia, które zdarzają się przed tym terminem, kwalifikowane są jako wczesna utrata ciąży. Kluczem do leczenia powtarzających się poronień jest poznanie ich przyczyny. Po siedmiu tygodniach głównym podejrzanym nie będzie już niski progesteron. Większość lekarzy skupia się na hormonach, anatomii (zwłaszcza macicy), genetyce (nieprawidłowych chromosomach któregoś z partnerów lub płodu) i trombofilii (skłonności do zakrzepów). Są to przyczyny prawdopodobne, jednak pełny obraz uzyskamy dopiero po zbadaniu czynników środowiskowych i immunologicznych oraz po wykluczeniu infekcji. Z naszego doświadczenia wynika, że problemy immunologiczne i zakażenia są najczęściej pomijanymi przyczynami nawracających poronień. Bardzo ważne jest również, aby przyglądać się obu partnerom, a nie tylko kobiecie.

Poronienia nie są przypadłością rzadko spotykaną i czasem dochodzi do nich z oczywistych – przynajmniej z biologicznego punktu widzenia – powodów. Ale drugie poronienie wymaga już dokładnego przebadania i konsultacji z lekarzem, a jeśli masz 38 lat lub więcej, badania należy rozpocząć już po pierwszym. Aby znaleźć przyczynę poronienia, lekarz może zlecić wykonanie różnego rodzaju badań, a także przeprowadzić szczegółowy wywiad medyczny oraz badanie fizykalne. Użyteczne może okazać się badanie krwi określające poziom hormonów, w tym tarczycy, prolaktyny i progesteronu. Do sprawdzenia, czy nie doszło do zatrzymania łożyska można użyć testu ciążowego krwi. Z kolei, odwołując się do histerosalpingografii (HSG) można sprawdzić, czy nie ma zbliznowaceń macicy i ewentualnie zbadać ich strukturę. Aby zidentyfikować i usunąć blizny, a także, aby pozbyć się pozostałości po ciąży można zastosować histeroskopię. Może również okazać się, że potrzebne będą także badania genetyczne.

Gdy przyczyna poronienia zostaje już zidentyfikowana, mogą zostać podjęte działania terapeutyczne. Może zajść potrzeba podania uzupełniających hormonów, antybiotyków lub leczenia na nadczynność (hiperaktywność) układu odpornościowego. Być może trzeba będzie zlokalizować i wyeliminować wpływ oddziałujących na twój organizm toksyn. Możliwe też, że potrzebne będzie operacyjne skorygowanie zbliznowacenia lub problemu anatomicznego, takiego choćby jak przegroda macicy (kiedy macica jest wewnętrznie przedzielona przegrodą, co nie pozostawia wystarczającej ilości miejsca dla dziecka). Dlatego tak istotne jest ustalenie przyczyny: jeśli pominiesz jakiś krok, możesz nigdy nie dowiedzieć się, jak najskuteczniej rozwiązać swój problem.

Medycyna chińska przypisuje poronienie spadkowi energii życiowej środka* (Zmęczony typ płodności), podczas gdy wczesna utrata ciąży kojarzona jest z niewydolnością nerek (Suchy typ płodności). Najbardziej narażone na te problemy są typy Zmęczony i Suchy, mogą one jednak pojawić się także u osób reprezentujących inne typy płodności. Akupunktura i zioła mogą pomóc w przeciwdziałaniu poronieniom spowodowanym kwestiami natury hormonalnej i immunologicznej. Nie są jednak skuteczne w zapobieganiu poronieniom spowodowanym nieprawidłowościami chromosomalnymi płodu lub strukturalnymi zaburzeniami kobiecej anatomii.

**Pomóż sobie sama**
• Prowadź zdrowy tryb życia. Zwróć szczególną uwagę na odpowiednie ćwiczenia, dobre odżywianie, utrzymywanie odpowiedniej wagi i właściwe zarządzanie stresem.
• Skonsultuj się z lekarzem specjalizującym się w poronieniach.
• Zwróć się do specjalisty medycyny chińskiej, aby pomógł zapobiec poronieniom powodowanym przez problemy z układem hormonalnym bądź odpornościowym.

## ZABURZENIA PRACY JELIT
Celiakia, choroba Leśniowskiego-Crohna (lub wrzodziejące zapalenie jelita grubego), kandydoza i inne podobne przewlekłe zaburzenia jelitowe mogą utrudniać wchłanianie składników odżywczych z pożywienia, doprowadzając czasem do niedożywienia. Może to źle wpływać na owulację lub w inny sposób upośledzać płodność. Kandydoza jest kojarzona także z poronieniami i wcześniactwem. Także leki stosowane w leczeniu tych chorób mogą czasami utrudniać płodność poprzez osłabianie układu immunologicznego lub uszkadzanie DNA. Najbardziej podatne na kłopoty z płodnością są kobiety, które przeszły operację jelita w związku z chorobą Leśniowskiego-Crohna. (Nie jest to zalecenie, aby nie poddawać się operacji, bo może to być najlepsza forma leczenia.) Celiakia wydaje się mieć więcej wspólnego z anomaliami hormonalnymi niż z innymi zaburzeniami jelitowymi i to zarówno u mężczyzn, jak i u kobiet. Wielu mężczyzn z celiakią ma mniejsze od średniej jądra i niską płodność, a ich partnerki mają podwyższony wskaźnik poronień.

---

* Zhong Qi (centralne qi) – jedna z sześciu głównych postaci energii qi

Jeśli masz chroniczną biegunkę i uczucie zmęczenia, bóle brzucha, czasami krwawe biegunki, nawracające zaparcia lub częste wymioty, porozmawiaj z lekarzem na temat zaburzeń trawiennych. Możliwe, że będzie ci potrzebne skierowanie do gastroenterologa.

**Medycyna chińska**
Poszczególne zaburzenia jelitowe mają w medycynie chińskiej różne diagnozy, przy czym generalnie są one związane z niedoborem qi prowadzącym do wilgoci (Nasiąkliwy typ plodności) lub z zastojem qi prowadzącym do niedoboru qi (typ Zmęczony lub Zablokowany). Pomocne mogą okazać się zabiegi akupunktury oraz zioła.

**Pomóż sobie sama**
• Dobrze przeżuwaj pożywienie.
• Nie spiesz się przy jedzeniu. Nie jedz w biegu, ani kiedy jesteś zła lub zdenerwowana.
• Ogranicz spożycie węglowodanów w godzinach wieczornych. W nocy trawienie ulega spowolnieniu. Zalegające w jelitach węglowodany mogą fermentować, wydzielając alkohol, który może dodatkowo osłabić trawienie.
• W godzinach wieczornych, kiedy trawienie zwalnia, ogranicz spożywanie zimnych, surowych pokarmów.
• Zrezygnuj ze spożywani rafinowanego cukru.
• Ogranicz spożycie pszenicy. Jeśli nie masz celiakii, nie musisz jednak z niej rezygnować całkowicie.
• Jedz tylko tyle, abyś zaspokoiła głód. Nie przejadaj się.
• Ogranicz spożycie artykułów pobudzających, takich jak herbata, kawa i alkohol.
• Spożywaj pokarmy pełnowartościowymi i bogate w składniki odżywcze – zadbaj, aby twoja dieta zawierała produkty pełnoziarniste, fasolę, rośliny strączkowe, szeroką gamę warzyw, jaja od kur z wolnego wybiegu i ryby – z niewielkim tylko dodatkiem chudego mięsa i drobiu.
• Przyjmuj probiotyczny suplement i wzbogać swoją dietę o naturalny jogurt z żywymi kulturami.
• Jedz dużo czosnku.
• Spożywane na śniadanie produkty zbożowe czy sałatki posypuj mielonymi nasionami lnu (siemienia lnianego).

- Sprawdź swoją tolerancję dla nabiał. Zrób próbę i przez dwa tygodnie nie spożywaj żadnych produktów mlecznych. Zastąp mleko krowie mleczkiem migdałowym, owsianym lub ryżowym i zobacz, czy poczujesz się lepiej. (Mleko sojowe w przypadku wielu kobiet może pogorszyć sytuację ze względu na efekty hormonalne.) Jeśli odniosłaś wrażenie, że nastąpiła poprawa, wyznacz sobie własne limity produktów mleczarskich, stopniowo przywracając je w małych ilościach. Wiele osób ma mniej problemów, spożywając mleko ekologiczne. Lepiej też się czują jedząc twarde sery (takie jak parmezanem), a unikając miękkich.
- Aby zidentyfikować pokarmy, które sprawiają problemy, przez miesiąc prowadź dziennik, w którym będziesz zapisywała wszystko, co jesz, a także wszelkie objawy trawienne.
- Jeśli objawy trawienne budzą twój niepokój, zwróć się o pomoc do gastrologa.

### ANEMIA

Jeśli cierpisz na anemię, twój organizm może nie produkować wystarczającej ilości tlenu z czerwonych ciałek krwi, aby odpowiednio wspierać ciążę. Powodem niedokrwistości może być niedostatek żelaza w diecie lub czynniki, które ograniczają jego wchłanianie, takie jak wysokie spożycie cynku, niedobór witamin z grupy B, zbyt duże spożycie kawy lub nadużywanie środków zobojętniających kwasy. Skłonność do anemii mają także kobiety z obfitymi miesiączkami, a także wegetarianie i osoby na ostrej diecie. Jeśli jesteś blada i apatyczna, odczuwasz zmęczenie, duszności, zawroty głowy lub kołatanie serca, może powinnaś poprosić lekarza o przebadanie cię w kierunku anemii.

#### Medycyna chińska

W medycynie chińskiej niedokrwistość jest postrzegana jako niedobór krwi. Problem w szczególnym stopniu dotyczy osób o Bladym typie płodności.

Akupunktura może wspomóc wytwarzanie krwi i przyswajanie żelaza.

#### Pomóż sobie sama

- Skonsultuj się ze specjalistą od akupunktury i poproś go o pomoc w uporaniu się z anemią.

- Przyjmuj żelazo jako suplement diety. W łagodnych przypadkach niedokrwistości możesz rozejrzeć się w sklepach ze zdrową żywnością za preparatem Floradix. Nie powoduje zaparć, jak to się zdarza w przypadku niektórych innych suplementów tego minerału. Możesz też poprosić lekarza, aby wybrał odpowiedni dla ciebie suplement, szczególnie jeśli cierpisz na poważniejszą postać anemii.
- Spożywaj pokarmy bogate w żelazo, takie jak czerwone mięso, czerwoną fasolę, szpinak, czereśnie, zielone warzywa liściaste, morele i nasiona słonecznika.
- Pij herbatę z liści pokrzywy, która jest zasobna w różne minerały, w tym także w żelazo. Pokrzywę stosuje się w leczeniu anemii już od czasów starożytnych. W sklepach ze zdrową żywnością można kupić ją w postaci torebek do zaparzania.
- Włącz do swojej diety pokarmy, które są dobrymi źródłami witaminy C, takie jak owoce cytrusowe, papryka, brokuły, kantalupa i truskawki. Witamina C poprawia wchłanianie żelaza.

## NADCZYNNOŚĆ TARCZYCY

Nadczynność tarczycy – znana też jako choroba Gravesa-Basedowa – może zakłócać metabolizm i równowagę hormonalną tak samo, jak czyni to niedoczynność i też powodować brak owulacji (nawet przy pozornie normalnym cyklu) lub wczesną utratę ciąży.

Jeśli zaobserwowałaś u siebie utratę wagi, której nie planowałaś i nie potrafisz wyjaśnić, pojawiła się nietolerancja na ciepło, bezsenność, luźne lub częste wypróżnienia, nerwowość lub pobudzenie i kołatanie serca, może zajść potrzeba zbadania poziomu hormonu tarczycy. Twoje TSH powinno mieścić się w przedziale od 1,0 do 2,5 mIU/l i czym ściślej będziesz kontrolowała, żeby poza ten przedział nie wyszło, tym lepiej będzie przebiegała twoja owulacja. Długotrwale nieleczona nadczynność tarczycy powoduje charakterystyczny wytrzeszcz oczu. Kobiety, u których występuje nadczynność tarczycy, często mają lekkie miesiączki. Ich wykres PPT wydaje się osiągać zbyt wysokie wartości w fazie 1 (miesiączka) oraz w fazie 2 (przed owulacją).

Porozmawiaj z lekarzem na temat leków, które mogłyby uspokoić nadaktywną tarczycę. Inną opcją jest chirurgiczne usunięcie tarczycy, na co niedawno zdecydowała się jedna z moich (Sami) pacjentek. Zajście w ciążę było dla niej sprawą zbyt pilną, aby poświęcić trochę czasu na ustalanie odpowiednich dawek leków – tym bardziej że nie było gwarancji, że natychmiast przywrócą jej płodność. Usunięcie tarczycy sprawi jednak, że pojawią się objawy takie jak przy niedoczynności tego gruczołu i będziesz musiała brać leki, żeby sobie z tym poradzić.

**Medycyna chińska**
Medycyna chińska nadczynność tarczycy przypisuje gorącu wynikającemu z niedoboru yin (Suchy typ płodności) lub zastoju qi (Zablokowany typ płodności).

**Pomóż sobie sama**
• Jeśli straciłaś dużo na wadze lub nastąpiły zaniki mięśniowe, uzupełnij swoją dietę o dodatkowe kalorie i białko.
• Sprawdź, czy masz wystarczająco dużo wapnia, aby przeciwdziałać rozrzedzeniu i osłabieniu kości, który to proces nadczynność tarczycy może zaostrzać.

## CUKRZYCA
Chorzy na cukrzycę (typu 1 lub 2), tak mężczyźni, jak i kobiety, są w większym niż inni stopniu narażeni na niepłodność. U kobiet z cukrzycą ryzyko poronienia, anomalii płodu i rodzenia ponadprzeciętnie dużych dzieci jest wyższe, choć jeśli cukrzyca jest dobrze prowadzona, to prawdopodobnie problemy się nie pojawią. Podobnie jak w przypadku oporności na insulinę, która może być zapowiedzią choroby, cukrzyca bezpośrednio wpływa na produkcję hormonów i metabolizm, a powodowane przez nią zaburzenie równowagi hormonalnej i problemy z wagą mogą upośledzać płodność.

Jeśli masz cukrzycę, odpowiednie jej monitorowanie i prowadzenie jest niezbędne, aby począć i cieszyć się zdrową ciążą. W czasie owulacji poziom cukru we krwi musi być stabilny – jeśli tak nie jest, istnieje zwiększone ryzyko wystąpienia nieprawidłowości chromosomalnych u płodu. U mężczyzn źle kontrolowany poziom cukru we krwi może zakłócić podział komórek w jądrach, co prowadzi do nieprawidłowości w budowie plemników. Może także powodować zaburzenia wzwodu (ED) i ejakulację wsteczną (gdy sperma trafia do pęcherza moczowego).

Jeśli się temu poświęci odpowiednio dużo uwagi i staranności, cukrzycę typu 2 można kontrolować dietą i ćwiczeniami. (Zapewni ci to dopasowany do twojego typu płodności plan działań programu „Jak się robi dzieci".) W niektórych przypadkach mogą dopomóc leki takie jak metformina (Glucophage); inne przypadki wymagają leczenia insuliną.

## Medycyna chińska

Cukrzyca przez medycynę chińską uważana jest za „zespół osłabienia i pragnienia"[*]. Może on się wiązać z niedoborem yin (Suchy typ płodności) lub niedoborem yang (typ Zmęczony). Z grubsza rzecz biorąc, odpowiadają one typowi 1 i typowi 2 cukrzycy. W większym przedziale czasu niektórzy ludzie o Zmęczonym typie płodności przechodzą do typu Suchego. W leczeniu użyteczne mogą być niektóre zioła, ale kuracja powinna być zawsze nadzorowana przez specjalistę medycyny naturalnej i koordynowana przez zachodnią służbę zdrowia.

## Pomóżcie sobie sami

• Skonsultuj się ze specjalistą medycyny naturalnej i poproś o pomoc w leczeniu cukrzycy.
• Stosuj dietę o niskiej zawartości tłuszczów i węglowodanów.
• Kontroluj swoją wagę.

## INNE KWESTIE DOTYCZĄCE OGÓLNEGO STANU ZDROWIA

Kobiety uskarżające się na brak miesiączki (amenorrhea), rzadkie miesiączki (oligomenorrhea) lub towarzyszące miesiączkom silne bóle macicy (dysmenorrhea) – zanim pogodzą się z diagnozą mówiącą o niewyjaśnionych przyczynach niepłodności – powinny podjąć starania, aby znaleźć przyczynę problemu, a następnie poddać ją leczeniu.

U mężczyzn mogą wystąpić problemy z płodnością w wyniku raka, choroby wątroby, choroby nerek lub przewlekłej niewydolności nerek.

---

[*] w tradycyjnej medycynie chińskiej zaburzenie to jest bliskim odpowiednikiem cukrzycy; charakteryzuje je częste oddawanie moczu, nadmierne pragnienie lub głód, często prowadzi do wyniszczenia organizmu; ang. *wasting and thirsting disorder*.

## Jak się robi dzieci – plan działania

Podany poniżej plan działania przedstawia w sposób skomasowany badania niezbędne, aby ustalić, czy twoje problemy z płodnością nie wynikają z któregoś z ogólnych problemów zdrowotnych. Tak efektywnie, jak to tylko możliwe, poprowadzi cię przez cykl badań, którym, być może, trzeba będzie się poddać. Nie każdy będzie musiał przeprowadzić wszystkie te badania, ale nie można też wykluczyć, że są to wszystkie badania, które będą potrzebne. Oczywiście, twój lekarz pomoże ci wybrać te, które należy wykonać.

## BADANIA DLA KOBIET

| Badanie | Stan | Najbardziej podatne typy płodności | Planowanie |
|---|---|---|---|
| Badanie postkoitalne | Śluz szyjki macicy – kwasowość lub gęstość lub „wrogość" | Suchy Zablokowany | 1 do 3 dni przed spodziewaną owulacją |
| Badanie krwi TSH | Nadczynność i niedoczynność tarczycy | Suchy | W dowolnym czasie |
| Badania w kierunku trombofilii | Nawracające poronienia | Niesprecyzowany | W dowolnym czasie |
| Badanie krwi pod kątem niedokrwistości | Niedokrwistość (anemia) | Blady | W dowolnym czasie |

## BADANIA DLA MĘŻCZYZN I KOBIET

| Badanie | Stan | Najbardziej podatne typy płodności | Planowanie |
|---|---|---|---|
| Badania genetyczne | Genetyczne i wrodzone zaburzenia, takie jak zwłóknienie torbielowate i choroba Tay–Sachsa | Niesprecyzowany | W dowolnym czasie |
| Badanie krwi TSH | Niedoczynność tarczycy | Zmęczony | W dowolnym czasie |
| Badania chromosomowe (kariotypów) | Nawracające poronienia | Zmęczony | W dowolnym czasie |
| Historia ekspozycji na toksyny środowiskowe | Nawracające poronienia | Suchy | W dowolnym czasie |
| Pogłębiony wywiad medyczny i badanie fizykalne | Nawracające poronienia | Zmęczony Nasiąkliwy | W dowolnym czasie |
| Badanie w kierunku celiakii | Celiakia | Zmęczony Nasiąkliwy | W dowolnym czasie |
| Badania krwi na czczo i 2 godziny po śniadaniu | Cukrzyca | Zmęczony Nasiąkliwy | W dowolnym czasie |

# CZĘŚĆ 5

**Trymestr zerowy:**
**trzymiesięczny program „Robienie dzieci"**

# ROZDZIAŁ 19

## Trymestr zerowy: jak korzystać z programu „Jak się robi dzieci" w zależności od typu płodności

Wyobraź sobie najbliższe trzy miesiące jako coś w rodzaju trymestru wstępnego lub zerowego. To, co robisz i jak żyjesz w tym czasie, jest tak samo ważne dla prawidłowego przebiegu ciąży, jak to co robisz, gdy już nastąpiło zapłodnienie. A może nawet jest ważniejsze, bowiem zadbanie o swoje ciało w okresie przed poczęciem może być właśnie tym czynnikiem, który pozwoli ci zajść w ciążę.

Przekazywana ci wiedza zwiększy twoje szanse na poczęcie i przygotuje grunt dla zdrowej ciąży. Dlatego też uważamy, że każdy przyszły rodzic powinien przejść trymestr zerowy programu „Jak się robi dzieci" i dotyczy to również osób, które nie miały nigdy problemów z płodnością i nie mają powodu, aby się ich obawiać. Zarówno mężczyźni, jak i kobiety dużo skorzystają, przechodząc program dostosowany do ich konkretnego typu płodności.

### O TYM POWINNAŚ WIEDZIEĆ

Wyłożone w poprzednich rozdziałach zasady dotyczące sposobu odżywiania się, ćwiczeń fizycznych, suplementów i trybu życia tworzą zręby programu „Jak się robi dzieci" dla każdego typu płodności.

Zalecenia, które obecnie formułujemy dla każdego typu z osobna są uzupełnieniem tamtych bazowych i na nie się nakładają. Oto kilka rzeczy, o których warto pamiętać, gdy bierzesz udział w programie Jak się robi dzieci", specjalnie dopasowanym do twojego typu płodności.

- Jeśli jakaś porada z wcześniejszych rozdziałów pojawi się ponownie w programie dedykowanym konkretnemu typowi płodności, oznacza to, że jest ona dla tego typu szczególnie istotna. Jeśli zdarzy się, że podawana przez nas wskazówka wydaje się być sprzeczną z wytycznymi z poprzednich rozdziałów, powinieneś kierować się informacjami kierowanymi do twojego typu płodności.
- Niektóre strategie postępowania w celu osiągnięcia jak największej płodności są szczególnie pomocne w konkretnych momentach cyklu i zaleca się je stosować w niektórych fazach. Mogą one jednak okazać się przydatne też w każdym innym czasie, o ile tylko nie zostało wyraźnie powiedziane, że jest inaczej. Jeśli stwierdzisz, że nie jesteś w stanie stosować się codziennie do wszystkich zaleceń, skup się na momentach kluczowych.
- Omówienie każdego typu płodności zaczyna się od zaleceń dietetycznych, w tym podania procentowych udziałów makroelementów dla tego właśnie typu. Nie traktuj, proszę, tych danych zbyt rygorystycznie – mają służyć jako wytyczne, aby pomóc ci odpowiednio skomponować posiłki. Nie chcemy nikogo zmuszać do dokładnego ważenia, czy mierzenia tego co je. Zamiast tego zachęcamy, aby wyobrazić sobie, jaką mniej więcej część talerza powinien zająć każdy rodzaj pożywienia. Na przykład, w przypadku Zmęczonego typu płodności najlepiej jeśli 50 procent pożywienia stanowią węglowodany złożone, 30 procent owoce i warzywa, a 20 procent wysokiej jakości białko. Jeśli jest to akurat twój przypadek, będziesz się starał, aby mniej więcej połowę talerza zajmowały złożone węglowodany, a drugą połowę podzielisz na dwie części – nieco większą przeznaczysz na owoce i warzywa, a tę mniejszą na białko. Duży patat, kupka czosnkowych brokułów i mała porcja łososia – to przykład takiego posiłku.
- Jeśli nie zostało powiedziane inaczej, suplementy powinieneś zażywać zgodnie z ulotką.

## MEDYCYNA CHIŃSKA

Możesz z powodzeniem korzystać z programu „Jak się robi dzieci" bez jakiejkolwiek potrzeby konsultowania się ze specjalistą medycyny chińskiej. Ale jeśli zdecydujesz się włączyć w program terapię ziołową lub zabiegi akupunktury, zwiększysz skuteczność realizowanego przez siebie planu.

## Specjaliści medycyny chińskiej

Jeśli zdecydujesz się skorzystać z medycyny chińskiej, pierwszą rzeczą, jaką musisz zrobić jest znalezienie cieszącego się dobrą opinią specjalisty. Prawdopodobnie będziesz szukała licencjonowanego akupunkturzysty (LAc) – specjalisty, który przeszedł odpowiednie przeszkolenie teoretyczne w zakresie chińskiej medycyny, podstawowych nauk biologicznych oraz akupunktury i który – co byłoby dodatkowym atutem – posiadł także wiedzę w dziedzinie ziołoterapii i pracy z ciałem*. W USA zasady przyznawania licencji różnią się w zależności od stanu. Większość stanów wymaga ukończenia trzy- lub pięcioletnich studiów magisterskich z zakresu medycyny wschodniej oraz zdania pisemnego, a także praktycznego egzaminu stanowego. W niektórych stanach licencjonowani specjaliści w zakresie akupunktury legitymują się innymi niż LAc tytułami, na przykład DOM (doktor medycyny orientalnej), DAC (doktor, specjalista od akupunktury) czy AP (lekarz akupunkturzysta).

Sprawdź listę członków korporacji zawodowej i odszukaj licencjonowanego akupunkturzystę, który działa na twoim terenie. Krajowa Komisja ds. Certyfikacji Akupunktury i Medycyny Orientalnej (NCCAOM) ma na swojej stronie internetowej zakładkę „Znajdź lekarza". Organizacja sprawdza umiejętności osób zajmujących się medycyną wschodnią, aby upewnić się, że dysponują niezbędną wiedzą na temat medycyny chińskiej i mają odpowiednio sterylną technikę pracy. Wiele stanów, choć nie wszystkie, wymaga, aby osoby ubiegające się o licencję przeszły ten test. W niektórych stanach nie wymaga się od akupunkturzystów posiadania licencji; w tym przypadku, poszukaj kogoś, kto uzyskał certyfikat NCCAOM. Osoba ta będzie miała dyplom z dziedziny medycyny orientalnej wydany przez akredytowaną szkołę lub też będzie miała za sobą co najmniej czteroletni staż pracy jako praktykant akupunkturzysty oraz zdany egzamin, składający się z części pisemnej i praktycznej.

Akupunkturę praktykują również inni pracownicy szeroko pojętej służby zdrowia – zajmują się nią niektórzy lekarze, dentyści czy osteopaci (kręgarze). Mogą oni mieć mniejszą praktykę niż LAc, więc może lepiej

---

* terapia posługująca się masażem lub ćwiczeniami w celu relaksacji, a także złagodzenia napięcia lub bólu (ang. bodywork)

będzie znaleźć lekarza ogólnego (MD, doktor medycyny) lub osteopatę (DO, doktor osteopatii), który będzie również legitymował się certyfikatem LAc. Można też poszukać lekarza, specjalistę medycyny zachodniej i jednocześnie członka Amerykańskiej Akademii Akupunktury Medycznej (AAMA), której członkowie muszą wykazać się odbyciem 200 godzin szkoleń. Niezależnie od zweryfikowania kwalifikacji i referencji specjalisty medycyny naturalnej oraz szczegółów dotyczących odbytych szkoleń (gdzie i jak długo), należy również zapytać, od jak dawna praktykuje w zawodzie i jakie ma doświadczenie w leczeniu niepłodności i dolegliwości, na jakie się uskarżasz.

Jeśli znasz ludzi, którzy korzystali z medycyny chińskiej, zapytaj ich o doświadczenia i poproś, żeby ci polecili kogoś godnego zaufania. Postaraj się wybrać osobę, którą darzysz sympatią i która wzbudza w tobie zaufanie. Podobnie jak w przypadku lekarza, wzajemna relacja jest ważna i jeśli nie czujesz się w niej dobrze, powinnaś rozejrzeć się za innym specjalistą. Dobry lekarz będzie w stanie dokładnie określić, a następnie skorygować wszelkie, nawet bardzo niewielkie zakłócenia równowagi w organizmie i zwiększyć w ten sposób twoją zdolność do poczęcia. Powinieneś otrzymać od niego konkretną diagnozę, a także sprecyzowane zalecenia dotyczące regularnych zabiegów akupunktury i preparatów ziołowych. Nie musisz w pełni rozumieć wszystkiego, co mówi ci lekarz odwołujący się do pojęć medycyny chińskiej, ale musisz mieć ogólne pojęcie na co jesteś leczony i dlaczego. (Na przykład twój lekarz może powiedzieć: „Twoje qi jest zablokowane. Aby możliwe było poczęcie, qi musi mieć zapewniony swobodny przepływ, a zabiegi akupunktury wykonane w odpowiednich punktach ciała mogą je uwolnić." Oczywiście, jest to spore uproszczenie bardziej szczegółowej analizy problemu.) Powinnaś także otrzymać wyjaśnienie, jak będą monitorowane postępy w leczeniu. Może to przyjąć, na przykład, taką formę: „za kilka miesięcy twój okres powinien nabrać większej regularności".

Upewnij się, że zarówno twój lekarz prowadzący, jak i specjalista medycyny chińskiej wzajemnie orientują się w szczegółach twojego leczenia. Jeśli będziesz miała szczęście, to być może wybrany przez ciebie specjalista medycyny chińskiej zadzwoni do twojego lekarza prowadzącego, aby przedyskutować twój przypadek. Jeśli specjalista tego nie zrobi, musisz sama wziąć odpowiedzialność za dokładne przekazywanie informacji i upewnienia się, że każda z leczących cię osób bierze je pod uwagę. Jest mało prawdopodobne, aby prowadzący cię lekarz miał głębszą znajomość medycyny chińskiej, ale specjalista medycyny chińskiej powinien mieć podstawową orientację w metodach medycyny zachodniej, a także wiedzieć, w jakie interakcje mogą z nimi wejść stosowane przez niego terapie. Najczęściej chińskie zioła i akupunktura mogą być stosowane równolegle z terapiami medycyny zachodniej. Może się jednak zdarzyć, że obie terapie będą się wzajemnie wzmacniać i trzeba będzie ograniczyć intensywność jednej z nich. W niektórych przypadkach – na przykład gdy stosujesz zioła pobudzające wytwarzanie hormonów jednocześnie z zażywaniem farmaceutycznych leków wspomagających płodność – niezbędna będzie ostrożna i oparta na wiedzy koordynacja. Są też sytuacje, gdy tych dwóch podejść po prostu nie powinno się łączyć. Na przykład zioła stymulujące owulację mogą spowodować, że ciało wytworzy tylko jeden pęcherzyk wzrastający. Można byłoby to uznać za całkowicie normalny sposób funkcjonowania organizmu, tyle tylko że nie jest to pożądane w trakcie cyklu zapłodnienia in vitro. Leki wspomagające płodność stosowane są bowiem po to, aby organizm jednocześnie wytworzył wiele jajeczek.

**Chińskie zioła**

Przepisując ci ziołowy preparat, specjalista medycyny naturalnej powinien brać pod uwagę zarówno twoje uwarunkowania zdrowotne lub fizyczną konstytucję (twój typ płodności), jak i występujące objawy oraz ogólny stan zdrowia. Typowy, przygotowany dla ciebie preparat będzie zawierał około dziesięciu do piętnastu ziół. Sposób dystrybuowania ziół zależy od specjalisty. Ja (Jill) zazwyczaj korzystam z apteki internetowej. Posyłam im receptę wypisaną dla konkretnego pacjenta, apteka konfekcjonuje preparat ziołowy, a moja pacjentka dostaje e-maila informującego, że jest już gotowy i można go „odebrać" online. Używam laboratorium, które przetwarza zioła na liofilizowane granulki. Granulki te trzeba pomieszać z wodą i wypić jak herbatę. Inni specjaliści stosują dystrybuowane w paczuszkach suszone zioła, z których należy przygotować sobie napar. Jeszcze inni wolą pigułki lub nalewki, które można otrzymać bezpośrednio w gabinecie. Niektórzy wystawiają recepty, z którymi należy udać się do sklepu z chińskimi ziołami.

W wolnej sprzedaży dostępne są również gotowe chińskie preparaty ziołowe. Czasami ma je w sprzedaży specjalista medycyny chińskiej, sprzedają je też niektóre sklepy ze zdrową żywnością, można również zamówić je przez internet. Są to preparaty o jednakowej formule dla wszystkich, nie mogą więc równać się z indywidualnie przygotowywanymi recepturami dla konkretnej osoby. Zazwyczaj są słabsze, co oznacza, że są mniej skuteczne. Z drugiej strony, prawdopodobieństwo wystąpienia efektów ubocznych jest w ich przypadku mniejsze. Aby kuracja chińskimi ziołami dała ci jak najwięcej korzyści, powinnaś ją przeprowadzić w kontakcie ze specjalistą medycyny naturalnej.

Chińskie zioła to najłagodniejsza forma pierwszej interwencji, gdy masz problemy z płodnością wymagające leczenia i wykraczające poza opisane w tej książce techniki samopomocy. Zioła działają znacznie łagodniej niż hormony, ale są w stanie poradzić sobie z tymi drobnymi, zdawałoby się, zaburzeniami równowagi hormonalnej, które są jednak na tyle istotne, że mogą utrudniać lub uniemożliwiać poczęcie. Oczywiście, przyjmowanie jakichkolwiek suplementów ziołowych należy omówić z lekarzem. Powinnaś też zaprzestać stosowania ziół przez pierwsze cztery dni okresu (chyba że masz inne zalecenia), a także gdy jesteś w ciąży. Oczywiście żaden odpowiedzialny specjalista medycyny naturalnej nie przepisze komuś, kto chce począć dziecko ziół niewskazanych w okresie ciąży. Wstrzymanie się z ich przyjmowaniem stanowi jednak dodatkowy poziom zabezpieczenia.

## TU ZNAJDZIESZ SWÓJ PROGRAM

Zachowując w pamięci te ogólne wskazówki, jesteś przygotowana do odbycia własnego trymestru zerowego. Powinnaś przeczytać tylko jeden, ewentualnie dwa z pięciu kolejnych rozdziałów – te, które odnoszą się do twojego typu płodności (lub kombinacji typów). Przeznacz na program co najmniej miesiąc, ale byłoby najlepiej, gdybyś mogła wydłużyć ten okres do trzech – pozwoliłoby to doprowadzić cię do szczytowej płodności. Łatwiej byłoby ci począć, a i ciąża lepiej by przebiegała. A gdyby okazała się konieczna dalsza terapia stymulująca płodność, program „Jak się robi dzieci" pozwoli ci zminimalizować krótko- i długoterminowe towarzyszące jej skutki uboczne i zwiększyć szansę na sukces. Niezależnie od tego jak dalej rozwinie się sytuacja, trzy miesiące to inwestycja, która się opłaci.

## Jak się robi dzieci – plan działania

- Zalecenia programu „Jak się robi dzieci" stosuj co najmniej przez miesiąc, a najlepiej przez trzy miesiące.
- Porady dla twojego typu płodności traktuj jako ważniejsze od ogólnych porad przedstawionych w poprzednich rozdziałach.
- Jeśli interesuje cię akupunktura i chińska ziołoterapia, skonsultuj się z licencjonowanym specjalistą medycyny chińskiej.
- Bądź uważna przy wyszukiwaniu i zakupie chińskich ziół.
- Staraj się ułatwiać komunikację między twoim lekarzem prowadzącym, a specjalistą medycyny chińskiej.
- Pamiętaj, że udane poczęcie to jeszcze nie koniec drogi. W przypadku pacjentów, którzy mieli kłopoty z płodnością, bardzo ważną sprawą jest medyczne monitorowanie ciąży w pierwszym jej trymestrze.

# ROZDZIAŁ 20

## Recepta programu „Jak się robi dzieci": Zmęczony typ płodności

Program „Jak się robi dzieci" dopasowany do Zmęczonego typu płodności może pozytywnie wpłynąć na wiele aspektów twojego zdrowia i twojej płodności, przy czym większość tych strategii ma na celu przede wszystkim poprawę przemiany materii i trawienia ze względu na ich wpływ na pracę twoich hormonów.

### POŻYWIENIE
**Zalecenia do wyboru, jedz lub stosuj:**
- Na każdy posiłek przygotuj proste, dobrze ugotowane potrawy ze stosunkowo niewielu elementów. Najlepiej by było, gdyby twoje posiłki opierały się na lokalnie uprawianych produktach sezonowych. Szczególną uwagę zwróć na obecność złożonych węglowodanów (50 procent), warzyw i owoców (30 procent) oraz wysokiej jakości białka (20 procent). Łatwe do strawienia, ocieplające, powoli gotowane potrawy, takie jak zupy i potrawki. Docierają do żołądka ciepłe i rozdrobnione, nie zmuszają więc twojego układu trawiennego do zbyt ciężkiej pracy.
- Lekko podgotowane warzywa, bo są łatwiej strawne. Szczególnie wskazane są: kukurydza, seler, rzeżucha, rzepa, dynia, kiełki lucerny, młode grzyby (pieczarki), rzodkiewki i kapary. Staraj się kupować jak najwięcej ekologicznych artykułów żywnościowych.
- Dużo roślin strączkowych, zwłaszcza fasoli, japońskiej fasoli adzuki i soczewicy.

- Małą ilość chudego mięsa i drobiu z ekologicznych hodowli, najlepiej wolnego od hormonów i ryby takie jak łosoś.
- Nasiona, zwłaszcza sezamu, dyni i słonecznika.
- Zieloną herbatę, herbatę jaśminową, liściastą herbatę z czerwonej maliny i herbatę korzenną Fertili (patrz ramka).
- Całe ziarna, w tym brązowy niełuskany ryż, komosę ryżową, jęczmień i owies. Potrawy z pełnego ziarna są dobre dla wszystkich, ale są szczególnie ważne dla osób o Zmęczonym typie płodności, którym potrzebna jest energia z węglowodanów i które mają skłonność do objadania się ciastkami. Dostarczenie twojemu ciału potrzebnych mu cukrów w postaci zapewniającej ich powolne uwalnianie, pozwala utrzymywać stabilny poziom cukru we krwi, a tym samym poczucie sytości. Potrzebę uzupełnienia cukru możesz odczuwać szczególnie silnie w fazie 1. cyklu (miesiączka), ale to właśnie sprawia, że tak ważne jest, abyś w tym czasie pobierała to, co jest ci potrzebne z pokarmów pełnoziarnistych, a nie pod postacią prostych cukrów zawartych w wysoko przetworzonych „śmieciowych" produktach żywnościowych.
- Ustal regularne pory posiłków.
- Jedz powoli i dobrze przeżuwaj pokarm.
- Sama przygotowuj jedzenie zamiast jeść w restauracji.
- Spożywaj w ciągu dnia kilka małych posiłków, co pozwoli ustabilizować poziom cukru we krwi. Nie czekaj, aż jesteś bardzo głodny.
- Stosuj dużą ilość przypraw – jedz potrawy z dodatkiem chili i ocieplających przypraw, takich jak imbir, cynamon, goździki, kminek, kardamon, pieprz kajeński, rozmaryn, gałka muszkatołowa, kurkuma i koper włoski.
- Pokarmy, które medycyna chińska uważa za ocieplające, takie jak ryż, mąka owsiana, pasternak, cebula, por, jagnięcina, wołowina, kurczak i duszone owoce.

### HERBATA KORZENNA FERTILI

| | |
|---|---|
| 1 filiżanka liści czarnej herbaty | 2 łyżki stołowe mielonego kardamonu |
| 2 łyżki stołowe mielonego ziela angielskiego | plasterki świeżego imbiru |

Połącz wszystkie składniki, z wyjątkiem imbiru, w małym szczelnie zamykanym pojemniku. Nasyp do filiżanki 2 łyżeczki mieszanki. Dodaj dwa plasterki świeżego imbiru, zalej herbatę wrzątkiem i zaparzaj przez 10 minut. Po odcedzeniu jest gotowa do spożycia.

**Unikaj:**

- Produktów mlecznych.
- Pszenicy.
- Soków owocowych, ponieważ mają dużą zawartość cukru natomiast mało błonnika, który tracą w procesie przetwarzania. Zamiast nich pij soki warzywne lub wodę, czy też herbatę.
- Wysoko przetwarzanego jedzenia „śmieciowego", a także rafinowanych cukrów i węglowodanów, których twój organizm będzie się domagał. Dotyczy to również sztucznych substancji słodzących. Łaknienie zaspakajaj pokarmami pełnoziarnistymi. Jest to szczególnie ważne w fazie 4. cyklu (możliwość zagnieżdżenia jajeczka).
- Jedzenia w biegu.
- Przejadania się.
- Surowego jedzenia i zimnych lub mrożonych produktów. (Twój układ trawienny nie działa tak jak powinien i nie ma wystarczająco dużo energii na podgrzewanie pokarmów do temperatury, w której są łatwo przyswajalne.) Do swoich napojów nie wrzucaj kostek lodu i staraj się nie jeść lodów. Trzymanie się z dala od zimnych pokarmów i napojów jest szczególnie ważne w fazie 3. cyklu (owulacja). Jeśli masz w planie zjeść sałatkę, postaraj się, aby towarzyszyło jej coś ciepłego, np. kubek zupy lub pieczony ziemniak.
- Smażonego jedzenia. Nie służy ono nikomu, ale osoby o Zmęczonym typie płodności nie metabolizują dobrze tłuszczy. Problem ten się potęguje, gdy dochodzą jeszcze jakieś inne zaburzenia trawienne.
- Tofu i przetworzonych produktów sojowych.
- Używek takich jak kofeina, kawa lub napoje energetyzujące, nawet jeśli czujesz, że przysypiasz. Pobudzają one jedynie na chwilę, dostarczając fałszywej energii, a w dalszej perspektywie będziesz czuła się jeszcze bardziej otępiała.
- Nadmiaru soli.
- Alkoholu. Nie będziesz miała z niego żadnej korzyści, a piwo jest najgorszym wyborem, jakiego dokonujesz w barze.
- Niestrawności lub przynajmniej pokarmów i sytuacji, które powodują u ciebie niestrawność.

### ĆWICZENIA

Regularnie wykonuj niezbyt forsujące ćwiczenia fizyczne, które dodają ci energii, ale nie są wyczerpujące. Unikaj krótkich serii intensywnych ćwiczeń, nie zapisuj się też na zajęcia wymagające dużego wysiłku. Uważaj, aby nie przesadzić z ćwiczeniami; około trzydziestu minut trzy razy w tygodniu w zupełności wystarczy. Można to rozszerzyć i ćwiczyć do trzydziestu minut dziennie, o ile tylko nie doprowadzasz się do stanu wyczerpania. Mężczyźni należący do typu Zmęczonego mogą ćwiczyć nieco dłużej – około czterdziestu minut trzy razy w tygodniu (lub codziennie, ale tak, żeby się nie zmęczyć). Unikanie forsujących ćwiczeń jest szczególnie ważne dla kobiet o Zmęczonym typie płodności w fazie 1 cyklu (miesiączka). Aktywność fizyczna nie jest niczym złym, ale właśnie w tym czasie należy unikać sytuacji, gdy serce przyspiesza i mocniej pompuje krew. Również w fazie 4. (możliwe zagnieżdżenie) lepiej jest poprzestać na ćwiczeniach o umiarkowanej intensywności.

• Swoją wytrzymałość wysiłkową zwiększaj stopniowo. Ustaw sobie takie tempo, żeby się nie przemęczać.
• Codzienne, lekkie ćwiczenia są lepsze niż sporadyczne i o dużej intensywności, korzystniej też wpływają na twój metabolizm. Może to być, na przykład cowieczorny spacer.

## TRYB ŻYCIA

• Dokładaj starań, aby oszczędzać swe zasoby energetyczne. Kobiety powinny chronić swą energię na wszelkie dostępne im sposoby, szczególnie w fazie 1. cyklu (miesiączka) i w fazie 4. (ewentualne zagnieżdżenie).
• Uważaj, aby nie przeciążać się pracą.
• Ogranicz stres. Naucz się odpowiednich dla ciebie technik redukcji stresu i stosuj je.
• Zapewnij sobie wystarczająco dużo odpoczynku i wysypiaj się.
• Ubieraj się ciepło, odpowiednio do pogody. Bierz ciepłe kąpiele. Zakładaj kapcie lub skarpetki, aby twoje stopy zawsze były ciepłe.
• Żyj według ustalonego rytmu. Określ porę udawania się na nocny spoczynek i stosuj się do tego.
• Zapisz swoje cele i opracuj plan, jak je będziesz osiągała.
• Zadbaj o przestrzeń w swoim życiu dla zabawy i śmiechu.
• Świadomie wytyczaj granice w kontaktach z otaczającymi cię ludźmi. Ćwicz mówienie „nie".
• Chroń swoje plecy – to twój słaby punkt. Na przykład podnoś ciężkie przedmioty uginając kolana. Spróbuj wykonywać ćwiczenia wizualizacji.
• Wypróbuj automasaże.

## SUPLEMENTY DIETY

- Mleczko pszczele.
- Młoda trawa pszenicy (*Triticum aestivum*)
- Chrom (poprawia metabolizm poprzez wzmacnianie działania insuliny).
- L-arginina (aminokwas).
- Tylko dla kobiet: niepokalanek pieprzowy* (*Vitex agnus-castus*; w medycynie chińskiej, Man Jing Zi) jego działanie polega na przywracaniu równowagi hormonalnej, co wpływa korzystnie na płodność. Pomaga zwiększyć LH i hamuje uwalnianie FSH, przez co może wpłynąć na podniesienie poziomu progesteronu. Jest w stanie poprawić stosunek progesteronu do estrogenu poprzez ograniczenie nadmiaru estrogenu. Może też być pomocny w podtrzymaniu poziomu progesteronu w fazie 3. i 4. cyklu (owulacja i ewentualne zagnieżdżenie), zwłaszcza gdy owulacja jest opóźniona. Może być stosowany do regulowania cykli, wznowienia zatrzymanego okresu, oraz normowania zbyt obfitych menstruacji. Mężczyźni nie powinni zażywać niepokalanka w czasie, gdy ich partnerki starają się począć, ponieważ może to zmniejszyć liczbę plemników.
- Fałszywy korzeń jednorożca (*Chamaelirium luteum*) może wzmocnić ścianę macicy i wspomóc rozwój pęcherzyków, co wyjaśnia, dlaczego jest on używany od stuleci jako środek zwiększający płodność.
- Unikaj pluskwicy groniastej** (*Cimicifuga racemosa*, nazwa chińska: Sheng Ma). Jest to jedno z najbardziej popularnych ziół ginekologicznych w zachodnim ziołolecznictwie i jeśli zasięgniesz porady w sklepie ze zdrową żywnością, może się zdarzyć, że sprzedawca ci je poleci. Zioło to, gdy jest właściwie stosowane, służy do łagodzenia objawów menopauzy i przywracania miesiączki. Właśnie dlatego, że potrafi przywołać okres (a więc może zatrzymać owulację), nie jest przez nas zalecane. (Przecież w istocie starasz się właśnie wstrzymać miesiączkowanie na jakiś czas.) Pluskwicy groniastej nie należy stosować także w czasie ciąży. W niektórych przypadkach specjalista medycyny naturalnej może jednak zastosować pluskwicę groniastą jako składnik formuły ziołowej dla kobiet starających się o dziecko.

---

\*   ang. *Chaste tree berry*
\*\*  ang. *Black cohosh*

## WSPOMAGANIE PŁODNOŚCI
## CO MOŻECIE ZROBIĆ SAMI

- **Kobiety**. Ocieplaj dolną część brzucha (i/lub dolną część pleców), używając do tego termofora lub poduszki elektrycznej ustawionej na niski lub średni poziom grzania. W pierwszej połowie cyklu ogrzewanie stosuj co wieczór przez 20 minut. (Ten rodzaj ciepła jest dla ciebie wskazany, więc możesz zabieg ogrzewania stosować, kiedy tylko masz ochotę.) Jest to najprostszy sposób łagodzenia bóli miesiączkowych i wspomagania owulacji.
- **Mężczyźni**. Nie masturbuj się; skoncentruj się na doświadczeniach seksualnych, które wzmacniają związek.

### POMOC LEKARSKA

- Jeśli lekarz zaleci powtarzany test na progesteron, wykonaj badanie w czwartej, lutealnej fazie cyklu (możliwość zagnieżdżenia). Test pomoże stwierdzić, czy powinnaś w tej fazie przyjmować dodatkowy progesteron w celu wspomagania procesu zagnieżdżenia.
- Jeśli występuje u ciebie senność, przyrost masy ciała, wrażliwość na zimno i niskie temperatury PTC w fazie 2. cyklu (przed owulacją), skonsultuj się z lekarzem i porusz kwestie ewentualnej niedoczynności tarczycy i niedokrwistości.

### MEDYCYNA CHIŃSKA

- Akupunktura może pomóc zwiększyć qi, zwłaszcza jeśli podczas okresu czujesz się zmęczona i pozbawiona energii.
- Akupunktura może pomóc przyspieszyć rozwój pęcherzyków u kobiet o Zmęczonym typie płodności, które mają długą fazę folikularną (za mało FSH, aby wytworzyć jajeczko w odpowiednim czasie).
- Akupunktura i chińskie zioła mogą pobudzić twój metabolizm, ocieplić cię i przywrócić równowagę. Skonsultuj się w tej sprawie ze specjalistą medycyny chińskiej. Akupunktura i zioła są szczególnie przydatne kobietom o Zmęczonym typie płodności, które cierpią na niedoczynność tarczycy lub niedokrwistość lub które mają niskie temperatury PTC i obserwują u siebie ospałość, przyrost wagi oraz wrażliwość na zimno w fazie 2. cyklu (przed owulacją).

# ROZDZIAŁ 21

## Recepta programu „Jak się robi dzieci":
## Suchy typ płodności

Program „Jak się robi dzieci" dopasowany do Suchego typu płodności może pozytywnie wpłynąć na wiele aspektów zdrowia i płodności, przy czym większość tych strategii ma na celu przede wszystkim pomóc twojemu ciału w wytworzeniu pęcherzyków i zdrowego endometrium.

### POŻYWIENIE
**Zalecenia do wyboru, jedz lub stosuj:**
- Dietę, która stawia na warzywa i owoce w połączeniu z węglowodanami złożonymi i niewielką ilością białka i zdrowych tłuszczów. Ma ona zapewnić organizmowi pokarm pozwalający dobrze odżywić tkankę i zwiększyć poziom wilgotności. Staraj się wypełnić swój talerz w około 10 procentach białkiem zwierzęcym (jeśli je jadasz), w 10 procentach białkiem roślinnym (np. produkty sojowe i fasola; zwiększ do 20 procent, jeśli jesteś wegetarianinem), w 40 procentach warzywami i w 40 – węglowodanami złożonymi.
- Pięć małych posiłków i jeden większy o regularnych porach dnia.
- Małe porcje białka rozłożone w ciągu dnia, w tym mięso, produkty mleczne, fasola i rośliny strączkowe. Białko jest szczególnie ważne w fazie 2. cyklu (przed owulacją), ponieważ pomaga budować prawidłowe pęcherzyki.
- Len i produkty sojowe ze względu na zawarte w nich fitoestrogeny, białka i zdrowe tłuszcze. Spróbuj posypywać swoje płatki śniadaniowe mielonymi nasionami lnu lub dodawać olej lniany do sosu

sałatkowego (siemię lniane w całych ziarnach nie jest łatwo przyswajalne, więc korzyść z niego jest mniejsza.) Len i soja są szczególnie przydatne w fazie 2. cyklu (przed owulacją). Jeśli jednak należysz do Zablokowanego lub Suchego typu płodności ogranicz się do dwóch porcji tygodniowo.

- Lekko gotowane potrawy (raczej gotowane na parze lub krótko podsmażane w wysokiej temperaturze niż pieczone lub smażone w głębokim tłuszczu), sałatki i kilka surowych potraw podawanych na zimno.
- Produkty mleczne, w tym jaja.
- Wodorosty i skondensowany zielony sok, na przykład spirulinę[*].
- Pokarmy bogate w witaminy B i E, takie jak jajka i kiełki pszenicy, zwłaszcza w trakcie fazy 2. i 3. cyklu (przed owulacją i w czasie owulacji).
- W celu nawodnienia organizmu wypijaj w ciągu dnia w regularnych odstępach czasu co najmniej 8 filiżanek (4 szklanki) wody lub innych zdrowych napoi, takich jak zielona lub rumiankowa herbata, czy też anyżowo-chryzantemowa herbata Fertili (patrz ramka). Prawidłowe nawodnienie jest ważne dla każdego, ale ma kluczowe znaczenie dla płodności u kobiet reprezentujących typ Suchy, szczególnie podczas fazy 2. cyklu (przed owulacją) – muszą być wystarczająco nawodnione, aby mogły wytworzyć płodny śluz szyjkowy.
- Pokarmy, które medycyna chińska uważa za nawilżające i smarujące, chłodzące lub odżywiające yin to: nasiona, fasola (szczególnie fasoli mung), orzechy, sardynki, szpik kostny, pszenica, owies, ryż, proso, seler, szpinak, boćwina, ogórki, sałata, rzodkiewki, szparagi, bakłażan, kapusta, pomidory, brokuły, kalafior, cukinia, kiełki lucerny, kabaczek, słodkie ziemniaki, fasola szparagowa, buraki, grzyby, jabłka, gruszki, banany, arbuz, jagody i jeżyny.

**Unikaj:**
- Alkoholu, który odwadnia i nasila niekorzystne objawy. Jest to również środek pobudzający. Według medycyny chińskiej wytwarza gorąco. Zalecenie unikania alkoholu adresowane jest do każdego, ale ma ono szczególne znaczenie w przypadku kobiet o Suchym typie płodności, zwłaszcza podczas fazy 1. cyklu (miesiączka), bowiem jeśli

---

[*] bogaty w składniki odżywcze suplement produkowany z sinic należących do rodzaju Spirulina (*Arthrospira platensis* i *Arthrospira maxima*)

ich miesiączka ma ciężki przebieg, alkohol może dodatkowo nasilić krwawienie.

- Kalorycznych lub tłustych pokarmów, na przykład potraw smażonych w głębokim tłuszczu i ciężkich śmietanowych sosów.
- Kawy, czarnej herbaty, kofeiny, napoi energetyzujących (także tych ziołowych), mieszanek odchudzających i innych używek.
- Cukru.
- Jedzenia późnym wieczorem.
- Diet niskokalorycznych; diet ostrych i niezrównoważonych; nadmiernego kontrolowania tego, co jesz.
- Ostro przyprawionych pokarmów i przypraw, które medycyna chińska uważa za ocieplające, takich jak chili, curry, imbir, cynamon, czosnek i wasabi. Jest to szczególnie ważne w fazie 1. cyklu (miesiączka), a szczególnie, jeśli miesiączka jest obfita.

---

### HERBATA ANYŻOWO-CHRYZANTEMOWA FERTILI DLA SUCHEGO TYPU PŁODNOŚCI

Wszystkie składniki powinny być dostępne w twoim sklepie ze zdrową żywnością. Przejrzyj półki z ziołami, przyprawami, suplementami diety i herbatami.

| **1 filiżanka liści herbaty chryzantemowej** | **1/4 filiżanki liści herbaty pokrzywowej** |
|---|---|
| **2 łyżki stołowe mielonego korzenia prawoślazu** | **2 łyżeczki anyżu** |

Połącz wszystkie składniki w małym szczelnie zamykanym pojemniku. Nasyp do filiżanki 2 łyżeczki mieszanki. Zalej herbatę wrzątkiem i parz ją przez 10 minut. Po odcedzeniu jest gotowa do spożycia. Można ją pić gorącą lub na zimno.

---

### ĆWICZENIA

- Wybieraj energetyzujące, rewitalizujące ćwiczenia, których istotą jest odnowienie zasobów i medytacja – pozwolą ci wyciszyć umysł, a także popracować z ciałem. Mogą to być: joga, tai chi, qi gong, pływanie lub po prostu spacery na łonie przyrody.
- Unikaj intensywnych i męczących ćwiczeń, takich jak bieganie czy korzystanie ze stepperów. Ogranicz ćwiczenia aerobowe do około trzydziestu minut jednorazowo, nie więcej niż trzy razy w tygodniu. Jest

to szczególnie ważne w fazie 1. cyklu (miesiączka). Nie ma przeszkód, aby uprawiać ćwiczenia uzupełniające, które skupiają się na medytacji i rozciąganiu.

- Zachowaj równowagę między ćwiczeniami, które budują masę mięśniową, takimi jak podnoszenie ciężarów, a ćwiczeniami, które rozwijają sprawność ruchową oraz elastyczność. (Mężczyźni o Suchym typie płodności – przede wszystkim do was się zwracamy!)
- Unikaj napojów izotonicznych (poprawiających wydolność), szczególnie tych z kofeiną. Są zbyt yang. Zamiast nich, pij wodę lub odżywcze nektary owocowe rozcieńczone wodą.
- Unikaj sauny i bikram jogi*, zwanej też gorącą jogą.

## TRYB ŻYCIA

- Dobrze się wysypiaj.
- Unikaj palenia i miękkich narkotyków. Jest to szczególnie ważne dla osób o Suchym typie płodności, bo papierosy i narkotyki odbierają yin i mogą poważnie zaburzyć równowagę. To z kolei może mieć negatywny wpływ na płodność, nawet w krótkiej perspektywie.
- Nie używaj pigułek na odchudzanie – są to używki.
- Ograniczaj, jak tylko możesz, przebywanie w nieświeżym powietrzu zamkniętych, klimatyzowanych budynków. Dla równowagi, spędzaj czas w środowisku naturalnym (lasy, jeziora i plaże).
- Ogranicz czas spędzany w pobliżu urządzeń elektrycznych, w tym także czas, jaki spędzasz przed komputerem.
- Szczególnie staraj się unikać toksycznych oparów, takich jak te, które są emitowane przez farby, materiały budowlane i pralnie chemiczne.
- Nie doprowadzaj się do przegrzania. Unikaj saun, łaźni parowych, jacuzzi i gorących kąpieli.
- Nawilżaj skórę.
- Obniżaj poziom stresu. Dowiedz się, jak korzystać ze strategii obniżania stresu i sprawdź, która z nich najbardziej ci pomaga.
- Żyj w rozsądnym tempie, pozwalaj sobie na przerwy w pracy i ogranicz liczbę spotkań towarzyskich. Kultywuj upodobania i rozrywki, które mogą służyć za antidotum dla zgiełku współczesnego życia. Czytaj książki albo ćwicz. Relaks i odpoczynek są szczególnie ważne

---

* odmiana jogi, którą uprawia się w pomieszczeniu, w którym panuje temperatura 40°C i 40-procentowa wilgotność powietrza; składa się z sekwencji 26 ćwiczeń hatha jogi i dwóch ćwiczeń oddechowych.

w fazie 1. cyklu (miesiączka), kiedy z naturalnych powodów nie masz w sobie zbyt wiele energii, a także podczas fazy 2. (przed owulacją).

• Uregoluj rytm dnia. Poza jedzeniem posiłków o stałych porach, ustal sobie godziny chodzenia spać i wykonywania ćwiczeń.

• Unikaj nadmiernego pobudzenia. Trzymaj się z dala od głośnych imprez (np. hucznych przyjęć czy koncertów rockowych), filmów grozy i innych podobnych atrakcji.

• Bądź cierpliwa, zwłaszcza jeśli masz ponad 35 lat. Twój organizm mógł popaść w stan nierównowagi i przywrócenie jej zajmie trochę czasu. Możesz potrzebować od sześciu do dwunastu miesięcy zdrowego odżywiania, regularnych ćwiczeń i wysypiania się, zanim przełoży się to na twoją płodność i zobaczysz upragniony rezultat.

• Spróbuj wykonywać ćwiczenia wizualizacyjne.

• Wypróbuj automasaże.

### SUPLEMENTY DIETY

• Niezbędne kwasy tłuszczowe (NNKT), które są korzystne dla wszystkich, ale szczególnie ważne dla osób o Suchym typie płodności.

• L-arginina (aminokwas).

• Mleczko pszczele.

• Chlorofil w płynie. Jest szczególnie przydatny w fazie 2. cyklu (przed owulacją), ponieważ wspiera budowę pęcherzyka.

• Floradix – ziołowy suplement żelaza – jest korzystny w fazie 1. cyklu (miesiączka), kiedy tracisz krew i żelazo. Żelazo, wśród licznych funkcji, jakie pełni w organizmie, ma także wspierać wytwarzania pęcherzyków, więc jest szczególnie potrzebne w fazie 2. (przed owulacją).

### POMOC LEKARSKA

• Kobiety o Suchym typie płodności są podatne na problemy w fazie 1. i 2. cyklu (miesiączka i przed owulacją). Jeśli nie mają odpowiedniej ilości folikulotropiny (FSH) i estrogenów, nie dysponują wystarczającymi zasobami, aby stworzyć optymalne warunki dla rozwoju pęcherzyków lub endometrium. Ich śluz szyjkowy również może być mniej płodny.

• Skonsultuj się z lekarzem, jeśli twoje temperatury PTC są zbyt wysokie w fazie 2. cyklu (przed owulacją) lub jeśli cierpisz na bezsenność, niezamierzoną utratę masy ciała lub uczucie pobudzenia i niepokoju. Objawy te mogą być związane z nadczynnością tarczycy lub nadmierną aktywnością hormonów płciowych. Mężczyźni o Suchym typie płodności są również podatni na te problemy.

• Zanim zaczniesz przyjmować leki wspomagające płodność, dogłębnie omów z prowadzącym cię specjalistą inne ewentualne kierunki terapii. Twoje jajniki są mniej skłonne niż w przypadku innych typów płodności dobrze reagować na podawane ci leki, co więcej, niektóre z tych leków mogą redukować ilość śluzu szyjkowego i zmniejszać grubość i tak już cienkiego endometrium – a więc powiększać dwa problemy, z którymi, być może, już i tak się zmagasz.

• Jeśli zdecydujesz się na używanie leków stymulujących płodność w celu wymuszenia owulacji, jeszcze zanim zaczniesz terapię, starannie przygotuj do niej swoje ciało. Zalecamy, aby przed rozpoczęciem leczenia przejść co najmniej trzymiesięczny program „Jak się robi dzieci". Wstrzymaj się z przyjmowaniem leków wspomagających płodność do czasu, aż ustąpią główne objawy (na przykład gdy już nie masz uderzeń gorąca lub nocnych potów, miesiączka jest silna i masz prawidłowy śluz szyjkowy).

## MEDYCYNA CHIŃSKA

• Jeśli postanowisz odwołać się do terapii lekami wspomagającymi płodność lub którejś z technik wspomaganego rozrodu, akupunktura i zioła mogą pomóc ci odpowiednio przygotować ciało i zwiększyć szanse na pozytywną odpowiedź organizmu – a przynajmniej złagodzić objawy uboczne, takie jak przerzedzony śluz szyjkowy i cieńsze endometrium. W celu przygotowania najlepszego dla ciebie zestawu skonsultuj się ze specjalistą medycyny chińskiej.

• Zioła i akupunktura mogą pożywić yin i usunąć gorąco. Akupunktura może doprowadzić krew do pęcherzyków, których wzrost mógł być utrudniony przez niski poziom estrogenu, a także zwiększyć ilość płodnego śluzu szyjkowego oraz pomóc w uregulowaniu pracy hormonów.

• Jeśli faza folikularna jest zbyt długa (nie ma wystarczającej ilości FSH, aby na czas wytworzyć jajeczko), akupunktura może pomóc unormować ten proces.

• Chińska mieszanka ziołowa może rozrzedzić zbyt gęsty śluz szyjki macicy.

# ROZDZIAŁ 22

## Recepta programu „Jak się robi dzieci":
## Zablokowany typ płodności

Program „Jak się robi dzieci" dopasowany do Zablokowanego typu płodności może pozytywnie wpłynąć na wiele aspektów zdrowia i płodności, przy czym większość tych strategii ma na celu przede wszystkim ułatwić hormonalne przemiany, szczególnie przed miesiączką, poprawić przepływ krwi i zminimalizować szkodliwy wpływ mięśniaków i endometriozy.

### POŻYWIENIE
**Zalecenia do wyboru, jedz lub stosuj:**
- Dietę, która nie będzie przeciążać twojej wątroby zbyt wieloma syntetycznymi związkami. Nasze kierowane do wszystkich zalecenie, aby spożywać pokarmy nieprzetworzone nabiera szczególnego znaczenia w przypadku tego typu płodności. Staraj się, aby twoje menu składało się w 60 procentach z warzyw i owoców, w 30 – z węglowodanów złożonych i w 10 – z białka (chudego mięsa, tłustych ryb, niskotłuszczowych serów, orzechów i nasion.
- Dużo błonnika, szczególnie dla kobiet w fazie 4. cyklu (możliwe zagnieżdżenie).
- Warzywa kapustne (krzyżowe), takie jak brokuły, które skutecznie pomagają w przemianie materii i usuwaniu nadmiernej ilości estrogenu, a także w łagodzeniu objawów zespołu napięcia przedmiesiączkowego PMS. Są one szczególnie wskazane dla kobiet o Zablokowanym typie płodności w fazie 4. cyklu (możliwe zagnieżdżenie).

- Niezbędne nienasycone kwasy tłuszczowe NNKT występujące w roślinach, takie jak olej z wiesiołka, który jest niezwykle bogaty w kwasy tłuszczowe omega-6. NNKT są szczególnie wskazane dla kobiet o Zablokowanym typie płodności w fazie 4. cyklu (możliwe zagnieżdżenie).
- Pokarmy bogate w wapń, aby skompensować spadek poziomu tego minerału w okresach stresu. W szczególnym stopniu dotyczy to kobiet, zwłaszcza przed okresem, ponieważ niski poziom wapnia prowadzi do zmniejszenia dopływu krwi do macicy.
- Codziennie wypij szklankę owocowego lub warzywnego soku, aby zapewnić ciału wszystkie witaminy A i C niezbędne do wydajnego przyswajania wapnia. Codziennie wystawiaj się również na słońce, aby organizm mógł wytworzyć witaminę D, która ułatwia wchłanianie wapnia.
- Aby wesprzeć czynność wątroby, spożywaj małe ilości pokarmów zawierających naturalny kwas, takich jak owoce cytrusowe, ocet czy marynaty. (Monitoruj, ile jesz tych produktów. Zbyt dużo kwaśnych pokarmów może wątrobę spowolnić.) Rozpoczynaj dzień od wypicia ciepłej wody z niewielką ilością soku cytrynowego.
- Używaj przyprawy, które pobudzają przepływ qi, w tym kurkumę, tymianek, rozmaryn, bazylię, miętę i czosnek.
- Posiłki spożywaj siedząc i nie spiesząc się dokładnie przeżuwaj pokarm.

### HERBATA MIĘTOWO-POMARAŃCZOWA FERTILI DLA ZABLOKOWANEGO TYPU PŁODNOŚCI

Wszystkie składniki powinny być dostępne w twoim sklepie ze zdrową żywnością.

**1 filiżanka liści herbaty miętowej**
**1/4 filiżanki herbaty**
**ze słomy owsianej**

**1/2 filiżanki liści herbaty malinowej**
**2 łyżeczki suszonej**
**skórki pomarańczowej**

Połącz wszystkie składniki w małym szczelnie zamykanym pojemniku. Nasyp do filiżanki 2 łyżeczki mieszanki. Zalej herbatę wrzątkiem i zaparzaj przez 10 minut. Po odcedzeniu jest gotowa do spożycia.

**Unikaj:**

- Przejadania się lub jedzenia zbyt często (zanim poprzedni posiłek został strawiony).
- Jedzenia w pośpiechu lub gdy jesteś zła albo zdenerwowana.
- Pokarmów z konserwantami lub innymi chemicznymi dodatkami.
- Dużych porcji czerwonego mięsa, a także częstego jego spożywania.
- Produktów zwierzęcych, zawierających hormony, zwłaszcza mięsa czerwonego. Syntetyczne estrogeny, na pobranie których się narażasz mogą sprzyjać rozwojowi endometriozy i mięśniaków macicy.
- Kofeiny. Wyeliminuj ją lub przynajmniej ogranicz.
- Kawy (naturalnej i bezkofeinowej) – osoby o Zablokowanym typie płodności generalnie skorzystają z wyeliminowania jej ze swojego menu, ale kobiety reprezentujące ten typ i unikające kofeiny w fazie 4. cyklu (możliwość zagnieżdżenia) odniosą bezpośrednią korzyść: ustąpią objawy zespołu napięcia przedmiesiączkowego (PMS), takie np. jak tkliwość piersi.
- Słonych pokarmów i twardych serów – jeśli masz tendencję do wzdęć.
- Zbyt kwaśnych pokarmów i napojów lub nadmiernej ilości tego typu pokarmów. W małych ilościach kwas jest korzystny dla wątroby – niewielka ilość w zupełności wystarczy.
- Potraw smażonych lub tłustych.
- Produktów mlecznych.
- Siemienia lnianego i produktów sojowych, takich jak tofu czy edamame*. Zawarte w nich fitoestrogeny mogą nasilić objawy endometriozy i mięśniaków macicy.
- Alkoholu. Kusi, jako sposób złagodzenia stresu, ale jest środkiem pobudzającym, który jeszcze bardziej zakłóci równowagę hormonalną oraz wzmocni objawy, jakie temu towarzyszą.

## ĆWICZENIA

- Regularnie ćwicz. Wybierz ćwiczenia dotleniające ciało, które nie wymagają od ciebie dużego wysiłku. Dobrym pomysłem jest codzienne bieganie przez pół godziny. Nie dość, że poprawi ci to kondycję fizyczną i krążenie, to jeszcze pomoże pozbyć się nagromadzonych napięć. Regularne, umiarkowane ćwiczenia są szczególnie korzystne dla

---

\* danie lub sposób przygotowania – młode strąki soi, najczęściej podawane po ugotowaniu z dodatkiem soli

kobiet o Zablokowanym typie płodności w fazie 4. cyklu (możliwość zagnieżdżenia), bowiem stymulują dopływ krwi do macicy.
- W fazie 1. cyklu (miesiączka) wstrzymaj się z bieganiem i ćwiczeniami wymagającymi dużego wysiłku. Takie ćwiczenia mogłyby uczynić twoje i tak obfite miesiączki jeszcze intensywniejszymi. Ale staraj się zażywać ruchu, aby przepływ wszystkich fluidów (krwi i qi) odbywał się bez zakłóceń, a skurcze były mniej dokuczliwe. Zalecamy lekkie ćwiczenia fizyczne, takie jak chodzenie. Codzienne, nieprzeciążające ćwiczenia ważne są również w fazie 3. cyklu (owulacja).
- Wybierz dla siebie ćwiczenia z elementami medytacji, takie jak qi gong, joga, tai chi, ale dobrze ci zrobi także spacer na świeżym powietrzu. Ćwiczenia, których istotą jest powtarzalność, takie jak pływanie lub jogging, angażując ciało, uciszają umysł.
- Nie pływaj w zimnej wodzie.

### TRYB ŻYCIA
- Redukuj stres. Opracuj sobie zestaw technik relaksacyjnych (medytacja, głębokie oddechy, ćwiczenia medytacyjne lub inne, które ci pomagają) i regularnie z nich korzystaj, aby obniżyć fizyczne i psychiczne napięcie. Jest to szczególnie ważne dla kobiet o Zablokowanym typie płodności w fazach 3. i 4. (owulacja i możliwość zagnieżdżenia). Jeśli twoja faza folikularna jest wydłużona, możliwe, że stres spowalnia owulację.
- Zastanów się, jak radzisz sobie z emocjami, a zwłaszcza czy masz tendencję do blokowania swoich uczuć w sobie; znajdź sobie zdrowe sposoby wyrażania swoich potrzeb.
- Śmiej się.
- Unikaj ludzi, którzy działają na ciebie frustrująco, a także takich sytuacji.
- Ćwicz głębokie oddychanie, staraj się każdym oddechem wypełniać swój brzuch.
- Dąż w swoim życiu do stanu równowagi.
- Wypróbuj ćwiczenia wizualizacji.
- Wypróbuj automasaże.
- Wstrzymaj się od pożycia w okresie menstruacji.
- Używaj podpasek, a nie tamponów, które utrudniają przepływ krwi.

### SUPLEMENTY DIETY
- Cynk (szczególnie przed miesiączką).
- Witaminy z grupy B (B complex).

- Magnez.
- Wapń.
- Olej z wiesiołka – kwas tłuszczowy omega-6, zazwyczaj dostępny w postaci kapsułek – może zwiększyć ilość śluzu szyjkowego i poprawić jego jakość. Może również zwiększyć płodność, wygładzając hormonalne przejścia (w tym także złagodzić dolegliwości zespołu napięcia przedmiesiączkowego PMS i zmniejszyć bolesność miesiączek).
- Liść czerwonej maliny, spożywany zwykle w postaci nalewki lub herbaty, może poprawić przepływ krwi, zharmonizować pracę macicy i przygotować ją do ciąży. Chociaż podaje się go kobietom w ciąży od stuleci, współczesne badania wskazują, że liść czerwonej maliny może zwiększyć ryzyko porodu przedwczesnego, więc jeśli stosujesz go z myślą o zwiększeniu płodności, należy jego przyjmowanie wstrzymać zaraz po zajściu w ciążę.
- Obniżona dawka aspiryny raz dziennie („aspiryna dziecięca"), która korzystnie wpływa na większość kobiet mających trudności z zajściem w ciążę, ale przyjmowanie jej jest szczególnie ważne w przypadku osób o Zablokowanym typie płodności.

## POMOC LEKARSKA

- Zapytaj swojego lekarz o możliwość wykonania badania krwi w celu określenia twojego poziomu prolaktyny.
- Porozmawiaj z lekarzem na temat ewentualnego wykonania badania USG w celu wykrycia czy też oceny zaawansowania mięśniaków i endometriozy.

## MEDYCYNA CHIŃSKA

- Akupunktura może ułatwić przepływ qi i krwi, złagodzić skurcze, zapobiec tworzeniu się zakrzepów i wspierać równomierny przebieg menstruacji (zwłaszcza u kobiet, u których okres zatrzymuje się i zaczyna ponownie lub które mają plamienia). W rezultacie może to zwiększyć zdolność do poczęcia, ponieważ każde zatrzymanie krwawienia miesięcznego ma potencjalnie negatywny wpływ na płodność.
- Akupunktura może kompensować skutki stresu. Jest to szczególnie pomocne w przypadku kobiet o Zablokowanym typie płodności, które na wykresie PTC mają skoki temperatur w fazie 2 cyklu (przed owulacją). Najbardziej prawdopodobną przyczyną tych skoków – o ile tylko nie to jest gorączka, spożycie alkoholu czy też zakłócenie snu

– jest stres. Akupunktura jest korzystna także dla kobiet o wydłużonej fazie folikularnej, co może być sygnałem, że stres utrudnia owulację

- W przypadku kobiet o Zablokowanym typie płodności, które mają wydłużoną fazę folikularną lub cierpią na zespół napięcia przedmiesiączkowego (PMS) zioła pobudzające przepływ qi oraz krwi mogą złagodzić objawy występujące w czasie owulacji, takie jak ból, wzdęcia, obolałość piersi, a przed okresem także ich tkliwość, wahania nastroju, drażliwość, płaczliwość, łaknienie, wypryski skórne i wzdęcia.

- Poprzez skorygowanie nierównowagi w układzie rozrodczym, który jest źródłem tych objawów, zioła mogą także korzystnie wpłynąć na twoją płodność. Licencjonowany specjalista medycyny chińskiej może przepisać odpowiedni preparat, dostosowany do twoich indywidualnych potrzeb.

# ROZDZIAŁ 23

## Recepta programu „Jak się robi dzieci": Blady typ płodności

Pogram „Jak się robi dzieci" dopasowany do Bladego typu płodności może pozytywnie wpłynąć na wiele aspektów zdrowia i płodności, przy czym większość tych strategii ma na celu przede wszystkim dobrze cię odżywić, zapewnić dobry przepływ krwi, szczególnie w obszarze miednicy i wytworzyć odpowiednią wyściółkę macicy.

### POŻYWIENIE
**Zalecenia do wyboru, jedz lub stosuj:**
- Dietę, która przeciętnie zawiera około 30 procent białka (białko zwierzęce jest szczególnie korzystne), 30 procent węglowodanów złożonych (ziarna oraz warzywa z zawartością skrobi) i 40 procent warzyw i owoców.

- Dużo białka. Zalecamy co najmniej jedną porcję mięsa dziennie (nie zawierającego hormonów, jeśli to tylko możliwe), drób, ryby, jaja (szczególnie żółtko) i rośliny strączkowe. Szczególnie wskazane dla ciebie jest mięso, które zostało zamarynowane przed gotowaniem lub było gotowane powoli przez długi czas. Jeśli jesteś zagorzałym wegetarianinem, to – aby pozyskać niezbędne aminokwasy – musisz zatroszczyć się, aby w twoim menu znalazł się cały wachlarz białek roślinnych różnego pochodzenia (orzechy, nasiona, fasola, wysokobiałkowe kiełki, ziarna zbożowe takie jak komosa ryżowa). Rozważ również uzupełnienie diety o sproszkowane białko serwatki. Białko

jest podwójnie ważne dla kobiet o Bladym typie płodności w fazie
1. i 2. cyklu (miesiączka i przed owulacją), a więc wtedy, gdy tracą
krew i gdy trzeba pomóc organizmowi zregenerować endometrium
i budować pęcherzyki.
- Spożywaj regularnie posiłki.
- Jedz pokarmy zawierające fitoestrogeny, takie jak len i soja, aby wspomagały wytwarzanie pęcherzyków. Mają one kluczowe znaczenie podczas fazy 1. i 2. cyklu (miesiączka i przed owulacją), ale dobrze służą
twojemu zdrowiu także w każdym innym czasie. Osoby reprezentujące
kombinację typów płodności Blady – Zablokowany powinny jednak
*unikać* fitoestrogenów.
- Pokarmy bogate w żelazo, w tym końcowy melas z trzciny cukrowej, jaja, soczewica, rzeżucha, chude mięso, wątroba i nerki oraz
czarne porzeczki. Witamina C pomaga w przyswajaniu żelaza, dlatego należy jej pobierać dużo. Najlepszymi jej źródłami są czarne
porzeczki, ciemnozielone warzywa liściaste, pomarańcze, brokuły
czy owoce kiwi.
- Zupy na bulionie z kości, takie jak rosół z kurczaka. Zupy są szczególnie
wskazane w fazie 2. cyklu (przed owulacją). W sekcji *Medycyna chińska*
znajdziesz listę użytecznych składników, którymi możesz się posłużyć,
aby ugotować taką zupę.

### BLADOZIELONA HERBATA FERTILI
### DLA BLADEGO TYPU PŁODNOŚCI

Wszystkie składniki powinny być dostępne w twoim sklepie ze zdrową żywnością.

**1 filiżanka liści zielonej herbaty**    **1/2 filiżanki liści herbaty pokrzywowej**
**1/4 filiżanki suszonych jagód**
**kolcowoju chińskiego (jagód Goji)***

Połącz wszystkie składniki w małym szczelnie zamykanym pojemniku. Wsyp 2 łyżeczki
mieszanki do garnuszka zawierającego pół szklanki zimnej wody. Doprowadź do wrze-
nia i gotuj przez 5 minut. Po odcedzeniu herbata jest gotowa do spożycia.

―――――――
* *Lycium chinense*; w Chinach znane pod nazwą Gou Qi Zi

**Unikaj:**

- Kofeiny, która hamuje wchłanianie żelaza. Pogarsza również regulację poziomu cukru we krwi i powoduje łaknienie cukrów prostych, które pogarszają jakość krwi.
- Popijania spożywanych pokarmów, bowiem utrudnia to przyswajanie składników odżywczych. Staraj się przyjmować płyny między posiłkami.
- Jedzenia nadmiernej ilości nabiału. Spożywanie mleka wraz z płatkami śniadaniowymi lub jako dodatku do herbaty czy też jogurtu nie wyrządzi ci krzywdy, ale zachowaj umiar.
- Zimnych surowych produktów, takich jak sałatki, lody czy napoje prosto z lodówki. Jeśli jadasz zimne pokarmy, łącz je z czymś ciepłym. Na przykład zjedz zupę lub pieczonego ziemniaka jako dodatek do sałatki.
- Jedzenia w pośpiechu lub na stojąco, a także gdy jesteś pod wpływem stresu.
- Odchudzania się.
- Fitoestrogenów, takich jak nasiona lnu (siemię lniane) czy soja – jeśli reprezentujesz mieszany typ płodności Blady – Zablokowany.

### ĆWICZENIA

- Ogranicz ćwiczenia aerobowe do trzydziestu minut trzy razy w tygodniu.
- Regularnie wykonuj ćwiczenia zawierające komponent medytacyjny, takie jak joga, qi gong czy tai chi. Ćwiczenia te możesz uzupełnić innymi, wybranymi przez siebie, jeśli tylko polegają na rozciąganiu i uelastycznianiu ciała.

### TRYB ŻYCIA

- Pamiętaj, aby zapewnić sobie wystarczająco dużo odpoczynku. Jest to szczególnie ważne w fazie 1. cyklu (miesiączka).
- Rozwijaj umiejętności zarządzania czasem, doskonal metody pracy i nauki.
- Spróbuj nie martwić się rzeczami, na które nie masz wpływu.
- Spróbuj wykonywać ćwiczenia wizualizacyjne.
- Wypróbuj automasaże.

## SUPLEMENTY DIETY
- Floradix (ziołowy suplement żelaza) jest szczególnie potrzebny w fazie 1. cyklu (miesiączka), kiedy to tracisz krew, a wraz z nią – żelazo.
- Płynny chlorofil.
- L-karnityna.

## POMOC LEKARSKA
- Zapytaj swojego lekarz o możliwość wykonania badania krwi w kierunku anemii (niedokrwistości).

## MEDYCYNA CHIŃSKA
- Akupunktura może pomóc w doprowadzeniu krwi do endometrium.
- Preparaty ziołowe mogą dopomóc w wytworzeniu grubego endometrium. Zobacz się w tej sprawie ze specjalistą medycyny naturalnej.
- Zupa, która odżywia krew szczególnie dobrze ci posłuży w fazie 2. cyklu (przed owulacją). Oto prosty przepis: ugotować całego kurczaka z bukietem warzyw i innych dodatków (np. marchwią, pieczarkami, cebulą czy słodkimi ziemniakami) oraz przyprawami dostępnymi w każdym sklepie z chińskimi ziołami. Wypróbuj takie jak Shan Yao (dziki jam)[*], Goji (jagody kolcowoju chińskiego), Sheng Jiang (świeży imbir), Da Zao (jujube)[**] czy Long Yan Rou (longan).

---

[*]   ang. wild yam
[**]  ang. red dates

# ROZDZIAŁ 24

## Recepta programu „Jak się robi dzieci":
## Nasiąkliwy typ płodności

Program „Jak się robi dzieci" dopasowany do Nasiąkliwego typu płodności może pozytywnie wpłynąć na wiele aspektów zdrowia i płodności, przy czym większość tych strategii ma na celu zapobiec gromadzeniu się śluzu i zmniejszyć do minimum zagrożenie ze strony mięśniaków i endometriozy.

### POŻYWIENIE
**Zalecenia do wyboru, jedz lub stosuj:**
- Dietę o stosunkowo wysokiej zawartości białka (30 procent) i ubogą w węglowodany złożone (20 procent), z dużą ilością warzyw i owoców (50 procent).
- Pokarmy bogate w składniki odżywcze, zwłaszcza „żywe" pokarmy, takie jak zielone warzywa.
- Produkty pełnoziarniste i inne wolno uwalniające się węglowodany, aby nie dopuścić, na ile to tylko możliwe, do wahań poziomu cukru we krwi. Zamień cukier rafinowany na cukry naturalne – na przykład na nektar z agawy.
- Jęczmień, który jest naturalnym diuretykiem (środkiem moczopędnym).
- Zieloną herbatę, która, niezależnie od wszystkich innych korzystnych właściwości, jest naturalnym diuretykiem. (W ramce znajdziesz przepis na zieloną herbatę w postaci mieszanki szczególnie wskazanej dla osób o Nasiąkliwym typie płodności.)

- Dietę o stosunkowo niskiej zawartości węglowodanów. Gdy spożywasz węglowodany, łącz je z białkiem, aby utrzymać stały poziom cukru we krwi.
- Jogurt, pomimo iż powinnaś raczej unikać produktów mlecznych. Z naszego doświadczenia wynika jednak, że organizm reaguje inaczej na jogurt niż na inne produkty mleczarskie.
- Owcze i kozie mleko oraz ich przetwory. Wielu ludzi toleruje je lepiej niż produkty mleczne wyprodukowane z mleka krowiego.
- Nawadniaj się, nawadniaj się, nawadniaj się. Jak na ironię, wiele osób o Nasiąkliwym typie płodności jest odwodnionych. Picie wody pomaga wypłukać zatrzymane w organizmie płyny.

### KORZENNA ZIELONA HERBATA FERTILI DLA NASIĄKLIWEGO TYPU PŁODNOŚCI

Wszystkie składniki powinny być dostępne w twoim sklepie ze zdrową żywnością. Przejrzyj półki z ziołami, przyprawami, suplementami diety i herbatami.

**1 filiżanka herbaty**                     **1/2 filiżanki liści zielonej herbaty**
**z prażonego jęczmienia**
**2 łyżki stołowe mielonego kardamonu**

Połącz wszystkie składniki w małym szczelnie zamykanym pojemniku. Wsyp 2 łyżeczki mieszanki do filiżanki. Zalej wrzącą wodą i zaparzaj przez 10 minut. Po odcedzeniu herbata jest gotowa do spożycia.

**Unikaj:**
- Przejadania się.
- Surowych lub zimnych pokarmów.
- Ciężkich, trudnych do strawienia posiłków, a także kalorycznych i tłustych pokarmów, takich jak sosy zaprawiane śmietaną i wszystkiego, co jest smażone w głębokim oleju.
- Ostro przyprawionych potraw.
- Alkoholu.
- Produktów mleczarskich wyrabianych z krowiego mleka (z wyjątkiem jogurtu), ponieważ mogą powodować nadmierne wydzielanie śluzu.
- Żywności wysokoprzetworzonej. Osoby o Nasiąkliwym typie płodności mogą szczególnie źle na nią reagować.

- Cukrów i sztucznych słodzików, a zwłaszcza wysoko fruktozowego syropu kukurydzianego.
- Nadmiernych ilość przetworzonych produktów pszennych.
- Drożdży, grzybów, pleśni i wszelkich pokarmów sfermentowanych, ponieważ osoby o Nasiąkliwym typie płodności są podatne na infekcje powodowane przez drożdżaki Candida[*]. Należy wyłączyć piwo, chleb, sos sojowy, wino, ocet, grzyby i sery pleśniowe.
- Nadmiernych ilości soli. (To kolejny powód, aby unikać przetworzonej żywności: z reguły zawiera dużo soli, nawet jeśli w smaku nie wydają się słone.)
- Wieprzowiny i kalorycznego tłustego mięsa, w tym wielu rodzajów wołowiny.
- Tłuszczów nasyconych.
- Tłustej lub oleistej żywności, szczególnie produktów smażonych w głębokim tłuszczu.
- Soi, siemienia lnianego i innych pokarmów będących źródłami fitoestrogenów, zwłaszcza jeśli cierpisz na endometriozę lub mięśniaki macicy.
- Ignamów[**], jeśli rozpoznano u ciebie zespół policystycznych jajników (PCOS). Chociaż ignamy są często reklamowane jako stymulatory płodności, zawierają zbyt wiele węglowodanów.

### ĆWICZENIA

- Dbaj o aktywność fizyczną. Zapewnienie ciału dużo ruchu stymuluje przepływ płynów w twoim ciele.
- Regularnie wykonuj ćwiczenia aerobowe; wystarczy ci około trzydziestu minut dziennie. Unikaj ćwiczeń nadmiernie intensywnych. Popraw sobie krążenie krwi, ale nie przemęczaj się.
- Sformułuj cele, jakie chcesz osiągnąć poprzez ćwiczenia i sporządź plan ich osiągnięcia.

### TRYB ŻYCIA

- Utrzymuj swoje środowisko w stanie wolnym od pleśni. W domu regularnie sprawdzaj wilgotne pomieszczenia, gdzie mogłaby pojawić

---

[*] kandydoza, choroba zwana też drożdżycą, bielnicą i moniliazą jest najczęściej powodowana przez drożdżaki chorobotwórcze z rodzaju *Candida*, w szczególności przez *Candida albicans*
[**] Ignam; inne nazwy to jam, pochrzyn, chiński ziemniak. Należy do rodzaju *Dioscorea* i rodziny pochrzynowatych (*Dioscorecaceae*). Jest pnączem tworzącym bulwiaste kłącza.

się pleśń (szczególnie piwnice i łazienki). Typowym źródłem pleśni są też jesienne liście. Dopilnuj, aby były szybko i dokładnie uprzątane, ale grabienie pozostaw komuś innemu.

- Po sutych posiłkach spróbuj zażywać zioła wspomagające trawienie, takie jak płatki głogu czy nasiona kopru włoskiego, jak to czyni wielu mieszkańców Azji.
- Jeśli określenie momentu owulacji metodą obserwowania śluzu szyjki macicy sprawia ci trudność, prowadź wykres temperatur PTC. Kobiety należące do Nasiąkliwego typu płodności mogą wytwarzać śluz również w innych momentach cyklu, co utrudnia zidentyfikowanie momentu owulacji.
- Spróbuj wykonywać ćwiczenia wizualizacyjne.
- Wypróbuj automasaże.

## SUPLEMENTY DIETY

- Chrom
- Probiotyki zwiększają populację pożytecznych bakterii w przewodzie pokarmowym. Zwalczają też infekcje lub przerosty związane z drożdżakami Candida, na które osoby o Nasiąkliwym typie płodności są szczególnie podatne.

## POMOC LEKARSKA

- Jeśli cierpisz na zespół policystycznych jajników (PCOS), skonsultuj się ze swoim lekarzem. Możliwe, że w ogóle nie przechodzisz owulacji.

## MEDYCYNA CHIŃSKA

- Kobietom cierpiącym na PCOS akupunktura może pomóc w leczeniu zaburzeń owulacji.
- Zioła, które używane są w leczeniu zburzeń metabolizmu płynów mogą być pomocne w rozrzedzaniu lub usuwaniu śluzowatych wydzielin, które pogarszają drożność jajowodów. Te same zioła mogą również usunąć problemy z zagnieżdżeniem jajeczka, jakie powoduje śluz na wyściółce macicy lub nieskuteczna pinocytoza (mechanizm powodujący zwieranie się przedniej i tylnej ściany macicy). Radzimy skonsultować się ze specjalistą medycyny naturalnej.

# CZĘŚĆ 6

## Ciąża... z niewielką pomocą

# ROZDZIAŁ 25

## Rozród wspomagany: gdy naturze trzeba pomóc

Nie zawsze udaje się zajść ciążę w sposób naturalny. W niektórych przypadkach natura potrzebuje trochę pomocy. Jeśli ukończyłaś program „Jak się robi dzieci", przeprowadzono z tobą pogłębiony wywiad lekarski, poddano badaniom, otrzymałaś konkretną diagnozę stanu swojej płodności i dołożyłaś wszelkich starań, aby problem naprawić – możliwe, że jesteś właśnie w tym punkcie. Ten rozdział opisuje całą gamę technik wspomaganego rozrodu (ART), które są do twojej dyspozycji. Gdy będziesz się z nimi zapoznawała, nie strać z oczu przewodniego przesłania, które mówi, że powinnaś trzymać się tak blisko natury, jak to tylko możliwe. Nawet w tym królestwie zaawansowanych technologii nadal opłaca się polegać na mądrości ciała.

Centrum Zwalczania Chorób i Zapobiegania (CDC)\* definiuje techniki wspomaganego rozrodu (dawniej techniki sztucznego zapłodnienia) jako terapie niepłodności, w których jajeczka i/lub nasienie poddawane są zabiegom laboratoryjnym. Dla naszych celów rozciągnęliśmy tę definicję tak, aby obejmowała wszystkie typowe terapie niepłodności. Są one tu przedstawione w kolejności od najbardziej naturalnych do najmniej. W przypadku każdej z terapii, można także znaleźć sposoby, aby miała przebieg możliwie najłagodniejszy, a jednocześnie była w możliwie największym stopniu skuteczna. Często konstatujemy, że mniej inwazyjne

---

\* The Centers for Disease Control and Prevention – federalna agencja zdrowia publicznego w USA, monitorująca występowanie chorób zakaźnych i innych, badająca ich epidemiologię, opracowująca sposoby zapobiegania.

techniki są nie tylko mniej ryzykowne i bardziej przyjazne dla ciała, ale także częściej kończą się powodzeniem.

## LEKI WSPOMAGAJĄCE PŁODNOŚĆ

Pierwszą opcją leczenia, jaką proponuje się parom mającym problem z poczęciem dziecka, są zazwyczaj leki wspomagające płodność. Używane rozsądnie w celu wsparcia owulacji leki te mogą oddać duże usługi kobietom, które nie owulują lub owulują nieregularnie. Również kobietom z zespołem policystycznych jajników (PCOS) przyjmowanie leków wspomagających płodność przynosi często wiele korzyści. Lekarstwa stymulujące pracę jajników często pomagają, gdy przyczyna niepłodności nie została rozpoznana. Niektórzy lekarze wykorzystują je w leczeniu defektu fazy lutealnej (LPD), gdy FSH jest na niskim poziomie. Ja jednak (Sami) w takim przypadku zazwyczaj stosuję progesteron. Leki stymulujące płodność są także powszechnie stosowane w pierwszej fazie terapii z wykorzystaniem technik wspomaganego rozrodu, w tym zapłodnienia wewnątrzmacicznego (IUI) oraz zapłodnienia in vitro (IVF), w ramach starań mających skłonić organizm do wytworzenia więcej niż jednego (jak to jest zazwyczaj) jajeczka miesięcznie.

Leki wspomagające płodność bardzo dobrze stymulują owulację; ogromna większość kobiet, które je zażywają przejdzie owulację w ciągu pierwszych trzech miesięcy kuracji. Mniej więcej, połowa spośród kobiet, którym leki przywróciły owulację zajdzie w ciążę; ostateczny rezultat zależy jednak od wszystkich innych czynników, które wpływają na przebieg ciąży, w tym od wieku i jakości plemników.

Przyjmowanie tych lekarstw nie jest jednak pozbawione ryzyka. Mogą być przyczyną całego wachlarza pomniejszych efektów ubocznych, w tym wzdęć, tkliwości w okolicy brzucha lub piersi, łagodnego obrzęku jajników, bólu brzucha, nudności i wymiotów, zatrzymywania płynów w organizmie, przyrostu wagi, bólów głowy, bezsenności, uczucia zmęczenia, drażliwości, depresji i niewyraźnego widzenia. Każdy z tych objawów sam w sobie, może nie wydawać się problemem, jeśli jednak nawarstwią się i powtarzają się miesiąc po miesiącu – mogą stać się trudne do zniesienia. W rzadkich przypadkach leki wspomagające płodność mogą stać się przyczyną torbieli jajnika, które z kolei mogą powodować problemy z płodnością, a także nieprzyjemne objawy. Istnieje również ryzyko wystąpienia zespołu hiperstymulacji jajników (OHSS), które to schorzenie może stać się (dzieje się tak w niewielkiej części przypadków) poważnym zmartwieniem. Długotrwałe przyjmowanie tych silnych leków lub wysokie ich dawki mogą zwiększać ryzyko wystąpienia raka jajnika, piersi czy też macicy. (Tego ryzyka nie zwiększa jednak przyjmowanie tych leków przez kilka cykli, co jest typowym postępowaniem medycznym.)

Przyjmowanie leków wspomagających płodność zwiększa też szansę poczęcia bliźniąt (lub innej ciąży wielopłodowej), a to zwiększa także zagrożenia związane z ciążą, zarówno dla matki, jak i dla dzieci.

Stosowanie leków wspomagających płodność ma więc sens, jeśli tylko robi się to ostrożnie, leki przyjmuje się w rozsądnych dawkach i przez odpowiednią liczbę cykli. Większość par w wieku poniżej 35 lat powinna kontynuować próby poczęcia przez rok, zanim zacznie przyjmować leki stymulujące płodność. (Zastosowanie się do zaleceń programu „Jak się robi dzieci" zwiększy twoje szanse.) Jeśli zdecydujesz się skorzystać z leków wspomagających płodność, upewnij się, że rozumiesz zarówno przyczyny swojej niepłodności, jak i proponowaną przez lekarza terapię. Generalnie uważamy, że leki z tej grupy są przepisywane zbyt pochopnie i w zbyt wysokich dawkach. Zdarza się, że lekarze skłonni są podawać je w nieskończoność – mimo dowodów, że nie są one skuteczne w przypadku konkretnego pacjenta. Ponadto, wielu lekarzy ignoruje fakt, że mniejsze dawki nie tylko są bezpieczniejsze i w mniejszym stopniu narażają pacjentkę na działania uboczne, ale także na niektóre osoby mogą działać lepiej niż wtedy, gdy są podawane w większych dawkach. Stosowanie leków wspomagających płodność przez cztery do sześciu cykli może mieć uzasadnienie, ale później szanse na sukces już nie wzrastają. Wtedy należy porozmawiać z lekarzem o innej dawce lub o innym leku albo też o całkowitej zmianie sposobu leczenia.

Istnieją dwa powszechnie stosowane leki wspomagające płodność: klomifen (clomiphene) i gonadotropiny (folikulotropina FSH i luteina LH). Decydując się na którykolwiek z nich, będziesz musiała wykonywać badanie USG tuż przed owulacją, aby monitorować jak jego stosowanie wpływa na jajniki, a także przeprowadzać testy krwi, aby śledzić poziom estrogenu i rozwój pęcherzyków.

## Klomifen

Klomifen (a także produkty sprzedawane pod nazwami handlowymi Clomid i Serophene) wprowadza w błąd mechanizm kontroli poziomu estrogenu i ciało otrzymując informację, że ma za mało tego hormonu, zwiększa produkcję hormonu GnRH (uwalniającego gonadotropiny), który z kolei pobudza organizm do wydzielania hormonu folikulotropowego FSH i hormonu luteinizującego LH.

Klomifen przyjmowany jest doustnie przez około pięć dni, przy czym kurację rozpoczyna się po trzech do pięciu dniach, licząc od początku cyklu. (Jeśli twój okres jest nieregularny lub nie masz miesiączki, lekarz może wywołać miesiączkę za pomocą innego leku, abyś mogła prawidłowo przyjąć klomifen.) Najczęściej podawana dawka to 50 mg dziennie, ale ja (Sami) zazwyczaj przepisuję 25 mg, przynajmniej na początek. Zazwyczaj owulacja następuje między piątym a dwunastym dniem po podaniu ostatniej dawki. Kobietom cierpiącym na PCOS, u których poziom męskich hormonów jest wysoki lub w górnym przedziale normy, przepisuję deksametazon, który zwiększa skuteczność klomifenu poprzez wyhamowanie produkcji męskich hormonów. Twój lekarz będzie monitorował sytuację poprzez badania USG i testy krwi, co pozwoli mu stwierdzić, czy organizm prawidłowo reaguje na leki, a także określić moment owulacji. Być może, będziesz musiała zażywać leki przez kilka miesięcy, zanim zaczniesz regularnie owulować.

Stosowanie klomifenu niesie ze sobą skutki uboczne i zagrożenia opisane w poprzednim podrozdziale. Prawdopodobieństwo urodzenia bliźniąt to około 5 do 8 procent (w porównaniu z 2-procentowym dla ogólnej populacji). Ponadto lek może tak bardzo wysuszyć śluz szyjkowy, że nawet zdrowe plemniki mogą mieć duże problemy z efektywnym dotarciem do jajeczka. W tym przypadku, nawet jeśli masz dużo jajeczek, prawdopodobieństwo, że któreś z nich zostanie zapłodnione jest niewielkie. Wysokie dawki klomifenu (a nawet standardowe dawki, w zależności od reakcji organizmu) mogą tak bardzo ograniczyć wzrost endometrium, że nie dojdzie do zagnieżdżenia zapłodnionego jajeczka.

Lekarze specjalizujący się w kwestiach męskiej płodności również stosują klomifen i – rzadziej – gonadotropiny (patrz następny podrozdział). Klomifen może zwiększyć liczbę plemników lub ich ruchliwość wtedy, gdy przyczyną niepłodności jest niski poziom testosteronu. Jest bardzo skuteczny, pod warunkiem że wcześniej zostały wykluczone takie przyczyny niskiego testosteronu, jak żylaki powrózka nasiennego, zaburzenia tarczycy czy wysoki poziom prolaktyny. Jeśli jednak niski poziom testosteronu jest spowodowany ogólnym przemęczeniem fizycznym lub psychicznym, zastosowanie klomifenu jest wartą rozpatrzenia opcją. Mężczyznom jest on podawany w bardzo małych dawkach

(25 mg na dobę) przez około 25 dni każdego miesiąca i tylko przez ograniczony czas, zwykle nie więcej niż cztery do sześciu miesięcy.

## Gonadotropiny

Gonadotropiny (łącznie z markami handlowymi takimi jak Bravelle, Follistim, Gonal-f, Menopur i Repronex) są również wykorzystywane do stymulowania owulacji, choć w tym wypadku odbywa to się poprzez inny mechanizm hormonalny. Ponieważ gonadotropiny muszą być wstrzykiwane, a tym samym są znacznie droższe i towarzyszy im większe w porównaniu z klomifenem prawdopodobieństwo ciąży mnogiej, stosowane są w zasadzie jedynie wtedy, gdy pacjent próbował wcześniej klomifenu i nie zareagował na niego pozytywnie lub też gdy z jakichś powodów klomifen nie może być zastosowany. Podobnie jak klomifen gonadotropiny są przydatne w leczeniu problemów owulacji, PCOS, LPD i niewyjaśnionej niepłodności, a także jako element terapii z wykorzystaniem którejś z technik wspomaganego rozrodu (ART).

Stosowanie gonadotropin jest procesem dwuetapowym. Najpierw, rozpoczynając od 3. dnia cyklu przez siedem do dwunastu dni w zależności od tego, jak długo dojrzewa twoje jajeczko, codziennie otrzymujesz zastrzyk FSH lub FSH w połączeniu z LH.

Pod wpływem tej kuracji jajniki wytwarzają i każdorazowo uwalniają większą liczbę jajeczek, a nie tylko to jedno, na które można liczyć w normalnych okolicznościach. Następnie podaje się w zastrzyku ludzką gonadotropinę kosmówkową (HCG), która powoduje uwolnienie jajeczek w ciągu jednego do dwóch dni. (Zastrzyk robisz sobie sama lub też robi go twój partner. Nauczycie się tego w gabinecie lekarskim.) Będziesz monitorowana za pomocą badań USG i testów krwi, abyś mogła wykonać zastrzyk w odpowiednim czasie i aby móc określić moment owulacji.

Ogólnie biorąc, wskaźnik sukcesu terapii gonadotropinami wynosi około 20 procent na cykl, przy czym jest to uzależnione od kilku czynników, a w tym: wieku, jakości plemników i rodzaju problemu z płodnością. Prawdopodobieństwo urodzenia bliźniąt (lub więcej dzieci) przy stosowaniu gonadotropin może sięgnąć nawet 20 procent.

### Zespół hiperstymulacji jajników (OHSS)

Każdy, kto bierze pod uwagę terapię lekami wspomagającymi płodność, musi zdawać sobie sprawę z zagrożenia zespołem hiperstymulacji jajników. Mimo że występuje tylko w niewielkim procencie cykli leczenia i jego konsekwencje mogą nie być groźne, zespół hiperstymulacji może niekiedy spowodować na tyle poważne zaburzenia, że pacjentka wymaga hospitalizacji, a w rzadkich przypadkach może nawet zagrażać życiu. OHSS występuje jako efekt nadmiernej stymulacji jajników przez leki zwiększające płodność, co może zdarzyć się nawet wówczas, gdy leki podawane są w typowych dawkach. W efekcie reakcja jajników jest nadmierna, wytwarzają zbyt wiele pęcherzyków i nabrzmiewają, kilkakrotnie zwiększając swoją wielkość. Objawami, które zazwyczaj pojawiają się w ciągu czterech do pięciu dni od owulacji, są: nudności, gromadzące się gazy oraz uczucie pełności i przyrostu masy ciała. Wzdęcia, wymioty, biegunka, zmniejszona ilość moczu, ciemniejsze jego zabarwienie, nadmierne pragnienie, suchość skóry i włosów, wymiernie większy brzuch i szybki przyrost masy ciała (1 kg dziennie) są objawami, które uważa się za „umiarkowane", przy czym nakładają się one zazwyczaj na wymienione wyżej objawy „łagodne". U niektórych kobiet wytwarzają się torbiele jajnika. Jeśli nie zajdziesz w ciążę, objawy te zazwyczaj ustępują samoistnie w ciągu kilku dni, ale twój stan powinien być stale monitorowany przez lekarza.

Jest to przegląd typowych objawów OHSS, jakie pojawiają się u większości dotkniętych nim kobiet, przy czym w niektórych ciężkich przypadkach mogą wystąpić wszystkie te objawy lub też może nie wystąpić żaden z nich. Wtedy, oprócz uczucia pełności czy wzdęć powyżej pasa, mogą pojawić się: płyn w płucach, trudności w oddychaniu lub bolesne oddychanie, duszności, zawroty głowy, ból miednicy, łydek lub klatki piersiowej, nadmierna koncentracja komórek krwi i zakrzepy. Objawy te mogą być na tyle poważne, że pacjentka wymaga hospitalizacji.

Każda kobieta decydująca się na terapię lekami wspomagającymi płodność wystawia się na ryzyko związane z wystąpieniem zespołu hiperstymulacji jajników (OHSS), jednak niektóre z nich są bardziej podatne niż inne. W tej grupie są młodsze kobiety, kobiety cierpiące na PCOS (przyjmowanie metforminy obok leków wspomagających płodność zmniejsza ryzyko OHSS) i kobiety z wysokim poziomem estrogenów oraz dużą liczbą pęcherzyków lub jajeczek.

**Lepszy sposób**
Nie spiesz się i nie podejmuj pochopnie nieprzemyślanej decyzji o poddaniu się terapii lekami wspomagającymi płodność. Musisz być pewna, że dobrze rozumiesz, na czym polega twój problem

z płodnością i że jest to problem, który leki stymulujące płodność mogą rozwiązać. Leki te bowiem mogą sprawić jedynie, że wytworzysz więcej jajeczek, co nie oznacza, że staniesz się automatycznie płodną. Kolejną ważną sprawą, o której trzeba pamiętać jest to, że w przypadku leków wspomagających płodność „więcej" nie zawsze oznacza „lepiej". Po ograniczeniu dawki, twoje jajniki mogą działać tak, jak do tej pory, przy czym leki nie będą już tak nadwątlały twojego endometrium. Zmniejszenie dawki klomifenu sprawi też, że śluz szyjkowy nie będzie tak bardzo wysuszany. W przypadku kobiet cierpiących na zespół policystycznych jajników (PCOS) przyjmowanie metforminy wraz z lekami wspomagającymi płodność może zmniejszyć ryzyko rozwoju zespołu hiperstymulacji jajników (OHSS).

**Medycyna chińska**
Zioła tonizujące (pobudzające energię) yin przyjmowane równolegle z lekami wspomagającymi płodność mogą w przypadku kobiet, które słabo reagują zwiększyć skuteczność tych leków. Medycyna chińska uważa leki stymulujące płodność za środki wzmacniające yang i do tego o bardzo silnym działaniu. Tak więc, odżywiające yin zioła, przygotowane dla nas pod okiem specjalisty medycyny chińskiej, mogą pomóc zrównoważyć skutki uboczne leków, takie jak ograniczenie wzrostu wyściółki macicy czy zmniejszenie ilości płodnego śluzu szyjkowego. Połączenie tych dwóch terapii to dla wielu pacjentów dobry kierunek działania, ale musi być przeprowadzone bardzo uważnie i przy dobrej współpracy lekarza ze specjalistą medycyny chińskiej. Jeszcze lepiej jest rozpocząć terapię ziołową znacznie wcześniej niż terapię lekową. Sześć miesięcy stanowi idealny okres wyprzedzenia, przy czym nawet jeden miesiąc odgrywa tu rolę. Takie przygotowanie może zapewnić lepszą odpowiedź organizmu na leki, a w rezultacie zwiększyć liczbę uwalnianych jajeczek.

Zioła mogą również pomóc w przypadkach OHSS – zwłaszcza te, które są korzystne dla ciałka żółtego. Podobnie korzystne działanie ma akupunktura w połączeniu z podawaniem dodatkowego progesteronu. Kobiety o Suchym typie płodności często nie reagują dobrze na leki wzmacniające płodność, a więc wcześniejsze przyjęcie ziół pobudzających yin jest dla nich szczególnie korzystne. (Co ciekawe, niektóre kliniki specjalizujące się w zabiegach in vitro stosują obecnie równoległą strategię o nazwie *gruntowanie estrogenów*, polegającą na podawaniu takim pacjentkom estrogenu na miesiąc przed cyklem, w którym ma zostać przeprowadzony zabieg.) Kobiety reprezentujące Zmęczony typ płodności na ogół lepiej reagują na leki stymulujące płodność niż kobiety o innych typach płodności, zarówno pod względem ostatecznego rezultatu, jak i dolegliwości skutków ubocznych.

---

**Studium przypadku: Louise**

Louise miała nieregularne miesiączki, co jej i jej mężowi bardzo utrudniało poczęcie dziecka. Po trwających rok próbach, idąc za radą swojego ginekologa, zdecydowała się na Clomid. Przez okres dwóch cykli menstruacyjnych, przez pięć dni w każdym cyklu, przyjmowała jedną tabletkę (50 mg) na dobę. Wciąż jednak nie zachodziła w ciążę. W tej sytuacji lekarz podwoił dawkę i Louise przyjmowała Clomid w zwiększonej dawce przez kolejne dwa miesiące. Gdy w dalszym ciągu nic się nie udawało, jej lekarz skierował ją do mnie (Sami).

Gdy pogłębiony wywiad lekarski i badanie fizykalne nie wykazały żadnych innych problemów, zaleciłem *niższą* dawkę Clomidu. W kolejnym cyklu Louise przyjmowała jedynie pół tabletki (25 mg) codziennie przez sześć dni i wkrótce zaszła w ciążę. Louise i jej mąż mają teraz udane, zdrowe dziecko.

---

## INSEMINACJA DOMACICZNA (IUI)

Kiedyś znany pod nazwą „sztuczne zapłodnienie" i słusznie lub niesłusznie, ale z przymrużeniem oka kojarzony z pipetą, proces wprowadzania plemników do macicy (bez współżycia) wkroczył w obszar zaawansowanych technologii. Obecnie plemniki są „myte" i umieszczane w sterylnym płynie, który następnie koncentruje się do małej objętości i wstrzykuje poprzez cewnik wprowadzony przez szyjkę bezpośrednio do macicy.

Aby zwiększyć szanse na sukces, w większości przypadków lekarze przepisują leki wspomagające płodność na tydzień przed owulacją, aby skłonić jajniki do wytworzenia kilku jajeczek. Może również zostać wykonany „zastrzyk inicjujący", który sprawi, że owulacja nastąpi w konkretnie określonym momencie, co ma na celu uzyskanie możliwie najlepszej koordynacji z procedurami inseminacji domacicznej.

Z reguły przeprowadzam (Sami) dwie inseminacje wewnątrzmaciczne (IUI) przez dwa dni z rzędu, aby zwiększyć prawdopodobieństwo trafienia w odpowiedni moment. Po każdym zabiegu zapłodnienia wewnątrzmacicznego nad szyjką macicy umieszczam na pewien czas specjalną osłonę po to, aby wstrzyknięte plemniki pozostały tam, gdzie je umieściłem. W fazie lutealnej cyklu podaję także progesteron, aby mieć pewność, że wyściółka macicy jest przygotowana do zagnieżdżenia. W celu monitorowania owulacji i odpowiedniego ustalenia momentu wykonania zabiegu IUI, lekarze stosują badania hormonalne krwi, badania USG czy też zestawy predykcyjne owulacji. Gdy przychodzi czas jajeczkowania, na godzinę lub dwie przed zabiegiem IUI, partner kobiety jest wzywany do oddania próbki nasienia. Jeśli jednak moment wykonania zabiegu nie został wybrany właściwie, para po prostu marnuje swój czas i wysiłek (a także pieniądze).

Badania wykazały, że wskaźniki zajścia w ciążę są znacząco lepsze, gdy abstynencja seksualna mężczyzn przed pobraniem nasienia do zabiegu IUI nie trwa dłużej niż trzy dni. Gdy abstynencja jest dłuższa, wskaźniki pogarszają się. Najlepiej, aby nasienie było pobierane nie później niż po dwóch dniach abstynencji.

Specjaliści na ogół zalecali dłuższe okresy abstynencji przed pobraniem nasienia, ponieważ w takich okolicznościach liczba plemników na ogół nieco wzrasta. Tymczasem okazało się, że jednocześnie zmniejsza się ich ruchliwość, a co więcej oczekujące plemniki podlegają strukturalnym i funkcjonalnym uszkodzeniom. Nawet jeśli plemniki są i tak płukane w laboratorium, uzyskanie na początku czystej próbki jest bardzo ważne. A kiedy już ją masz, musisz dostarczyć ją bezpiecznie, bowiem w przeciwnym wypadku, cały wysiłek pójdzie na marne. Pobierając nasienie, lepiej jest zrobić to w sposób następujący:

1. Weź prysznic i umyj się antybakteryjnym mydłem. Przy myciu odciągnij napletek.
2. Masturbuj się aż do osiągnięcia wytrysku, po czym zbierz ejakulat do sterylnego pojemniczka, zgodnie ze wskazówkami, jakie otrzymałeś od lekarza.
3. Utrzymuj próbkę w temperaturze pokojowej lub temperaturze ciała (zalecenie to jest szczególnie istotne, gdy panują niskie temperatury) i dostarcz ją do gabinetu lekarza najpóźniej w ciągu jednej do dwóch godzin.

Plemniki są poddawane zabiegom przygotowawczym już bezpośrednio w gabinecie lekarskim, a następnie zostają wprowadzone do macicy. Cała procedura IUI trwa około godziny. Dwa tygodnie później, dowiadujesz się, czy doszło do zapłodnienia. Zapłodnienie wewnątrzmaciczne IUI należy do tych interwencji medycznych, które pary starające się o poczęcie dziecka powinny wypróbować w pierwszej kolejności. Zapłodnienie odbywa się w sposób „naturalny" wewnątrz ciała, a nie w naczyniu laboratoryjnym. Jest to zabieg mniej inwazyjny niż in vitro (IVF), ponieważ nie ma potrzeby pobierania jajeczek. A ponieważ nie wymaga tak dużego zaangażowania, jest też znacznie tańszy. W jednym z badań przeprowadzono kalkulację względnych kosztów metody inseminacji wewnątrzmacicznej (IUI) w odniesieniu do zapłodnienia in vitro (IVF) w przeliczeniu na jedno urodzone dziecko. Porównanie wykazało, że metoda in vitro z reguły wiąże się z kilkakrotnie większymi wydatkami niż IUI.

W przypadku niepłodności męskiej zapłodnienie wewnątrzmaciczne (IUI) jest bardziej skuteczne niż stosunek zaplanowany na moment owulacji. W przypadkach niewyjaśnionej niepłodności IUI daje lepsze rezultaty niż stosowanie samych tylko farmaceutyków wspomagających płodność. W przypadku mężczyzny, u którego liczba plemników, ich ruchliwość i morfologia pozostają w granicach normy rezultaty osiągane w wyniku 3–4 zabiegów IUI są takie, jak w wyniku jednego cyklu in vitro.

Oczywiście metoda IUI jest najbardziej skuteczna, gdy stosowana jest we właściwy sposób. Jest ona najbardziej pomocna w przypadku niskiej liczby plemników lub małej ich ruchliwości. Jeżeli liczba plemników jest naprawdę bardzo niska, zabieg in vitro połączony z wstrzyknięciem plemnika do cytoplazmy komórki (ICSI) może być lepszym rozwiązaniem. A jeśli plemników nie ma w ogóle, można rozważyć zabieg IUI z użyciem nasienia dawcy lub nasienia pobranego bezpośrednio z jądra partnera. Zabieg IUI jest dobrym rozwiązaniem także wtedy, gdy przyczyna niepłodności nie została rozpoznana. A ponieważ technika ta pozwala ominąć śluz szyjkowy, jest to jeden ze sposobów radzenia sobie z problemem wrogiego śluzu szyjki macicy.

Szansa na zajście w ciążę w wyniku zabiegi IUI wynosi przeciętnie od 15 do 20 procent. Zalecamy, aby nasi pacjenci przeszli trzy do czterech cykli IUI (jeśli oczywiście zajdzie taka potrzeba), zanim zaczną poważnie zastanawiać się nad zabiegiem zapłodnienia in vitro.

## ZAPŁODNIENIE IN VITRO (IVF)

Zapłodnienie in vitro jest zdecydowanie najczęściej stosowaną terapią wśród wszystkich terapii wykorzystujących zaawansowane technologie. W USA około 90 procent wszystkich zabiegów wspomaganego rozrodu odbywa się przy wykorzystaniu tej metody, co przekłada się na 48 tys. dzieci, które dzięki niej co roku przychodzą na świat.

Większość opisów i wyjaśnień zawiera stwierdzenie, że metoda ta używana jest w przypadku zaburzeń owulacji. To prawda – używana jest w przypadku problemów z owulacją, ale tak być *nie powinno*. Jeśli jedynym problemem jest brak owulacji lub jej niska jakość, uciekanie się od razu do metody in vitro jest jak wbijanie gwoździa przy pomocy młota udarowego. Zanim zaczniesz rozważać metodę in vitro, powinnaś spróbować wielu innych strategii.

Jeśli metoda in vitro jest stosowana wtedy, kiedy rzeczywiście zachodzi taka potrzeba, staje się bardzo cenną możliwością dla par, które starają się pokonać problem zablokowanych (z dużymi bliznami) jajowodów, niskiej jakości plemników lub niewyjaśnionej niepłodności. Do radzenia sobie właśnie z tymi sytuacjami metoda in vitro została opracowana i tak też była pierwotnie wykorzystywana. W ciągu następnych dekad pary zaczęły się coraz częściej skłaniać ku postawie: „próbowaliśmy przez trzy, a może cztery miesiące, szybciej to załatwimy robiąc in vitro". Ja też (Sami) mógłbym skierować kobietę na zabieg in vitro już po kilku miesiącach, ale jedynie w przypadku, gdy kobieta ma ponad 38 lat lub zostaje rozpoznany jeden z przytoczonych wyżej problemów zdrowotnych. Ale nawet wtedy wolałbym, aby najpierw para wypróbowała inne możliwości.

Młodsze kobiety, jak również pary z problemami zdrowotnymi innymi niż wyżej przytoczone na ogół mają do wyboru dużo lepsze możliwości terapii niż zabieg zapłodnienia in vitro – możliwości, które są bezpieczniejsze, tańsze, łatwiejsze i skuteczniejsze. Sojusznikiem młodszych kobiet jest również czas – nie muszą spieszyć się z zabiegiem in vitro, zanim nie rozpoznają innych możliwości. (Jeśli przeprowadzono z nimi pogłębiony wywiad lekarski i dokładnie je przebadano, a także jeśli próbowały już innych metod – włącznie z taką, że dały sobie po prostu nieco czasu – in vitro może być dobrym wyborem.) W przypadku młodszych kobiet prawdopodobieństwo zakończenia zabiegu in vitro powodzeniem jest znacznie większe niż w przypadku kobiet starszych – mają one jednak też dużo większe szanse na sukces bez uciekania się do tego zabiegu.

**Co się dzieje podczas zabiegu in vitro?**

W zabiegu zapłodnienia in vitro ważne jest, aby organizm wytworzył wiele jajeczek w jednym cyklu. W tym celu kobieta najpierw otrzymuje zastrzyki z lekami wspomagającymi płodność, których zadaniem jest pobudzenie jajników do produkcji kilku jajeczek, a nie jednego – jak to jest zazwyczaj. Niekiedy lekarze przepisują Lupron, syntetyczny hormon, który ma zapobiec przedwczesnemu ich uwolnieniu. W niektórych przypadkach zaleca się przyjmować go przez 30 dni poprzedzających cykl, w którym ma zostać przeprowadzony zabieg in vitro. Ma to na celu wyhamowanie własnych hormonów, zanim zostaną ponownie pobudzone za pomocą leków stymulujących jajniki.

Lekarz będzie monitorował rozwój jajeczek poprzez badania USG i testy krwi, co pozwoli mu wychwycić moment, gdy osiągną dojrzałość. Kiedy wystarczająca liczba pęcherzyków osiągnie odpowiedni rozmiar, kobieta otrzymuje zastrzyk z HCG (ludzką gonadotropiną kosmówkową) w celu doprowadzenia do końca procesu dojrzewania jajeczek. Trzydzieści sześć do czterdziestu godzin po zastrzyku z HCG jajeczka zostają pobrane z jajników za pomocą igły wprowadzonej poprzez ścianę pochwy i kierowanej obrazem z ultrasonografu. (Zabieg ten wykonywany jest w znieczuleniu ogólnym.)

W międzyczasie partner zbiera nasienie. Jeśli zachodzi taka potrzeba, można posłużyć się nasieniem dawcy. W szalce Petriego łączy się plemniki z jajeczkami, a następnie monitoruje, aby sprawdzić czy doszło do zapłodnienia. Zapłodnione jajeczka rozwijają się przez dwa do pięciu dni, kiedy to każde staje się maleńka kuleczką komórek, inaczej mówiąc zarodkiem (embrionem). Wtedy jest on już gotowy do umieszczenia w macicy.

Stosowaną obecnie standardową praktyką jest umieszczanie w macicy od dwóch do czterech zarodków, w zależności od wieku kobiety. Czyni się tak, aby zwiększyć szanse na zagnieżdżenie jednego z nich, ale jednocześnie zwiększa się prawdopodobieństwo, że zagnieździ się ich więcej. Efektem około jednej trzeciej ciąż sprokurowanych w szalce Petriego są bliźnięta (oraz inne ciąże mnogie), a to powoduje zwiększone ryzyko zarówno dla matki, jak i dla dzieci. Dlatego też wspieramy słaby jeszcze, co prawda, ale rosnący w siłę trend w kierunku umieszczania w macicy jednorazowo tylko jednego zarodka (mówimy o tym dalej w tym podrozdziale).

Zarodki wyruszają w swoją podróż do macicy poprzez cienki cewnik wsunięty przez szyjkę macicy. Wszelkie zarodki utworzone, ale nieprzeniesione do macicy mogą zostać zamrożone do ewentualnego wykorzystania w przyszłych cyklach. Jeśli wszystko pójdzie dobrze, przynajmniej jeden przeniesiony zarodek zagnieździ się w ścianie macicy i wyrośnie z niego dziecko. Z przeprowadzeniem testu ciążowego kobieta powinna odczekać 10–12 dni od zabiegu.

Prawdopodobieństwo zajścia w ciążę w jednym cyklu in vitro (IVF) wynosi 35 procent. W najlepszych klinikach przekłada się to średnio na około 28 procent szans na urodzenie dziecka po jednym cyklu (i po uwzględnieniu poronień). Szanse te są nieco niższe, jeśli korzysta się z zamrożonych zarodków. Wskaźnik powodzenia może wahać się od 15 do 50 procent, w zależności od wieku i rodzaju problemu z płodnością.

Sukces nie przychodzi jednak bez ryzyka, począwszy od zagrożeń związanych z ciążą mnogą. Istnieje również ryzyko wynikające z przyjmowania leków wspomagających płodność, w tym ryzyko wystąpienia zespołu hiperstymulacji jajników (OHSS). Ponadto, wśród dzieci urodzonych w efekcie zastosowana metod leczenia niepłodności opartych na zaawansowanych technologiach nieco częściej zdarzają się wady wrodzone i niska waga urodzeniowa. Nikt nie wie jednak na pewno, czy dzieje się tak ze względu na występujący tu problem płodności, czy też sposób leczenia. Metoda zapłodnienia in vitro (IVF) stawia też większość par w niewygodnej sytuacji moralnej, gdy stają przed decyzją, co zrobić z niewykorzystanymi zarodkami.

**Genetyczne badania przesiewowe**

Diagnostyka preimplantacyjna (PGD), czasami nazywana genetycznym badaniem przesiewowym (PGS), jest to sposób na wyizolowanie i usunięcie zarodków z wadami chromosomalnymi, takimi choćby jak zespół Downa, zanim zostaną przeniesione do macicy w ramach zabiegu zapłodnienia in vitro (IVF). W trakcie tej stosunkowo nowej procedury pojedyncza komórka zostaje pobrana z parodniowego zarodka i poddana badaniom.

Parom, których chromosomy przenoszą poważne choroby genetyczne, takie jak mukowiscydoza czy choroba Tay-Sachsa, technologia ta daje szansę wyboru zarodków nieobciążonych chorobą. Diagnostyka preimplantacyjna jest coraz częściej wykorzystywana w zapłodnieniach in vitro i stosuje się ją nawet wtedy, gdy nic nie wskazuje na problem genetyczny. W tle kryje się myśl, że badania przesiewowe pozwalające wyodrębnić najzdrowsze zarodki podnoszą wskaźniki powodzenia zabiegu. Zdecydowana większość klinik IVF oferuje badania PGD – oczywiście za dodatkową opłatą. Jednak holenderskie badanie, którego wyniki niedawno opublikował „New England Journal of Medicine" sugeruje, że kobiety powyżej 35. roku życia – a więc w wieku, kiedy ryzyko zespołu Downa i innych podobnych chorób jest najwyższe – nie powinny uciekać się do badań przesiewowych, a przynajmniej nie robić tego rutynowo. Kobiety uczestniczące w opisywanym badaniu były w wieku od 35 do 41 lat. W grupie poddanej genetycznym badaniom przesiewowym wskaźnik zajść w ciążę znacznie się zmniejszył – do 25 procent, podczas gdy w grupie, której nie poddano takim badaniom wyniósł 37 procent.

Naukowcy jeszcze nie wiedzą, czy usunięcie jednej komórki może być bardziej szkodliwe, niż wcześniej sądzono, czy też błąd tkwi w założeniu, że jedna komórka może być reprezentatywna dla całego zarodka, co oznaczałoby to, że komórka, która w teście nie wykazuje żadnych nieprawidłowości faktycznie reprezentuje zarodek obciążony nieprawidłowościami albo też, że komórka, w której test wykrył nieprawidłowości w rzeczywistości pochodzi ze zdrowego zarodka.

Niedawno miałem (Sami) dwie pacjentki, które wcześniej zamierzały poddać się zabiegowi in vitro, poprzedzonemu badaniem PGD. Po przeprowadzeniu diagnostyki preimplantacyjnej powiedziano im, że we wszystkich ich zarodkach występują anomalie genetyczne, a więc tym samym żadnego im nie wszczepiono. Obie w końcu zaszły w ciążę bez leków wspomagających płodność czy zabiegu in vitro, a następnie urodziły zdrowe dzieci.

Istnieje potrzeba dalszych badań, które udzielą odpowiedzi na te ważne pytania i pozwolą znaleźć nowe sposoby zwiększania skuteczności zabiegów in vitro. Kobietom po 35. roku życia te odpowiedzi są bardzo potrzebne: w stosunku do młodszych kobiet mają one mniejsze szanse na uwieńczony powodzeniem zabieg in vitro, a na domiar złego 60 procent ich zarodków zbadanych w ramach holenderskiego projektu zostało uznanych za nieprawidłowe. (Inne szacunki plasują ten wskaźnik na poziomie 40 procent, ale to i tak dużo.)

**Lepszy sposób: in vitro w oparciu o cykl naturalny lub miękką terapię**

Podczas gdy Amerykanie odnieśli się do metody in vitro z nadmiernym entuzjazmem, traktując ją jak kosz obfitości, w Europie nasila się tendencja do łagodniejszego podejścia do tej technologii. Metoda in vitro oparta na naturalnym cyklu, czy też miękkiej terapii polega na stosowaniu niższych dawek leków wspomagających płodność (dojrzewa wtedy mniej jajeczek), zaawansowanemu badaniu przesiewowemu, którego celem jest wyselekcjonowanie najlepszych jajeczek (nie ma więc potrzeby pobudzania jajników do produkowania dodatkowych) i wszczepienie pojedynczego, za to bardziej dojrzałego zarodka. Takie podejście zmniejsza skutki uboczne oraz ryzyko dla matki i dziecka, a jednocześnie zwiększa wskaźnik powodzenia do poziomu wyższego niż uzyskiwany w USA w typowych zabiegach zapłodnienia in vitro z wykorzystaniem jednego zarodka. Metoda in vitro bazująca na naturalnym cyklu nie może jeszcze rywalizować pod względem wskaźników powodzenia z metodą in vitro wykorzystującą wiele zarodków, ale naszym zdaniem wkrótce ją dogoni. Uważamy też, że niższy wskaźnik skuteczności jest rekompensowany przez obniżony poziom ryzyka. Nie jest to może metoda dla każdego, ale w przypadku wielu par, a w szczególności młodszych kobiet nieodczuwających jeszcze tak bardzo presji czasu, aby ryzykować ciążę mnogą, jest to – naszym zdaniem – lepszy sposób wykonywania zabiegów in vitro.

W niektórych krajach europejskich, gdzie programy narodowej służby zdrowia obejmują zabiegi zapłodnienia in vitro i regulują ich stosowanie, metoda in vitro w oparciu o cykl naturalny jest częściej stosowana niż metoda standardowa. Choć wskaźniki urodzeń dzieci poczętych in vitro w odniesieniu do całej populacji są mniej więcej takie same jak w USA, bliźnięta stanowią zaledwie 5 procent. Metoda zapłodnienia in vitro w oparciu o cykl naturalny nie tylko może być tak samo efektywna jak standardowe zabiegi in vitro i – co więcej, bezpieczniejsza – ale też, patrząc na to z punktu widzenia interesu społecznego, wiąże się z niższymi kosztami niż zabiegi in vitro wykonywane na sposób amerykański. Całkowity koszt związany z ciążą i urodzeniem dziecka liczony dla wszystkich kobiet przechodzących terapię płodności jest niższy w grupach, gdzie wszczepiano tylko jeden zarodek niż w grupach, gdzie wykorzystywano kilka zarodków – nawet wliczając w to fakt, że tam, gdzie wykorzystuje się jeden zarodek może zaistnieć potrzeba zwiększenia liczby cykli. Taka grupowa średnia może nie mieć większego znaczenia dla amerykanki podejmującej decyzję, co do metody in vitro, ale wskazuje pożądany i popierany przez nas kierunek zmian dominującej obecnie praktyki medycznej.

Kilka wczesnych badań poświęconych „miękkiej" metodzie wykonywania zabiegów in vitro potwierdziło jej skuteczność. Wskazały one też niektóre z powodów, dlaczego tak się dzieje. W ramach przeprowadzonego w Holandii badania czterystu par porównano pacjentki, które przeszły standardowy zabieg zapłodnienia in vitro z pacjentkami, które poddano zabiegowi opartemu na naturalnym cyklu. Na przestrzeni objętego badaniem roku w obu grupach odnotowano dokładnie taki sam odsetek urodzeń, choć w grupie kobiet poddanych „miękkiej" wersji zabiegu in vitro wykorzystywany był tylko jeden zarodek, gdy tymczasem w drugiej grupie – dwa lub trzy. W Hiszpanii naukowcy wykryli genetyczne nieprawidłowości aż w połowie zarodków, gdy przed zabiegiem podawane były standardowe dawki leków wspomagających płodność. Ale kiedy te same pary przyjmowały jedynie połowę standardowej dawki, tylko jedna trzecia zarodków wykazywała takie nieprawidłowości. Belgijskie badanie potwierdziło, że dzieci urodzone w wyniku przeniesienia pojedynczego zarodka były tak zdrowe, jak dzieci poczęte bez żadnej pomocy ze strony technik wspomaganego rozrodu. Ciąże mnogie zwiększają ryzyko niskiej wagi urodzeniowej i porodu przedwczesnego, ale w tym badaniu wiek ciążowy i masa urodzeniowa były takie same u dzieci urodzonych w wyniku transferu pojedynczego zarodka, jak i dzieci poczętych w sposób naturalny i bez pomocy z zewnątrz. Poza wykazaniem, że przeniesienie pojedynczego zarodka jest bezpieczniejsze, ponieważ unika się ryzyka ciąży mnogiej, badanie to również zwróciło uwagę na jego skuteczność: ponad 46 procent transferów pojedynczego zarodka zakończyło się poczęciem.

W trakcie większości zabiegów in vitro opartych na naturalnym cyklu do macicy przenoszona jest bardziej dojrzała postać – blastocysta. Jest to zarodek, który rośnie w laboratorium przez pięć lub sześć dni (w porównaniu z dwoma lub trzema dniami w standardowej wersji zabiegu in vitro). Tylko najzdrowsze zarodki przeżywają i osiągają stadium blastocysty – najlepszy z nich może być wybrany w celu wszczepienia go w ścianę macicy. Taka procedura zwiększa skuteczność i sprawia, że odsetek ciąż jest większy. W opisany wyżej sposób zapłodnienie in vitro przeprowadzane jest zazwyczaj w Wielkiej Brytanii – w wykonywanych tam zabiegach coraz częściej wykorzystywany jest tylko jeden zarodek.

Chcielibyśmy, aby ten europejski trend trafił również do USA i są już pewne oznaki, że nadchodzi. W 2006 roku Amerykańskie Stowarzyszenie

Medycyny Rozrodu (American Society for Reproductive Medicine – ASRM) wydało nowe wytyczne w sprawie odpowiedniej liczby zarodków do transferu. Dla kobiet w wieku 35 i więcej zaleca się, w zależności od wieku, od dwóch lub trzech do nie więcej niż pięciu. Ale w przypadku kobiet poniżej 35. roku życia oficjalne zalecenie mówi o jednym lub dwóch, a nam dodaje otuchy fakt, że transfer pojedynczego zarodka został zaakceptowany jako jedna z opcji. Co więcej, Instytut Medycyny, członek Narodowej Akademii Nauk wydał raport wzywający do opracowania wytycznych promujących transfery pojedynczych zarodków (jak również bardziej rygorystycznych wytycznych w zakresie używania leków wspomagających płodność). Nawet, gdy odwołujemy się do tak technologicznie zaawansowanej metody wspomaganego rozrodu, jaką jest zabieg zapłodnienia in vitro (IVF), staramy się działać zgodnie z zasadą, że interwencja zewnętrzna powinna być ograniczona do minimum.

**Akupunktura**
Dowiedziono, że akupunktura może znacznie zwiększyć wskaźnik powodzenia w standardowych zabiegach zapłodnienia in vitro (IVF). Kilkakrotnie mieliśmy okazję przekonać się jak akupunktura na różne sposoby i w różnych sytuacjach (także w połączeniu z innymi terapiami) jest w stanie poprawić płodność i to na długo zanim ewentualność zabiegu in vitro jest nawet brana pod uwagę. Wszystkie te korzyści liczą się zarówno wtedy, gdy konieczna jest interwencja ze strony technologii medycznej, jak i w procesie naturalnego poczęcia.

Powiększająca się liczba artykułów opublikowanych w czasopismach naukowych z górnej półki stanowi dowód, że akupunktura jest skuteczna. Na przykład w 2006 roku bardzo ceniony magazyn medyczny „Płodność i sterylność" poświęcił jedno wydanie serii badań dowodzących skuteczności łączenia akupunktury z leczeniem niepłodności. Kilka przeprowadzonych badań wykazało, że już nawet niewielka ilość zabiegów akupunktury radykalnie zwiększa wskaźnik powodzenia standardowych zabiegów zapłodnienia in vitro. Dłuższa terapia akupunkturą w okresie poprzedzającym zabieg in vitro pozwala skomasować wszystkie płynące z niej korzyści w celu zwiększenia do maksimum szans powodzenia planowanego zabiegu (a nawet wyeliminowania jego potrzeby), a co więcej, pozwala ograniczyć skutki uboczne i ryzyko związane z zabiegiem. Ale nawet tylko te zabiegi akupunktury, którym pacjentki poddały się przed i po transferze zarodka mogą zwiększyć wskaźniki ciąż i urodzeń już o 50 procent, a nawet więcej.

W jednym z pierwszych badań, które wykazało korzyści z akupunktury porównano rezultaty uzyskane podczas zabiegów wydobywania jajeczek w warunkach znieczulenia wykonanego dwiema metodami: efekty zastosowania znieczulenia akupunkturą zestawiono z efektami znieczulenia metodą standardową. Badanie to niespodziewanie ujawniło, że w grupie znieczulanej akupunkturą wskaźnik zdrowych dzieci, które po urodzeniu można zabrać do domu był wyższy niż w grupie znieczulanej metodą standardową.

Od tamtej pory pojawiło się wiele badań, które skupiły się na opisanym efekcie i oszacowaniu korzyści płynących z akupunktury. Seria prac badawczych wykazała, że u kobiet, które poddały się zabiegom akupunktury mniej więcej w tym czasie, gdy wykonywany był transfer zarodków, wskaźnik ciąż był o 50 procent wyższy niż u kobiet, które tego nie zrobiły. (Akupunktura uzyskała podobnie dobry rezultat, gdy grupę porównawczą poddano symulowanym jedynie zabiegom akupunktury, co wyklucza ewentualność, że uzyskane korzystne wyniki były jedynie efektem placebo.) Jeszcze świeższe opracowanie, w którym przeanalizowano całą grupę badań wykazało, że akupunktura może zwiększyć wskaźnik sukcesu zabiegów in vitro nawet o 65 procent.

**Jak korzystać z akupunktury dla celów zapłodnienia in vitro**
W pracy z moimi pacjentkami stosuję (Jill) zasadniczo taką samą procedurę jak ta, z której korzystali naukowcy w swoich badaniach nad akupunkturą i metodą in vitro: jeden zabieg wykonany dzień do dwóch przed transferem zarodków (trzy do pięciu dni po pobraniu jajeczek) i jeden zabieg dzień lub dwa po transferze. Nie trzeba się też martwić, czy zabieg akupunktury wykonany będzie w odpowiednim momencie; wystarczy, że jeden zabieg wykonany jest przed transferem, a drugi po. Sesje akupunktury mają na celu poprawienie przepływu krwi. Każda terapia, jaką stosuję jest tak pomyślana, aby wspierała działania lekarzy – oni decydują o kierunku leczenia, a ja za nimi podążam.

Dzień lub dwa przed pobraniem jajeczek wykonuję zabieg, którego celem jest zmiękczenia szyjki macicy i doprowadzenie krwi do macicy. Proszę też pacjentkę, aby przychodziła do mnie dwa razy w tygodniu na zabieg akupunktury w okresie, gdy bierze leki stymulujące jajniki. Ponieważ akupunktura może również pobudzać pracę jajników, zabiegi tego typu są szczególnie polecane pacjentkom, które nie reagują dobrze na leki stymulujące jajniki (na przykład kobietom, które wytwarzają mało pęcherzyków). Lekarz może stwierdzić słabą odpowiedź na lek (lub jej brak) za pomocą ultrasonografu, a następnego dnia po zabiegu akupunktury obraz ultrasonograficzny pokazuje, że jajeczka urosły. Często nawet bardziej zadziwia to lekarzy niż samych pacjentów.

Nawet skromne, ograniczone terapie mogą działać z dużą siłą. Gdyby to jednak ode mnie zależało, każdemu pacjentowi przepisałabym trzy miesiące akupunktury w okresie poprzedzającym zabieg in vitro, aby w chwili zabiegu pacjentka była w szczytowej formie.

Na niektóre korzyści z akupunktury trzeba dłużej czekać (zrównoważenie hormonów reprodukcyjnych czy złagodzenie stresu) niż na inne (dobre ukrwienie endometrium przez zabiegiem wszczepienia zarodka). Trzymiesięczna terapia, ewentualnie uzupełniona ziołami, pozwoliłaby skomasować wszystkie te korzyści. (Zwykle jednak, przed cyklem zapłodnienia in vitro, trzeba zaprzestać stosowania ziół stymulujących owulację, ponieważ zioła pomagają organizmowi rozwijać wiodący pęcherzyk, wpisując się tym samym w naturalny proces organizmu, podczas gdy leki wspomagające płodność są podawane w celu wytworzenia wielu jajeczek.) W połączeniu z programem „Jak się robi dzieci", akupunktura jest idealnym sposobem przygotowania ciała do zabiegu in vitro, tak aby zapewnić sobie największe szanse na sukces.

## Studium przypadku: Althea

Gdy Althea trafiła do mnie (Jill), miała 38 lat i była już po trzech nieudanych zabiegach in vitro. Sama była lekarką i miała sceptyczny stosunek do alternatywnych metod leczenia (choć równocześnie rozczarowały ją terapie medyczne, którym ją poddano). Zrobiła jednak własne rozpoznanie, przeczytała opracowanie mówiące o tym, jak akupunktura o 50 procent podnosi wskaźniki zajść w ciążę i postanowiła sama spróbować. Althea miała już zaplanowany kolejny zabieg in vitro na następny miesiąc, ale zasugerowałam jej, aby zrobiła sobie trzymiesięczną przerwę i – zanim podejmie ponowną próbę – przygotowała swoje ciało do ciąży. Na podstawie tego, co opowiedziała mi o swoich poprzednich próbach, uznałam, że kolejny zabieg in vitro, przeprowadzony tak szybko po poprzednim, przyniósłby taką samą porażkę, nawet jeśli towarzyszyłyby mu sesje akupunktury. Poprzednio organizm Althei nie wytworzył bowiem pożądanej liczby pęcherzyków w odpowiedzi na leki wspomagające płodność, które podano jej w trakcie przygotowań do zabiegu in vitro. Choć jestem zwolenniczką stosowania akupunktury przed i po transferze zarodka, w takiej jak ta sytuacji zabiegi nie pomogłyby rozwiązać trudności w uzyskaniu zarodka. Althea zgodziła się, aczkolwiek trochę niechętnie, opóźnić kolejny cykl in vitro.

Kobiety, które źle reagują na leki wspomagające płodność, zazwyczaj reprezentują Suchy typ płodności (deficyt yin), a Althea miała również inne symptomy charakterystyczne dla tego typu, takie jak nocne poty, uderzenia gorąca czy bardzo lekkie miesiączki. Zapisałam jej cotygodniowe sesje akupunktury i zioła wzmacniające yin.

W ciągu kolejnych trzech miesięcy typowe dla typu Suchego objawy ustąpiły i organizm powrócił do stanu równowagi. Nie była już tak zmęczona, jej miesiączki stały się bardziej obfite, a uderzenia gorąca i poty nocne ustąpiły całkiem. Wtedy poradziłam jej, aby wykonała kolejny krok i zaplanowała swój kolejny cykl in vitro. Tuż przed rozpoczęciem czwartego cyklu in vitro wstrzymała przyjmowanie ziół, ale zabiegom akupunktury poddawała się przez cały czas jego trwania. Tym razem odpowiedź organizmu na leki była pozytywna. Co więcej, nie tylko wytworzyła wystarczająco dużo pęcherzyków, aby można było kontynuować proces zapłodnienia in vitro, ale także dwa dodatkowe zarodki, które można było zamrozić do ewentualnego późniejszego wykorzystania. Lekarze – wśród nich także Althea – nie mogli się nadziwić tej zmianie. Za tym czwartym razem spełniło się jej marzenie i zaszła w ciążę. Gdy piszę te słowa, Althea jest mamą dwuletniego dziecka i ponownie jest w ciąży. W udanym, wspomaganym akupunkturą zabiegu in vitro wykorzystano jeden z jej zamrożonych zarodków.

### DOCYTOPLAZMATYCZNA INIEKCJA PLEMNIKA (ICSI)

Docytoplazmatyczna iniekcja plemnika (ICSI) jest formą zapłodnienia in vitro, w której zamiast umieszczenia jajeczek w szalce Petriego wraz z pół miliona plemników pływających wokół i rywalizujących o prawo do zapłodnienia – pojedynczy plemnik zostaje wstrzyknięty bezpośrednio do wnętrza pojedynczego jajeczka przy użyciu cienkiej szklanej igły. ICSI jest techniką najbardziej odpowiednią dla par, w których mężczyzna ma bardzo niską liczbę plemników, małą ich ruchliwość lub plemniki są strukturalnie uszkodzone. Może być również stosowana, gdy jeden lub oba nasieniowody (vasa deferentia) są uszkodzone lub ich brakuje albo też, gdy mężczyzna został poddany nieodwracalnej wazektomii. Jest także przydatna tym parom, które spotkało niepowodzenie w zabiegu in vitro.

U kobiet ICSI przebiega tak samo jak standardowy zabieg in vitro. Większość mężczyzn również nie odczuje żadnej zmiany: nasienie pozyskiwane jest z reguły poprzez masturbację. Jeśli w ejakulacie nie ma wystarczająco dużo plemników, może okazać się niezbędny drobny zabieg, w trakcie którego nasienie zostanie pobrane igłą bezpośrednio z jądra. Można również posłużyć się zamrożonymi plemnikami lub nasieniem pochodzącym od dawcy. Personel laboratorium wyodrębnia jeden dobry plemnik, który zostaje następnie umieszczony w jajeczku. Proces ten jest następnie powtarzany, aby utworzyć pożądaną liczbę zarodków. Pozostała część procesu przebiega tak samo, jak w przypadku standardowego zabiegu zapłodnienia in vitro: wybrane zarodki są wprowadzane do macicy, te nadliczbowe są zamrażane, a po dwóch tygodniach przeprowadzany jest test ciążowy. Wskaźniki powodzenia zabiegów ICSI są podobne do uzyskiwanych w standardowych zabiegach in vitro: szansa na zajście w ciążę w jednym cyklu wynosi 34 procent, a na urodzenie dziecka – 28 procent. W perspektywie 12 miesięcy przelicza się to na wskaźnik zajść w ciążę na poziomie 45 procent, chociaż – podobnie jak w przypadku in vitro – wyniki są zróżnicowane w zależności od wieku, rodzaju problemu z płodnością, ogólnego stanu zdrowia i innych czynników.

W przypadku niektórych par, ICSI jest bardziej użyteczne niż sam tylko zabieg in vitro, ale ma też pewne wady. Wymaga więcej pracy laboratoryjnej, która w tym wypadku jest też kosztowniejsza. Dodaje to około 1.500 dolarów do i tak już wysokiej ceny zabiegu, przy czym ubezpieczenie może tego wydatku nie pokryć. Metoda ICSI stwarza też potencjalną możliwość zapłodnienia jajeczka plemnikiem z anomaliami. Badania wykazały, że u dzieci urodzonych dzięki metodzie ICSI występuje nieznacznie zwiększone ryzyko wad wrodzonych, chociaż nie wyjaśniono, czy to z powodu zastosowanej techniki, czy też anomalii samego plemnika.

Niepłodni mężczyźni są bardziej podatni niż płodni na genetyczne zaburzenia, przy czym zazwyczaj są to zmiany w chromosomie Y. Mężczyźni, którym brakuje nasieniowodów częściej są nosicielami mutacji odpowiedzialnych za zwłóknienie torbielowate. Niewykluczone, że problem płodności przekazywany jest z pokolenia na pokolenie, więc zanim poddamy się zabiegowi ICSI warto porozmawiać z lekarzem genetykiem i przejść wszystkie zalecane testy genetyczne.

Pomimo to ICSI szybko staje się preferowaną metodą wykonywania zabiegów in vitro. Badanie przeprowadzone przez Uniwersytet Illinois w Chicago i opublikowane w „New England Journal of Medicine" wykazało, że choć ICSI podnosi i tak wysoki koszt zabiegu, nie poprawia generalnie uzyskiwanych wyników oraz zwiększa ryzyko – stosowanie tej metody szybko rośnie wśród par, w których nie zdiagnozowano męskiego czynnika niepłodności. Z niedawno dokonanej analizy rządowych statystyk wynika, że 58 procent prób zapłodnienia in vitro odbywa się przy wykorzystaniu metody ICSI, gdy tymczasem jeszcze dziesięć lat temu wskaźnik ten wynosił zaledwie 11 procent. Jednocześnie, odsetek par poddających się zabiegowi in vitro, w których niepłodność została rozpoznana po stronie mężczyzny pozostał na tym samym poziomie (około 34 proc.). Z tego samego zestawu statystyk wynika, że pod względem wskaźnika udanych ciąż wyniki zabiegów ICSI nie były lepsze niż zabiegów in vitro w wersji podstawowej.

Niektóre kliniki wybierają metodę ICSI w sytuacji, gdy dostępnych jest jedynie kilka jajeczek bowiem obniża to ryzyko nieudanego zapłodnienia. Inne rezerwują ją dla par, którym nie powiodły się standardowe zabiegi in vitro. Jeszcze inne stosują ją wobec wszystkich pacjentek, promując ją jako metodę dającą największe szanse na sukces. Chociaż prawdą jest, że ICSI ma wyższe wskaźniki sukcesu niż standardowy zabieg in vitro w przypadkach dużego niedoboru plemników, rutynowe stosowanie ICSI nie wydaje się zapewniać jakichkolwiek korzyści parom, których plemniki mieszczą się w normie. Tak więc, wiele osób dużo płaci za ICSI, choć nie mają żadnych dowodów, że metoda ta im w czymkolwiek pomoże.

### DOJAJOWODOWE PRZENIESIENIE GAMET (GIFT)

Dojajowodowe przeniesienie gamet (GIFT) jest zabiegiem obecnie już dość rzadko wykonywanym, bowiem jego miejsce zajął zabieg in vitro (IVF). Nigdy go też nie zalecamy. Ponieważ wciąż się jednak pojawia jako jedna z rozpatrywanych technik wspomaganego rozrodu, włączyliśmy do książki opis tej metody, abyś wiedziała na czym polega.

We wczesnych latach technik wspomaganego rozrodu metoda GIFT pozwalała uzyskać wyższe wskaźniki zajść w ciążę niż metoda in vitro, ale obecnie proporcje uległy odwróceniu.

W metodzie GIFT plemniki i niezapłodnione jajeczka (męskie i żeńskie gamety) są umieszczane bezpośrednio w jajowodach, a więc zapłodnienie odbywa się w sposób bardziej naturalny niż w warunkach zapłodnienia in vitro – dochodzi do niego bowiem wewnątrz jajowodów, a nie w laboratorium. Metoda ta wymaga posłużenia się techniką laparoskopową, co sprawia, że w sytuacji, gdy dostępna jest mniej inwazyjna alternatywa w postaci zapłodnienia in vitro – jest rzadko stosowana. GIFT jest też generalnie bardziej kosztowną metodą niż in vitro. Obecnie metodą GIFT wykonywanych jest mniej niż 1 procent spośród wszystkich zabiegów odwołujących się do technik wspomaganego rozrodu.

GIFT rozpoczyna się od pobudzenia jajników lekami wspomagającymi płodność, a następnie monitorowania wzrostu pęcherzyków na tej samej zasadzie jak w metodzie in vitro. Jajeczka są pobierane przez małe nacięcie w powłoce brzusznej, a zabieg przeprowadzany jest pod kontrolą laparoskopu. Jajeczka na miejscu łączone są ze spermą, która została zebrana tak jak zazwyczaj i czeka w pogotowiu. Plemniki i jajeczka zostają następnie przeniesione do jajowodów poprzez wykonane wcześniej nacięcie. Choć jest to jednodniowy zabieg, proces dochodzenia do siebie jest dłuższy niż po standardowym pobraniu jajeczek. Większość lekarzy umieszcza cztery jajeczka, co zwiększa wskaźnik ciąż mnogich do około 15–20 procent. Powodzenie zależy od takich czynników jak wiek, czy charakter problemu z płodnością. Średnio szansa na dziecko w wyniku jednego cyklu GIFT wynosi około 21 procent.

Większość klinik nie wykonuje już, ani też nie zaleca dojajowodowego przeniesienia gamet (GIFT); metody tej nie stosuje się nawet WTEDY, gdy przyczyna niepłodności leży po stronie mężczyzny.

## DOJAJOWODOWE PRZENIESIENIE ZYGOTY (ZIFT)

Podobnie jak to się stało w przypadku metody GIFT, dojajowodowe przeniesienie zygoty (ZIFT) wyszło już z mody. Nigdy nie zalecamy tej metody, ale opisujemy ją tutaj, ponieważ możesz o niej usłyszeć lub przeczytać. Chcielibyśmy, abyś orientowała się o co w niej chodzi. ZIFT jest metodą bardziej inwazyjną niż in vitro, mniej „naturalną" niż GIFT i droższą niż każda z nich. Ma rację bytu wtedy, gdy istotne jest uzyskanie potwierdzenie, że nastąpiło zapłodnienie. W wyniku zastosowania tej metody w USA przychodzi na świat około dwustu dzieci rocznie. W metodzie ZIFT zapłodnienie jajeczek przez plemniki odbywa się poza ciałem. Jeśli zachodzi taka potrzeba, można posłużyć się tu metodą ICSI. O tym, czy nastąpiło zapłodnienie dowiadujemy się po jednym dniu i jest to właściwy czas na przeprowadzenie zabiegu; zygoty (zapłodnione jajeczka) zostają przeniesione laparoskopowo i osadzone w jajowodach.

Lekarze z reguły umieszczają w jajowodach od jednej do czterech zygot i – jeśli wszystko przebiega zgodnie z planem – zygoty podróżują jajowodami do macicy, gdzie się zagnieżdżają. Około 25 procent ciąż uzyskanych metodą ZIFT stanowią ciąże mnogie. Wskaźnik powodzenia zależy od wieku i innych czynników, przy czym szansa na dziecko w wyniku jednego cyklu ZIFT wynosi średnio około 26 procent.

## JAJECZKA OD DAWCZYNI

Dla kobiet w wieku powyżej 43 lat, które nie wytwarzają zdrowych jajeczek, kobiet, które przedwcześnie weszły w menopauzę lub kobiet, które nie produkują wystarczającej liczby jajeczek nawet z pomocą leków wspomagających płodność ostatnią z możliwych opcji „technologicznych" jest zazwyczaj posłużenie się jajeczkami od dawczyni. Pobrane od niej jajeczka zostają zapłodnione nasieniem partnera pacjentki, po czym wytworzony zarodek umieszczany jest w macicy pacjentki. (Niektóre kliniki oferują zarodki od dawców; można również posłużyć się nasieniem dawcy.) Także w tym przypadku mamy do czynienia z odmianą standardowego zapłodnienia in vitro, przy czym różnica polega na tym, że to dawczyni przyjmuje leki wspomagające płodność i od niej pobierane są jajeczka. Pacjentka również przyjmuje leki, które mają za zadanie tak zarządzać poziomem estrogenu, aby jej cykl zsynchronizował się z cyklem dawczyni. Pacjentka otrzymuje także progesteron, który ma odpowiednio przygotować wyściółkę macicy – tak, aby we właściwym momencie ułatwiła zagnieżdżenia zarodka. Gdy nasienie zostaje pobrane, procedura zabiegu zapłodnienia in vitro przebiega tak jak zwykle.

Każdy cykl in vitro przy wykorzystaniu jajeczka (lub zarodka) od dawczyni zapewnia od 60 do 70 procent szans na urodzenie dziecka (nieco mniej, gdy korzystamy z zamrożonego zarodka). Jak zwykle, uzyskiwane wyniki zależne są od wieku, charakteru problemu z płodnością, ogólnego stanu zdrowia, a także innych czynników. W zabiegach in vitro z wykorzystaniem jajeczek od dawczyni często uzyskujemy wyższe wskaźniki sukcesu niż w standardowych zabiegach IVF, ponieważ jajeczka pochodzą zazwyczaj od młodszych i bardziej płodnych kobiet. Zabieg tego typu jest znacznie droższy niż standardowe in vitro. Istnieje również duże ryzyko ciąży mnogiej: 40 procent ciąż z jajeczka dawczyni kończy się urodzeniem bliźniąt (lub większej liczby dzieci).

Dla wielu par największym problemem związanym z wykorzystaniem jajeczek od dawczyni jest brak genetycznej więzi z dzieckiem. Skorzystanie ze znanej nam, a nie anonimowej dawczyni może częściowo rozwiązać ten problem, choć wiąże się z ryzykiem nowych komplikacji o charakterze nie tyle medycznym, co interpersonalnym. W przypadku niektórych osób jajeczka dawcy są najlepszym rozwiązaniem, dotyczy to na przykład sytuacji, gdy istnieje niebezpieczeństwo, iż kobieta przekaże dziecku chorobę genetyczną. Niektóre pary korzystają z jajeczek od dawcy, gdyż noszenie dziecka w łonie jest dla nich ważniejsze niż więź genetyczna. Te kobiety chcą same nosić dziecko, aby mieć kontrolę nad przebiegiem ciąży i zapewnić mu najlepsze możliwe warunki dla zdrowego rozwoju. Inne z kolei pary nie chcą się aż tak daleko zapuszczać w labirynt zaawansowanych technologii medycznych i wybierają inną ścieżkę prowadzącą ku rodzicielstwu. Nie ma jednej, dobrej dla wszystkich recepty. Każda para musi sama zdecydować, co jest dla niej najlepsze.

## CO NAM PRZYNIESIE PRZYSZŁOŚĆ

W laboratoriach na całym świecie naukowcy pracują już nad nowymi technikami wspomaganego rozrodu (ART), które sprawią, że korzystanie z jajeczek od dawczyni będzie kojarzyło się ze starą szkołą medycyny. Poinformowali już o pierwszych sukcesach technologii takich jak zamrażanie jajeczek oraz tkanki pobranej z jajników do późniejszego wykorzystania, wytwarzanie spermy i jajeczek z komórek macierzystych potraktowanych chemicznym i witaminowym roztworem, hodowanie ludzkich jajników wraz z jajeczkami w laboratoryjnych myszach, a także wytwarzanie plemników z komórek macierzystych wydobytych z ludzkiego zęba i wszczepionych w jądra myszy laboratoryjnych. Te przykłady to jedynie niewielki fragment działań podejmowanych w pogoni za nowymi technologiami leczenia niepłodności – technologiami całkowicie nowej generacji.

Gdy już te nowe rozwiązania staną się dostępne, zaaprobujemy je z myślą o pacjentach, którym mogą pomóc. Ale mamy też gorącą nadzieję, że do tego czasy środowisko lekarskie będzie dysponowało również lepszą orientacją, komu i kiedy potrzebny jest jaki rodzaj terapii. Gdyby została im zapewniona odpowiednia opieka i leczenia, wiele kobiet mogłoby począć dziecko i przechodzić ciążę w sposób bardziej naturalny, bez odwoływania się do technik wspomaganego rozrodu. Rozumiemy, dlaczego pary stosują nawet najbardziej nadzwyczajne środki, aby tylko począć i urodzić dziecko, ale też chcielibyśmy, aby najpierw wypróbowały te całkiem zwyczajne.

# Jak się robi dzieci – plan działania

- Zanim skorzystasz z jednej z technik wspomaganego rozrodu, przez trzy miesiące przestrzegaj wskazań programu „Jak się robi dzieci".
- Zanim zaczniesz przyjmować leki wspomagające płodność lub zdecydujesz się na jedną z technik wspomaganego rozrodu, upewnij się, że znasz przyczyny swojej niepłodności, a także rozumiesz mechanizm działania proponowanej terapii.
- Zanim zdecydujesz się na bardziej inwazyjną technikę wspomaganego rozrodu, rozważ skorzystanie z innych, mniej inwazyjnych.
- Zbilansuj negatywne aspekty metody in vitro, a także innych technik wspomaganego rozrodu z potencjalnymi korzyściami.
- Rozważ podjęcie współpracy ze specjalistą medycyny chińskiej, której celem byłoby zapewnienie wsparcia dla dowolnej zachodniej terapii leczącej niepłodność, której chcesz się poddać. W szczególności miej na uwadze uzupełnienie metody in vitro o sesje akupunktury.
- Jeśli masz mniej niż 35 lat, zanim pomyślisz o przyjęciu leków wspomagających płodność, przez rok staraj się począć dziecko metodą naturalną.
- Rozważ zastosowanie niższych dawek leków stymulujących płodność i ogranicz ich przyjmowanie do sześciu cykli.
- Zbieraj nasienie do zabiegów IUI, ICSI czy IVF w sposób prawidłowy i nie później niż po dwóch dniach abstynencji.
- Jeśli jedyną przyczyną niepłodności jest brak owulacji, nie zaczynaj leczenia od metody in vitro.
- Rozważ poddanie się zabiegowi zapłodnienia in vitro IVF, jeśli twój problem to zablokowane jajowody, niska jakość nasienia lub bezpłodność *naprawdę* niewyjaśniona.
- Nie odwlekaj tak długo decyzji o in vitro, jeśli masz 38 lat lub więcej, ale nawet wtedy zarezerwuj kilka miesięcy na wypróbowanie mniej inwazyjnych metod.
- Dobrze się zastanów zanim zdecydujesz się na metodę ICSI lub diagnostykę preimplantacyjną PGD, weź pod uwagę dodatkowe ryzyko i koszty, jakie są z nimi związane. Obie te techniki są przydatne w pewnych okolicznościach, ale zdecydowanie zbyt często się je zaleca.
- Jeśli zdecydujesz się skorzystać z zapłodnienia in vitro, rozważ możliwość zastosowania łagodniejszej wersji opartej na naturalnym cyklu i miękkiej terapii.
- Pamiętaj, że nie ma jedynej słusznej drogi, jest tylko ta, która dla ciebie jest najlepsza.

Na stronie www.makingbabiesprogram.com znajdziesz wiele pomocnych informacji i porad dotyczących naturalnego poczęcia, tam też jest test, który pozwoli ci określić swój typ płodności.

## Książki polecane

Conceptions and Misconceptions: The Informed Consumer's Guide through the Maze of in Vitro Fertilization and Assisted Reproduction Techniques, 2nd ed., by Arthur L. Wisot, MD, and David R. Meldrum, MD

Conquering Infertility: Dr. Alice Domar's Mind/Body Guide to Enhancing Fertility and Coping with Infertility by Alice D. Domar and Alice Lesch Kelly

Healing Mind, Healthy Woman: Using the Mind- Body Connection to Manage Stress and Take Control of Your Life by Alice D. Domar, PhD, and Henry Dreher

Inconceivable: A Woman's Triumph over Despair and Statistics by Julia Indichova

The Infertility Cure: The Ancient Chinese Wellness Program for Getting Pregnant and Having Healthy Babies by Randine Lewis

Preventing Miscarriage: The Good News by Jonathan Scher, MD, and Carol Dix

Taking Charge of Your Fertility: The Defi nitive Guide to Natural Birth Control, Pre-gnancy Achievement, and Reproductive Health 10th ed., by Toni Weschler

The Unoffi cial Guide to Getting Pregnant by Joan Liebmann- Smith, PhD, Jacqueline Nardi Egan, and John J. Stangel, MD

# KARTA PODSTAWOWEJ TEMPERATURY CIAŁA

wiek .......... cykli miesięczny nr .......... ostatnie 12 cykli: najkrótszy .......... najdłuższy .......... miesiąc .......... rok .......... długość cyklu ..........

| dzień cyklu | 1 | 2 | 3 | 4 | 5 | 6 | 7 | 8 | 9 | 10 | 11 | 12 | 13 | 14 | 15 | 16 | 17 | 18 | 19 | 20 | 21 | 22 | 23 | 24 | 25 | 26 | 27 | 28 | 29 | 30 | 31 | 32 | 33 | 34 | 35 | 36 | 37 | 38 | 39 | 40 |
|---|---|---|---|---|---|---|---|---|---|---|---|---|---|---|---|---|---|---|---|---|---|---|---|---|---|---|---|---|---|---|---|---|---|---|---|---|---|---|---|---|
| data | | | | | | | | | | | | | | | | | | | | | | | | | | | | | | | | | | | | | | | | |
| dzień tygodnia | | | | | | | | | | | | | | | | | | | | | | | | | | | | | | | | | | | | | | | | |
| godzina pomiaru | | | | | | | | | | | | | | | | | | | | | | | | | | | | | | | | | | | | | | | | |

temperatura po przebudzeniu

Siatka temperatur od 37.2, 37.0, 36.1 (wartości 9, 8, 7, 6, 5, 4, 3, 2) dla dni 1–40.

| | 1 | 2 | 3 | ... | 40 |
|---|---|---|---|---|---|
| okres | | | | | |
| lepkość | | | | | |
| krem | | | | | |
| białko | | | | | |
| test ciążowy | | | | | |
| stosunek w dniu cyklu | | | | | |
| test owulacyjny LH | | | | | |
| pozycja szyjki macicy | | | | | |
| inne symptomy | | | | | |